Sylvie Fauron Denis

D0230309

L'HOMME AU MASQUE

Titre original : *The Branded Man*
Traduit de l'anglais par Danièle Berdou

Édition du club France Loisirs, Paris,
réalisée avec l'autorisation des Presses de la Cité.

Le Code de la propriété intellectuelle n'autorisant, aux termes des paragraphes 2 et 3 de l'article L. 122-5, d'une part, que les « copies ou reproductions strictement réservées à l'usage privé du copiste et non destinées à une utilisation collective » et, d'autre part, sous réserve du nom de l'auteur et de la source, que les « analyses et les courtes citations justifiées par le caractère critique, polémique, pédagogique, scientifique ou d'information », toute représentation ou reproduction intégrale ou partielle, faite sans le consentement de l'auteur ou de ses ayants droit ou ayants cause, est illicite (article L. 122-4). Cette représentation ou reproduction, par quelque procédé que ce soit, constituerait donc une contrefaçon sanctionnée par les articles L. 335-2 et suivants du Code de la propriété intellectuelle.

Première édition 1996, Bantam Press, département de Transworld Publisher Ltd
© Catherine Cookson, 1996.
© Presses de la Cité, 1998, pour la traduction française.
ISBN : 2-7441-1699-8

Catherine Cookson

L'HOMME AU MASQUE

France Loisirs
123, boulevard de Grenelle, Paris

PREMIÈRE PARTIE

— 1 —

Marie Anne n'en crut pas ses yeux. Dissimulée par l'ombre épaisse de la haie d'ifs où elle s'était tapie, elle venait de reconnaître sa sœur, Evelyn, dans l'une des deux silhouettes adossées au vieux saule pleureur qui se dressait au milieu de la pelouse. Dans le ciel de la nuit d'été, le tronc de l'arbre se découpait au clair de lune avec la précision d'une eau-forte. Elle n'aimait pas sa sœur et celle-ci le lui rendait bien, elle le savait. Et cet homme, avec elle ! Pourquoi lui, précisément ! C'était Roger Cranford, de La Grange. Un cousin au second degré de Mme Cranford, à ce qu'on disait, qui avait vécu à l'étranger et était en convalescence chez sa cousine, où il se remettait d'une fièvre. Il était plus qu'agréable à voir et à entendre... elle l'avait regardé, il lui avait parlé et s'était montré très courtois avec elle... Elle en avait rêvé des soirées et des nuits entières. Plus particulièrement depuis le pique-nique qui avait réuni toute la famille sur les terres de La Grange le samedi précédent — il lui avait caressé les cheveux en disant qu'ils avaient la couleur du cuivre poli. Evelyn était là aussi mais il lui avait à peine adressé la parole, et maintenant — les mots résonnaient dans sa tête — ... ils s'étaient servis d'elle, l'un comme l'autre. Evelyn avait conseillé à leur mère de ne pas la laisser vagabonder près de la rivière, à cause des gitans qui campaient sur les terres du fermier Harding.

Tout récemment, alors qu'elle se promenait avec Evelyn, Roger Cranford s'était trouvé sur leur chemin à trois reprises. Une fois, elle avait couru pour regarder par-dessus le mur le campement des gitans et ceux-ci s'étaient approchés d'elle en riant.

Elle resta bouche bée en voyant sa sœur mettre ses mains en conque autour du visage de l'homme et une décharge parcourut son propre corps lorsqu'il attira Evelyn contre lui et la serra dans ses bras. Et quand leurs visages émergèrent de l'ombre, elle ferma les yeux. Mon Dieu ! C'était un spectacle intolérable, c'était plus qu'elle n'en pouvait supporter. Il avait été si gentil avec elle... Comme elle exécrait Evelyn ! Evelyn, que sa mère lui désignait sans cesse comme un modèle de bienséance et de retenue...

Quand Marie Anne rouvrit les yeux, les deux silhouettes s'étaient détachées de l'arbre et Evelyn avait la tête rejetée en arrière comme si elle voulait se dégager de l'étreinte de l'homme, mais en réalité elle se laissait aller dans ses bras comme une poupée de chiffon. Seigneur, quelle vision insoutenable ! Que devait-elle faire ? Se précipiter sur eux ? Il... il n'aurait jamais dû faire ça, c'était mal. Roger avait glissé les mains dans le corsage d'Evelyn, complètement dégrafé. Marie Anne ferma de nouveau les yeux, broyant à pleines mains les ifs de la haie jusqu'à ce que les feuilles écrasées lui meurtrissent les paumes. Il fallait qu'elle s'enfuie, qu'elle rentre à la maison et parle à quelqu'un.

Surtout ne fais pas de bêtises, se disait-elle souvent lors de ses courses folles, particulièrement quand elle était fatiguée et ressentait pourtant le besoin de s'élancer tous azimuts. Le Petit Manoir, tout près de là, où vivait son grand-père, était le seul endroit où elle jouissait d'une liberté totale. Lorsqu'elle rouvrit les yeux, les deux silhouettes étaient allongées dans l'herbe et, l'espace d'une seconde, elle entrevit les jambes de sa sœur, dénudées jusqu'en haut des cuisses ; l'homme avait ôté ses sous-vêtements. Tous deux s'agitaient comme font les animaux dans les prés ou les chiens dans la cour.

Elle releva sa jupe, courut le long de la petite haie d'ifs et s'enfonça dans le bois. Cependant elle ne se dirigea pas vers les jardins, mais prit un raccourci par une brèche du mur qui séparait les propriétés et arriva à la rivière. Sa première envie fut de plonger dans l'eau pour se laver de tout ce qu'elle venait de voir mais elle ne voulait plus voir son corps. Plus jamais. Elle s'arrêta pour reprendre son souffle, sa poitrine lui faisait mal. Une chose était sûre en tout cas : elle n'irait plus jamais dans la cabane dans l'arbre. Autrefois il y avait une belle cabane là-haut dans les branches, avant que Pat ne tombe et ne se casse un bras. Vincent l'avait fait monter par l'échelle et l'avait poussée sur une branche. À l'époque, elle avait six ans et lui seize, et ils se bagarraient sans cesse : il commençait par la chatouiller puis la plaquait fermement au sol, la traitant de sale mioche. Ce jour-là, elle avait tellement ameuté le voisinage par ses cris que son grand-père avait fait démolir la cabane dans l'arbre.

Depuis ce temps-là personne, sauf elle, ne venait plus se promener dans la petite clairière où se dressait l'arbre solitaire. Lorsqu'elle s'éclipsait, on pensait généralement qu'elle courait les bois, alors que souvent elle était assise au pied du vieil arbre, en train de dessiner des oiseaux et des animaux bizarres.

Plus tard, quand on l'avait envoyée à l'école de Miss Taggart, à Hexham, pour l'éloigner, elle s'était aussi enfuie en courant. Ou, plus exactement, elle avait pris un train pour rentrer à la maison.

À présent ils voulaient de nouveau la mettre en pension mais ils n'avaient pas encore décidé où. Sa mère penchait pour Londres, chez la tante Martha, où elle pourrait poursuivre son éducation musicale. Elle était douée pour le piano depuis sa plus tendre enfance et elle retenait facilement les airs sans avoir jamais appris la musique.

Elle allait s'asseoir au bord de la rivière lorsqu'elle entendit un bruissement dans les taillis derrière elle. C'était un bruit de pas, et elle discerna dans le clair de lune une haute silhouette qui émergeait des broussailles et se dirigeait lentement vers elle. Elle poussa un cri d'animal piégé et, prenant ses jambes à son cou, s'élança aveuglément droit devant elle.

Elle ne se rendit pas compte qu'elle trébuchait, mais eut plutôt la sensation d'être frappée à la tête.

Lorsqu'elle reprit connaissance, elle n'ouvrit pas les yeux tout de suite. Elle réalisa simplement qu'elle était allongée sur un sol dur et, en essayant de bouger, une douleur dans le pied la fit gémir. Quand enfin elle vit le visage inquiétant penché sur elle, elle hurla, et quand l'homme lui parla, elle s'évanouit de nouveau.

Elle eut encore conscience d'être bercée doucement, sensation qui aurait pu être agréable, n'étaient la douleur qui lui tenaillait la tête et celle qui avait gagné sa cheville...

Il était presque dix heures et tout le monde était encore éveillé dans la maison lorsque Robert Green, le valet de pied, raconta à Fanny Carter, la deuxième femme de chambre, qu'il avait entendu un coup frappé à la porte alors qu'il traversait le vestibule et qu'il n'avait trouvé personne sur le seuil, seulement une feuille de papier sur une marche. Il faisait clair comme en plein jour, mais il n'avait vu âme qui vive dans l'allée, et la personne qui avait déposé le mot s'était sans doute dissimulée dans les buissons.

— Je n'ai pas réussi à lire ce gribouillis, c'est trop mal écrit...

En réalité, il ne voulait pas reconnaître qu'il ne savait pas lire.

— M. Pickford était déjà au lit, reprit-il. C'est son jour de congé mensuel mais j'ai dû le réveiller, ce qui l'a mis de mauvaise humeur. Il faut dire qu'il a abattu un sacré travail aujourd'hui, comme tous ses jours de congé d'ailleurs. En tout cas il a dit qu'il ne comprenait pas ce qui était écrit.

— Évidemment, dit Fanny d'un ton mutin. Je vais te dire ce que tu as fait ensuite : tu es allé réveiller Peter Crouch. C'est drôle, ce n'est qu'un valet de ferme mais c'est le seul parmi nous qui sache lire.

— Oh! dit Robert Green, c'est juste parce qu'on lui a appris de force à la maison de correction, si tu veux savoir...

— Sans doute... C'est pour ça que tout le monde lui demande des services. Alors, raconte-moi la suite!

— Eh bien, quand il a lu le mot, il n'en a pas cru ses yeux. Il était écrit : « Votre fille est blessée, elle est près du mur derrière la rivière, il faut lui venir en aide. » Peter a eu peur de le dire au maître, alors il est allé trouver Mme Piggott pour savoir de quelle fille il s'agissait. Mlle Evelyn était en train de se déshabiller pour se mettre au lit, mais la chambre de Mlle Marie Anne était vide. J'ai cru que le maître allait avoir une attaque. La maîtresse aussi, d'ailleurs. Je l'ai entendue dire : « Cette fois-ci, ça suffit. Il faut faire quelque chose, vous m'entendez? Pour de bon. » Le maître a répondu entre ses dents : « Et père? » Et elle : « Quoi qu'il en pense, nous allons être obligés de la brider. »

— Pauvre mademoiselle.

— Tu ferais bien de faire attention avec *ta* Marie Anne, tu sais ce que la maîtresse en pense.

— Bien sûr, je le sais, mais j'ai le droit d'avoir ma propre opinion.

— Tais-toi donc. Tu sais ce qui va t'arriver si tu parles trop.

— Ça ne sera pas la fin du monde. Si tu avais un peu de jugeote, tu le comprendrais.

— Et si toi aussi tu avais un peu plus de jugeote, miss, tu réaliserais que tu ne trouveras pas ailleurs ce que tu as ici : la nourriture, les nippes, les congés...

— Parlons-en, des congés ! Même pas un jour une fois par mois, à partir d'une heure de l'après-midi et il faut être de retour avant la nuit !

— Allez, rentre dans tes appartements, dit-il en la poussant.

— Ne me touche pas, Robert Green ! lança-t-elle en tournant brusquement les talons.

Il la regarda s'éloigner, se demandant pourquoi il s'était entiché d'elle. Après tout, ce n'était que la deuxième femme de chambre et elle n'avait aucune chance de s'élever tant que Carrie Jones était sur les rangs.

— Descends vite dire à Bill Winter que le docteur veut des attelles, dit Lena Piggott, la gouvernante, à Carrie Jones.

— Des attelles ?

— Oui, tu as bien entendu.

— Mais... grandes comment, madame Piggott ? Il y en a de plusieurs tailles.

— Eh bien, fit la gouvernante en dodelinant de la tête, dis-lui que c'est pour une cheville brisée, fais vite.

Abandonnant l'air affairé qui agitait tout son petit corps pour une attitude respectueuse envers sa patronne, la gouvernante rentra dans la chambre et chuchota :

— Nous nous en occupons, madame.

Veronica Lawson ne répondit rien. Elle observait le docteur, penché sur sa fille, cette faiseuse d'histoires qui lui portait sur les nerfs.

— Que dit-elle ? demanda Veronica Lawson au docteur d'un ton présentement calme.

Le Dr John Ridley raidit le dos mais ne quitta pas des yeux la jeune fille, étendue dans le lit.

— Je n'arrive pas à la comprendre, répondit-il d'une voix revêche.

« Je te déteste, tu me dégoûtes », marmonnait la jeune fille, et le docteur se demandait bien de qui elle voulait parler.

— Mais qu'est-ce qui ne tourne pas rond chez elle ? À part sa cheville, je veux dire...

Le docteur se retourna vers la maîtresse de maison. Il n'aimait pas cette femme et il était content de ne pas l'avoir pour patiente. Elle l'avait appelé en urgence, et d'habitude il avait affaire au vieux gentilhomme du Petit Manoir, situé à l'autre bout de la propriété. Il s'entendait à merveille avec le vieil homme, un personnage tout à fait aux antipodes de son fils et du reste de la famille, qui occupaient le Manoir proprement dit. Même s'il pressentait que c'était lui l'éminence grise.

— Elle a eu une forte commotion et elle présente une grosse bosse sur le côté de la tête. Elle va dormir pendant deux ou trois jours mais sa cheville va lui faire très mal. Cela prendra du temps à guérir et je recommande (il regarda Mme Lawson droit dans les yeux) le repos le plus absolu. Qu'on ne la dérange sous aucun prétexte.

Veronica Lawson soutint le regard du jeune docteur en se disant : « Oh oui ! je la laisserai se reposer, vous pouvez compter sur moi... Mais je vais tout faire pour me retirer cette épine du pied. » Dès le berceau, elle avait détesté cette enfant, et ce sentiment n'avait fait que croître avec les années. Persuadée que son aversion était fondée, elle était prête à soutenir que sa fille — son dernier enfant, conçu dans la violence — avait été substituée par quelque fée maléfique. Elle s'était souvent battue contre son mari, mais jamais comme cette nuit-là. Avoir eu cinq enfants et fait deux fausses couches était déjà assez cher payé pour régner sur sa maison, mais il avait fallu qu'il lui en fasse un sixième... Après le départ des jumeaux pour le Canada, son fardeau avait été un peu allégé, car c'était une paire de sacrés chahuteurs. Avec Vincent, Pat et Evelyn, la vie aurait pu être supportable. Et elle l'avait été pendant un temps. Les invitations à La Grange, et plus récemment au château, s'étaient multipliées, et Veronica fondait de grands espoirs pour l'avenir d'Evelyn.

Qu'est-ce qui ne tournait pas rond chez Evelyn ? Tout avait commencé lorsque à dix-huit ans elle s'était amourachée d'un jeune lieutenant pauvre comme Job. Heureusement, Veronica avait rapidement mis un terme à ce caprice, mais aujourd'hui, à vingt-cinq ans, Evelyn n'était toujours pas mariée. Ensuite venait Vincent, qui n'en faisait jamais qu'à sa tête. Elle doutait qu'il se mariât un jour, pourtant elle espérait que le nom se perpétue. Le vieil homme aussi le souhaitait ardemment, bien qu'il n'aimât guère Vincent, et qu'il ne cachât pas ses sentiments à son égard. Quant à Pat... tout le monde avait l'air de l'aimer, avec son caractère bien à lui.

Veronica se tourna vers le visage blanc, sur l'oreiller. Ce visage lui était étranger, les yeux, la bouche, et même le nez, tous les traits étaient trop larges. Pourtant le teint était laiteux, pas de ce blanc crémeux qui eût alourdi l'ovale du visage, mais d'une transparence un peu irréelle. Marie Anne ne se plaisait pas dans la maison — sauf peut-être lorsqu'elle jouait du piano — et si cela avait été possible, elle aurait vécu dehors. N'était-ce pas surprenant qu'elle soit si douée ? Même lorsqu'elle avait de mauvaises notes à l'école, la musique, où elle excellait, faisait toujours exception. Veronica se dit qu'elle tenait peut-être la solution grâce au piano, si Martha acceptait de la prendre chez elle à Londres — ce qui était probable, car Martha aurait fait n'importe quoi pour de l'argent.

Quel soulagement si sa fille partait ! Elle n'aurait plus à supporter son horrible caractère...

Le docteur choqua à la fois la gouvernante et la maîtresse de maison en s'adressant d'abord à la première.

— Avez-vous fait chercher ces attelles ? Il me faut de petits morceaux de bois, je n'ai pas besoin d'un arbre !

Puis, quasiment sur le même ton, se tournant vers Veronica Lawson :

— Voulez-vous appeler votre mari ? Je vais avoir besoin de son aide.

Quoi qu'elle eût l'intention de répliquer, les paroles de Veronica furent étouffées par une quinte de toux. Elle eut la sagesse de ne pas se chamailler avec le docteur mais elle comptait bien se plaindre de lui auprès du Dr Sutton-Moore. À son avis, ce rustre n'était pas fait pour être médecin. Il lui avait manqué de respect et même sa voix était grossière, il n'avait vraiment rien d'un gentilhomme...

James Lawson entra, avec les attelles.

Le jeune docteur se mit à inspecter les morceaux de bois, semblant ignorer le maître de maison, qui lui demandait d'une voix revêche en quoi il pouvait être utile.

— Je vais lui administrer un peu de chloroforme et j'aurai besoin d'un coup de main, dit le jeune John Ridley d'un ton ferme, en regardant James Lawson droit dans les yeux.

— Pourquoi du chloroforme ? Je croyais que ma fille avait une entorse à la cheville.

— On vous aura sûrement mal informé, monsieur, votre fille a une fracture de Pott.

— Une fracture de quoi ? fit James Lawson, les sourcils froncés dans son visage replet.

— En d'autres termes, c'est une très mauvaise fracture et, comme vous vous en doutez, votre fille va souffrir lorsque je vais manipuler les os pour les remettre en place. Je n'ai pas assez de bandages, ajouta-t-il en se tournant vers la gouvernante. Prenez des linges propres et déchirez des bandelettes de cinq centimètres de large, faites vite, s'il vous plaît.

James Lawson dévisagea ce jeune pédant de docteur : chez qui se croit-il, pour distribuer ainsi ses ordres ? Veronica ne s'était pas trompée sur son compte : il ne savait manifestement pas se tenir à sa place.

— Prenez des toiles propres dans les ballots de la lingerie ! aboya-t-il à son tour après la gouvernante.

Il entendait bien montrer qui commandait dans cette maison — et il lança ses ordres de façon ostentatoire, ajoutant même, avec un petit signe de tête en direction de John Ridley :

— Eh bien, qu'est-ce que vous attendez ? Allons-y !

Une bonne demi-heure plus tard, le jeune docteur se lavait les mains dans une cuvette d'eau chaude posée sur la table de toilette, dans un angle de la pièce.

Assis près de la tête du lit, Patrick Lawson caressait doucement la main blanche de sa sœur, abandonnée sur l'édredon, en contemplant son visage d'enfant angélique, qu'il trouvait très beau. Il savait pourtant que son caractère était bien éloigné de ces apparences trompeuses : en réalité, c'était un vrai petit diable. Il sourit à l'idée qu'au fond elle n'était ni plus ni moins qu'une petite fille espiègle. Pourquoi ne la voyaient-ils pas telle qu'elle était ? Il se tourna vers le docteur, qui était en train de remettre son manteau.

— J'ai laissé quelques gouttes de laudanum, dit-il en désignant un flacon sur la table de chevet. Elle va en voir de toutes les couleurs quand elle se réveillera — ce qui n'arrivera pas avant demain matin — et il lui faudra un calmant. Qui va la soigner ?

— Oh (Pat hocha la tête), je ne sais pas encore, une des servantes, probablement. (Puis, jetant un regard appuyé au jeune docteur, qui refermait sa trousse :) N'ayez aucune crainte.

Comme s'il n'était pas évident que quelqu'un prît soin de sa sœur, il ajouta avec empressement :

— Il y a beaucoup de servantes dans la maison. Elle aura quelqu'un près d'elle nuit et jour.

— Vous y veillerez ?

— Pas personnellement. (Le ton de Pat s'était durci et sa voix était montée dans les aigus.) La gouvernante s'en chargera. Elle prend ses ordres directement auprès de mes parents. Qu'est-ce qui vous fait penser qu'on ne s'occupera pas de ma sœur ?

— Rien, rien. Je voulais juste m'en assurer. De toute façon, je ferai un saut dans la matinée. Bonne nuit.

Pat avait parlé d'un ton cassant et, les yeux fixés sur la porte qui venait de se refermer, il se dit que le jeune médecin avait vraiment insinué que personne ne serait au chevet de la petite malade. Qu'est-ce qui avait pu lui faire croire une telle chose? Il regarda de nouveau le visage endormi sur l'oreiller. Sa mère l'avait pris de haut — imitée en cela par son père —, et ils n'avaient peut-être pas donné à ce jeune homme l'image de parents attentifs. C'était sans doute l'explication.

Lorsque la porte se rouvrit sur sa mère quelques instants plus tard, elle ne prit nullement la précaution de parler à voix basse.

— Tu en as mis du temps pour rentrer! Le cabriolet t'attendait depuis une heure.

— Il y a eu des perturbations sur la ligne, mère, et le train a pris du retard.

Elle se dirigea vers le pied du lit, et sa main se crispa sur la boule de cuivre tandis qu'elle regardait sa fille.

— Elle a encore fait des siennes! Une nouvelle escapade. Il va falloir mettre un terme à tout cela. (Puis, sans transition, elle s'adressa à son fils :) Comment ça se passe à Londres?

— Très bien, à la fois sur le plan des affaires et sur celui des relations.

— Des relations? Qu'est-ce que tu veux dire par là?

— Rien de plus, mère. J'ai été invité à une garden-party chez lord Dilly, puis à un bal chez l'amiral.

— Ah!

— J'ai bien pensé à toi à ces deux occasions, mère. Tu aurais été éblouie.

Elle s'était relativement détendue mais se raidit de nouveau.

— Essaies-tu d'être désagréable?

— Loin de moi une telle pensée, mère. Je sais que tu aimes ce genre de soirées et quels enjeux tu y mets. Si Evelyn avait été là, vous auriez déjà fait des projets de mariage! Quant à moi, on m'a fait tellement d'avances que je ne savais plus où donner de la tête!

— Tu as toujours eu une modeste opinion de toi-même, Patrick, dit sa mère en s'éloignant du lit.

« Et tu ressembles à ton grand-père chaque jour davantage », se retint-elle d'ajouter, espérant que cela n'augurait pas qu'elle allait le prendre en grippe, lui aussi.

— Qui va s'occuper d'elle? demanda Pat.

— Qu'est-ce que tu veux dire?

— Rien de plus, mère. Le médecin m'a posé la question, alors je te la pose à mon tour.

— Ce jeune homme dépasse les bornes. Je vais en faire état auprès de la profession.

Patrick émit un petit rire.

— D'après ce que j'ai perçu de son caractère, ça glissera comme de l'eau sur les plumes d'un canard. Quoi qu'il en soit, qui vas-tu mettre au chevet de ma sœur?

Elle réfléchit un moment. Son fils ne la lâcha pas du regard.

— La nuit, elle va dormir, elle n'aura besoin de personne. Je vais dire à Mme Piggott d'envoyer Fanny Carter, la deuxième femme de chambre, pendant la journée. Tant qu'elle devra garder la chambre, en tout cas.

— Il va y en avoir pour un bon moment.

— Comment cela, un bon moment?

— Le docteur a dit que ça serait l'affaire de trois mois.

— Quoi! s'écria-t-elle.

— Doucement! dut la réprimander son fils dans un souffle. Tu risques de la réveiller — et la douleur avec. (Il désigna le flacon sur la table de nuit.) Le docteur a laissé du laudanum. Il ne te l'a pas dit?

— Je ne l'ai pas vu avant qu'il parte. Et j'espère bien ne jamais le revoir.

Elle s'agrippa des deux mains au montant de cuivre du pied du lit.

— Trois mois! répéta-t-elle.

— Combien de gouttes doit-elle prendre par jour?

Sa voix était sèche.

— Je ne sais pas. Mme Piggott doit être au courant. D'après ce que je comprends, il a dû lui parler avant.

— À propos, où est Evelyn? C'est elle qui devrait être au chevet de sa sœur.

— Ne dis pas de bêtises, Pat, elles sont comme chien et chat, depuis l'enfance. Et moins elles se voient toutes les deux, mieux ça vaut. Tu le sais parfaitement.

— Non, en tout cas pas au sens où tu l'entends. Tout ce que je sais, c'est qu'Evelyn a dix ans de plus que cette petite et, d'une certaine façon, elle a toujours nié son existence, comme tu l'as fait toi-même.

— Patrick! Comment oses-tu me parler ainsi? siffla-t-elle entre ses dents.

Elle se dirigea vivement vers la porte.

— Je parlerai à ton père de ton attitude à mon égard.

— Oh! je t'en prie, mère! Tu me parles comme si j'étais encore un gamin. Je suis un homme. J'ai vingt-six ans, mère, ne l'oublie pas. (Il s'approcha d'elle et ajouta à voix basse mais ferme :) Et rappelle-toi que c'est encore grand-père le maître ici. Père peut se comporter comme le grand manitou de notre société et Vincent se prendre pour le bon Dieu en personne, mais, même si je ne viens qu'après, c'est moi qui fais tourner l'entreprise, car ni l'un ni l'autre ne sont capables de conduire une réunion d'affaires avec succès. Ils ne savent pas tenir le personnel, ni à plus forte raison les concurrents. Il y a longtemps que je voulais te le dire et le lieu est sans doute très mal choisi (il jeta un regard vers le lit) pour vider son sac, mais c'est dit. À l'avenir, mère, n'oublie pas l'âge que j'ai! Tu peux répéter exactement à père et à Vincent ce que je viens de te dire. Et s'ils démentent mes paroles, je les laisse aller seuls à la prochaine réunion, et on verra bien ce qui arrivera. Ça s'est déjà produit par le passé, n'est-ce pas ? Vois-tu, mère, l'ennui avec cette maison, c'est que sa motivation première est le prestige. Vincent et toi vous échinez jour après jour pour le maintenir, je me demande pourquoi... Je suis désolé d'avoir à te le dire mais j'en ai bientôt terminé : n'oublie pas que grand-père n'est pas encore mort, et c'est un homme capable d'opérer des changements. De grands changements, susceptibles de faire vaciller sur ses bases cette fichue société si bien installée.

Lorsqu'il retourna près du lit, elle ne bougea pas d'un pouce. Elle avait une main crispée sur le devant de sa robe et de l'autre se tenait la joue, comme pour empêcher sa mâchoire de trembler. Ses yeux étaient fixés sur le dos de son fils, le plus beau de tous ses enfants, qu'en ce moment elle haïssait encore plus que son beau-père, qui jamais ne lui avait parlé de la sorte. Même s'il lui avait laissé entrevoir à voix haute sa façon de penser dans des apartés, jamais il ne l'avait atteinte en plein cœur de cette façon. Elle titubait presque en quittant la pièce.

À neuf heures le lendemain matin, Emanuel Latvig Lawson entra en trombe dans la chambre de Marie Anne. Il s'arrêta dans son élan en voyant le visage mortellement pâle et strié de larmes de sa petite-fille. Son souffle était haletant, et elle dut faire un gros effort pour lui parler.

— Oh ! grand-papa...

Il passa les bras autour de ses épaules pour la consoler, et elle poussa un cri aigu qui le fit tressaillir.

— Elle souffre beaucoup, monsieur, dit Fanny Carter, qui se tenait à côté du lit.

— Le docteur est-il venu ?

— Non, monsieur, pas ce matin. Il va passer plus tard. Il est resté très tard hier soir. On lui a mis des attelles, dit-elle en désignant le tabouret disposé dans le lit pour écarter les draps de la jambe blessée. Ça n'est pas très confortable, il vaudrait mieux une cage en fil de fer.

— Oui, oui, vous avez raison ma fille. Je vais m'en occuper. Oh ! ma petite chérie...

Il essuya ses larmes d'une caresse.

— Mais qu'est-ce qu'il t'est arrivé ? On aurait dû me prévenir hier soir.

— Ce n'était pas la peine, grand-papa. Je courais, j'avais peur et je suis tombée. J'ai vu quelqu'un. J'ai cru qu'on me poursuivait et j'étais effrayée, je suis tombée, c'est tout.

— Mais on t'a trouvée tout au bord de la rivière, contre le mur.

— Oh, j'étais terrorisée, grand-papa, j'ai cru qu'un ogre me poursuivait, j'ai dû rêver...

— Un ogre ?

— Oui. Quand je me suis réveillée après avoir reçu un coup à la tête, j'ai vu son visage, c'était celui d'un ogre, mais ça doit être mon imagination... Ils ont dit que j'avais une commotion. Qu'est-ce que ça veut dire, grand-papa ?

— Oh ! simplement qu'il faut que tu te reposes un jour ou deux ! À cause du coup que tu as pris sur la tête. Mais tu ne saignes pas. (Il passa doucement les doigts dans ses cheveux et lui caressa la nuque.) Non, tu ne saignes pas, répéta-t-il.

— Grand-papa ?

— Oui, ma chérie ?

— Ça fait très mal... ils disent que si je pleure je vais devoir rester plus longtemps au lit mais je ne peux pas m'en empêcher, ça fait trop mal. Grand-père, je vais mourir...

— Mais non, voyons, et tu ne resteras pas plus longtemps couchée pour ça, ma chérie. Je serai avec toi le plus souvent possible, et cette jeune fille aussi, n'est-ce pas, ma chère ? dit-il en se tournant vers Fanny.

La jeune fille, impressionnée de s'entendre appeler « ma chère » par le vieux maître, qui avait une réputation de tyran domestique, hésita un instant avant de répondre.

— Je vais bien m'occuper d'elle, monsieur. J'ai soigné ma mère pendant des années, elle avait de l'hydropisie. Et... je peux parler, monsieur ?

— Je t'écoute.

— Eh bien, ils voulaient prendre une infirmière mais je pouvais très bien le faire. J'étais très jeune quand je me suis occupée de ma mère, elle n'avait que moi, elle est restée très longtemps au lit. Mon père et les deux garçons travaillaient à la fosse... ils ont été tués. J'avais un autre frère, qui est mort à la maison, et j'ai soigné ma mère pendant des années avant de rentrer à votre service. Alors je crois que je suis capable de soigner la petite demoiselle, monsieur.

À ce récit tragique, que Fanny avait pourtant raconté sans pathos, le flot de larmes de Marie Anne cessa de couler, et elle dit entre deux hoquets :

— Oh ! ma pauvre Fanny !

— Il ne faut pas me plaindre, mademoiselle, tout ça c'est du passé, dit Fanny avec un grand sourire. Je suis très heureuse d'être où je suis à présent et (elle jeta un regard au vieux monsieur comme si elle allait en dire plus, mais ajouta simplement :) je m'occuperai de vous.

— Allons, allons, ma petite-fille, n'est-ce pas une bonne nouvelle ? Non seulement tu vas avoir une infirmière, mais encore une conteuse capable de résumer les tragédies de toute une vie en un récit, c'est tout un art.

Fanny ne comprit pas exactement ce que voulait dire le vieux monsieur mais elle sut que c'était un compliment. Elle lui sourit et dit avec tact :

— Je vais me retirer à présent, monsieur. Je serai dans la pièce à côté. Appelez-moi si vous avez besoin de quoi que ce soit.

— Bien sûr, ma fille. Merci.

Il lui fit un petit signe de tête et lui sourit. Lorsque la porte se fut refermée sur elle, il se pencha vers sa petite-fille.

— Voilà, ma chérie, ce que j'appellerais une servante qui n'en est pas une. Capable d'une véritable amitié, pour qui en a besoin.

— Tu as raison, grand-papa, j'ai toujours aimé Fanny. Elle a toujours été gentille avec moi. Mais j'ai si mal, je ne me sens pas bien... et j'ai peur. Ils ont dit que j'en avais pour des semaines. Je vais mourir, c'est sûr.

— Ne dis pas de bêtises, veux-tu ! Dès que tu te sentiras un peu moins faible, on t'installera dehors dans une chaise longue sur les pelouses. Je suis sûr que ça te plaira.

Elle fit un effort pour sourire.

— Non, grand-papa, j'aurais horreur de ça ! Quand je suis dehors, je n'ai qu'une envie, c'est de courir.

— Ma chérie, c'est là que le bât blesse. Pourquoi faut-il toujours que tu coures ? Dès que quelque chose te déplaît, tu détales. Que cherches-tu à fuir ?

Elle resta pensive un instant, puis renifla bruyamment en disant :

— Je crois que... je cours pour m'éloigner des gens... des gens qui ne m'aiment pas.

— Allons, allons, c'est absurde de dire qu'on ne t'aime pas. Tout le monde...

— Non, grand-papa. Nous en avons parlé souvent, tu le sais bien et je le sais aussi, tout le monde ne peut pas aimer tout le monde, ou quelque chose comme ça...

Il écarta doucement une mèche de cheveux qui retombait sur les yeux de sa petite-fille.

— Oui, tu as raison. J'ai tort de jacasser comme si tu n'avais pas compris beaucoup de choses. Tu es une jeune fille très intelligente. Mais peux-tu m'expliquer pourquoi tu courais comme ça à cette heure de la nuit, près de la rivière ?

Elle détourna les yeux, fixa le dessus-de-lit à l'endroit où le tabouret faisait un monticule et murmura d'une voix quasi inaudible :

— Non, grand-papa, je ne peux pas.

— Non ? Il y a bien une raison pour que tu te sois enfuie si loin ?

— Oui, répondit-elle dans un murmure.

— Et tu ne peux pas me dire de quoi il s'agit ? Dis-moi au moins s'il s'agit de quelqu'un de la maison ?

Elle hésita un moment avant de répondre.

— Oui, grand-papa.

S'agissait-il d'un homme ou d'une femme ? Une seule personne pouvait se trouver dehors à cette heure-là, pour prendre l'air, c'était Evelyn. Encore qu'elle n'aimait pas trop se promener, elle avait peur de salir ses chaussures. Une des servantes, peut-être ? La petite n'en ferait pas un tel mystère... À moins que ce ne soit Vincent ? Quelques années auparavant, furieux et choqué de découvrir le penchant malsain du jeune homme pour les jeux de mains, il avait dû y mettre le holà. Ç'aurait pu être lui. Mais, pour ce qu'il savait, Vincent avait joué au tennis avec son ami Harry Stocksfield au début de la soirée, et ensuite ils avaient fait un billard. De toute façon, il en aurait le cœur net un jour ou l'autre. La petite fille l'avait choisi pour confident depuis l'époque où il la prenait sur ses genoux, cherchant à contrebalancer la haine que lui portait sa mère. Il l'adorait et l'avait toujours gâtée. Mais pourquoi s'était-il imaginé que Veronica détestait sa propre fille ? Peut-être était-ce excessif et le mot « haine » était-il trop fort. Elle la tenait à distance, c'était tout, du moins espérait-il ne pas se tromper. Mais la froideur était le premier pas vers la haine. C'était terrible de penser que l'enfant avait dû la ressentir dès la première fois où sa mère l'avait repoussée de ses jupes. Il l'avait bien observée : ce n'était pas un geste doux mais une bourrade, qui avait fait tomber sur son derrière la petite fille, alors âgée de trois ans, qui s'était mise à pleurer.

À présent elle s'était remise à pleurer, et il sortit son grand mouchoir de soie de sa poche de poitrine et essuya gentiment ses larmes. Il reçut ainsi bien plus rapidement que prévu la réponse à sa question.

— Evelyn est-elle venue...

Il n'eut pas le temps de dire « te voir ». Marie Anne, secouée d'un spasme violent, se mit à hurler :

— Non ! Et je ne veux plus jamais la voir !

— Très bien, ma chérie. Tu n'es pas obligée de la voir.

C'était donc Evelyn. Dehors, ce soir-là. Mais qu'avait-elle fait pour causer la fuite éperdue de sa jeune sœur, qui avait abouti la tête contre un mur ? Il découvrirait bien la réponse, rien ne pressait. Qui Evelyn fréquentait-elle en ce moment ? Depuis cette histoire à laquelle sa mère avait mis fin, quelques années auparavant, alors qu'elle faisait des pieds et des mains pour se marier, elle avait eu des vues sur un ou deux hommes, mais aucun n'avait donné suite à ses espoirs. Elle se donnait des airs affectés et jouait un peu trop à la grande dame, tout comme sa mère, dont c'était le portrait craché. Comme Vincent, d'ailleurs. Ces trois-là, proches par la personnalité aussi bien que par l'ambition, formaient un clan très soudé. Mais que dire de son propre fils, qui était leur père ? Force lui était de reconnaître qu'il avait engendré un homme attaché aux apparences et sans rien dans le ventre. Pourtant, au fil des années, Pat s'était identifié à lui et était aussi proche de lui qu'un père pouvait le souhaiter. Et puis il y avait ce petit lutin, non désiré, cette enfant des fées. Elle lui ressemblait en tout point : même tempérament, mêmes valeurs. Comme lui, elle était prompte à s'enflammer, elle partait au quart de tour et lançait des étincelles à tout vent. Quant aux valeurs, elle avait montré celles qui lui tenaient à cœur et qui étaient très proches des siennes : elle était loyale envers les hommes comme envers les animaux. Une fois, elle avait cravaché Simon Pinner pour avoir battu un des chiens, dont le seul péché était d'avoir déterré une rangée de graines fraîchement semées. Il avait fouetté le postérieur de l'animal, le faisant hurler de douleur. Qu'avait-elle fait alors ? Elle s'était précipitée dans la sellerie pour y prendre un autre fouet et, les jambes de l'homme étant protégées par ses guêtres et par des culottes de velours, elle avait visé les avant-bras dénudés, manches roulées jusqu'aux coudes. Simon s'était plaint aux maîtres et on avait mis la fillette au pain sec et à l'eau, avec interdiction de sortir de sa chambre pendant trois jours. Une moitié du personnel l'avait soutenue contre l'autre. Et puis il y avait eu l'histoire de Peter Crouch et du cheval. Cette fois-là les gens de maison étaient de son côté à quatre-vingt-dix pour cent, Crouch étant connu pour être dur avec les chevaux, surtout lors du dressage : ce jour-là, dans la cour, elle l'avait vu cravacher un cheval au point de le faire tomber sur son postérieur. Le cheval avait poussé un hennissement en passant devant l'abreuvoir et l'homme ne l'avait pas laissé boire. Elle avait crié après l'homme. Celui-ci s'était alors retourné, dos au baquet, et comment résister alors à la tentation de prendre son élan et de le faire basculer dans l'eau, les quatre fers en l'air ? Il paraît que même le cheval riait. Mais ce fut un mauvais point pour elle et on l'avait envoyée en pension. C'est là que ses ennuis avaient commencé. Combien de fugues avait-elle faites ? Et combien de fois son grand-père l'avait-il secrètement accueillie ? Il se dit qu'au fond il était un peu responsable de son insoumission, car elle savait qu'elle trouverait toujours sympathie et compréhension auprès de lui.

— Tu as mal, ma chérie.

— C'est affreux, grand-papa. Je n'ai jamais autant souffert.

— Le docteur va venir bientôt. Il te donnera un calmant. En attendant, veux-tu que je te lise quelque chose ?

— Non, grand-papa.

— Vraiment ?

— Reste là et tiens-moi la main.

— Avec plaisir, ma chérie, si c'est ce que tu veux.

— J'ai encore sommeil. Je crois que je vais m'endormir.

— C'est ce que tu as de mieux à faire, ma chérie. Je te tiendrai la main jusqu'à ce que tu t'endormes et en attendant je vais te raconter une drôle d'histoire que j'ai lue récemment : c'est une maman kangourou qui a oublié comment on saute. Elle a un petit dans sa poche et c'est lui qui va lui apprendre à sauter de nouveau. Dors, maintenant, et je te raconterai l'histoire en entier quand tu te réveilleras.

La petite s'endormit. Tout en inventant au fur et à mesure l'histoire du kangourou qui apprenait à sauter, il se demandait pourquoi Evelyn s'était trouvée dehors à pareille heure et ce qu'elle avait bien pu faire pour effrayer cette enfant à ce point.

— 2 —

Dix jours plus tard, Marie Anne était assise bien droite dans son lit.

— Vous avez bien meilleure mine ce matin, mademoiselle, dit Fanny, qui venait juste de débarrasser son plateau de petit déjeuner. Vous semblez être de nouveau vous-même. La douleur a disparu ?

— Oh oui ! Fanny. Elle a beaucoup diminué. Mais il ne faut pas que je bouge ma jambe. J'ai dû te fatiguer avec mes gémissements, dit Marie Anne en souriant à la jeune fille, mais c'était plus fort que moi.

— Mais non, mademoiselle. Je pense que je me serais forcée à crier, à votre place. Oh ! dit-elle, lissant la bavette de son tablier en voyant la porte s'ouvrir. Voici M. Patrick.

— Bonjour, Fanny.

— Bonjour, monsieur.

— Comment va notre malade ?

Il n'avait délibérément pas regardé Marie Anne, et poursuivit :

— S'est-elle bien comportée ?

— Oui, très bien, vraiment.

Pat se tourna vers Marie Anne en riant.

— Très, très bien ? Vraiment ? C'est bien la première fois

que j'entends quelqu'un dire que tu t'es bien conduite ! À part ça, comment ça va ?

— Je me sens mieux, Pat. Je n'ai plus mal à la tête et j'ai le cerveau moins embrumé, je crois que je vais faire du dessin aujourd'hui.

— Très bien.

— Fanny était sur le point de se faufiler là-haut pour prendre mon journal intime, et ma boîte de couleurs, dans l'armoire de la salle d'étude.

— Voulez-vous que j'y aille maintenant ?

— Oui, si vous voulez bien, Fanny.

— J'y vais.

Maintenant qu'ils étaient seuls dans la pièce, Marie Anne dit d'un ton excité :

— Viens t'asseoir une minute, Pat. Tu as le temps, j'espère... Je veux que tu me parles du nouveau bateau qui va prendre la mer.

— Tu veux dire le nouveau deuxième main ?

— Il doit partir aujourd'hui ?

— Oui, à la marée de trois heures.

— Il s'appelle bien l'*Annabella* ?

— Oui, parfaitement. Entre toi et moi, il est à peindre.

— Quelle cargaison envoyez-vous ?

— Peu de chose, cette fois-ci. Quelques ballots de lin et de dentelle qui doivent être déposés dans les îles. C'est la cargaison humaine qu'elle emporte — et doit ramener à bon port — qui compte le plus à mes yeux.

— Oui, acquiesça-t-elle d'un petit signe de tête, ce doit être magnifique pour eux.

— En tout cas, ça l'est tant que le bateau est à quai. J'ai peur de leurs réactions s'ils essuient une tempête. Trois des couples n'ont jamais pris la mer de leur vie. Je ne peux que les plaindre de tout mon cœur. Moi-même, lorsque j'ai eu le mal de mer, je voulais mourir.

— Grand-papa m'a dit que tu avais l'air d'y tenir, en effet. C'est drôle, il a dit que c'était un bateau qui vous en faisait voir de toutes les couleurs. Les invités vont faire le voyage de retour avec toi ?

— J'espère bien, ma chérie, qu'ils seront encore en vie ! dit Pat en riant. Ils vont être bichonnés. Le capitaine Armitage est un homme très bien et ses deux officiers également. L'équipage est aguerri et la plupart de ses membres travaillent pour nous depuis de nombreuses années. L'un d'eux est passé garçon de cabine, et un autre assistant cuisinier et serveur. Tout ça a été très amusant à organiser.

— Tu aimes bien t'occuper des bateaux, Pat ?

— Oui, beaucoup. Mais — garde ça pour toi —, dit-il en se penchant vers sa sœur, je devrais détester naviguer.

— C'est vrai ?

— Oui. J'ai toujours le mal de mer, mais les navires n'ont plus aucun secret pour moi. (Il hocha la tête.) J'ai passé les sept dernières années, et avant ça toutes mes vacances scolaires, à escalader les échelles en fer pour examiner les fonds de cale, explorer la salle des machines, les postes d'équipage, sans oublier la cabine du capitaine. Il faut voir ça : il a les meilleures chaises, les tapis les plus épais, et une couchette qui invite au sommeil !

Marie Anne riait à présent de bon cœur.

— Et les voiliers ? Tu en as encore un, n'est-ce pas ? Es-tu déjà monté en haut du mât ?

— Oh ! ce n'est pas chic de me demander ça, Marie Anne ! Dans moins de cinq minutes, tu voudras savoir si je suis monté dans le nid-de-pie !

— Oui, dit-elle en riant, la tête penchée vers lui. C'est justement ce que j'allais te demander !

— Eh bien, non, je n'y suis jamais monté ! Tu m'as eu, dit-il en claquant des doigts.

— Même quand le bateau était dans le port ?

— Je n'ai jamais essayé, même quand le voilier était à quai. Comment font ces jeunots qui se balancent en haut des mâts sur des mers déchaînées ? Dieu seul le sait ! C'est un métier terrible, et certains en tirent une juste fierté. Et dire que grand-papa est monté à la hune de vigie, et en pleine mer. Son père l'avait envoyé naviguer trois ans, il ne t'a jamais raconté ça ?

Elle secoua la tête négativement.

— Son père — notre arrière-grand-père — lui avait dit que, s'il voulait gagner sa vie grâce aux bateaux, il devait savoir naviguer. En tout cas, les trois ans lui ont été profitables, car il a doublé le chiffre d'affaires.

Il aurait pu ajouter : « Et ce doit être une terrible déception pour lui de voir son propre fils laisser la direction de la société aux anciens... »

Lorsque Fanny entra dans la chambre, Marie Anne remarqua qu'elle n'avait pas la boîte de couleurs.

— Oh ! tu ne l'as pas trouvée ! Elle était sur l'étagère du haut.

— Si, mademoiselle, je l'ai bien trouvée, mais en descendant, j'ai croisé la maîtresse qui m'a demandé ce que j'avais là. Je lui ai dit que c'était votre journal et vos peintures, alors elle m'a ordonné de tout remettre en place.

Pat se leva.

— Ne t'inquiète pas. Je vais aller chercher ton journal. Il est fermé à clé ?

— Oui. La clé est ici, dit Marie Anne en désignant la table de chevet. Dans le tiroir du haut, le petit, où sont rangés mes mouchoirs.

— Ne te dérange pas, Fanny. Je vais le lui descendre et elle l'ouvrira elle-même. De toute façon, tu n'aimerais pas que je lise tous tes secrets, dit-il sur un ton de fausse confidence.

— Ça m'est absolument égal, répondit-elle sur le même ton. Que ce soit toi, en tout cas. Je vais te dire une chose :

quand tu redescendras, j'ouvrirai mon journal devant toi et je te révélerai un de mes secrets. Mon seul secret, car je n'en ai qu'un.

— Tu feras ça ?

— Oui. Et c'est un *vrai* secret.

— Il s'agit de quelque chose que tu as fait ?

— Oui.

— Quelque chose dont tu es fière ?

— Eh bien (elle se détourna)... dans un sens, oui, et dans un autre... je trouve que c'est cruel.

— Cruel ? Tu veux me faire partager un secret cruel... Tu m'intrigues... me voici donc à la recherche de la boîte de Pandore.

Il esquissa un pas de côté mimant une gigue, qui fit glousser Fanny.

— C'est vraiment quelqu'un, notre M. Patrick, dit-elle à Marie Anne lorsqu'il eut refermé la porte. Et... oh ! à vous je peux bien le dire ! Je trouve que c'est lui le meilleur de la bande.

— Moi aussi, Fanny, moi aussi.

Le meilleur en question grimpa quatre à quatre les marches du fond, franchit le palier au pas de course et ouvrit à toute volée la porte de la salle d'étude, où il surprit sa mère, debout près de la longue table d'écolier tachée d'encre. Devant elle, le coffret de bois brun, couvercle béant, et des feuilles de papier éparpillées sur le pupitre. Elle avait en main le journal intime de Marie Anne, ouvert, qu'elle referma prestement et serra contre sa poitrine.

— Qu'est-ce que tu veux ?

Pat s'avança lentement vers sa mère. Il jeta un coup d'œil sur la boîte au couvercle fracturé.

— Tu n'as pas pu attendre... il a fallu que tu la forces !

Il aperçut le petit tisonnier tout usé, tranchant, posé sur la table.

— Pourquoi as-tu fait ça ? Ce n'est que le journal d'une enfant et apparemment...

Il donna une chiquenaude aux feuilles disséminées sur la table, en prit une pour l'examiner, puis leva un regard interrogatif vers sa mère.

— Oh ! tu peux les regarder ! As-tu jamais vu quelque chose d'aussi inhumain ?

Il étala les dessins devant lui, les étudia attentivement, puis se retourna vers sa mère.

— Inhumain ? Tu réalises ce que c'est ?

— Oh oui ! Ce sont des portraits de nous, de hideux portraits !

— Mère... Ce sont des caricatures. Elle a un magnifique coup de crayon. Elle a su capter notre caractère en quelques traits. C'est vraiment génial pour une fillette de quatorze ans.

— Génial !

Elle tendit la main et saisit une feuille, qu'elle renvoya dans la direction de Patrick.

— Regarde-moi ça ! C'est censé être moi !

Le personnage que Marie Anne avait croqué était assurément sa mère mais elle l'avait rendue grotesque. Le corps était long et maigre, tout comme le visage, mais la laideur et la dureté des traits disaient assez comment elle la voyait : les yeux comme deux boutons de bottine, le nez comme un groin. La bouche semblait prête à mordre. C'était un portrait vraiment terrible.

Il se tut un moment puis, se tournant de nouveau vers elle :

— Tu es la seule à blâmer si elle te voit sous cet éclairage.

Comme elle ne répondait rien, il ajouta :

— Pourquoi te comportes-tu ainsi envers elle ?

Elle se mit à feuilleter le cahier qu'elle avait entre les mains comme si elle voulait le déchirer, puis elle murmura :

— Je ne peux pas m'en empêcher. Elle... ça n'a jamais été une enfant ordinaire... elle a quelque chose d'animal. C'est une sauvageonne, elle court toujours à droite et à gauche. Et son allure...

— Tout le monde dans la famille s'accorde à dire qu'elle ressemble aux jumeaux, et d'après mes souvenirs ils étaient plutôt turbulents. De vrais fous. Ils t'en ont fait voir de toutes les couleurs et, pour autant que je me souvienne, tu as été soulagée quand ils ont décidé d'aller tenter leur chance au Canada. Même si cette nouvelle a consterné père — et même grand-père —, tu l'as plutôt prise du bon côté car tu n'étais pas mécontente de te débarrasser d'eux. Leurs frasques ont eu raison de ta patience et, à deux, ils étaient forcément plus difficiles à contrôler... Mais elle... c'était un bébé, une petite fille.

— Un bébé non voulu, un bébé conçu dans la violence! dit-elle, les dents serrées, s'en prenant à lui à présent. J'avais déjà cinq enfants qui poussaient à toute vitesse et j'avais fait deux fausses couches. Je ne voulais pas d'autre enfant, et Evelyn avait dix ans à l'époque, souviens-toi. En ce qui me concerne, il n'était plus question de procréer et ton père le savait, cela ne l'a pas empêché de venir dans mon lit. J'avais déménagé notre chambre dans l'aile ouest pour que vous, les enfants, n'entendiez pas les échos des disputes qui intervenaient quand ton père voulait imposer sa loi.

Plutôt tristement, Pat fit remarquer :

— Nous entendions, mère. Du moins les cris, même si nous ne comprenions pas ce que vous disiez. Marie Anne, elle, savait. Rappelle-toi le remue-ménage le soir où on l'a retrouvée en haut du citronnier (il fit un geste vers la fenêtre), après qu'elle eut été consignée à la maison sur tes ordres pour je ne sais quelle bêtise. Elle passait par la fenêtre, escaladait une branche, puis grimpait sur la fourche en haut du tronc, où elle s'asseyait. Jusqu'à ce que Vincent découvre sa cachette et secoue si fort la branche qu'elle dut s'accrocher de toutes ses forces pour avoir la vie sauve. Elle s'était tellement époumonée que grand-père avait entendu ses cris depuis le Petit Manoir et était accouru en toute hâte. Ensuite, tu as ordonné qu'on ferme plus solidement les fenêtres et pour punition tu l'as renvoyée à l'école. Mais as-tu fait la moindre réprimande à Vincent ? Non, c'est grand-papa qui s'en est chargé. Il lui a flanqué une peur bleue en menaçant de l'envoyer en mer. Alors seulement tu es intervenue, pour plaider la cause de ton fils : il ne cherchait qu'à s'amuser, selon toi... Tout cela n'a pas empêché Marie Anne, quand elle était à la maison, de monter ici en secret pour faire ses dessins. Un soir, elle a entendu des voix qui venaient de là.

Il désigna la cheminée vide, avec sa haute grille de fer.

— De là ?

— Oui, mère. De la cheminée. Tu ignorais que le conduit de cette cheminée est une ramification de celui de la cheminée de votre chambre. Toutes les cheminées de la maison ont de tels embranchements. L'histoire du petit ramoneur coincé dans l'une d'elles et qui est mort là-haut est absolument authentique. Toujours est-il qu'elle vous a entendus distinctement — et vous n'y alliez pas de main morte. Moi aussi, je vous ai entendus.

Elle en resta bouche bée.

— Je savais qu'elle montait le soir dans la salle d'étude, poursuivit-il avec un petit signe de tête. Je savais aussi que notre cher frère Vincent s'en était aperçu et allait tout faire pour lui attirer des ennuis. Alors je suis monté cette nuit-là et j'ai trouvé Marie Anne en train d'écouter, assise près du pare-feu. Je me suis assis à côté d'elle et j'ai écouté aussi, une minute ou deux. Puis je l'ai fait venir dans ma chambre, où elle s'est mise à pleurer toutes les larmes de son corps. Je lui ai expliqué que ce n'était rien, que les papas et les mamans se disputent toujours, mais ce n'était pas ça, la cause de ses larmes. Elle t'avait entendue parler d'elle : tu disais qu'elle était insupportable, que c'était une véritable plaie pour toi. Elle me répéta mot pour mot tes paroles : elle avait été conçue dans la violence et l'amertume et n'avait causé que des ennuis depuis sa naissance indésirable.

— Mon Dieu...

Les mots s'étaient échappés de ses lèvres en un murmure. Croyant y déceler un radoucissement, Pat ajouta calmement :

— Essaie de l'aimer... ou en tout cas de lui témoigner quelques petites marques d'affection...

Sa réponse l'attrista davantage.

— Je ne peux pas... je ne peux pas, dit-elle en hochant tristement la tête. Quelque chose en elle me révulse. Je n'arrive pas à réaliser que c'est moi qui l'ai mise au monde. J'ai essayé pourtant, Pat, crois-moi, j'ai essayé. Il y a des années. Mais je me suis aperçue que c'était sans espoir. On dirait qu'elle ne manque pas une occasion de me contrarier. Nous sommes ennemies, depuis le début, c'était écrit.

— Oh, mère... Si tu savais comme je suis malheureux que tu ressentes les choses de cette façon. Si tu connaissais ses autres facettes... (Il s'approcha d'elle et passa son bras autour de ses épaules.) Car elle a d'autres facettes : c'est vraiment une enfant adorable.

— Oh, Pat ! Tu appelles ça adorable ! Une enfant capable de faire des dessins comme ceux-ci ! dit-elle d'un ton sarcastique, en désignant les papiers éparpillés sur le pupitre.

Il prit un dessin et éclata de rire.

— Regarde un peu ça ! C'est moi, les cheveux hérissés parce que je passe toujours mes doigts dedans, les yeux fermés, toutes dents dehors : c'est l'air que je dois avoir quand je ris aux éclats, ou quand j'ai un bon gros fou rire ! Tu ne trouves pas ?

— Non. Pas du tout.

Elle haussa les épaules et, le journal toujours entre les mains, elle ajouta :

— Ce qu'elle écrit lui ressemble. Âpre et farouche. Il faudrait le brûler. C'est d'ailleurs ce que je vais faire.

— Il n'en est pas question, mère. Tu n'en feras rien ! Donne-moi ça !

Ils se faisaient face à présent, Pat s'était emparé du livre.

— S'il contient quoi que ce soit de répréhensible, je le brûlerai moi-même. Mais en attendant, il faut lui laisser un passe-temps, de quoi écrire et dessiner, par exemple, car elle va rester quelques semaines alitée.

Elle soutint son regard sans la moindre douceur. Puis elle se retourna et, à mi-chemin de la porte, lança :

— Dès qu'elle pourra mettre un pied hors de ce lit, je l'enverrai chez tante Martha à Londres. Je vais m'occuper de cela.

— Quoi !

— Tu as parfaitement entendu. Je l'envoie chez tante Martha. Elle pourra faire une carrière musicale là-bas. Je dois reconnaître qu'elle est douée pour la musique. Tante Martha a besoin de compagnie et elle a accepté de considérer ma proposition. Je vais la voir la semaine prochaine pour mettre les détails au point.

Il ne répondit pas. Qu'aurait-il pu dire ? Il revit la maison lugubre de la tante Martha, dans un des quartiers les plus morts de Londres. Il lui avait rendu visite une fois, lors d'un séjour à Londres, mais c'était bien la seule. Pauvre Marie Anne. Heureusement, si elle suivait des cours de musique, elle ne passerait pas beaucoup de temps dans cette maison : elle irait dans une école spécialisée, et tout valait mieux pour elle que la vie qu'on lui faisait mener ici. Pauvre chérie.

En rassemblant ses dessins, il ne cessait de s'étonner de l'acuité du trait et de la justesse des portraits. À ses yeux, cela prouvait surtout une chose : elle connaissait les êtres. Elle savait les percer à jour au-delà des apparences. Il y avait là une caricature terrible de Vincent. Son visage était réellement effrayant, mais le plus frappant, oblitérant littéralement le reste, c'étaient les mains aux doigts boudinés, qui se terminaient par des griffes menaçantes. Il hocha la tête, stupéfait :

elle connaissait bien les mains de Vincent, pour avoir subi leurs attaques. Il resterait toujours pour elle celui qui la frappait sous prétexte de jouer avec elle. Par moments, il se disait que si quelqu'un avait besoin qu'on lui remette les idées en place, c'était bien Vincent.

Il s'attarda sur le dernier dessin, un portrait de son grand-père. Elle l'avait représenté avec un tout petit corps surmonté d'un visage malicieux, mais le trait dominant du dessin était celui des deux bras, tendus comme pour une étreinte. Décidément, cette enfant — ou plutôt cette jeune fille, à présent — possédait, comme sa mère le disait sans finesse, une qualité peu banale capable de susciter l'amour ou la haine. Il se dit que des revues comme *Spectator* ou *Punch* s'arracheraient des croquis tels que ceux-là. Ses dessins pouvaient sans conteste rivaliser avec ceux des plus grands caricaturistes. Il ne leur manquait que des légendes pertinentes. Mon Dieu, qu'allait-il advenir de cette enfant ?...

Il rangea doucement les dessins dans le fond de la boîte, posa le journal dessus puis referma le couvercle. Il resta un moment pensif : comment allait-il lui expliquer que le couvercle avait été forcé ? La seule réponse plausible était de dire qu'il l'avait trouvée ainsi. Bien sûr, elle devinerait tout de suite que sa mère était l'auteur de cette effraction, puisqu'elle avait empêché Fanny de la lui apporter. En tout cas, il fallait qu'il aille au travail à présent.

Il prit le coffret et se hâta vers la chambre de sa sœur.

— Je l'ai trouvé comme ça, dit-il en le tendant à Marie Anne. Il faut que j'y aille, le personnel m'attend. Même si le personnel peut patienter, les trains, eux, n'attendent pas. Au revoir, ma chérie.

Comme il se penchait pour l'embrasser sur le front, elle lui prit la main et le fixa intensément de ses grands yeux sombres enfoncés dans leurs orbites.

— Je ne peux donc rien avoir à moi ?

— Tout ce que contient cette boîte est à toi, ma chérie, rien qu'à toi. Il faudra que je te parle de tes dessins : ils sont magnifiques.

— Tu le penses vraiment, Pat ?

— Bien sûr, ma chérie, tu as beaucoup de talent, tu sais. Je t'en parlerai plus longuement à mon retour.

Il déposa un baiser sur son front, lui donna une petite tape sur la joue et sortit rapidement de la pièce.

Fanny Carter se tenait au chevet de Marie Anne, les yeux fixés sur le couvercle fracturé.

— Je n'ai rien pu faire, mademoiselle. J'ai été obligée de remettre la boîte à sa place.

— Mais oui, Fanny, je sais bien.

— Il va falloir mettre une nouvelle serrure.

— Ça n'a pas d'importance, Fanny, de toute façon je n'y rangerai plus mon journal.

Où donc le mettrait-elle désormais ? Elle avait l'intention de continuer à écrire car c'était pour elle le seul moyen d'exorciser ses mauvaises pensées.

Sa mère avait-elle eu le temps de lire les passages la concernant ? Elle espérait que non, car, toute méchante qu'elle était, elle ne voulait pas la blesser. Or les gens peuvent être plus atteints par les mots que par les coups. C'était une chose qu'elle savait car depuis qu'elle était née elle avait souffert à cause des mots. À cause de l'amour aussi. Ou plutôt de l'absence d'amour. L'amour que sa mère avait à donner avait été épuisé par Evelyn, Vincent et Pat. Il ne restait rien pour elle. Jamais elle n'avait reçu une marque d'affection de sa mère. Ni de son père. D'aussi loin qu'elle se souvînt, jamais son père ne lui avait dit un mot gentil : rien que des silences ou de longs regards étranges. Il ne lui adressait que rarement la parole. Une fois pourtant, alors qu'elle jouait du piano, elle l'avait surpris en train de l'observer et, se retournant dans l'espoir de recevoir un compliment, elle n'avait lu que de l'étonnement dans son regard et dans son hochement de tête. Il s'était contenté de lui sourire.

En feuilletant son journal, elle s'arrêta à une page intitulée « Les mains », où elle avait écrit :

Les mains parlent, de toutes sortes de façons : M. Smith, au village, est sourd mais il parle avec les mains. Les mains de grand-père me parlent fort, quand il me caresse les cheveux ou me serre contre lui. Les mains de Pat me parlent aussi, elles sont gaies, elles me font rire. Mais Vincent a des mains affreuses, et celles d'Evelyn sont froides. Celles de maman me poussent sans arrêt : dans le dos, aux épaules ou à la poitrine. Ou alors elles me tirent. Jamais elles ne m'attirent vers elle, mais je m'en moque. Je m'en moque parce que quand je cours j'oublie tout.

Elle s'arrêta de lire et regarda la cage en fil de fer qui protégeait sa jambe et son pied, en se plaignant tout bas. « Est-ce que je pourrai courir de nouveau un jour ? Le Dr Sutton-Moore a dit que oui mais... comme dit grand-papa, c'est un médecin de salon, habitué à ménager les dames fragiles et qui laisse les pauvres se guérir eux-mêmes. » Il l'avait fait rire quand il avait dit ça l'autre jour. Parfois il disait des choses tellement drôles ! Mais elle savait ce qu'il avait voulu dire dans ce cas particulier : il avait également fait remarquer que le Dr Ridley n'était pas très aimé dans certaines maisons. On le trouvait trop brusque. Mais il le préférait mille fois à l'autre médecin. Marie Anne aussi. Elle aimait beaucoup le Dr Ridley, bien qu'il sourît rarement. Pourtant, hier, il lui avait souri après avoir redressé sa cheville. Elle avait grimacé de douleur sans pleurer.

— C'est bien, c'est très bien, avait-il dit.

Elle aurait aimé lui parler mais Mme Piggott était dans la chambre. C'était une femme tatillonne, toujours affairée à tirer les couvertures au carré, à ranger les objets pourtant parfaitement alignés sur la coiffeuse ou à humecter son pouce et son index pour lisser les plis des rideaux, déjà impeccables. Parfois, Marie Anne se disait que la petite femme avait peur de parler avec elle. C'était un fait qui avait déjà retenu son attention : quelques-uns des domestiques ne lui adressaient jamais la parole, sauf pour lui répéter un ordre de leur maîtresse. Ce n'était pas comme Fanny ou Carrie, ou comme certains garçons d'écurie. Le valet de pied était gentil avec elle, lui aussi. Une fois il l'avait appelée « petite carte ». Elle n'avait pas compris ce que cela signifiait exactement, mais ce ne devait pas être méchant car il lui avait souri en le disant.

— Je pourrais faire parvenir la boîte au menuisier, mademoiselle, dit Fanny. Je suis sûre qu'il pourra réparer la serrure.

— Oh ! ça n'est pas la peine, Fanny, dit Marie Anne après un petit moment de réflexion. Je n'en aurai plus besoin.

— Mais où mettrez-vous votre journal, mademoiselle ? Vous n'avez nulle part où le cacher… demanda Fanny avec des airs de conspirateur.

— Tu sais ce que je vais faire, Fanny ? répondit Marie Anne d'un ton calme. Je vais le confier à mon grand-père, il le mettra dans son coffre-fort.

Elle était sûre qu'il n'y verrait pas d'inconvénient, surtout lorsqu'elle lui aurait expliqué que ce journal contenait pas mal de choses qu'elle aurait sûrement oubliées lorsqu'elle aurait grandi. Or, elle ne voulait jamais les oublier, car ce qu'elle avait confié à ce journal avait trait à sa vie parmi les occupants de cette maison, qu'elle aurait dû considérer comme son foyer mais qui lui apparaissait souvent comme une cage. Et comme elle l'avait écrit quelque part dans son journal, c'était en effet une cage peuplée d'oiseaux différents, les plus gros d'entre eux étant les plus cruels.

— 3 —

— Il faut que tu ailles la voir : je comprends à présent ce que les servantes voulaient dire. Si elle a reçu Vincent, il n'y a aucune raison pour qu'elle te renvoie.

— Qu'a-t-elle dit à Vincent ?

— Elle a été très polie, très convenable. Il lui a demandé comment elle allait et si sa jambe lui faisait mal, et elle a répondu qu'elle allait très bien, que sa jambe ne la faisait pas souffrir si elle ne la bougeait pas. Et même, lorsqu'il lui a dit : « il te fallait une jambe cassée pour te tenir tranquille », elle ne s'en est pas prise à lui, comme elle l'aurait fait avant. Elle s'est montrée tout à fait courtoise avec lui. Il faut reconnaître qu'il l'a fait enrager sans merci depuis des années. Mais je ne laisserai pas dire qu'il a été dur avec elle. C'est plutôt elle qui a été dure avec lui.

— Je le crois bien volontiers (Evelyn fit un petit signe de tête à sa mère), car ce n'est pas le chat qui lui a fait ces deux griffures au visage, comme il l'a prétendu à l'époque.

— Oui, mais tout cela est bien loin maintenant. Vous n'êtes plus des enfants. Même elle, qui va bientôt sur ses quinze ans. Viens-tu ? Il suffit que tu prennes de ses nouvelles pour faire cesser tous ces commérages que j'entends à la cuisine. Allons, qu'est-ce que tu attends ? Finissons-en.

Veronica marqua une pause et, se tournant vers sa fille :

— Tant que j'y suis, il faut que je te dise que ton père est contrarié que tu arrives si souvent en retard au petit déjeuner. Trois fois, la semaine dernière.

— J'étais enrhumée, mère. Tu sais que c'est vrai.

— Tu n'étais pas enrhumée dimanche et tu as raté la messe — tout comme le dimanche précédent, d'ailleurs. Il ne te demande pas grand-chose, tu pourrais au moins faire ça pour lui plaire.

Evelyn Lawson dévisagea sa mère, se disant, une fois de plus, que c'était décidément une femme incroyable. Elle ne se voyait vraiment pas telle qu'elle était : lui demander de plaire à son père! Elle aurait plutôt dû se demander si elle avait jamais fait quoi que ce soit pour plaire à son mari. Un jour, Evelyn avait entendu son grand-père hurler à son père : « Pourquoi n'as-tu pas gardé ta maîtresse, bon sang? » La réponse de son père lui avait échappé, mais son grand-père avait poursuivi : « Ne me sers pas ce genre d'argument, c'est très mauvais pour les affaires si jamais ça s'ébruite. Flannagan et Harris ont des maîtresses depuis des années, et se sont toujours fait respecter au bureau et à l'atelier. En réalité, on ne les en estime que davantage. Tu n'as pas de tripes, mon garçon, voilà tout. »

Evelyn s'était toujours sentie peinée pour son père. Les années passant, elle avait appris à comprendre les hommes et elle avait réalisé qu'il étanchait ses désirs dans la nourriture; il devait à présent porter un corset pour contenir son estomac.

Elle suivit docilement sa mère dans la chambre de Marie Anne. Celle-ci était assise sur son lit, riant à une plaisanterie de la servante. Les deux sœurs se dévisagèrent : elles se faisaient pratiquement face.

— Tu te sens mieux?

La voix d'Evelyn était atone. Marie Anne ne répondit rien, elle revoyait sa sœur allongée sur le sol, les cuisses dénudées.

— Alors, on a encore perdu sa langue, à ce que je vois, dit Evelyn en se tournant vers sa mère, comme pour signifier « tu vois bien ce que je t'avais dit ». Tu la retrouveras certainement en même temps que tes jambes, quand tu te remettras à courir comme une dératée et à te battre contre des murs de pierre. (Un léger sourire passa sur le visage d'Evelyn.) C'est un miracle que tu ne te sois pas brisé le cou plus tôt.

Le bras de Marie Anne décrivit un arc de cercle et le plat de sa main atteignit Evelyn en plein visage, la forçant à reculer, en poussant un cri.

Ce fut le branle-bas de combat dans la pièce. Marie Anne hurlait :

— Tu me dégoûtes ! Tu es répugnante, c'est à cause de toi que je me suis cassé la jambe ! Je t'ai vue...

— Calme-toi, ma fille ! hurla sa mère d'une voix encore plus aiguë.

Et *toi,* dehors ! Fiche le camp, ajouta-t-elle en empoignant Fanny Carter par le bras et en la poussant vers la porte.

Elle claqua la porte puis se tourna vers Evelyn, lourdement appuyée sur le montant du pied du lit, le visage blême, les yeux rivés sur Marie Anne avec une expression proche de la terreur. Celle-ci, adossée à ses oreillers, haletait comme si elle avait couru.

Veronica Lawson dévisagea Marie Anne elle aussi, en proie au désir de l'agripper par les épaules et de la secouer jusqu'à ce que mort s'ensuive. Mais il fallait d'abord qu'elle élucide une chose. Elle se pencha légèrement vers sa fille, sa voix n'était plus qu'un sifflement.

— Comment oses-tu frapper ainsi ta sœur et lui dire des choses abominables. Tu es folle, ma pauvre fille ! Complètement folle !

Marie Anne recula un peu devant le visage menaçant de sa mère. Bien que sa voix tremblât, elle n'avait pas peur d'elle, et les mots sortirent dru de ses lèvres.

— Je ne suis ni folle ni stupide, mère. Pose-lui la question et demande-lui pourquoi tu as dû la forcer à venir me voir. Depuis des semaines que je suis dans ce lit, elle n'a pas osé m'affronter parce qu'elle ne sait pas exactement ce que j'ai vu, étant donné que je me suis tenue tranquille. Maintenant j'ai compris pourquoi tu me détestes et j'ai fini par te détester aussi. Tu entends ? Je te déteste.

Elle martelait l'édredon de ses deux poings fermés, des larmes roulaient le long de ses joues. Elle cria :

— C'est à cause d'elle que je me suis cassé la jambe ce soir-là, mais je n'aurais jamais rien dit si elle était venue me voir le lendemain matin et m'avait parlé gentiment. Mais non, elle a fait comme d'habitude, d'un ton dédaigneux, me regardant de haut comme si je ne faisais pas partie de cette maison. Je ne sais pas combien de fois pendant toutes ces années elle a utilisé tes propres mots contre moi, disant que je finirais dans une maison de correction. Eh bien, permettez-moi de vous le dire à toutes les deux (son regard navigua de l'une à l'autre) : parfois je me dis qu'une maison de correction vaudrait mieux pour moi que celle-là. Et si je n'avais pas eu grand-papa et Pat, je crois que j'aurais pu effectivement devenir folle en apprenant que je n'avais pas été désirée. Je ne faisais pas partie de la famille, j'étais un élément avec lequel il fallait composer, dont il fallait souffrir la présence.

Abasourdie, Veronica Lawson dévisagea sa fille. Celle-ci ne l'avait pas habituée à de telles sorties. D'habitude, sa façon de répondre était de se mettre en colère ou de prendre ses jambes à son cou : elle s'enfuyait systématiquement. Mais à présent, force lui était de reconnaître qu'elle se trouvait en face d'une personne capable de penser par elle-même, par conséquent plus difficile à manier dans les années à venir et qui échapperait davantage à son autorité que la drôle de gamine capricieuse qu'elle avait été jusqu'alors. Il fallait qu'elle se rende sans tarder chez tante Martha pour régler cette affaire. Et puis, il y avait Evelyn. Mon Dieu ! Que s'était-il donc passé ? Qu'avait-elle encore mijoté ?... Cette histoire n'était sûrement pas du fait d'Evelyn.

Sans dire un mot, elle se détourna du lit, et fit face à Evelyn, qui se tenait la joue. Ce coup-là lui laisserait une trace. Mais ça lui était bien égal... Dieu sait ce qui se passerait lorsque sa mère aurait élucidé la question... Une seule chose était claire dans son esprit : si Roger trouvait un moyen de l'emmener, elle partirait avec lui. Mais elle n'avait pas de nouvelles de lui depuis presque une semaine et elle commençait à s'inquiéter.

— Viens, dit sa mère en l'agrippant par le bras.

— Oui, oui, marmonna-t-elle.

En suivant bon gré mal gré sa mère vers la porte, elle lança un regard à Marie Anne, qui l'aurait tuée sur place si elle avait pu le faire...

Une fois dans sa chambre, Veronica jeta littéralement sa fille sur une chaise en hurlant :

— Maintenant, tu vas m'expliquer de quoi il s'agit ! Elle t'a vue avec un homme, c'est bien cela ! Qui est-ce ? Je... Je n'arrive pas à y croire ! À ma connaissance, tu n'es pas sortie. Cela a dû se produire à la nuit tombée. Raconte-moi ce qui s'est passé.

Evelyn semblait avoir totalement retrouvé ses esprits, elle repoussa sa mère pour se lever.

— Oui, mère, j'étais avec un homme et c'était la nuit parce que... dis-moi un peu à quel autre moment je pourrais rencontrer quelqu'un qui te convienne et que tu ne terroriserais pas en lui jetant des idées de mariage à la tête à peine le seuil franchi ! Eh bien oui, j'ai fréquenté un homme sans te demander ton avis (elle monta d'un ton), et je l'ai choisi toute seule, tu entends ? Et je le rencontrais le soir. Je ne suis plus une petite fille, mère. J'ai bientôt vingt-cinq ans et je pourrais être mariée et mère de famille depuis plusieurs années déjà, alors cesse de te mêler de mes affaires. Je n'aime pas cette gamine, je ne l'ai jamais considérée comme ma sœur. La faute à qui ?

Veronica fut surprise et déconcertée par cette attaque, car si elle avait témoigné de l'intérêt et de l'affection à l'un de ses enfants, c'était bien à cette fille, qu'elle sentait si proche d'elle par bien des aspects. Elle ne réalisa pas sur le moment que sa fille avait le même genre de réaction que celle qu'elle aurait eue en pareil cas, et elle répliqua :

— Comment oses-tu me parler sur ce ton, Evelyn ! Toi, surtout ! Ton père lui-même n'a jamais...

— Oh ! je t'en prie, ne mêle pas mon père à tout cela, sinon je pourrais dire quelque chose que je regretterais par la suite ! De toute façon, tu es au courant maintenant. Tu sais que je vois un homme...

Elle ne put aller plus loin. Veronica ne désarmait toujours pas, sa voix devint rauque et basse.

— À en juger par la façon dont ta sœur s'est jetée à ta tête, tu fais sans doute plus que de le voir. Je suppose que tu couches avec lui.

Comme cela n'appelait pas de réponse de la part d'Evelyn, qui se détourna d'un air dédaigneux et regarda par la fenêtre, Veronica dit d'une voix presque plaintive :

— Mon Dieu ! (elle porta la main à son front) la servante... Elle a tout entendu ! Il faut faire quelque chose. Regarde-moi ! Tu m'écoutes ? Cette fille est au courant.

— Oui, mère, j'ai parfaitement entendu, la servante aussi. Tout comme elle a entendu chaque mot et vu chaque geste de Marie Anne, et elle est probablement en ce moment en bas, en train de répandre la nouvelle.

— Tu réalises ce que cela signifie ?

— Si tu utilises ta tactique habituelle, je suppose que tu vas trouver cette fille et lui dire que si elle répète un seul mot de ce qu'elle a entendu, elle passera pour une fieffée menteuse. Mais tu ne la renverras pas. Tu es trop futée pour ça.

Veronica Lawson n'en croyait pas ses oreilles, pas plus qu'elle ne réalisait le fait que cette femme — car, debout près de la fenêtre et la considérant presque avec animosité, c'était *vraiment* une femme qui s'adressait à elle en ces termes — était sa propre fille. Mais elle avait raison en ce qui concernait la servante. Il fallait qu'elle s'en occupe au plus vite. Elle sortit de la pièce presque en courant. Une minute après, elle était dans sa propre chambre, tirant sur le cordon pour faire monter la gouvernante...

Au même moment, Fanny Carter était dans l'antichambre du régisseur en conversation avec Robert Green, hochant la tête au rythme de son récit.

— « Tu me dégoûtes ! » Voilà exactement ce qu'elle lui a dit. « C'est à cause de toi que je me suis cassé la jambe, je t'ai vue ! » Et elle a donné à Mlle Evelyn une gifle qui lui a retourné la tête. Oh là là ! j'aurais voulu que tu entendes ça, le tapage... et les cris ! La maîtresse avait terriblement peur que j'entende la suite, alors elle m'a pratiquement jetée dehors. Je t'assure. Marie Anne a dû voir quelque chose qui l'a drôlement choquée pour courir si vite... au point de rentrer dans un mur de pierre. La pauvre petite. Je la plains.

Robert Green se pencha vers elle.

— Écoute, si j'ai un conseil à te donner, c'est de garder tout ça pour toi. Tu pourrais bien perdre ton emploi si tu ne tiens pas ta langue. Ils sont capables de tout pour étouffer un scandale. Écoute un peu ça, Fanny... tu connais Katie Roberts, qui travaille là-bas, au Petit Manoir ? Eh bien, j'ai cru comprendre que Maggie Makepeace lui a dit que si elle ne tenait pas sa langue elle serait renvoyée, tout ça parce qu'elle a raconté qu'elle avait vu Mlle Evelyn courir vers les bois, deux fois la même semaine. Tu sais que Katie fréquente Bobby Talbot, le pêcheur. Elle est sans doute sortie un soir en douce, et la vieille Maggie a dû avoir vent de l'affaire. Elle lui a passé un savon non pas parce qu'elle était sortie mais parce qu'elle avait raconté qu'elle avait vu Mlle Evelyn dans le bois. Et Katie a eu le toupet de rapporter à la vieille servante qu'elle ne l'avait pas vue seulement une fois mais deux, la seconde en compagnie d'un homme. Bien qu'elle n'ait pas reconnu l'homme, elle dit que si *elle* les avait vus, Bobby les avait sûrement vus aussi, et tout et tout... En tout cas, tais-toi. S'il doit y avoir du grabuge, autant que ça vienne du Petit Manoir et pas de chez nous.

— N'exagère tout de même pas ! Qu'est-ce que je t'ai dit ? Rien de plus que ce que Mlle Marie Anne a crié sur les toits.

— Bon, admettons. Mais tiens-toi en dehors de tout ça. Je te verrai ce soir si je peux. Tu n'as pas intérêt à ce que la gouvernante te trouve par ici.

Fanny sortait tout juste des quartiers réservés au personnel quand Mme Piggott en personne apparut.

— Que fais-tu ici ? Tu devrais être à l'étage.

— Je... Je cherchais... Carrie, madame.

— Tu ne risques pas de la trouver en bas à cette heure de la matinée, ma fille. De toute façon, la maîtresse veut te voir immédiatement. Pas dans la chambre. Dans son bureau. Tu es occupée à quelque chose ?

— Non, madame. La maîtresse m'a fait sortir de la chambre.

— Pourquoi donc ? N'es-tu pas censée t'occuper de Mlle Marie Anne ?

— Je... Je crois qu'elles voulaient avoir une conversation en particulier.

La gouvernante dévisagea la jeune fille.

— Eh bien, vas-y, maintenant.

Puis, comme la jeune fille s'exécutait, la gouvernante la retint par les cordons de son tablier, l'obligeant à se rapprocher d'elle.

— Et reviens me voir avant de retourner dans la chambre de Mlle Marie Anne. Compris ?

— Oui, madame.

Fanny trouva sa maîtresse assise devant son grand bureau recouvert de cuir. Elle était en train d'écrire une lettre, mais s'interrompit immédiatement.

— Depuis que tu as quitté la chambre, as-tu parlé à quelqu'un ?

Fanny fit mine de réfléchir une minute.

— Oui, madame. J'ai parlé à Mme Piggott.

— À personne d'autre ?

Elle se tut de nouveau un moment, puis regarda sa maîtresse droit dans les yeux.

— Non, madame.

— Bon. Tu vas m'écouter bien attentivement, ma fille. Les paroles que Mlle Marie Anne a prononcées tout à l'heure étaient dictées par l'hystérie. Sais-tu ce que cela signifie ?

— Non, madame.

— Bien...

Veronica Lawson s'humecta les lèvres, puis se concentra un instant. Comment expliquer un phénomène aussi complexe que l'hystérie à une fille simple ? Impossible de dire que c'était une chose proche de la folie sans faire jaser davantage. Elle finit par dire :

— C'est quelque chose qui arrive quand les gens se mettent en colère et ne savent plus ce qu'ils disent. Ils disent la première chose qui leur passe par la tête mais ce n'est jamais la vérité, ce ne sont que des choses imaginaires et des mensonges. Tu comprends, ma fille ?

— Oui, madame. Vous voulez dire que Mlle Marie Anne racontait des mensonges, que tout ce qu'elle a dit sortait de son imagination. Elle a beaucoup de caractère, c'est pour ça qu'elle invente des tas de choses...

— Tu as raison, ma fille, elle a une forte personnalité.

— Oui, madame.

— Tu ne dois rien révéler de ce qui s'est dit dans la chambre ce matin, strictement rien. À aucun membre du personnel. C'est compris ?

— Oui, madame. Je ne dois répéter à personne ce que Mlle Marie Anne a dit.

— C'est exact.

Veronica regarda la jeune fille. Était-elle simplette ou madrée ? Elle n'arrivait pas à trancher... On ne connaît jamais vraiment à fond la mentalité des domestiques...

— Tu peux t'en aller à présent.

— Merci, madame.

Fanny esquissa une petite révérence, recula d'un pas et fit demi-tour pour quitter la pièce.

La gouvernante, qui l'attendait à l'angle du corridor, l'interpella d'un « Alors ? ».

— Oh ! elle ne voulait pas grand-chose, dit Fanny à voix basse. Seulement je ne dois pas raconter que Mlle Marie Anne était hystérique et s'est mise en colère.

Mme Piggott lança à la jeune fille un regard aigu.

— Pourquoi est-elle devenue hystérique ?

— Je ne sais pas, madame Piggott. Elle s'est mise à hurler comme font les hystériques. Il faut que j'y aille maintenant. Je dois retourner près d'elle, et la maîtresse va sortir de son bureau.

Elle avait dit cela à tout hasard, toujours est-il que la gouvernante fit rapidement demi-tour et se dirigea vers le hall. En montant vers la chambre de Marie Anne, Fanny se dit : « Tiens, tiens, la maîtresse a la frousse... »

— 4 —

Marie Anne avait eu mal aux dents pendant deux jours. Il y avait environ une heure que le Dr Ridley lui avait donné un sédatif, qui l'avait rendue somnolente. Mais bien qu'elle eût fermé les yeux et se sentît plus détendue depuis que la douleur s'était atténuée, elle ne dormait pas. Elle entendit Carrie Jones entrer dans la chambre et dire précipitamment :

— Ils sont tous dans la salle à manger en train de se crêper le chignon. Tu ne connais pas la dernière ! — c'est Bill Winter qui vient de la raconter. Tu sais qu'il y avait des gitans dans le champ le soir où mademoiselle... Tu es bien sûre qu'elle est endormie ?

— Oui, oui, cette fois-ci elle dort. Alors, raconte, qu'est-ce qu'il s'est passé avec les gitans ?

— Eh bien, ils sont partis le lendemain. Bill pense qu'ils ont eu peur qu'on les accuse de l'accident de mademoiselle. En tout cas, maintenant, ils sont revenus. Ça fait déjà sept semaines et un des gitans a dit à Bill que c'était l'homme à la tache de vin qui l'avait trouvée et avait écrit le mot.

— Ah ? Je croyais qu'il avait quitté la région.

— Non, pas pour de bon. Bill Winter dit qu'il va à Londres de temps en temps mais qu'il revient dans son cottage. En tout cas, c'est lui qui l'a trouvée. Tout ça c'est fini maintenant. Tu sais quoi encore ? Katie Brooks a une sœur qui a un an de moins qu'elle et qui travaille à La Grange. Je l'ai vue une fois, elle est très jolie, grande, avec une belle peau, de grands yeux bleus. Toujours est-il qu'elle est enceinte.

— La sœur de Katie, enceinte ?

— Oui. Et je donne mon billet que tu ne devineras jamais de qui ?

— Du maître d'hôtel ?

— Non ! Elle n'est tout de même pas tombée si bas ! C'est le cousin de mademoiselle, M. Roger Cranford.

— Pas possible ! Il est déjà venu ici. Il a été invité avec d'autres de La Grange.

— Ah, oui ! Maintenant que tu en parles, ça me revient ! Pas très grand mais beau garçon. Oh oui, très beau même ! Il avait été malade en Inde, ou quelque chose comme ça... Toujours est-il qu'il fait ses bagages, il va partir dans les vingt-quatre heures. Il a eu une explication avec Winnie — c'est la fille en question, la sœur de Katie. Apparemment, il lui a promis de l'emmener avec lui, mais elle a été bien naïve de croire que le maître de maison se marierait avec une fille de cuisine, tu parles d'une plaisanterie !

— Où est-elle à présent ? Avec Katie ?

— Oh non ! elle va aller à l'atelier. C'est le seul endroit où elle puisse aller. Elles sont orphelines, et elles vivaient chez leur grand-mère à Gateshead, jusqu'à sa mort. Alors je ne vois pas où elle pourrait aller... Hé ! Marie Anne a bougé.

— Ne t'inquiète pas, la rassura Fanny. Le docteur lui a donné une dose qui l'a assommée. Elle remue toujours beaucoup au lit. C'est à cause de sa jambe.

— Tu crois qu'elle pourra remarcher un jour ?

— Oh oui ! Le Dr Ridley en est sûr. Si elle n'avait pas eu ce mal de dents, elle se serait installée sur la chaise longue. Il faut que je lui fasse des massages des jambes et des hanches — le docteur m'a montré comment m'y prendre — sinon ses muscles se raidiront et elle aura du mal à remarcher.

— C'est vrai qu'elle va partir à Londres ? demanda Carrie d'une voix douce.

— Oui. D'après ce que j'ai entendu dire, dès qu'elle pourra marcher, ils vont l'envoyer là-bas. De toute façon ça risque d'être mieux ainsi, car ce n'est pas une vie pour elle ici, tu sais.

— Regarde, elle a encore bougé. Il faut que j'y aille à présent, mais j'étais sûre que tu serais contente de connaître les rumeurs qui circulent sous le manteau. Au revoir.

— Au revoir, Carrie, merci d'être montée.

— Je t'en prie. Tu me manques en bas, tu sais. J'ai hâte que tu redescendes.

Les deux jeunes filles échangèrent un sourire et Fanny referma la porte derrière Carrie. Marie Anne se tourna sur son côté droit aussi loin que le lui permettait sa jambe gauche et, à l'abri sous le drap, elle porta sa main à sa bouche et la maintint serrée en répétant mentalement : « Evelyn... oh... Evelyn. » Il ne l'avait pas emmenée, elle qui s'était donnée à lui. Et cette autre fille... qui attendait un bébé... Peut-être était-elle partie avec lui... Allons, ne dis pas de bêtises... Elle s'agitait sous les draps. Elle avait entendu Pat dire qu'il devait emmener Evelyn voir un des bateaux ce matin, mais sa sœur ne se sentait pas bien, elle était restée au lit. Elle n'avait pas voulu voir le docteur. Ce n'est qu'un rhume, avait-elle dit.

Rien qu'un rhume... Est-ce qu'on s'alite quand on a le cœur brisé ? Car c'est sans doute ce qui arrive quand un amoureux vous abandonne. En tout cas c'est ce qu'on dit dans les romans, et elle aussi le croyait. Oh oui !... Elle se sentit soudain submergée par une vague de remords : elle n'aurait pas dû lui dire tout ça, elle n'aurait pas dû la frapper, car elle devait être vraiment très amoureuse de lui. On ne fait pas les choses qu'elle lui avait vu faire cette nuit-là si l'on n'est pas très amoureuse d'un homme. Pourtant, presque simultanément, elle crut entendre les voix dans la cheminée, les disputes suivies de bruits de lutte. Autrefois, elle s'était imaginé qu'il suffisait d'être mariés pour s'aimer pour toujours. C'était stupide... Elle avait beaucoup de pensées comme celle-là. Elle détestait ce côté puéril et naïf qu'il y avait en elle, et pourtant elle s'y raccrochait souvent.

Pour la première fois de sa vie, elle eut une pensée tendre envers Evelyn, bien qu'elle se sentît incapable de la traduire en mots susceptibles de lui apporter quelque réconfort. Et, en admettant qu'elle essaye, elle essuierait une rebuffade. Evelyn lui en voudrait à tout jamais d'avoir été le témoin de son déshonneur.

Elle aurait voulu que les semaines s'envolent pour pouvoir marcher de nouveau et aller à Londres, car tout valait mieux que la vie qu'elle menait dans cette maison. Son seul regret était de quitter son grand-père et Pat. Ils allaient lui manquer tous les deux. Pat allait de temps en temps à Londres et il pourrait peut-être venir la voir. Et puis il y avait les lettres : elle écrirait tous les jours à son grand-père, enfin... peut-être pas tous les jours, mais toutes les semaines. Oui, toutes les semaines.

Londres... Dans l'univers clos de sa chambre, le mot prenait le lustre d'une étoile. Ses pensées l'amenaient tout doucement vers le sommeil, lorsque dans un état second elle discerna un visage qui se penchait sur elle. Il brillait d'un éclat effrayant dans le clair de lune, il était sombre et n'avait qu'un seul œil. La seconde suivante, un visage aimable s'était superposé à ce masque, et elle entendit une voix qui disait doucement « tout ira bien, tu verras, tout ira bien ».

L'une de ces visions était l'homme à la tache de vin. Comme tout le monde, elle en avait entendu parler, mais il ne se montrait jamais dans le village. Son grand-père disait que les habitants n'étaient que des ignorants et des rustres. L'homme était sculpteur et réalisait des œuvres remarquables. Elle se rappelait vaguement que son grand-père racontait qu'il avait été élevé par des moines et que la fermette où il habitait lui avait été léguée par un lointain parent.

Depuis cette nuit-là, le souvenir de ce visage changeant venait la hanter de temps à autre. En réalité, elle en était venue à se dire qu'il y avait eu deux personnes ce soir-là près d'elle, l'homme à la tache de vin et quelqu'un d'autre.

Mais quelle importance ? Tout cela appartenait désormais au passé. Londres se dressait devant elle comme une vision magnifique, et le sommeil vint enfin la surprendre sur cette pensée.

DEUXIÈME PARTIE

— 1 —

Marie Anne avait la sensation d'être dans ce train depuis des années. Le rythme du roulement, avec son crissement ininterrompu, la fatiguait, et des nuages de fumée noire entraient par la fenêtre si par hasard elle l'ouvrait.

Elle voyageait en première classe et n'eut aucun compagnon de voyage jusqu'à York.

Le contrôleur, à qui Pat l'avait recommandée au départ, lui avait assuré qu'il prendrait soin d'elle. Fidèle à sa parole, il était venu la voir à deux reprises, avec une tasse de thé et un biscuit. À York, un couple âgé était monté dans le compartiment et il avait été prompt à lui signifier que la jeune fille était sous sa garde. C'étaient des gens très agréables, qui s'étaient montrés intéressés par le fait qu'elle montait à Londres pour y mener une carrière musicale. Pourtant, pendant la plus grande partie du trajet, elle était restée dans son coin, les yeux fermés, essayant de surmonter la séparation avec son grand-père. Elle avait pleuré, et lui aussi avait versé des larmes, qui avaient coulé le long de ses joues ridées. Il l'avait serrée tout contre lui, disant pour la rassurer que si elle ne se plaisait pas là-bas, elle pourrait revenir à la maison, peu importerait ce qu'on dirait. Mais en attendant il ne fallait pas qu'elle se fasse du souci pour lui : comme Pat le lui avait suggéré, il allait se réinstaller dans ses appartements du Manoir, car il avait besoin de soins de temps à autre et Maggie Makepeace se faisait âgée. Toutefois, il entendait bien garder Maggie, Barney et Katie au Petit Manoir. Et si elle avait envie de revenir, elle serait accueillie avec joie là-bas.

Elle savait qu'il avait eu des mots avec sa mère : il lui avait dit qu'elle aurait dû accompagner sa fille à Londres pour l'aider à s'installer dans sa nouvelle vie. Pat, de son côté, ne pouvait malheureusement pas abandonner les affaires : il y avait des problèmes avec un équipage qui comptait pas mal de fortes têtes, et ni son père ni Vincent n'étaient capables de maîtriser une telle situation.

C'est ainsi que, le 19 octobre 1899, Marie Anne débarqua à la gare de King's Cross, sur un quai baignant dans la lumière glauque des réverbères à gaz. Le contrôleur, prenant les instructions de Pat au pied de la lettre, l'aida à porter ses bagages dans la mêlée des passagers. Puis il la conduisit jusqu'à la grille et brandit une ardoise sur laquelle il venait d'inscrire en grosses lettres à la craie : MLLE SARAH FOGGERTY.

Se frayant un passage à travers la foule, une jeune femme, qui paraissait avoir un peu plus de trente ans, se présenta de l'autre côté de la grille de fer :

— Je suis Mlle Foggerty.

— Voici votre protégée, mademoiselle. Elle s'est conduite de façon exemplaire pendant le voyage.

Marie Anne jeta un coup d'œil à la jeune femme, qui venait de se placer à côté d'elle, puis tendit la main au contrôleur.

— Merci beaucoup, monsieur le contrôleur. Vous avez été très aimable. J'en ferai part à mon grand-père.

— C'est très aimable à vous, mademoiselle. Ç'a été un véritable plaisir pour moi de m'occuper de vous. Je vous souhaite une bonne journée.

La voici à présent fendant la foule dans le sillage de cette drôle de femme, qu'elle n'a pas encore eu le temps de regarder.

Elle ne réussit à la voir distinctement que lorsque toutes deux se retrouvèrent sous un lampadaire sur le trottoir. Sarah Foggerty pencha sa mince silhouette sur Marie Anne.

— Tout va vous sembler bizarre au début, ma chère. Mais j'espère que vous vous y habituerez. Vous n'avez pas été malade dans le train ?

— Non, non... mais je me sens très fatiguée. Le voyage a été très long... et c'est la première fois que je pars de chez moi.

— Nous allons bientôt arriver à la maison. Oh, est-ce votre porteur ? Vous n'avez que deux valises ?

— Oui.

Le porteur, après avoir descendu les deux valises de sa charrette, lança un regard significatif à la jeune femme, qui fouilla dans sa poche et en sortit un porte-monnaie. Elle lui tendit une petite pièce, qu'il regarda un moment puis empocha sans rien dire.

Sarah Foggerty regarda les deux valises d'un air indécis.

— Bon. Nous allons prendre un taxi, dit-elle enfin.

Elle héla le premier venu et fit monter Marie Anne en lui donnant une petite tape sur le derrière. Puis elle hissa les deux valises dans la voiture et donna l'adresse au chauffeur :

— 17, Black Terrace.

Après avoir grimpé le haut marchepied, elle ferma la porte et se laissa choir à côté de Marie Anne.

— Oui, c'est cela. Il n'y a pas d'omnibus aujourd'hui, dit-elle d'un ton énigmatique.

Marie Anne adressa un faible sourire à cette jeune femme au visage ordinaire, vêtue simplement mais manifestement très dégourdie. Pour l'instant elle ne connaissait rien d'elle, à part son abord aimable et sa voix agréablement chantante.

— À partir de maintenant, ma chère, ne prêtez pas attention à ce que je dis mais fiez-vous plutôt à mes actes. Je ne doute pas que cela vous étonne mais, comme il est dit dans la Bible, les choses deviendront limpides le moment venu, dit-elle d'un air encore plus mystérieux.

Un moment plus tard, le taxi s'arrêta. Le chauffeur vint ouvrir la portière et prit les valises des mains de Mlle Foggerty, puis l'aida à descendre ainsi que Marie Anne.

— Je vous dois combien ? demanda Sarah Foggerty.

— Un shilling et un penny, mademoiselle.

Marie Anne regarda la jeune femme prendre un shilling et un penny, puis un second penny, qu'elle laissa comme pourboire au chauffeur.

— Merci, mademoiselle, de votre bonté.

— Ce n'est rien, ce n'est rien. Venez, ma chère.

Elle prit les deux valises et ouvrit d'un coup sec de sa bottine la grille de fer. Une courte allée menait à une porte d'entrée d'aspect modeste ; elle désigna de la tête la cloche contre le mur :

— Voulez-vous sonner, ma chère ?

Marie Anne s'exécuta, et la porte s'ouvrit sur une servante.

— Vous voilà enfin, mademoiselle !

— En chair et en os, Clara.

Sarah Foggerty posa les deux valises, puis se tourna vers Marie Anne.

— Voici Clara Emery, notre seule et unique (elle marqua une petite pause) servante.

Puis elle se pencha vers la jeune fille et sa voix se réduisit à un murmure :

— Où est-elle ?

La petite servante répondit sur le même ton :

— Elle vous attend dans le salon. Mais ça ne fait pas longtemps qu'elle est descendue.

Puis, comme si elle avait un instant oublié la présence de leur hôte, Sarah se retourna vers Marie Anne pour faire les présentations.

— Voici Marie Anne Lawson, la nouvelle pupille de notre maîtresse.

— Bienvenue, mademoiselle, dit la jeune servante en faisant une petite révérence.

Marie Anne, intriguée par le mot « pupille », ne put rien dire d'autre qu'un « merci » stupéfait. Que cela signifiait-il au juste ? Il faudrait qu'elle en ait le cœur net.

Elle fut légèrement étonnée quand Mlle Foggerty l'arrêta au moment où elle allait ôter son chapeau.

— Gardez-le. Et votre manteau aussi. Elle voudra vraisemblablement voir votre allure générale. Venez, finissons-en.

Elles étaient restées jusque-là dans le vestibule, un étroit passage qui donnait sur une volée de marches. Marie Anne avait l'impression de voir à travers une brume, tant la pénombre qui régnait dans la maison semblait opaque.

Sarah frappa à la porte du salon, puis l'ouvrit sans attendre de réponse. Elle fit entrer Marie Anne en la tirant par la main. Bien que dénué de couleurs et meublé de bois sombre et lourd, le salon lui apparut beaucoup plus clair. À l'autre extrémité de la pièce se trouvait une fenêtre, à travers laquelle elle aperçut un peu de verdure. Entre la fenêtre et elle, sur une chaise au dossier rigide, était assise une femme toute de noir vêtue. Ses cheveux gris étaient tirés strictement en arrière autour de son visage replet.

Elle ne dit rien tant que Marie Anne ne fut pas devant elle. Puis elle l'observa attentivement en plissant les paupières.

— Tu es beaucoup plus grande que ce que je croyais. Quel âge as-tu ?

— J'ai eu quinze ans le 2 août, madame.

— Je suis ta tante, ne m'appelle pas madame.

Marie Anne doutait effectivement que cette femme fût sa tante : elle n'était en réalité que la demi-sœur de sa mère et, manifestement, de beaucoup son aînée. Son visage n'était pas ridé mais elle faisait vieille et sa peau était comme parcheminée.

— Oui, ma tante, s'entendit-elle répondre docilement.

— Tu sais pour quelle raison tu es ici, n'est-ce pas?

— Oui, ma tante. Pour faire une carrière musicale.

— J'espère que tu réussiras. Il faut bien gagner sa vie.

Marie Anne entendit Mlle Foggerty tousser discrètement, et elle allait se tourner vers elle quand sa tante poursuivit :

— Je t'avertis tout de suite : ici, pas question de te livrer à tes petites fantaisies. Si jamais tu te sauves, tu te retrouveras dans la rue. Tu risques de te retrouver sous les sabots d'un cheval avant de réaliser ce qui t'arrive, ou alors tu te feras ramasser par la police. Tu comprends?

Marie Anne ne comprenait que trop bien deux choses, elle n'aimait ni cette femme ni cette maison.

Sarah Foggerty lui effleura le coude et dut lui donner une légère bourrade pour lui signifier de partir. Marie Anne était déjà dans le couloir et Sarah s'apprêtait à refermer la porte lorsque la voix, plus forte à présent, de Martha Culmill l'arrêta dans son geste.

— Foggerty!

Sarah Foggerty revint sur ses pas, tandis que Marie Anne s'avançait dans le vestibule. Elle resta cependant à portée de voix et entendit les paroles échangées.

— Vous êtes venues en taxi. Pourquoi n'avez-vous pas pris l'omnibus?

— Nous l'avons raté, madame, et le suivant partait une heure plus tard.

— Le chauffeur vous a demandé combien?

— Un shilling et trois pence, madame.

Marie Anne écarquilla les yeux. L'homme n'avait fait payer qu'un shilling et un penny.

La voix de sa tante reprit :

— Le tarif autorisé n'excède pas un shilling! J'espère que vous ne lui avez pas donné de pourboire.

— Bien sûr que non, madame.

— À l'avenir, ne prenez plus de taxi.

— Bien, madame.

Sarah Foggerty ferma la porte du salon, puis se tourna vers Marie Anne, qui lui lança un regard étonné, comprenant soudain comment Sarah s'était débrouillée pour donner un pourboire d'un penny au porteur et autant au chauffeur. Elle admira son habileté et lui sourit. Sarah lui rendit son sourire, avec un petit signe de tête complice, puis se dirigea d'un pas vif vers les valises, restées dans le couloir. Elle en souleva une et dit :

— Partageons équitablement, voulez-vous ? Prenez l'autre valise, mademoiselle.

Les escaliers étaient étonnamment larges, comparés à l'étroitesse des paliers et à celle du vestibule. Quatre portes donnaient sur le palier. Sarah Foggerty conduisit Marie Anne à la porte la plus éloignée et la fit entrer dans une petite chambre sommairement meublée d'un lit à une place, d'une table de toilette, d'une armoire et d'une chaise en bois.

— Le seul avantage de cette chambre, c'est qu'elle donne sur le jardin, dit Sarah en posant la valise sur le lit. Mais il n'y a pas moyen de se glisser par la fenêtre ou de descendre le long du tuyau d'écoulement, c'est bien trop haut.

Marie Anne resta bouche bée, regardant Sarah Foggerty, qui lui souriait de toutes ses dents à présent en hochant la tête.

— Je sais que vous aimez gambader ! Je suis au courant de chacune de vos escapades. Ne vous en formalisez pas mais c'est ainsi, je dois lire tout son courrier à votre tante, elle a une mauvaise vue et ne peut déchiffrer les lettres. Pour le reste elle voit bien, mais elle a mal aux yeux : le docteur dit que c'est l'âge et qu'il n'y a rien à faire. Vous savez, mademoiselle, j'ai roulé ma bosse un peu partout en Angleterre avant d'atterrir ici. Je courais comme un lièvre, j'étais délurée, je n'ai connu que l'école de la rue et je n'ai pas été longue à apprendre. Mais vous, qui êtes si jeune, tomber ici, dans cette maison sinistre ! Je vois sur votre visage que vous n'avez guère de sympathie pour votre tante. Mais qui pourrait en avoir, de toute façon ? Vous avez deux solutions : soit vous en prenez votre parti et vous riez dans son dos, soit vous vous sauvez à toutes jambes pour rentrer chez vous, où vous seriez reçue comme un chien dans un jeu de quilles, d'après ce que j'ai compris. À mon avis (Sarah se pencha vers Marie Anne, qui s'était assise au pied du lit), et je suis sûre que vous ne me contredirez pas, votre mère n'a pas l'air commode.

Que Marie Anne fût étonnée était évident, mais c'était plutôt une révélation agréable, car elle venait de réaliser que non seulement cette femme lui plaisait mais qu'elle allait sans aucun doute s'en faire une amie. Elle lui faisait penser à Maggie Makepeace, sauf que Maggie n'était pas irlandaise. Spontanément, elle prit les mains de cette petite femme au visage sans grâce et lui dit d'une voix tremblante de larmes contenues :

— Vous êtes si gentille avec moi. Merci. Je... je suis contente d'être avec vous.

Sarah Foggerty se tut quelques secondes avant de répondre.

— Ça me fait plaisir, mademoiselle. Tout le monde va être heureux de vous connaître, à la cuisine, et tout... Je peux parler pour Agnès et Clara en tout cas : vous avez déjà vu la petite Clara, et Agnès est la cuisinière, la cuisinière en chef. Nous sommes toutes quelque chose en chef ici : je suis infirmière de nuit en chef, infirmière de jour en chef, secrétaire... et tout ça pour quoi ? Je ne coûte pas cher. Je tiens lieu de dame de compagnie à votre tante, mais je ne suis pas une jeune fille de bonne famille, comme vous avez pu vous en apercevoir. Mais les dames qui se sont présentées pour la place demandaient deux fois le prix que votre tante était prête à payer. Alors elle m'a choisie, moi, au prix coûtant, et la marchandise ne sera ni reprise ni échangée. Vous avez raison de sourire, mademoiselle. Vous êtes une jolie fille mais vous avez de trop grands yeux et ça vous va bien de sourire. Bon, maintenant, il faut que je vous explique le règlement de la maison. La cuisinière et Clara se lèvent à six heures et demie, bien qu'elles soient supposées être debout à six heures. Je me lève à sept heures, comme votre tante, car je dors dans la chambre à côté. Vous vous lèverez à sept heures et demie. Le petit déjeuner est servi à huit heures, nous avons généralement du porridge, du bacon en tranches deux fois par semaine et un œuf une fois par semaine. Le déjeuner est à midi, la cuisinière se débrouille comme elle peut avec les ordres parcimonieux qu'elle reçoit de là-haut. À cinq heures on sert le thé, avec du pain et du beurre, de la confiture de prunes ou de la compote de pommes la plupart du temps. Une fois par semaine, la cuisinière a l'autorisation de faire un gâteau, que nous mangeons le week-end. Le soir, nous avons droit à une tasse de cacao : c'est tout ce qu'il y a au menu. Du moins ce sont les ordres venus d'en haut, mais (elle leva les yeux au ciel) c'est moi qui suis chargée de peser les ingrédients, et (vous n'imaginez pas à quel point ces vieilles balances peuvent être imprécises, dit-elle en se penchant vers Marie Anne). Ne vous en faites pas, il y a toujours un morceau de gâteau caché dans une boîte en fer-blanc, et si vous avez un petit creux, on vous trouvera toujours un bout de saucisse froide sur un toast beurré !

— Oh, mademoiselle Foggerty ! pouffa Marie Anne en mettant sa main devant sa bouche. Elle avait envie d'éclater de rire, mais elle sentait qu'elle pouvait tout aussi bien se mettre à pleurer de façon hystérique, car elle se sentait encore toute nouée à l'intérieur.

— Appelez-moi Sarah, je préfère.

— Oh, bien sûr, avec joie... Sarah.

— Passons à vos obligations, à présent : vous devrez faire le ménage dans votre chambre. Faire la lecture à votre tante une heure chaque matin, pendant que je m'occupe du courrier. Elle en reçoit pas mal, en majorité des lettres d'affaires. Elle a joué sur plusieurs tableaux mais elle a surtout des affaires qui ont un lien avec l'Église. Ah ! à propos, le dimanche, Agnès et Clara vont à l'office, matin et soir : elles ont vraiment de la chance de pouvoir sortir. Venons-en à la raison principale de votre venue : immédiatement après le déjeuner, je dois vous emmener à l'académie du Pr Carlos Alvarez. On dit « académie », fit Sarah en hochant la tête, mais ce n'est qu'une maison, un peu comme celle-ci, en beaucoup plus lumineuse, bien qu'elle soit située au bout d'une petite rangée de trois maisons, qui ont été transformées en chapelleries. Comme ça, les gens n'ont pas à se plaindre du ding-ding du piano. En tout cas, d'après ce que j'ai pu voir, elle est joliment meublée. Je crois qu'il n'y a que sa femme et lui dans la maison. Leur appartement est à l'étage. J'ai vu sa femme quand j'y suis allée l'autre jeudi pour leur porter un message. Elle n'a pas l'air d'une femme de professeur, elle a une drôle de voix, avec une pointe d'accent cockney, je dirais. Je l'ai entendue l'appeler pendant que j'attendais dans le hall. Lui, c'est un type assez sympathique, aimable, je dirais. Quand il est descendu, il était tout sourire. Bref, il vous prendra deux heures le lundi, le mercredi et le vendredi, de une heure et demie à trois heures et demie. Le mardi et le jeudi, il ne pourra vous prendre qu'une heure. Le reste du temps, votre tante compte bien que vous fassiez des exercices.

Sarah se pencha en avant, avec cette façon qu'elle avait de faire lorsqu'elle voulait donner à ses propos une signification un peu exceptionnelle.

— Votre mère a clairement précisé dans une de ses lettres que vous deviez vous tenir à vos exercices, laissant entendre qu'elle n'était pas disposée à gaspiller de l'argent pour que vous fassiez du tourisme.

— Gaspiller de l'argent ?

— Oui, c'est ce qu'elle a dit.

— Ma mère a payé pour que je vienne ici ?

— En tout cas, elle a dit qu'elle allait envoyer l'argent. J'ignore d'où elle le tient, sans doute de votre père, mais elle paie votre pension, c'est sûr. Oh ! (la bouche de Sarah s'arrondit en O), oh, vous ne croyez tout de même pas que notre maîtresse va prendre quelqu'un, même de sa famille, par pure bonté d'âme ? Vous n'êtes pas au bout de vos surprises, ma chère. En tout cas, je suis certaine d'une chose, c'est que vous ne pouvez pas faire du piano du matin au soir. Mais si j'étais vous, j'en ferais le plus possible — si vous aimez ça. Je suis sûre que pour nous dans la maison ce sera agréable. Aussi gai qu'un orchestre de cuivres ! Il y en a un qui passe tous les dimanches matin, mais ce sont des tambours et des fifres : ils vont vers l'église catholique. C'est très joli. Oh, j'aimerais tellement aller avec eux ! Ah ! j'allais oublier, il faudra que vous lui lisiez la Bible, ou des magazines — religieux la plupart du temps —, mais je vous donne un conseil : si vous en avez assez, mettez-y le holà. Car je peux vous dire une chose : elle va essayer de tirer le maximum de profit de l'argent de votre mère, sans compter ce qu'elle va économiser sur vos cours de piano. Le professeur a demandé une demi-couronne de l'heure, ce qui fait une livre par semaine. Mais elle a réussi à lui faire baisser son prix à seize shillings, vu que vous allez prendre des cours pendant longtemps.

Le bruit d'une sonnette, quelque part dans la maison, fit sursauter Sarah.

— C'est pour moi, dit-elle en se précipitant vers la porte. Faites vite un brin de toilette et défaites vos bagages. Vous rejoindrez votre tante en bas. Elle prend le thé au rez-de-chaussée et ne monte que rarement à l'étage.

Après que la porte se fut refermée doucement sur Sarah, Marie Anne se laissa tomber sur le bord du lit, l'esprit en ébullition : elle n'arrivait pas à concevoir que sa tante ait pu marchander ainsi avec un professeur de musique... Voilà qui en disait long sur la pingrerie de cette femme. Elle savait désormais à quoi s'en tenir. Et sa mère qui payait pour qu'elle soit chez cette mégère ! Son grand-père, elle le savait, avait cru qu'elle était censée tenir lieu de dame de compagnie à la vieille dame. Elle l'avait même entendu dire que la tante n'était pas très chaude pour recevoir de l'argent.

Tout en laissant son esprit vagabonder sur sa situation présente, elle se dit que si la présence de Mlle Foggerty, Sarah, comme elle voulait qu'elle l'appelle, n'était pas venue illuminer cette première journée, elle ne serait pas restée une minute de plus dans cette maison. Rien que la tristesse de l'endroit l'aurait fait fuir. Mais pour aller où ? Pour risquer de se retrouver sous les sabots d'un cheval, ou au poste de police, comme la femme en noir l'en avait menacée ? Non, elle aurait plutôt envoyé un télégramme à son grand-père pour lui annoncer son retour, au risque de se faire mal accueillir par sa mère, Vincent et Evelyn...

Marie Anne venait juste de finir de défaire ses valises, elle s'était lavé le visage et les mains à l'eau froide dans le broc, placé sur la table de toilette, et s'était fait deux tresses tirées en arrière, lorsqu'un coup discret fut frappé à la porte. C'était Clara.

— Le thé est servi au salon, mademoiselle, et elle... madame vous attend.

— Il n'y a pas de miroir dans cette chambre, Clara ? Y en a-t-il un à côté ?

— Oh non ! mademoiselle. Madame est contre les miroirs, elle dit que ça encourage la vanité. (Elle sourit, puis chuchota sur le ton de la confidence :) Mais la cuisinière en a un dans son sac, elle vous laissera jeter un coup d'œil si vous le lui demandez. En tout cas, vous feriez mieux de descendre, sinon vous allez vous faire sonner les cloches ! Madame n'aime pas attendre.

Marie Anne eut envie de rire de la drôle de façon dont la petite servante s'exprimait et, une fois dans le couloir, elle lui demanda :

— D'où êtes-vous ?

— Du pays de Galles, mademoiselle. Et j'aimerais bien retourner au village car ici ça ne me change guère. Comme dirait mon père, c'est l'église et la trique... Mon père, il était marin quand il était jeune, et moi je ne m'habituerai jamais à la façon de parler d'ici.

Marie Anne contint son rire à grand-peine. Elle souriait encore lorsque la jeune fille frappa à la porte du salon, avant d'ouvrir tout grand le battant pour la laisser entrer.

Sa tante — puisqu'il fallait bien qu'elle s'habitue à cette idée — était assise au même endroit, et Sarah, debout à ses côtés, servait le thé. Elle lui tournait le dos et Marie Anne, hésitant sur la conduite à tenir, s'approcha de Sarah, pensant qu'elle lui verserait une tasse de thé.

— Assieds-toi, jeune fille, dit sa tante sans se retourner.

Elle lui désigna une chaise près d'une petite table, sur laquelle était disposée une assiette avec six demi-tranches de pain beurré. Trois d'un côté, trois de l'autre, et une autre assiette plus petite avec deux portions de pain d'épice.

Sarah Foggerty posa une tasse de thé au bord de la table, à portée de main de sa maîtresse, et une autre près de Marie Anne. Puis elle se servit la troisième tasse et alla s'asseoir un peu à l'écart.

— Tu peux boire ton thé, jeune fille.

Marie Anne vit le bras revêtu de noir se tendre et la main de sa tante attraper trois des tranches de pain beurré. Elle l'imita aussitôt car elle avait faim. Elle ne regarda qu'une fois dans la direction de Sarah Foggerty, car celle-ci n'avait pas droit au pain beurré ni au pain d'épice, et Marie Anne se sentit gênée.

Le thé était fort et il n'y avait pas beaucoup de lait dedans. Marie Anne eut tôt fait de vider sa tasse. Puis elle s'adressa poliment à Sarah :

— Puis-je en avoir une autre tasse, s'il vous plaît ?

Sarah hésita légèrement à se lever de sa chaise. Après ce qui sembla à Marie Anne une courte pause, sa maîtresse lui fit un léger signe d'assentiment et elle se leva pour lui servir une autre tasse.

Marie Anne prit une tranche de pain d'épice, sous l'œil inquisiteur de sa tante.

— Ce pain d'épice est délicieux, dit-elle, mal à l'aise. Meilleur que celui que faisait notre cuisinière. Il y avait trop de miel.

— As-tu fini ton thé ?

— Oui, merci.

— Alors mets-toi au piano. J'ai hâte d'entendre si ce qu'on dit est vrai.

Impatiente, à présent, Marie Anne se dirigea vers le piano, à l'autre bout de la pièce : le pupitre était en bois ajouré doublé d'un tissu vert. Avant de soulever le couvercle, elle ouvrit le tabouret pour voir s'il contenait des partitions. Elle ne trouva que des cantiques et un album intitulé *Favourite Drawing-Room Ballads.* Elle se mit à le feuilleter, mais la voix de sa tante lui parvint dans son dos :

— Tu peux certainement jouer quelque chose sans partition ?

— Oh oui ! bien sûr !

Marie Anne referma vivement le siège et s'assit. Puis elle ouvrit le couvercle du piano : les touches étaient toutes jaunes.

Après avoir fait une ou deux gammes, elle s'arrêta et se retourna vers sa tante :

— Il est désaccordé. Je ne peux pas jouer sur ce piano.

— Comment ça, désaccordé ?

Marie Anne se leva et se dirigea vers la silhouette indignée et raide sur sa chaise, réalisant en même temps qu'elle n'avait pas peur de cette femme.

— Il est tellement désaccordé qu'on n'a pas dû en jouer depuis des années.

— Ne dis pas de bêtises, ma fille.

— Je ne dis pas de bêtises, ma tante. Ce piano a besoin d'être accordé avant que je puisse y travailler. Pourquoi n'avez-vous pas fait venir un accordeur plus tôt ?

De toute évidence, Martha Culmill était muette de stupeur, et Marie Anne enchaîna :

— Il faut réaccorder un piano au moins deux fois par an si on veut en jouer correctement.

Sa voix fut couverte par la toux de Sarah Foggerty, attirant momentanément l'attention de sa maîtresse, qui se mit à crier :

— Sortez d'ici, Foggerty ! Et débarrassez la table !

Sarah ramassa la vaisselle du thé en toute hâte, mais ce ne fut que lorsque la porte se fut refermée sur Sarah et la table roulante en bois que Martha Culmill retrouva sa voix :

— Et qui, peux-tu me le dire, va payer l'accordeur de piano ?

Marie Anne sembla réfléchir à la question un instant, ou plutôt elle hésita — puisqu'elle était appelée à vivre quelque temps chez cette femme — entre arrondir les angles, comme dirait son grand-père, et parler sans détour. Elle opta pour la seconde solution et dit simplement :

— Vous pourriez envoyer la note à ma mère. Cela s'ajoutera au reste.

— Qu'est-ce que tu veux dire par là ?

Au ton de Martha Culmill, elle réalisa immédiatement qu'elle aurait mieux fait de tourner sa langue sept fois dans sa bouche avant de parler : comment était-elle censée savoir qu'elle n'était pas invitée mais que sa mère payait sa pension ?

— ... D'après ce que j'ai cru comprendre, bien qu'elle ne m'ait rien dit, mère vous paie pour que vous me preniez en pension.

Elle poussa un gros soupir, se rendant compte qu'elle venait de mettre Sarah dans une position très délicate.

— Tu me caches quelque chose.

Ce n'était pas une question mais une constatation. Marie Anne ne s'y trompa point et attendit la suite, résignée.

— Tu ferais mieux de tenir ta langue, ma fille, dans ton propre intérêt. Et si j'écrivais à ta mère pour lui faire part de ton attitude envers moi ?

— C'est votre droit le plus strict, ma tante. Mais ma mère et moi nous entendons très bien, et elle vous dira qu'elle ne s'attendait pas à ce que je réagisse autrement.

Martha Culmill, vraiment prise au dépourvu cette fois-ci, ne put que dire :

— À présent laisse-moi, ma fille. Je te verrai demain matin.

Lorsqu'elle ouvrit la porte, Marie Anne eut l'impression que Sarah Foggerty faisait un bond en arrière. En tout cas elle n'était pas allée bien loin, et la table roulante non plus.

Et quand Sarah s'exclama : « Magnifique ! », en entraînant Marie Anne à sa suite dans la cuisine, « elle a enfin trouvé à qui parler, continuez comme ça, ma chère mademoiselle », elle sut qu'elle avait eu raison.

Sarah lui effleura gentiment la joue.

— Oh, vous n'allez tout de même pas vous mettre à pleurer ? Regardez, voici notre cuisinière.

— Bienvenue, mademoiselle, dit la grosse femme en lui souriant.

— Il ne reste pas un petit pain dans la boîte en fer ? demanda Sarah. Je crois que cette demoiselle ne dirait pas non. Vous avez encore faim, n'est-ce pas ma chère ? Allons, ne pleurez pas. Vous avez vraiment été à la hauteur.

— Montez dans votre chambre et finissez ça, dit la cuisinière, tout en enveloppant quelques biscuits dans une serviette de table. Si vous mangez seule en bas, je veillerai à ce que vous soyez bien servie. Ce soir il y a du pudding, ça cale ! Permettez-moi de vous dire que nous sommes contentes de vous avoir, mademoiselle. D'après ce qu'on nous a dit, vous allez jouer du piano. Ça va nous changer !

— Mais je ne pourrai jamais jouer sur ce piano.

— Ne vous en faites pas, ma chère, dit Sarah. Je suis sûre qu'elle va me demander de chercher un accordeur de piano.

— Vous pourriez en trouver un sans tarder ?

— Je pense, oui. Dans les petites annonces, j'en ai déjà vu : des professeurs de piano, des accordeurs, des pianos et toutes sortes d'instruments de musique, tout cela d'occasion.

Clara poussa un gloussement aigu :

— Les instruments sont d'occasion, pas les professeurs ni les accordeurs !

— Celle-là ! railla la cuisinière, avec son esprit gallois tellement aiguisé, elle finira par se couper la langue un jour !

— Sans doute, si personne n'arrive à lui couper le sifflet ! renchérit Sarah. À propos, qu'avez-vous fait du journal d'hier ?

— Je m'en suis servie pour allumer le feu.

— En entier ?

— Oui. Mais le laitier apportera celui de demain.

Sarah se tourna vers Marie Anne.

— Ça peut vous paraître bizarre, mademoiselle, mais nous n'avons pas droit au journal dans cette maison. Le laitier nous l'apporte le matin. Il la connaît bien (elle fit un mouvement sec du menton), il lui apporte le lait depuis que la vache s'est fait saillir par le vieux taureau, qui trépignait dans son pré avec une drôle de lueur dans l'œil !

Marie Anne n'aurait pas pu dire comment cela s'était produit, mais elle se retrouva un bras autour des épaules de la petite Galloise et l'autre autour de la taille de Sarah, essayant d'étouffer son rire mêlé aux leurs.

La cloche les sépara, les épaules encore secouées de rire. Sarah lissa ses cheveux en arrière et redressa le col de son uniforme marron foncé, puis elle se dirigea d'un pas mesuré vers le salon.

Marie Anne alla vers la porte à son tour.

— Mangez bien vos petits restes, lui dit la cuisinière.

— Je vous remercie beaucoup.

Une fois dans sa chambre, elle fut saisie par le froid et alluma l'unique chandelle, disposée dans un bougeoir en métal. Puis elle s'enroula dans l'édredon, déplia la serviette et mangea le petit pain aux raisins et les deux morceaux de gâteau sec à la noix de coco.

Ensuite elle prit son écritoire, s'installa aussi confortablement que possible, les talons calés sur le barreau de l'unique chaise de bois, ses genoux formant une tablette improvisée, et elle commença sa première lettre à son grand-père :

Cher, cher grand-papa,

Si tu savais à quel point vous me manquez, Pat et toi... Je ne suis dans cette maison que depuis quelques heures et je crois que je serais déjà repartie s'il n'y avait pas les trois servantes. Il y a une Irlandaise charmante, qui sert de factotum à tante Martha. Elle s'appelle Sarah Foggerty, tu ne trouves pas que c'est un nom sympathique ? Ensuite il y a la cuisinière, une Londonienne, et une petite Galloise, Clara, la femme de chambre. Toutes trois sont adorables et m'ont prise en affection, sans quoi je serais sûrement déjà retournée à la gare. Et je te remercie d'avoir demandé à Maggie de me coudre des billets de banque dans mon jupon.

Je ne sais pas ce que l'avenir me réserve mais je suis sûre d'une chose, c'est que si je déteste déjà cette maison, je déteste encore plus cette femme que je dois appeler « ma tante ». À mon avis, c'est une créature à l'esprit étroit, et pingre... tu n'imagines pas à quel point ! Merci aussi pour le journal avec sa serrure secrète et sa clé gentiment cachée dans une petite pochette au dos du livre. Une véritable œuvre d'art, tu ne trouves pas ?

Oh, grand-papa, si tu savais comme je suis triste au-dedans... terriblement triste. J'ai ri dans la cuisine avec les servantes, jusqu'à avoir envie de pleurer. Et je crois que si je n'avais pas fait un effort pour me contrôler, je me serais mise à hurler. Comme ce pauvre petit chien que nous avions trouvé un jour sur la colline, tu t'en souviens ? Il avait hurlé toute la nuit et puis il était mort. Je crois que ça me serait égal de mourir moi aussi, si je ne pensais pas à toi et à Pat...

Je ne sais pas encore si je vais t'envoyer cette lettre. Elle est si triste que j'ai peur qu'elle te bouleverse. Mais j'ai l'impression que lorsque je pourrai me consacrer à ma musique, j'oublierai ma tante, la maison et tout le reste. Si la musique m'a permis de faire abstraction de notre maison et de ceux qui l'habitaient, à l'exception de Pat, alors elle me permettra de venir à bout de Mlle Martha Culmill.

— 2 —

Trois jours plus tard, Marie Anne ajoutait une deuxième page à sa lettre :

Cher, cher grand-papa,

Depuis trois jours que je suis ici maintenant, j'ai compris le sens de l'expression « s'ennuyer à mourir ». J'ai pourtant des devoirs, comme par exemple une heure de lecture à ma tante le matin, mais pour moi c'est un véritable purgatoire car je ne lis que des extraits de la Bible. C'est plutôt drôle, non ? Le purgatoire à travers la Bible ! Je sens que je me mets à ressembler à la petite servante galloise, celle qui détourne toujours les mots pour faire des calembours. Mais elle a du travail, la cuisinière aussi. Et cette pauvre Mlle Foggerty, qui court comme un lièvre du matin au soir... La seule chose positive est que je peux soulager un peu cette pauvre Sarah. Ma tante passe le plus clair de son temps au lit, et je trouve ça plutôt bien. Elle était descendue pour me recevoir le jour de mon arrivée. Je ne sais pas si je devrais dire « recevoir » ! Enfin, j'espère que tout ça n'est déjà qu'un mauvais souvenir car l'accordeur de piano est venu cet après-midi. Il a dit que ce piano n'avait jamais été accordé et il a passé beaucoup de temps à le réaccorder. Quand il a eu fini, j'ai joué un morceau de Beethoven, une partie assez vive, ce que tu appelais « la fanfare teutonne ». À la fin, l'accordeur s'est exclamé : « Bravo !

bravo ! » *Il avait l'air vraiment étonné et heureux, il m'a demandé de jouer encore. Les servantes, du moins la petite Galloise et la cuisinière, ont cessé leur travail et sont venues écouter à la porte du salon. Un moment plus tard, Sarah est descendue en courant : elle avait reçu l'ordre de laisser la porte du salon ouverte et de me dire de continuer à jouer. On ne demande rien dans cette maison, on ordonne. J'ai joué sans m'arrêter, du Chopin, du Bach, des morceaux que je connaissais par cœur. Mais il me faudra des partitions. Heureusement que tu m'as donné de l'argent, grand-papa. Je ne sais pas ce que j'aurais fait sinon. Une immense tristesse envahit mon cœur : qu'est-ce que je deviendrais sans toi ?*

Bonne nuit, cher grand-papa.

Ta petite Marie Anne.

P.-S. Demain je vais faire la connaissance de mon professeur de musique, M. Carlos Alvarez. Comme le dit assez clairement son nom, il est espagnol, et Sarah le décrit comme un monsieur très agréable entre deux âges, parlant bien anglais, qui vit dans une grande maison. Les salles d'étude sont au rez-de-chaussée, et sa femme vit à l'étage. Je m'en rendrai compte par moi-même dès demain.

Encore bonne nuit, cher grand-papa.

Marie Anne et Sarah Foggerty se tenaient toutes deux devant Martha Culmill, dont le regard était fixé sur les pieds de Marie Anne.

— Ta jupe est trop courte, décréta-t-elle.

— Je ne pense pas, dit Marie Anne, en regardant l'ourlet de sa robe marron.

— Tu n'as pas à penser, ma petite demoiselle. C'est une question de bienséance.

— Elle descend juste au-dessus de mes chevilles, ça me plaît comme ça.

Une fois encore, Sarah Foggerty toussota pour avertir Marie Anne, mais celle-ci n'en tint pas compte. Elle était impatiente de prendre son premier cours avec le Pr Alvarez et, ce matin, elle avait dû subir une bonne heure durant les recommandations de cette femme intraitable concernant ce qu'elle devait et ne devait pas faire. Entre autres, elle ne devait pas bavarder avec son professeur : elle était là pour apprendre la musique et rien d'autre. Elle devait toujours donner quelque chose à faire à Sarah pendant que celle-ci l'attendait, ne pas se lier d'amitié avec n'importe qui, à commencer par les musiciens, qui la plupart du temps sont des gens sans grande élévation d'esprit. À la maison, elle devrait jouer plus de cantiques, moins de morceaux sonores et enjoués mais des rythmes plus tranquilles et des airs religieux. Semblant cette fois-ci prêter attention aux toussotements de Sarah, Marie Anne jeta un coup d'œil à sa montre de gousset.

— Si je suis en retard à mon cours, ce sera du bon argent gaspillé. Ce serait dommage, vous ne pensez pas, ma tante? Alors pouvez-vous nous laisser partir à présent?

— Tu es une insolente, ma fille. Je comprends maintenant pourquoi tu as été renvoyée de deux écoles.

— Je n'ai pas été renvoyée, ma tante, je suis partie de mon plein gré. Et je n'ai pas l'intention d'être insolente, je suis simplement fatiguée de vos règles mesquines.

— Je vais te dire une bonne chose, ma petite, aboya quasiment Martha Culmill. Tu n'as pas fini d'être « fatiguée » à l'avenir. Tant que tu es sous mon toit et sous ma responsabilité, tu te plieras aux règles de cette maison, sinon j'écris à ta mère pour savoir ce qu'elle pense de ta conduite.

Marie Anne répondit d'une voix basse et tremblante de colère :

— Je crois que vous savez déjà ce que ma mère pense de moi, puisque c'est pour ça qu'elle m'a envoyée chez vous.

— Foggerty, emmenez-la hors de ma vue immédiatement! Subir un tel manque de respect, à mon âge! Et sous mon propre toit!

Elles n'échangèrent pas un mot avant d'être dans la rue, et ce fut Sarah qui brisa le silence.

— Vous avez du cran, mademoiselle, dit-elle sur le ton du simple constat. Pour sûr.

— Oh ! Sarah, elle me rend malade ! C'est une abominable mégère.

— Je suis tout à fait d'accord avec vous, mais vous êtes chez elle et il faudra bien vous en accommoder, mademoiselle. Pressons le pas si nous ne voulons pas arriver en retard à votre cours. Je préfère vous le dire tout de suite, vous allez être déçue. Je ne sais pas grand-chose du professeur qui dirige cette école — bien qu'il m'ait paru tout à fait gentil — mais j'ai trouvé bizarre qu'il accepte de baisser ses tarifs pour se plier aux exigences de votre tante. À mon avis, il doit être à court d'argent.

— Vous m'avez dit que c'était une maison : est-ce que vous vouliez dire que c'est la maison du professeur, et que l'école est dedans ?

— Ma chère, dans dix minutes vous pourrez en juger par vous-même. Ce n'est pas une école à proprement parler. Beaucoup d'académies ou d'écoles se tiennent dans des maisons ordinaires.

— Oh, Sarah, ne me dites pas que ça va me déplaire...

— Ça dépend de vous, mademoiselle. En tout cas, c'est exactement à un quart d'heure de marche de chez votre tante, et je vous montrerai différents chemins pour vous y rendre, ce sera pour vous la seule façon de voir un peu Londres. Vous n'aurez pas le droit de sortir le dimanche, vous serez obligée d'aller à l'église, de faire des prières...

— Je n'irai pas.

— C'est à vous de décider. C'est *votre* combat. Nous avons chacun le nôtre. Je mène le mien en silence quotidiennement contre cette femme, et si demain je trouvais un emploi décent ailleurs, je filerais d'ici en vitesse.

— Oh, Sarah ! s'il vous plaît... ne partez pas ! Je n'imagine pas pouvoir vivre dans cette maison sans vous.

— Il se peut pourtant que cela se produise. Mais ne pensons pas à l'avenir. Pour l'instant, pressons un peu le pas. On dirait que vous avez mal au pied ?

— Un peu, quand je marche vite. C'est celui qui a été blessé.

— Oh, je suis vraiment désolée, ma chère. Prenez votre temps. Si nous avons une ou deux minutes de retard, ce n'est pas grave.

Elles n'étaient pas en retard et attendirent même quelques instants dans un petit salon meublé de chaises en bois tourné. Elles se taisaient, échangeant seulement un regard de temps à autre.

La porte s'ouvrit brusquement sur une femme âgée, et elles se levèrent.

— Ah, vous êtes là ! Je suis Mme Liza Alvarez et vous (elle regarda Marie Anne) devez être Mlle Lawson, si je ne m'abuse ?

— C'est exact, dit Sarah.

La dame parut étonnée et haussa les sourcils.

— Suivez-moi. Le professeur vous attend.

Surprise qu'une femme de professeur soit une femme comme les autres, Marie Anne n'emboîta pas tout de suite le pas à l'élégante dame. Elle se tourna vers Sarah :

— Je vous retrouve à trois heures, Sarah.

— Oui, mademoiselle, je serai là à trois heures précises.

Deux petites filles portant des partitions se faufilèrent en riant dans le salon, et allèrent se jucher sur les chaises que Sarah et Marie Anne venaient juste de quitter.

La femme du professeur fit rapidement passer Marie Anne dans une autre pièce.

— Par ici. Le professeur va arriver.

Marie Anne jeta un coup d'œil autour d'elle. La pièce était vaste, plutôt dépouillée. Une table où s'empilaient des partitions occupait le centre de l'espace, et contre le mur opposé à la cheminée se trouvait un piano droit, un magnifique instrument en bois de rose, qui ressemblait beaucoup à celui qu'elle avait chez elle.

Elle s'en approcha et effleura le couvercle.

— C'est un beau piano, n'est-ce pas ? fit une voix derrière elle.

Elle sourit en se retournant vers l'homme qui venait d'entrer par une autre porte.

— Oh, oui, vraiment !

Ils se jaugèrent un moment. Le professeur était de taille moyenne, bien bâti sans être corpulent. Il avait les cheveux bruns, tout comme Mme Alvarez mais à l'inverse de sa femme, c'était leur couleur naturelle. Il avait des yeux sombres et ronds, un regard joyeux, dans un visage hâlé. Un visage agréable. Lorsqu'il lui tendit la main, elle remarqua qu'il avait les doigts courts et plutôt replets mais sa poignée de main était ferme et chaleureuse. C'est ainsi que, par la suite, elle devait se rappeler sa première impression du Pr Alvarez : c'était un homme aimable et très chaleureux. Il était beaucoup plus jeune que sa femme, cela la frappa immédiatement. Bien que peu habituée à évaluer l'âge des messieurs, elle ne lui aurait pas donné quarante ans. D'emblée, elle lui trouva une jolie voix.

— Eh bien, mettons-nous au travail, voulez-vous ? Je crois savoir que vous jouez déjà très bien. Nous allons voir ça.

En disant ces mots, il se pencha légèrement vers elle, et lorsqu'il lui sourit, ses dents lui parurent très blanches, en contraste avec sa peau hâlée.

Il ajusta le tabouret de piano à sa taille.

— Maintenant, oubliez que je suis là, dit-il comme il la sentait nerveuse. Jouez-moi un morceau que vous aimez, que vous connaissez par cœur.

Elle baissa les yeux, plaça ses doigts sur le clavier. Pendant qu'elle jouait, elle le sentait marcher dans la pièce. Il s'arrêta près d'elle.

— Beethoven, *Sonatine en sol majeur.* C'est un morceau relativement facile, n'est-ce pas ?

— Oui mais... je l'aime beaucoup.

— Moi aussi. À part Beethoven, dites-moi, quels compositeurs aimez-vous jouer ? Bach, Mozart, Liszt ?

— Oh ! (elle leva la tête et lui sourit), j'aime beaucoup Liszt mais c'est très difficile à jouer. Le rythme aussi...

— Vous trouvez ?

— Oui. Pourtant j'ai tendance à jouer trop vite, je crois que je ne pourrai jamais.

— Bon... il faudra que vous travailliez ces morceaux. Et Bach ?

— Je... je n'aime pas trop la musique de calotin.

Il éclata franchement de rire.

— C'est cela que vous appelez calotin ! Ce n'est pas parce qu'il aime l'orgue...

— C'est sans doute parce que je n'aime pas les cantiques, dit-elle pour s'excuser.

Il rit à nouveau et se pencha vers elle pour lui glisser à l'oreille :

— Pour ne rien vous cacher, moi non plus.

Elle eut envie d'éclater de rire mais se contenta de sourire.

— Bien, nous allons laisser les compositeurs de côté pour aujourd'hui, dit-il d'une voix soudain professorale, et nous concentrer sur les gammes. Il n'y a que ça, les gammes, les gammes, les gammes.

Comme elle le regardait d'un air étonné, il ajouta :

— Les gammes peuvent être très mélodieuses si on les joue correctement, n'est-ce pas ?

Elle ne pensait pas qu'il lui faudrait encore faire des gammes, mais c'est pourtant ce qu'il lui fit faire pendant deux heures. Ce n'est que dix minutes avant la fin de la leçon qu'il s'arrêta de faire les cent pas tout en criant ses corrections.

— Vous pouvez arrêter maintenant. Je sais que ç'a été très fatigant pour vous.

— Non, mentit-elle, pas vraiment... mais il y a très longtemps... que je n'avais pas fait de gammes.

— Cela s'entend, dit-il en souriant. Voudriez-vous me jouer quelque chose que vous aimez à présent ?

Elle prit une grande inspiration, baissa les yeux sur le clavier et dit calmement :

— Je préférerais vous entendre jouer, si c'est possible.

— Oh, oh ! (Son visage rayonnait.) C'est très aimable à vous ! Si cela vous fait plaisir... Qu'aimeriez-vous entendre ?

— Liszt, dit-elle avec un regard espiègle.

— Va pour Liszt, dit-il en riant franchement. Un petit extrait.

Elle se leva pour lui laisser la place et resta debout près de lui, captivée par son jeu. Elle comprit ce que jouer du piano signifiait. Elle n'avait entendu jouer Liszt qu'une seule fois, lorsque Pat l'avait emmenée au concert.

Quand il eut fini, il demanda :

— Quel morceau était-ce ?

Elle hocha la tête. Tout ce qu'elle savait, c'est qu'elle ne pourrait jamais jouer comme ça.

— C'était très beau... mais je ne sais pas ce que c'est...

— Un petit extrait du *Concerto en mi bémol* de Liszt.

— C'est magnifique.

— Dans peu de temps, je pourrai vous retourner le compliment, mademoiselle Lawson, et vous dire à mon tour « ce que vous venez de jouer était très beau ».

Ils se regardèrent un moment sans rien dire, puis il ajouta :

— Il faut simplement répéter, répéter, répéter et vous allez avoir le temps, si je comprends bien...

Il lui sourit de nouveau en lui ouvrant la porte.

— Demain, apportez les partitions que vous avez.

— Je n'en ai pas apporté.

Il hocha la tête.

— Alors il faudra que vous en achetiez quelques-unes...

— Oui, en effet...

Dans le salon d'attente, il y avait un garçon d'une dizaine d'années, avec des béquilles. Elle aurait voulu s'arrêter pour lui dire quelques mots, car elle savait ce que c'était que marcher avec des béquilles, mais la femme du professeur se tenait à l'une des portes et Sarah à l'autre.

— Alors, comment ça s'est passé ? demanda Sarah quand elles furent dans la rue.

— Très bien. C'est un très bon professeur, ou du moins ce sera — car aujourd'hui, il ne m'a fait faire que des gammes. Demain il faut que j'apporte des partitions et je n'en ai pas.

— Dans ce cas, il faut demander de l'argent à votre tante pour en acheter.

— Oh ! je connais déjà la réponse ! Je suppose qu'elle ne m'autoriserait à acheter que d'autres cantiques. J'ai un peu d'argent à moi que...

— Où l'avez-vous mis ? Méfiez-vous car je sais qu'elle a fouillé dans vos affaires.

— Non !

— Vous croyez qu'elle s'est gênée ! C'est étonnant comme ses rhumatismes s'envolent par moments ! Elle n'a trouvé que trois shillings dans votre bourse. Où avez-vous mis votre argent ?

— Dans mon jupon.

Sarah éclata de rire.

— Ah, bravo ! Surtout ne le changez pas de place. Vous avez beaucoup ?

— Quelques livres.

— Ah, ah ! Jamais elle ne pensera à regarder là. Vous savez, il y a un magasin de musique dans High Street, on y trouve tout... Nous pourrons y passer demain sur le chemin. Tout à l'heure, en arrivant, il faudra que vous montiez lui faire un compte rendu de votre première leçon, et je parie qu'elle ne sera pas réjouie d'apprendre que vous avez payé quatre shillings pour faire des gammes — même si l'argent ne sort pas de sa poche. À propos, que pensez-vous de la femme du professeur ?

Marie Anne réfléchit un moment avant de répondre.

— Pour être sincère, je crois que je n'en pense rien.

Et son opinion ne devait pas changer dans les mois à venir. Liza Alvarez n'entrait jamais dans la salle de musique, sauf pour l'y conduire à l'heure de sa leçon.

Mais les mois passent et le temps change…

— 3 —

Cher grand-papa,

Les vacances de Noël sont terminées et je suis bien contente. Je reprends les cours demain matin. Je te suis reconnaissante chaque jour davantage de m'avoir offert ce joli manteau molletonné, et j'apprécie le capuchon et les gants que Pat m'a fait parvenir, car ici le froid est différent de celui que nous connaissons chez nous. Il vous pénètre jusqu'aux os, et le brouillard est absolument redoutable. Quelque chose d'agréable m'est tout de même arrivé l'autre jour. Ça m'a un peu consolée de n'avoir pas pu voir Pat — j'ai du mal à imaginer qu'il ait pu tomber dans la cale d'un bateau, il est tellement habitué à inspecter les navires... je suis si heureuse de savoir qu'il est debout à présent et qu'il remarche, même s'il doit s'aider d'une canne. Je lui ai écrit une longue lettre hier et lui ai raconté ce qui m'est arrivé grâce à Sarah et toutes les choses drôles qu'elle dit. Sans doute t'en a-t-il déjà parlé, mais de toute façon je te raconte quand même : le professeur avait un rhume et, comble de chance, Sarah avait pris sa demi-journée de congé. Elle m'a fait visiter la ville et c'est ainsi que j'ai vu Buckingham Palace, grand-papa.

Nous sommes restées à regarder derrière les grilles de fer forgé. Il y avait beaucoup de gens qui faisaient la même chose, tout en parlant de la reine, bien que, comme l'a fait remarquer Sarah, nous n'ayons aucune chance de pénétrer dans le palais. Selon elle nous ne perdions pas grand-chose. Elle n'aime pas beaucoup la reine, elle dit que c'est le plus affreux tyran du monde. En revanche, elle aime bien le prince, malgré les rumeurs scandaleuses qui circulent à son propos.

Le clou de notre visite a été une promenade en bateau sur la rivière ; il y avait du soleil et un musicien jouait de l'harmonium. C'était vraiment magique, tu sais. Et pour terminer, devine un peu ce que nous avons fait ? Nous avons pris le thé à Corner's House-Lyons ! Nous sommes rentrées à la maison avec dix minutes de retard mais c'était sans importance, nous avons toutes les deux raconté le même mensonge. Je ne remercierai jamais assez Sarah Foggerty pour tout ce qu'elle a fait pour moi. J'aimerais que tu la voies, ou du moins que tu l'entendes ! Elle est capable de te faire rire même si on n'a pas le cœur à ça.

En musique, ça marche bien. Je sens que je fais des progrès, mon professeur est excellent, il est tellement patient avec moi. C'est un homme très agréable, je suis sûre qu'il te plairait aussi.

Il faut que je te quitte à présent, mon cher grand-papa. Malgré tout, je me sens très seule ici, Pat et toi me manquez toujours autant... ainsi que le jardin, l'espace, les chiens... comme j'ai envie de courir dans la campagne, si tu savais ! Mais je sais que même si je revenais à la maison, je ne pourrais plus courir comme avant parce que mon pied me fait mal par moments.

Comme dit Sarah, nous en avons « ras le bol » toutes les deux. Je suis sûre que tu as remarqué que mon langage ne s'est guère amélioré au contact des filles ici, mais leur façon de parler si pittoresque est comme un rayon de soleil dans la maison. Je dis « les filles » car je ne les considère pas comme des domestiques, elles sont devenues des amies pour moi. Enfin, pour répondre à l'une de tes questions, non, je ne me suis pas fait de nouveaux amis, car nous ne recevons jamais personne ici et les élèves de l'école de musique ont tous l'air très jeune. À part une jeune dame, je crois que je suis la plus âgée.

Je te souhaite une bonne nuit, mon cher grand-papa.

— Vous avez l'air triste aujourd'hui, ma petite infante. Qu'est-ce qui ne va pas ?

— Oh ! ce n'est rien, je crois que je couve un rhume.

— C'est à la mode ce printemps, on dirait : tout le monde est enrhumé. Pourtant nous sommes en avril, les fleurs s'épanouissent, les oiseaux chantent, et les abeilles commencent à bourdonner dans le parc. Toute la nature s'éveille à la vie, alors, ma petite infante, nous allons réveiller ce clavier nous aussi, n'est-ce pas ?

Il lui passa un bras autour des épaules et l'entraîna vers le tabouret du piano. Quand elle se fut assise, il fit doucement tourner le tabouret pour qu'elle se trouvât face à lui et il approcha son visage du sien.

— Quelque chose de grave vous tourmente ?

Il a de beaux yeux, pensa-t-elle, et sa bouche est attirante. Parfois, quand il s'approchait d'elle comme ça, elle avait envie de poser sa tête sur son épaule. Il lui faisait tellement penser à son grand-père. Non, il était beaucoup plus jeune, il était plutôt comme Pat, il avait un beau visage, et il sentait bon. Toujours. C'était un parfum capiteux, qui lui faisait penser à l'odeur qui montait du jardin les soirs d'été, une odeur indéfinissable car elle n'appartient à aucune fleur en particulier.

— Je me sens prisonnière, dit-elle en écartant spontanément les bras, je ne peux ni voir l'horizon, ni courir à perdre haleine pour rejoindre mon grand-père et mon frère. Je vous ai déjà parlé d'eux : ils sont si gentils...

— Et votre maman ?

Elle détourna son visage, et sa voix se réduisit à un murmure.

— Ma mère ne veut pas de moi. Elle m'a toujours considérée comme un fléau.

— Ça n'est pas possible !

— Pourtant, c'est ainsi (Elle se tourna de nouveau vers lui). Je suis impulsive, vous savez, parfois je ne me contrôlais pas... Quand je revenais à la maison et que quelque chose me contrariait… je me mettais à courir, à courir, pendant des kilomètres, loin de la maison. (Elle eut un petit sourire triste.) Vous savez, monsieur, j'étais capable de courir longtemps sans me sentir fatiguée, mais ici, où irais-je ?

— Sur le chemin du retour, votre servante pourrait vous faire faire un petit détour par le parc, et vous pourriez courir d'une grille à l'autre.

Elle sourit franchement à présent.

— C'est une bonne idée. C'est étonnant que Sarah n'y ait pas déjà pensé. Mais nous serions en retard et ça causerait des ennuis à Sarah… c'est à cause de ma tante…

Il se redressa, l'air sérieux tout à coup.

— J'imagine, j'imagine… Votre tante est une femme redoutable. Nous devons nous montrer plus malins, c'est tout, dit-il en se penchant de nouveau vers elle.

— C'est ce que j'essaie de faire, dit-elle en lui souriant, mais ma tactique n'est pas assez subtile.

Il pencha la tête d'un air interrogateur.

— Subtile ?

— Oui, intelligente, pensée.

— Ah… il y a des mots que je n'entends pas souvent alors je les oublie… Si nous retournions à Chopin ? Par quoi allons-nous commencer ? Une mazurka, par exemple ? Je vous assure que nous nous sentirons beaucoup mieux après avoir joué une heure parce que (je vais vous confier un secret, murmura-t-il tout contre son oreille) l'homme qui se cache derrière votre professeur est triste lui aussi, pour les mêmes raisons.

— Oh, je suis désolée !

Elle ressentit un grand élan vers cet homme. Il était tellement différent de ceux qu'elle avait connus jusqu'à présent et elle l'aimait chaque jour davantage. Elle eut une folle envie de passer ses bras autour de son cou, comme elle le faisait avec son grand-père ou avec Pat, mais elle savait que c'était exclu car ils n'étaient pas parents.

Il avança la main vers elle, puis la laissa retomber soudainement et se détourna.

— Voilà encore une leçon de passée, dit-il d'une voix changée. Demain nous essaierons encore d'empêcher vos mains de courir à toute allure sur les touches.

Bien qu'il ait parlé sur un ton plus léger, cette gentille réprimande ne la fit pas sourire, car elle savait depuis longtemps qu'elle se conformait strictement au rythme de la musique.

Elle ne lui dit pas au revoir comme d'habitude, et il ne dit rien non plus. Il lui ouvrit simplement la porte et s'effaça pour la laisser sortir. Elle entra à pas lents dans le petit salon, sentant confusément qu'il s'était passé quelque chose entre eux, sans qu'elle pût mettre un nom dessus. Elle savait seulement que tout était dans la façon dont il avait détourné sa main et dont il lui avait parlé.

Elle n'était pas avec Sarah depuis trois minutes que cette fine mouche lui demandait :

— Quelque chose ne va pas ?

— Non, non.

— Vous m'étonnez beaucoup. D'ordinaire vous sortez de là les yeux pleins d'étoiles. De toute façon, elles auraient vite fait de s'éteindre : il y a eu une lettre de chez vous au deuxième courrier. Votre mère refuse que vous rentriez pour les vacances, bien qu'elle aille en Écosse avec votre sœur, à ce qu'il paraît. Et en lisant entre les lignes, j'ai compris qu'elles sont absolument ravies d'être invitées par des gens très « Dublin ».

Marie Anne ralentit légèrement et regarda Sarah d'un air étonné.

— Qu'est-ce que ça veut dire, très « Dublin » ?

— Ah, c'est une expression de là-bas, il suffit de parler comme les gens de Dublin pour être invité à Buckingham Palace. C'est le dessus du panier, le gratin, comme disent les Irlandais qui reviennent d'Amérique. Mon cousin Shane y est allé mais il n'a pas tenu le coup, il dit que c'est un pays où le seul langage que les gens comprennent c'est l'argent et il n'a pas réussi à apprendre la langue.

Sarah riait de bon cœur à présent et Marie Anne l'imita.

— Je ne comprends pas pourquoi, dit Sarah, suivant son idée, le fait qu'elles partent en voyage vous empêcherait de rentrer chez vous et pourquoi cette femme insiste tellement là-dessus. Vous n'avez quand même tué personne, là-bas, pendant votre folle jeunesse !

— Non, Sarah, je n'ai tué personne, même si parfois ce n'est pas l'envie qui m'en a manqué... C'est simplement que je suis indésirable dans ma famille. Mais je vous assure que je m'en moque à présent, car cette *famille* se résume à ma mère, mon père, Vincent et Evelyn, un point c'est tout. Ma véritable famille se compose de deux personnes, grand-papa et mon frère Pat.

— C'est possible mais on dirait bien que c'est votre mère qui commande.

Marie Anne se tourna vivement.

— Non, pas vraiment. Grand-papa est encore en possession des deux maisons.

— Vous avez deux maisons ?

— Oui. Le Manoir et le Petit Manoir.

— Mon Dieu ! Vous avez deux maisons et elle ne veut même pas vous accueillir dans l'une des deux ! Décidément, on a raison de dire que les Anglais sont la race la plus bizarre du monde, on ne sait jamais ce que pense un Anglais, au fond. On croit l'avoir percé à jour qu'il réapparaît avec un visage différent. Nous, dans l'ensemble, on nous considère comme des gens ignorants et mal dégrossis, sales même. On nous méprise parce que nous aimons les cochons. Eh bien, laissez-moi vous dire une bonne chose, mademoiselle Marie, le cochon est un animal très propre ! Il choisit un endroit pour entasser ce qu'il ne veut pas manger, et il n'y a pas beaucoup d'Anglais qui en font autant, à en juger par les rues dans lesquelles nous passons, vous ne trouvez pas ?

Marie Anne n'avait rien à opposer à cela, car certaines rues étaient en effet très sales. Les hommes crachaient partout et, comme disait la petite Clara, les endroits les plus propres de la ville étaient les pubs, car le sol était recouvert de sciure et il y avait des crachoirs.

Marie Anne allait descendre du trottoir pour traverser la rue grossièrement pavée, lorsque Sarah la retint par le bras.

— Je n'aimerais pas mourir de cette façon, ça doit faire drôlement mal.

Tandis que deux grands chevaux rapides comme l'éclair, attelés à un énorme haquet chargé de tonneaux de bière, les frôlaient dans un bruit infernal, Sarah s'écria en les montrant du doigt :

— Oh là là ! Si j'avais seulement l'argent de deux de ces tonneaux, je prendrais la poudre d'escampette, c'est moi qui vous le dis !

C'est seulement après qu'elles eurent traversé la rue, se frayant péniblement un chemin parmi les charrettes à bras, les taxis et les gamins poussant des brouettes, que Marie Anne parla.

— Ne dites pas des choses pareilles, Sarah, parce que, vous savez, si vous partiez, je ne pourrais pas supporter la vie dans cette maison... malgré la musique et mon professeur.

— Oh, mademoiselle, ne faites pas attention à mes jacasseries ! Je dis cela depuis des années : si j'avais ci ou ça, je ferais ceci ou cela... En réalité, si j'avais quelques sous à jeter par la fenêtre, je les donnerais à ma sœur Annie et à toute sa tribu, car je ne connais personne qui ait autant besoin d'une petite aubaine. Vous savez, la seule fois où j'ai souhaité être un homme, c'est quand je suis tombée sur son mari, Arthur Pollock : j'aurais eu des chaussures ferrées et je lui aurais donné un coup de pied au cul qui l'aurait fait valser jusqu'en enfer.

Oh! (elle se mit les mains sur les yeux), excusez-moi, mademoiselle! Ça c'est bien moi, je sors de ces choses! Je ne dis jamais ce mot-là... pas en votre présence en tout cas...

— Ne vous en faites pas pour ça, Sarah, bredouilla Marie Anne... Ce n'est pas la première fois que je l'entends. Mon grand-père y a eu quelques fois recours quand il parlait aux hommes dans la cour... pour dire les choses poliment, quand ils auraient dû être au travail au lieu d'être assis sur cette partie charnue de leur personne...

Elles marchaient serrées l'une contre l'autre à présent, secouées par le fou rire. En approchant de la maison, Sarah s'arrêta subitement.

— Savez-vous ce qui me plairait, mademoiselle?

— Oui, dit Marie Anne, redoublant de rire : donner un coup de pied au... de certaine personne...

— Non, non, pas maintenant. J'aimerais rentrer dans cette maison en chantant. Imaginez un peu que nous arrivions toutes les deux une chanson aux lèvres, que croyez-vous qu'il arriverait?

— Oh! (Marie Anne, le corps secoué de rire, se pencha vers cette femme adorable.) Chiche!

— D'accord, mais je vous préviens que si je me fais virer, je vous emmène avec moi!

Leur fou rire se calma peu à peu et elles échangèrent un regard.

— Effacez-moi ce sourire qui a l'air collé sur votre visage, mademoiselle. N'oubliez pas que vous êtes très malheureuse. Allons, courage pour affronter la femme la plus méprisable de ce pays enténébré.

— 4 —

C'était une journée étouffante. Une brume de chaleur écrasait la ville, et Sarah Foggerty, défiant toutes les consignes de bienséance, marchait dans la rue sans manteau, s'exposant au regard du monde — selon ses propres termes — dans sa robe d'uniforme.

Quant à Marie Anne, elle portait une robe en imprimé léger, à fond blanc parsemé de petits myosotis bleus, avec des manches s'arrêtant au coude et un décolleté carré assez profond, censé être dissimulé par la petite jaquette assortie qui se balançait au bout de son bras.

— Allez, prenez votre mal en patience. Moi, je crois que je vais me jeter toute habillée, avec mes bottines et mon chapeau, dans la Serpentine, dit Sarah en la laissant sur le seuil de la maison du professeur de musique.

— Ça ne m'étonnerait pas de vous!

Elles se séparèrent dans un éclat de rire.

Le salon était désert mais la porte donnant sur le corridor s'ouvrit immédiatement.

— Je pensais que vous seriez au bord de la mer, comme les autres élèves, dit le Pr Alvarez. Tout Londres doit être entassé dans les wagons de chemin de fer... Même Liza est partie accompagner un groupe de femmes dont elle fait partie, qui ont décidé de refaire le monde — c'est-à-dire de se débarrasser des hommes.

Accompagnant ses propos d'un rire sonore, il fit entrer Marie Anne dans la salle de musique.

— Donnez-moi votre chapeau, vous avez l'air d'avoir très chaud.

Et sans attendre qu'elle ait posé ses partitions, il se pencha vivement vers elle et ôta la grande épingle qui retenait son chapeau de paille sur la nuque.

— C'est dangereux, ces épingles à chapeau. Si les hommes portaient de telles armes, ils tomberaient sous le coup de la loi ! (Il fit une courte pause et la regarda dans les yeux :) Voulez-vous vous mettre au piano ?

— S'il vous plaît.

— Eh bien, c'est *votre* leçon, aujourd'hui !

Elle s'assit et fit une série de gammes, comme d'habitude. Puis elle ouvrit une partition qu'elle avait travaillée pendant le week-end. Comme ses doigts hésitaient sur les touches, il l'interrompit.

— Vous avez trop chaud, ma chère. Arrêtons-nous pour le moment et allons dans la pièce à côté, il fait plus frais, il y a un autre piano et l'air du jardin y pénètre par une grande fenêtre.

Comme elle l'avait souvent pensé, cette pièce avait dû servir de salon, car elle était meublée d'un canapé et de deux sièges bas assortis, recouverts de cuir souple.

— Asseyez-vous, dit-il en désignant le canapé. Je vais nous préparer une boisson fraîche, qu'en dites-vous ?

Il lui sourit tandis qu'elle se laissait aller dans le siège moelleux en fermant les yeux. Elle avait tellement chaud... et elle était si triste en dedans. La voix du professeur lui fit rouvrir les yeux.

— Votre visage semble si triste au repos... Vous êtes malheureuse aujourd'hui ?

Elle se redressa et prit le verre de limonade qu'il lui tendait.

— Je suppose que oui.

Il vint s'asseoir à côté d'elle, un verre à la main.

— Ne laissez pas vos deux mains autour du verre, vous allez le réchauffer. Buvez vite, c'est de la citronnade fraîche.

La boisson était agréable et rafraîchissante en effet.

— C'est délicieux, dit-elle en se tournant vers lui avec un sourire. Nous avons rarement des fruits à la maison. Jamais de citrons, en tout cas. Je n'ai pas souvenir d'avoir vu un citron depuis que je suis à Londres — sauf dans les magasins, bien sûr !

Son verre était à moitié vide lorsqu'il le lui prit des mains et le posa sur le plancher, à côté du sien. Il la força doucement à s'adosser au canapé, se laissa aller lui-même contre le dossier tout en restant à une certaine distance, et dit :

— Qu'est-ce qui vous attriste ?

— J'ai appris ce matin par une lettre que mon frère Pat a été hospitalisé la semaine dernière. L'état de son dos a empiré. Il s'était pourtant si bien rétabli... Un de ses voyages à Londres était prévu pour la semaine prochaine, il vient environ deux fois par an, pour les bateaux, vous savez... Il devait descendre à l'hôtel, et il avait réservé une chambre pour moi, ma tante n'avait pas son mot à dire. J'étais tellement excitée à cette idée... Mais apparemment son dos est devenu très douloureux. D'après ce que j'ai compris on va lui mettre une sorte de corset, pour qu'il puisse se déplacer. Il devait rester une semaine.

Sa voix se brisa soudain et elle se mordit la lèvre. Il se rapprocha d'elle et passa son bras autour de ses épaules.

— Allons, allons, ne pleurez pas, ma chère. Je vous en prie. Je ne supporterais pas de voir vos larmes, vous qui êtes un rayon de soleil pour moi.

Elle cligna des yeux et regarda son visage, si proche du sien.

— Vous dites vraiment des choses étranges, professeur.

— Je m'appelle Carlos.

— Carlos, répéta-t-elle machinalement.

— Oui, et ça sonne bien dans votre bouche. Carlos Alvarez. Espagnol en terre étrangère. Bien que je vive ici depuis des années, je m'y suis toujours senti étranger. Tout était sinistre et ennuyeux, jusqu'au jour où un dragon est venu me voir en me disant : « J'ai une nièce qui veut apprendre le piano, mais vos tarifs sont trop élevés, je ne peux pas vous donner deux shillings et six pence de l'heure, je ne peux pas aller au-delà de deux shillings. » Et j'ai accepté, car il faut bien que je gagne ma vie. Et puis... et puis (il leva l'index comme s'il demandait le silence et se mit à chuchoter) l'élève est arrivée. Et, dès l'instant où je l'ai vue, j'ai su que je serais très, très heureux de lui apprendre gratuitement tout ce que je sais, car elle est si belle... si étrangement belle.

Il promena son doigt sur la joue de Marie Anne, puis descendit jusqu'à son menton et remonta jusqu'à son autre pommette. Elle n'avait pas bougé. Il posa son poing à présent replié dans l'encolure de sa chemise blanche, tout contre sa peau, et sa voix grave se mit à trembler tandis qu'il poursuivait :

— Elle est devenue l'infante de mes rêves. De ces rêves qui permettent à un homme d'effacer la grisaille de ses jours. Et j'ai pensé que si cette infante voulait bien être mon amie, je serais comblé. Voulez-vous être mon amie, Marie Anne ?

Elle était incapable de répondre, parce que s'il avait rêvé d'elle la nuit, elle aussi avait pensé à lui, elle avait imaginé qu'il lui caressait le visage exactement comme il venait de le faire à présent, qu'elle posait sa tête sur son épaule, et même qu'il l'embrassait sur les lèvres. Mais c'était son professeur, il était marié, et de telles pensées à son égard étaient coupables. Cependant elle pouvait être son amie. Mille fois oui. Sa voix se brisa, elle était au bord des larmes.

— J'aimerais tant être votre amie, pouvoir vous parler de tout... de musique, surtout. Vous savez tellement de choses...

(Une petite voix à l'intérieur d'elle-même lui disait : oui, c'est la meilleure chose à faire...) En fait, je voudrais surtout vous parler des examens.

Les yeux du professeur s'étrécirent légèrement, puis il cligna des paupières et prit un mouchoir de sa poche arrière pour s'éponger le visage.

— Les examens...

— Oui. Je... il va falloir que je m'entraîne en vue de passer des examens.

Il s'écarta légèrement d'elle.

— Oui, oui, bien sûr. Mais pas avant un bon moment.

— Voilà bientôt un an que je travaille avec vous, et je sais que j'ai une série d'examens à passer avant de pouvoir enseigner à mon tour.

Il se pencha en avant, les coudes appuyés sur les genoux, les mains jointes, dans une attitude très professorale, et réfléchit un moment avant de répondre.

— Bien sûr, il faudra que vous passiez des examens avant d'être apte à l'enseignement, mais quand vous serez prête, vous devrez intégrer une académie.

— Pourquoi cela ? (Elle se pencha vers lui et posa la main sur son bras.) Ne pouvez-vous pas me faire passer les examens vous-même ?

Il se redressa et la regarda en face.

— Non, ma chère. Je suis désolé d'avoir à vous le dire — et je vous demande de le garder pour vous —, je ne peux pas vous présenter à un examen. Je peux certes vous préparer, comme le ferait n'importe quel professeur, mais je ne peux pas vous présenter à un examen de musique.

Elle recula comme pour mieux concentrer son regard sur lui.

— Mais enfin, pourquoi cela ? Vous êtes un merveilleux professeur. Je sais qu'avec vous j'ai fait des progrès bien au-delà de ce que j'aurais cru possible.

Il se tourna de nouveau vers elle. Leurs genoux se touchaient, et il y avait une grande tristesse dans sa voix tandis qu'il parlait.

— Ceci n'est pas une véritable académie de musique. Je suis comme beaucoup d'autres dans cette profession. Autant vous l'avouer, je ne suis pas véritablement professeur de musique : je n'ai jamais passé d'examen, même si je me sais plus qualifié que des milliers d'autres qui sont habilités. Je sais que j'ai une grande compétence mais je suis... comment dire (il cherchait le mot)... d'un naturel indolent. Je suis peut-être un peu dur avec moi-même en disant cela, disons qu'on ne m'a jamais accordé ma chance. Un jour je vous raconterai mon histoire, et vous comprendrez. Toujours est-il, ma très chère infante (il lui prit le visage dans sa main) que le jour où nous devrons nous séparer, ma vie ne sera plus la même. Et nous devrons nous séparer. À la fin de l'année, j'écrirai à votre grand-père pour le mettre au courant de la situation, et votre frère, ou une autre personne responsable, veillera à ce que vous soyez placée dans une bonne maison, comme membre d'une véritable académie. Oh oui ! il le faut, ma chère, chère Marie Anne (il avait pris son visage dans ses deux mains en conque et sa voix se brisa) car vous avez un talent remarquable. Mais vous auriez dû pratiquer depuis l'enfance, vous avez besoin de discipline, vous êtes d'accord ?

Elle était incapable de répondre oui ou non, elle savait seulement qu'elle aussi serait malheureuse quand il lui faudrait se séparer de lui... Elle était au bord des larmes.

— Je ne... je ne m'occuperai pas des examens ; ça n'a pas d'importance. Je ne veux pas d'autre professeur que vous... jamais...

— Oh ! ma chérie, ma chérie...

Avant même que ses bras aient touché ses épaules, elle était contre lui. Lorsque ses lèvres effleurèrent son cou juste au-dessus du décolleté, elle se mit à trembler de la tête aux pieds, et quand elles atteignirent ses lèvres, elle se laissa aller dans ses bras. Ils étaient maintenant allongés côte à côte sur le sol, ses mains étaient sur elle. Sa voix qui lui murmurait des mots en espagnol, des mots d'amour, elle le savait, la mit dans un état proche de l'extase.

Mais quand il fut sur elle, son poids la ramena à une réalité qui lui fit brusquement ouvrir les yeux. Soudain, elle eut la vision de sa sœur, les cuisses nues, et fut saisie de frayeur ; elle se mit à crier « Non, non ! je vous en prie » et il lui répondit d'une voix rauque, comme ivre :

— N'aie pas peur ma chérie, mon infante. Jamais je ne te ferai du mal, jamais, jamais. Mon amour...

Sa bouche était sur la sienne de nouveau. Elle essaya de se lever, elle se souvint avoir pressé ses mains contre sa poitrine, de s'être presque battue. Mais à un moment elle fut contrainte de capituler, et tout fut consommé.

— Que s'est-il passé, ma chère, vous avez pleuré ?

Marie Anne ne répondit pas mais continua de marcher jusqu'à ce que Sarah la force à s'arrêter, la regardant droit dans les yeux.

— Que vous a-t-il fait ? Il vous a embêtée ? Dites-moi tout.

Le ton était sans réplique.

— Non, non (les mots se bousculaient à présent) c'est que... j'étais triste à cause de Pat... parce qu'il ne peut pas venir. Je me réjouissais tellement, tu le sais bien, alors j'en ai parlé au professeur (elle baissa la tête) et...

— Il a compati et ça vous a fait fondre, termina Sarah d'un ton plein de sollicitude.

Marie Anne acquiesça, sans relever la tête.

— Ah, c'est un homme sympathique, plein d'attentions. Il a dû être désolé pour vous. Et qui ne le serait pas, connaissant votre tante ? Allez, ressaisissez-vous. La cuisinière vous a fait un gâteau pour votre anniversaire, demain. C'est une surprise, je n'aurais pas dû vous en parler, mais je trouve ça tellement adorable ! Elle a économisé par-ci par-là et elle a même dû prendre sur ses propres deniers pour le confectionner. Je sais que vous apprécierez.

— Oh, oui, bien sûr !

Elle manifesterait son contentement, sans aucun doute. Marie Anne hochait la tête tout en marchant. C'était assurément un homme sympathique et compréhensif, sauf... pendant ce moment épouvantable... Mon Dieu !... Elle n'avait qu'une envie, c'était d'aller dans sa chambre pour s'asperger d'eau froide des pieds à la tête. Voilà donc ce qui était arrivé à Evelyn cette nuit-là, ce qui l'avait fait fuir, ce pourquoi elle était ici, à Londres, sous la tutelle de cette horrible femme... Et finalement pour commettre le même acte... alors qu'elle avait été terriblement choquée... Pourtant, elle avait essayé de l'arrêter, et il s'était montré tellement contrit voyant qu'après elle ne pouvait cesser de pleurer. Elle ne se sentait pas capable de lui faire face demain matin — et pourtant il le faudrait. Est-ce qu'elle l'aimait toujours ? Elle se sentait incapable de répondre à cette question pour l'instant... Il fallait d'abord qu'elle se lave et, ce soir, quand elle serait au lit, l'esprit disponible, la réponse viendrait peut-être...

Une chose était certaine en tout cas : il ne devait plus jamais lui faire ça. Jamais. Mais il n'était pas le seul à blâmer : elle s'était laissée aller contre lui, elle reconnaissait qu'elle avait eu envie qu'il la tienne serrée contre lui, et même qu'elle avait eu envie de sentir ses baisers. Mais pas ça. Au grand jamais elle n'avait pensé que les choses iraient si loin. Si elle avait pensé à Evelyn plus tôt, peut-être aurait-elle été davantage sur ses gardes.

Elle savait à présent que si elle devait quitter son professeur pour s'inscrire dans une véritable académie, la séparation serait moins douloureuse. Elle comprit également, dans ces sombres instants, qu'elle n'aurait jamais dû gifler Evelyn de la sorte, ni l'injurier comme elle l'avait fait, car elle venait de faire exactement la même chose. Une chose à la fois magnifique et affreuse.

— Qu'est-ce qui ne va pas, jeune fille ? Je ne t'entends plus jouer du piano comme d'habitude, tu martyrises les touches. Bang, bang, bang.

— Je vous l'ai déjà dit, ma tante. J'ai un rhume.

— Ça fait des semaines que tu as un rhume. Tu as déjà passé une journée au lit. On ne se met pas au lit pour un rhume, voyons !

— Ce n'est peut-être pas un rhume, ma tante, mais je ne me sens pas bien.

— Ne me parle pas sur ce ton, je t'ai déjà prévenue. Et permets-moi de te dire qu'à la façon dont tu joues, on n'a pas l'impression que tu as fait beaucoup de progrès. Ce professeur gagne bien facilement son argent. Est-ce qu'il supervise ton travail, au moins ?

— Oui, ma tante. À chaque minute.

Martha Culmill regarda sa nièce, qui, en quelques mois, semblait avoir pris plusieurs années : en l'écoutant, elle avait du mal à croire qu'elle n'avait que seize ans et qu'avant d'arriver à Londres elle avait vécu comme une sauvageonne, courant les bois et la campagne. À présent elle se comportait et parlait comme une jeune femme de la ville, plus comme une gamine. Foggerty était-elle à blâmer ? Certes non, sa nièce s'était montrée impertinente dès le premier jour, c'était dans sa nature. Si elle ne connaissait pas si bien sa demi-sœur, elle aurait pu penser qu'elle avait commis une erreur, car cette jeune fille avait quelque chose d'étrange. On pouvait dire qu'elle était belle mais, si on regardait ses traits attentivement, il y avait chez elle quelque chose qui dérangeait. Comme Marie Anne se dirigeait vers la porte, elle l'interpella :

— Descends dire à Emery que j'ai besoin de charbon pour le feu et, si Foggerty n'est pas encore rentrée de congé, ce qui je suppose est le cas, apporte-moi mon plateau du dîner.

Ni s'il te plaît, ni merci... Marie Anne se retourna et jeta un regard vers le lit de sa tante. Rien d'étonnant à cela, elle-même ne s'étant jamais montrée courtoise envers sa tante.

Avant de s'exécuter, elle alla dans sa chambre et fit une chose surprenante : après avoir refermé sa porte, elle pressa son front contre le panneau de bois, bras écartés, et poussa un cri venu du plus profond d'elle-même : « Mon Dieu ! Qu'est-ce que je vais devenir ? » Neuf semaines s'étaient écoulées à présent. Lorsqu'elle n'avait pas eu ses règles la première fois, elle n'y avait pas prêté attention, mais la deuxième fois elle n'avait rien vu venir non plus et elle avait commencé à avoir la nausée. Sarah l'avait trouvée dans « la chambre noire », comme on appelait les toilettes, en train de vomir. Elle s'était pris la tête dans les mains et s'était écriée, la bouche déformée par une grimace incrédule : « Non, pas vous ! Ça n'est pas possible ! » Puis elle avait essuyé le visage de Marie Anne avec un linge humide, tout en continuant à gémir « non, non, pas vous ». Ensuite elle avait rabattu le siège et assis de force Marie Anne.

— Ça fait combien de temps ? avait-elle demandé en la secouant sans ménagement par les épaules.

— N... neuf semaines passées, avait bredouillé Marie Anne.

Sarah s'était écartée d'un pas comme pour mieux prendre le recul nécessaire par rapport aux événements, et s'était écriée :

— Le jour où il faisait si chaud, quand vous êtes sortie avec les yeux rouges, vous aviez pleuré. C'était ce jour-là, n'est-ce pas ?

Marie Anne avait baissé la tête. Oui... c'était ce jour-là. La merveilleuse et horrible expérience...

Plus tard, en entrant dans la cuisine, elle comprit que Sarah avait annoncé la nouvelle, car toutes la regardaient, médusées.

Elles n'arrivaient pas à y croire : pas elle, elle était si jeune dans ses manières, si naïve. Mais ça arrive toujours aux jeunes filles naïves, c'était en tout cas l'opinion de Clara, qui cita sa mère : « Si tu ne portes pas de culotte, il n'y a pas que le vent qui se faufilera sous tes jupes. »

Mais personne n'avait le cœur à rire ce jour-là. La question était grave et les ennuis ne faisaient que commencer.

— Mademoiselle Lawson est au lit, elle ne se sent pas bien et ne viendra pas cette semaine, mais je voudrais en parler au professeur. Je dois également régler la note du mois, et il me faudra un reçu, dit Sarah Foggerty lorsque la femme du professeur entra dans le salon.

— Très bien, je vous le laisserai sur la table, vous pourrez le prendre en partant. C'est cette porte.

Sarah frappa et, sans plus de cérémonie, entra sans attendre la réponse. Le professeur eut l'air très surpris.

— Vous devez vous demander pourquoi c'est moi qui suis là et pas votre élève, dit-elle après un silence.

— Sans doute.

— Elle ne viendra pas cette semaine, elle est au lit.

— Oh, je suis désolé ! Elle est malade ?

— On peut appeler ça comme ça. Mais son état va empirer, c'est moi qui vous le dis.

Apparemment, il ne comprenait pas.

— Elle n'avait pas l'air tout à fait bien cette semaine, elle était plutôt pâle.

Le poing de Sarah atterrit brusquement contre son épaule et il fit un petit bond en arrière.

— Pâle ! Ça vous étonne ? Vous avez fait ce qu'il faut pour, non ?

— Qu'est-ce qui vous prend ? Quelque chose ne va pas ?

— Moi je vais très bien, merci. C'est entre vous et elle que ça ne va pas ! Vous lui avez fait un bébé, voilà ce qui ne va pas !

Il resta un instant bouche bée, puis articula faiblement :

— Un bébé...

— Oui, un bébé, un enfant.

— Oh, non, jamais je n'aurais imaginé...

— Vous avez bien pris vos aises avec elle ? Qu'est-ce que vous croyiez ? Ce n'est qu'une jeune fille, et vous, vous êtes un homme marié.

Il secouait la tête d'un air incrédule. Il approcha une chaise pour s'asseoir et invita Sarah à en faire autant.

— Asseyez-vous, je vous en prie.

— Je n'ai pas envie de m'asseoir. Je veux que vous me disiez ce que vous comptez faire.

— S'il vous plaît, laissez-moi m'asseoir, prenez une chaise et écoutez-moi.

Elle s'assit de mauvaise grâce sur le tabouret de piano, foudroyant le professeur du regard.

— Elle avait confiance en vous. Elle estimait votre prétendue école de musique. Autant que je sache, elle est la plus âgée de vos élèves, les autres ne sont que des enfants. Alors, je vous le redemande, que comptez-vous faire ?

Il était assis, les coudes sur les genoux et la tête dans les mains, dans une attitude de défaite. Mais il se redressa soudain et hurla :

— Et qu'est-ce que je peux faire pour elle ? (Il leva un bras dans un geste qui embrassait non seulement son école, mais sa vie entière.) Pour l'instant, je peux dire que j'existe, sans plus. En tout cas, une chose est certaine : j'aime cette jeune fille. L'amour se moque de l'âge, voyez-vous.

— L'amour ! Pfft ! Vous voyez un peu où votre amour l'a menée !

— Qu'est-ce que je peux faire ? dit-il d'un air pitoyable. Qu'est-ce qu'*elle* va faire ?

— *Vous* en avez assez fait, je ne vois pas ce que vous pourriez faire de plus. Quant à elle, elle ne remettra plus les pieds ici. Elle n'ira certainement pas non plus chez sa mère, elle ne voudra pas d'elle, ça, j'en suis sûre. Mais son grand-père et son frère vont s'en occuper. Attendez-vous à ce qu'ils vous rendent visite.

Il redressa les épaules, cherchant à reprendre son souffle comme s'il subissait déjà leur attaque.

— Ils voudront aller au fond des choses, dit-elle comme pour s'excuser.

— Qu'allez-vous dire à sa tante ?

— Pour moi, je crois que c'est mieux qu'elle le découvre par elle-même, ce qui ne saura tarder.

Il plissa les yeux et tout son visage se convulsa, comme pour effacer l'image qu'elle venait d'évoquer.

En se levant pour prendre congé, elle se surprit elle-même en disant :

— Croyez-moi si vous voulez, mais en ce moment je vous plains. Et pourtant je n'étais pas dans de bonnes dispositions à votre égard en entrant ici, je vous assure.

Il ne répondit rien, se contentant de la regarder, l'esprit apparemment en proie à la plus grande confusion. Toujours en silence, il lui ouvrit la porte et la regarda se hâter dans le couloir en hochant pensivement la tête.

Une fois dans la rue, Sarah s'arrêta pour reprendre haleine. « À présent, allons chez Annie voir dans quel pétrin elle et sa tribu se sont mis. »

— 5 —

Pendant les quinze jours suivants, Marie Anne et Sarah quittaient la maison comme si elles se rendaient à la leçon de musique ; une fois dehors, elles revenaient sur leurs pas et rentraient par la porte de derrière. Elles restaient un moment dans la cuisine, où Sarah attendait le temps nécessaire avant de ressortir et de rentrer dans la maison par la grande porte. Parfois, Marie Anne se reposait sur le petit lit de la cuisinière dans le cagibi qui lui tenait lieu de chambre, et la brave femme lui servait du thé, avec une tranche de pain beurré, un petit pain au lait ou autre chose à grignoter, car Marie Anne avait souvent la fringale ces temps-ci.

Heureusement, Martha Culmill gardait la chambre en hiver. Combien de temps Marie Anne allait-elle pouvoir continuer ainsi ? Pour l'instant, il est vrai, elle portait une robe chasuble assez ample qui dissimulait sa taille.

Ce jour-là, en tout cas, elles reçurent de la visite. Ce fut la petite Clara Emery qui ouvrit la porte. C'était une femme.

— Je veux voir votre maîtresse.

— Voulez-vous me donner votre nom, madame ? fit Clara non sans hauteur.

— Avec plaisir, mademoiselle : je suis Liza Alvarez et je n'ai pas l'intention de rester debout dans le froid en attendant que vous m'annonciez.

— Qu'est-ce que c'est, Clara ? fit la voix de Sarah Foggerty à l'autre bout du corridor.

« Mon Dieu ! se dit-elle en reconnaissant la visiteuse, nous allons avoir droit à la grande scène du trois ! » Mais sa voix ne trahit aucune émotion :

— Qui désirez-vous voir ?

— Ne faites pas l'étonnée ! Je veux voir la tante de cette petite traînée !

— N'employez pas ce ton avec moi, madame.

— J'emploierai le ton qu'il me plaira. Allez avertir votre maîtresse que je veux lui parler, sinon je tambourine à votre porte de façon à ce que tout le quartier m'entende.

Sarah poussa sur le côté la petite Clara complètement médusée et fit signe à la visiteuse d'entrer.

— Asseyez-vous, dit-elle d'une voix aussi sévère que l'expression de son visage. Je vais dire à Mlle Culmill que vous désirez la voir. Et c'est à elle de décider si elle veut vous recevoir. Me suis-je bien fait comprendre ?

Et elle grimpa à l'étage sans attendre la réponse de la femme. Avant d'entrer dans la chambre, elle s'arrêta un moment et porta la main à son front, réfléchissant à la meilleure façon d'agir. Hélas ! la réponse lui apparut clairement : il n'y en avait pas. La seule solution était de laisser les événements suivre leur cours.

Elle ouvrit la porte à toute volée et lança, sur un ton qui fit ouvrir de grands yeux à Mlle Culmill :

— Il y a en bas une femme qui semble fortement déterminée à vous parler, d'autant plus qu'elle a une mauvaise nouvelle à vous annoncer. Voulez-vous la recevoir ?

— Une femme désire me voir ? Qui est-ce ?

— La femme du professeur de musique — en tout cas elle se donne pour telle.

— Mais de quoi parlez-vous, Foggerty ? Pourquoi cette femme voudrait-elle me voir ?

— Comme je vous l'ai dit, elle a une nouvelle pour vous, mademoiselle.

Martha Culmill plissa les yeux d'un air circonspect en regardant sa femme de chambre.

— Faites-la monter et restez dans la chambre tant qu'elle sera là. Quoi qu'elle dise, je veux qu'il y ait un témoin.

— Je pourrais témoigner même sans assister à la conversation, mademoiselle, mais je resterai.

Sarah sortie, Martha Culmill resta les yeux fixés sur la porte, l'air perplexe. Que s'était-il passé avec sa nièce pour que la femme du professeur de musique demandât à la voir ?

Une fois dans la pièce, la femme regarda l'occupante du lit, balaya du regard le mobilier confortable.

— Eh bien, madame, qu'aviez-vous de si pressé à me dire ? aboya littéralement l'invalide.

— Vous allez être tout de suite fixée. Il s'agit de votre nièce. Cette petite dévergondée a détruit ma vie. Tout allait pour le mieux, jusqu'à ce qu'elle jette son dévolu sur lui. J'aurais pu passer l'éponge — j'ai l'habitude que les femmes et les jeunes filles succombent à son charme —, mais elle lui a fait tourner la tête, et il est parti.

— Parti ? Expliquez-vous. Qu'est-ce que son départ a à voir avec ma nièce ?

Se demandant un instant si cette femme était simple d'esprit ou si elle faisait exprès de ne pas comprendre, Mme Alvarez se tourna vers Sarah Foggerty, en quête d'une réponse.

— Vous ne lui avez rien dit ?

Sarah sursauta, et Martha Culmill se redressa soudain dans son lit.

— Mais de quoi s'agit-il, à la fin ? Expliquez-vous.

— Tout de suite, madame. Je vais vous mettre les points sur les *i* : il s'est enfui — probablement en Espagne — parce qu'il a engrossé votre nièce et qu'il a eu peur.

Martha Culmill s'affaissa doucement contre ses oreillers, elle ouvrit grand la bouche pour aspirer une goulée d'air et porta la main à sa gorge comme si elle suffoquait. Sarah se précipita vers la table de toilette et saisit un flacon de sels qu'elle promena sous le nez de sa maîtresse en marmonnant :

— Cette fois-ci, c'est du sérieux, ce n'est pas une comédie pour que je reste avec elle.

Elle tira sur le cordon de sonnette près du lit, et Clara accourut.

— Reste avec elle une minute, Clara. Si tu vois qu'elle risque de retomber dans les pommes, fais-lui renifler ça.

Puis, se tournant vers la femme :

— Bon, je crois que vous avez dit ce que vous aviez à dire, vous pouvez partir maintenant.

Sans mot dire, la femme suivit Sarah dans l'escalier et dans le vestibule.

— Attendez une minute, dit-elle, alors que Sarah avait la main sur la poignée de porte. Je voudrais m'asseoir, je crois que j'aurais besoin de respirer des sels, ç'a été un choc pour moi aussi.

Elle s'assit sur la chaise du hall. Elle respirait péniblement et leva les yeux vers Sarah.

— Je me serais complètement fichue de cette histoire s'il n'était pas parti. Je l'aimais.

— Vous n'étiez pas mariés ?

— Non, non... nous n'étions pas mariés. C'est moi qui l'ai remis dans le droit chemin. J'ai fait en sorte qu'il puisse gagner sa vie tant bien que mal, au lieu de jouer dans les bars pour quelques sous ou quelques verres, comme il faisait auparavant. Vous savez, je m'y connais un peu en musique, ma mère jouait du piano et mon père du violon. J'allais très souvent au concert quand j'étais jeune, mais jamais je n'ai entendu quelqu'un jouer comme lui. Oh ! ce n'était pas tout le temps, bien sûr, mais parfois, quand les clients étaient partis, il se remettait au piano et jouait de belles choses, pas des morceaux comme *Won't you come home, Bill Bailey* ou *Down at The Old Bull and Bush.* J'ai connu pas mal de faisans dans ce métier, vous savez. J'étais persuadée que s'il avait une maison et quelqu'un qui s'occupât de lui, il ferait un professeur tout à fait honorable. Et c'est ce à quoi je me suis appliquée ces six dernières années. Je l'ai pris en main, et voilà le remerciement.

Sa voix baissa soudain jusqu'à un murmure.

— Je lui aurais passé sa dernière fredaine, s'il était resté. C'était un génie, vous savez. Il avait un don réel. Depuis l'âge de huit ans, où il travaillait dans une grande maison d'Espagne, il passait tout son temps libre à pianoter sur une vieille épinette, qu'on avait remisée dans les appartements des domestiques. Plus tard, quand la famille partait plusieurs mois de suite, le gardien l'autorisait à jouer sur le piano du grand salon. Il avait quatorze ans quand le maître de maison l'a entendu jouer pour la première fois et lui a fait donner des leçons de musique. Tout allait très bien pour lui, et puis cet homme est mort, la maison a été vendue et la famille s'est éparpillée. Il avait un grade équivalent à celui de valet de pied, ou quelque chose comme ça, mais il n'a pas trouvé à s'employer et il a décidé, je ne sais pas pourquoi, de venir en Angleterre. Là, ça été encore plus dur pour lui. C'est à ce moment que je l'ai rencontré. Je lui ai fait remarquer qu'il y avait des quantités de faux professeurs de toute sorte qui parvenaient à gagner leur vie avec leur maigre talent. Entre-temps, il avait fini par trouver un emploi dans une grande maison, mais il n'a pas pu supporter longtemps les manières du personnel.

Elle se leva, réajusta son chapeau et boutonna le col de son élégant manteau de velours avant de conclure :

— Même s'il n'avait pas gagné un sou, il savait que ça ne me posait pas de problème car je ne suis pas sans ressources.

La maison m'appartient, je l'ai payée de mes propres deniers. J'ai travaillé des années dans la mode et j'ai un pécule.

Sarah lui ouvrit la porte. Avant de partir, elle se retourna pour un dernier mot.

— Je crois que je serais capable de tuer cette sale petite femelle, ça oui...

De retour dans la chambre, Sarah eut l'impression que Martha Culmill avait récupéré, car elle lui lança d'un ton agressif :

— Foggerty ! Vous étiez au courant !

— Ça fait seulement un jour ou deux que je suis au courant, madame, et je voulais vous le dire mais je ne savais pas trop comment m'y prendre.

Sous les yeux effarés de Sarah, sa maîtresse se frappa la poitrine de ses poings en répétant :

— Grand Dieu ! Vous ne saviez pas comment vous y prendre ! Il est hors de question qu'elle reste ici, peu importe ce que dira Veronica. Apportez-moi mon bloc de papier à lettres... Ou plutôt, non, attendez... Depuis combien de temps (elle déglutit difficilement) ce... Cette chose est-elle en route depuis longtemps ?

— Vous voulez dire : elle est enceinte de combien ? Pas loin de trois mois, à ma connaissance.

— Trois mois ! hoqueta Martha Culmill. Et vous n'étiez pas au courant ?

— Vous n'aviez rien remarqué non plus, n'est-ce pas, madame... fit Sarah d'un ton désinvolte.

— Je n'ai pas de relations avec elle comme vous en avez. Elle a sûrement... manifesté quelque désarroi, je suppose ?

Il y eut un bref regard échangé entre les deux femmes, puis Sarah mentit avec son talent habituel.

— Rien que vous n'ayez pu remarquer, madame. Elle avait peut-être un peu le cafard, mais c'est presque tout le temps, elle s'ennuie de chez elle.

— Eh bien, elle va y retourner, chez elle, et définitivement. Il n'est pas question que je la garde — avec ça... Pas sous mon toit. Retourne à ton travail, ma fille, dit-elle à l'adresse de Clara.

Clara sortit promptement et se dirigea tout droit vers la cuisine, où attendait Marie Anne. Elle était assise, pianotant fiévreusement sur la table.

— Elle a failli avoir une attaque, dit Clara. Je lui ai fait respirer des sels et elle a l'air d'aplomb maintenant. Elle a fait monter Sarah pour écrire une lettre. Cette femme, il paraît que ce n'était pas vraiment sa femme, en tout cas c'est ce que j'ai cru comprendre. Qu'est-ce qui s'est passé quand elle est descendue ?

Marie Anne ne répondit rien.

— D'après ce que j'ai entendu, intervint la cuisinière, elle nous a ouvert les yeux en ce qui concerne le professeur. Surtout à Mlle Sarah et à vous, mademoiselle.

— Tu as raison, dit Marie Anne en cessant de tambouriner sur la table.

Quelques minutes plus tard, Sarah entra en trombe dans la cuisine, une lettre à la main.

— Elle vous renvoie chez vous immédiatement. Je dois porter la lettre à la poste principale.

— Je n'irai pas, c'est impossible. Je... je ne peux pas rentrer à la maison ! s'écria Marie Anne en se levant.

— Allons, allons... il faut que nous en parlions. Mettez votre manteau et votre chapeau et accompagnez-moi à la poste. Une petite marche vous fera le plus grand bien.

— Je ne peux pas rentrer chez moi, c'est impossible, vous ne vous rendez pas compte ? répéta Marie Anne, à peine étaient-elles dans la rue.

— Si, je me rends parfaitement compte. Mais où irez-vous sinon ? Votre tante ne vous reprendra jamais, même si votre mère lui offrait un pont d'or. Il faut que nous en parlions sérieusement, mademoiselle.

Elles discutèrent jusque tard dans la nuit, mais la situation semblait sans issue : Sarah ne voyait pas d'autre solution pour Marie Anne que de rentrer chez elle, mais elle s'y refusait catégoriquement, elle ne voulait même pas envisager de se présenter devant son cher grand-père dans l'état où elle se trouvait.

— J'en mourrais, et lui aussi. Il est hors de question que je rentre chez moi.

Ce jour-là, chose étrange, Martha Culmill ne demanda pas à la voir...

Le télégramme arriva le lendemain en fin d'après-midi. Sarah le lui porta dans sa chambre et le lui tendit.

— Ouvrez-le et lisez, ma fille, brailla Martha Culmill.

EN AUCUN CAS ELLE NE DOIT RENTRER. STOP.
LETTRE PLUS VERSEMENT SUPPLÉMENTAIRE SUIVENT. STOP.

Martha aurait bien volontiers accepté plus d'argent pour s'occuper de la fille de sa demi-sœur, mais pas dans ce cas-là.

— Jamais ! Jamais de la vie ! hurla-t-elle à la figure de Sarah comme si elle pensait tout haut. Je ne tolérerai pas cette fille sous mon toit un instant de plus. Il faut lui trouver un foyer. Si sa mère n'en veut pas, ce n'est sûrement pas à moi d'en prendre la responsabilité. Mon Dieu, non ! Surtout pas dans ce genre de situation. Une telle turpitude, une telle souillure ! Jamais je ne le supporterai. Il faut qu'elle s'en aille. Foggerty !

Sarah était à l'angle opposé de la pièce, en train de s'occuper du feu.

— Oui, madame ?

— Allez immédiatement à la chapelle et dites au révérend Trackman que je veux le voir le plus vite possible. Vite, vous entendez ? Dites-lui que c'est très important et très urgent.

— Oui, madame.

— Eh bien, ne restez pas plantée là. Qu'est-ce que vous attendez ?

Sarah sortit sans hâte.

— Mauvaises nouvelles ? lui demanda la cuisinière lorsqu'elle passa devant la cuisine, où elle avait laissé Marie Anne quelques instants plus tôt.

— Pire encore.

Marie Anne était dans sa chambre, assise sur une vieille chaise en osier. Elle avait gardé son manteau, dont elle avait ramené les pans contre elle, sous ses bras croisés.

— Pourquoi n'avez-vous pas allumé le gaz ? Rester dans le noir ne sert à rien.

Sarah alluma le bec de gaz et, dans la lumière douce, la chambrette sordide prit un aspect plus chaleureux, bien qu'il n'y ait pas de cheminée. Pas plus que dans sa propre chambre ni dans celle de Clara, d'ailleurs. La cuisinière en avait fait installer une dans sa chambre à ses propres frais. Sarah ferma les rideaux puis vint s'asseoir au pied du lit.

— Écoutez. La situation ne saurait se présenter plus mal : votre tante vient de recevoir un télégramme de votre mère. Je ne vais pas y aller par quatre chemins : en aucun cas elle ne vous veut à la maison. Elle a même envoyé de l'argent à votre tante pour que celle-ci vous garde. Mais même l'appât du gain ne l'a pas attendrie à votre égard, et elle veut se débarrasser de vous au plus vite. En ce moment, je suis censée être en route pour avertir le révérend James Trackman de la situation. De toute façon, il va bien falloir que j'y aille, et sans tarder. Vous le connaissez, lui, et surtout sa chère épouse Delia. Entre eux et votre tante, le choix est vite fait... Il faut que vous partiez d'ici, le plus rapidement possible : ils vont sûrement vous mettre dans un foyer.

— Oh, non ! Ils ne feront pas ça !

— Mais puisqu'on ne vous veut plus chez vous, et que de toute façon vous ne voulez pas y retourner, il n'y a pas d'autre solution.

Marie Anne se leva. Sa voix était presque inaudible.

— Je ne sais pas, Sarah, je ne sais pas. Mais je ne veux pas aller dans une maison où je serai enfermée à clé le soir, comme a dit Clara.

— Clara ferait bien de tenir sa langue. Il y a foyer et foyer, et puis vous êtes enceinte. Je pense qu'on vous mettra dans une maison où on s'occupera bien de vous.

— Et puis vous ne serez pas avec moi.

— Non, je ne pourrai pas être avec vous, il faut bien vous mettre ça dans la tête. Comment le pourrais-je, chère Marie Anne ?

Elle tendit les bras et serra contre elle le corps tremblant de Marie Anne.

— Je voudrais bien, pourtant. Il n'y a personne au monde que j'aimerais servir plus que vous et, si j'avais une maison à moi, je vous y emmènerais, à la minute. Il y a ma sœur, bien sûr, mais avec toute sa tribu, vous n'auriez pas un endroit où vous mettre... Pourtant elle fait de son mieux, il faut lui reconnaître ça... mais j'aimerais mieux mourir que d'aller vivre là-bas. Je suis coincée ici, je n'ai pas d'autre solution. Et vous irez dans un foyer quelconque, à moins que vous ne ravaliez votre fierté pour aller trouver votre grand-père.

Marie Anne se dégagea de l'étreinte de Sarah en hochant la tête.

— ... Je crois que dans l'état où je suis, je préférerais affronter ma mère, plutôt que lui... il a une si haute opinion de moi... je crois que le choc le tuerait.

— Il en faut plus que ça pour tuer un homme, jeune ou vieux. Et votre frère, celui qui s'est fait mal au dos ? Il a l'air d'un type bien. Pourquoi ne lui écrivez-vous pas ?

— Oh ! lui, c'est comme mon grand-père ! Mais quoi que je fasse et où que j'aille, c'est à eux que j'écrirai en premier.

— Vous allez leur dire ?

— Oh, non, non ! s'écria-t-elle avec un sursaut de tout le corps. Comment le pourrais-je ? Je leur expliquerai que je ne supporte plus de vivre chez ma tante et que je cherche un autre moyen d'hébergement. Je trouverai bien quelque chose. De toute façon, si j'allais au Petit Manoir, je serais obligée de dire à grand-père que ma mère ne veut plus de moi et il la détesterait plus encore.

Sarah poussa un profond soupir.

— Bon, je vais vous laisser penser à tout ça. Je ne suis moi-même plus en état de réfléchir à quoi que ce soit, et il faut que j'aille voir ce satané pasteur à présent. Mais je ne mettrai pas les pieds dans sa chapelle, que mon âme soit damnée, il faudra qu'il sorte dans la rue pour me parler. Je suis peut-être une catholique bornée mais c'est comme ça. Allez, essayez d'y voir un peu plus clair. J'y vais.

Dans l'heure qui suivit le message délivré par Sarah, le révérend James Trackman et sa femme Delia se présentèrent à la maison. Clara les fit monter dans la chambre de sa maîtresse.

— On dirait deux araignées noires, dit-elle à la cuisinière en descendant.

Sarah était dans la pièce quand les visiteurs entrèrent, mais sa maîtresse lui ordonna de sortir avant que la moindre parole fût échangée. Elle alla dans la cuisine, où Marie Anne finissait tranquillement son dîner.

— Clara dit qu'ils ressemblent à des araignées ! dit la cuisinière en riant. Je me suis souvent demandé à quoi on pouvait les comparer mais, elle, elle a mis le doigt dessus, comme d'habitude !

Marie Anne arrêta de manger et regarda Sarah.

— Elle m'a fait sortir. Avant même de leur dire un mot.

— Sarah, je n'irai pas avec eux, je te l'ai dit.

— Ma chère, je ne pense pas qu'on vous demandera d'aller avec eux. Si cette mégère est sur le point de vous mettre à la porte, ne comptez pas sur ces deux-là pour vous accueillir à bras ouverts. Je ne sais pas ce qu'ils manigancent mais j'ai un petit creux : cette journée m'a épuisée, donne-moi quelque chose à manger, Agnès. À vrai dire, la vie dans cette maison me sort par les yeux.

La cuisinière prit un plat avec un couvercle qui attendait sur le fourneau.

— Ça va être tout desséché.

— Ça ne fait rien. Je crois que je pourrais manger un cheval entre deux bottes de paille!

— Avec ou sans moutarde? demanda Clara avec un petit rire.

Sarah lui sourit.

— Tu sais, je vais te dire une chose, Clara : toi, tu n'en prendras jamais plein la figure dans la vie, parce que tu ne prêtes pas le flanc. Et si ta famille ne t'a donné que le sens de l'humour pour héritage, alors tu peux t'estimer riche.

À ce compliment inhabituel, Clara baissa la tête et rougit. Marie Anne ne put réprimer une certaine envie pour la petite bonne à tout faire, car il y avait du respect dans le compliment de Sarah, alors qu'elle savait qu'elle n'en avait plus pour elle, pas plus qu'elle-même d'ailleurs.

Elle se leva soudain, et s'écria d'une voix angoissée :

— Je ne veux pas aller dans un foyer, Sarah, je te l'ai déjà dit. Ce n'est pas possible! Je me moque de ce qu'ils diront, elle ou ces pasteurs. J'ai encore un peu d'argent qui me vient de mon grand-père et Pat m'en a donné aussi à Noël. Je vais prendre une chambre et j'écrirai ou je dessinerai. Vous avez vu mes caricatures, elles sont très drôles, je les enverrai à un journal. On me les achètera, je suis sûre que *Punch* ou d'autres...

Sarah se leva et plaqua ses mains sur les épaules de Marie Anne.

— Ne dites pas de bêtises. Asseyez-vous et calmez-vous.

— Je n'irai pas dans un foyer, Sarah. Maintenant j'y vois un peu plus clair, je sais ce que j'ai à faire.

— Oui, bien sûr, bien sûr, dit Sarah d'un ton apaisant. Je ne dis plus rien, je ne vous donnerai pas d'autres conseils. Quand vous saurez ce qu'elle a l'intention de faire (elle fit un geste en direction de l'étage) personne ne vous empêchera de suivre le chemin que vous aurez choisi.

La cloche sonna trois fois. Sarah monta en toute hâte dans la chambre de sa maîtresse, pour se voir donner l'ordre de reconduire les visiteurs...

Tout en remettant son chapeau de feutre noir, le pasteur toisa Sarah.

— Vous m'amènerez la jeune fille demain matin. Votre maîtresse vous donnera les détails. C'est peut-être une chance de salut pour elle. Dieu est bon.

— Le diable n'est pas mal non plus dans son genre, rétorqua Sarah, spontanément et à voix haute.

— Pardon ? fit la femme du pasteur.

— Vous avez très bien entendu, madame. J'ai dit que le diable n'est pas mal non plus dans son genre. Et je sais à quel camp j'appartiens.

— Vous êtes catholique ? demanda le pasteur en jetant un regard perçant à Sarah.

— Exactement.

— Mon Dieu ! Venez, ma chère ! dit-il en tirant sa femme vers la porte, comme s'il avait vu le diable en personne et qu'il avait peur d'être contaminé.

À peine avaient-ils franchi le seuil que la porte fut violemment claquée derrière eux.

Dieu est bon ! Sarah remonta les marches d'un pas lourd. Décidément, prêtres, pasteurs ou popes, c'était du pareil au même.

— Vous direz à cette jeune fille de faire ses bagages pour demain matin, dit Martha Culmill à peine Sarah était-elle entrée dans la chambre. Elle va être placée dans un foyer : elle a beaucoup de chance, c'est grâce à l'influence de la femme du pasteur qu'elle est acceptée là, sinon elle n'aurait pas eu de place.

— Puis-je vous demander de quel foyer il s'agit ?

— Vous avez même tout intérêt à le savoir puisque c'est vous qui allez l'accompagner demain. Il s'agit du foyer Mary Ping pour femmes en détresse.

— Pour quoi ?

— Vous avez très bien entendu, Foggerty. Cette jeune fille est bien en détresse, il me semble !

— Et si elle décide de ne pas aller dans votre foyer pour femmes en détresse, que va-t-il se passer ?

— Elle n'a pas le choix. Sa mère ne veut plus d'elle, à aucun prix. Vous avez déjà oublié le contenu de la lettre que vous m'avez lue ?

— Non, madame, je n'ai rien oublié, et laissez-moi vous dire qu'une femme comme ça, je ne m'essuierais même pas les pieds dessus.

— Taisez-vous donc ! Et laissez votre argot irlandais à la cuisine, s'il vous plaît ! Maintenant, allez la mettre au courant de ce qui l'attend.

— Ne préféreriez-vous pas le lui dire vous-même ?

Martha Culmill se mit à respirer péniblement et elle porta la main à sa gorge.

— Je la verrai avant qu'elle s'en aille. Je ne souhaite pas avoir d'autre contact avec elle.

La maîtresse et la servante échangèrent un regard lourd de sens, et Sarah sortit en fermant la porte sans trop de ménagement.

Elle retrouva Marie Anne dans la cuisine, assise près du fourneau.

— Vous feriez bien de monter faire vos valises, vous devez vous mettre en route demain. Pour où, je ne sais pas encore... Ça dépend essentiellement de vous.

Marie Anne se leva et reprit sa litanie :

— Je ne veux pas aller dans...

— Ça va, ça va, dit Sarah. Vous me l'avez déjà dit et je suis fatiguée. Vous n'irez pas dans un foyer. En tout cas, d'ici demain matin, vous avez le temps de ruminer tout ça et de me dire où vous avez décidé d'aller, soit à la gare, soit... je ne sais où. En tout cas, pour l'instant, allez faire vos bagages.

Marie Anne sortit presque en courant.

— Alors, ils vont la coller dans un foyer ? demanda la cuisinière.

— Oui, oui. Je n'en ai jamais entendu parler jusqu'ici mais il va falloir que je trouve où c'est car je dois l'y accompagner demain. Il paraît que la femme du pasteur a des relations là-bas.

— Comment ça s'appelle ?

— Oh ! ça a un nom incroyable mais qui s'applique apparemment à la situation de Marie Anne : c'est le foyer Mary Ping pour femmes en détresse.

— Quoi ! s'exclama la cuisinière d'une voix étranglée. Mary Ping ! Mon Dieu, non !

— Pourquoi, qu'est-ce qu'il y a ?

— Tu n'as jamais entendu parler de Mary Ping ? Tu as pourtant habité assez longtemps dans ce quartier de Londres !

— Je n'ai jamais entendu parler de ce foyer.

— C'est pourtant connu ! C'est là qu'échouent les filles sorties du ruisseau, souvent enceintes jusqu'aux yeux car elles sont allées trop tard voir les avorteuses. La plupart sont des prostituées. De temps en temps, il y a là une fille honnête qui a préféré le foyer à l'usine mais, moi, je n'hésiterais pas une seconde, je choisirais l'usine. Je n'arrive pas à croire que tu n'en aies jamais entendu parler ! C'est une plaisanterie ! Ma parole, tu finiras à Mary Ping !

Sarah se laissa choir sur une chaise.

— Elle ne doit pas savoir, sinon elle n'aurait tout de même pas fait ça... Je veux dire la patronne, là-haut... dit-elle d'une voix traînante de fatigue.

— Pourtant elle l'a fait. Avec la bénédiction du pasteur, et tout ça... Mme Delia est connue pour ses bonnes actions. Elle fait sans arrêt des quêtes pour les va-nu-pieds. Mais je ne sais pas si les pauvres voient jamais la couleur d'une paire de chaussures, sauf à Noël, où elle fait ramasser quelques clochards dans les rues et les habille de hardes.

La cuisinière se pencha sur la table pour toucher le bras de Sarah.

— Tu ne peux pas la laisser aller là-bas, dit-elle d'un ton presque suppliant. (Comme Sarah ne disait rien, elle poursuivit :) Vas-y tôt demain matin pour te rendre compte par toi-même. C'est une grande maison, avec un portail en fer et une haute clôture. On te laissera entrer si tu dis que tu viens pour faire admettre une jeune fille.

Sarah leva les yeux vers la cuisinière et dit d'une voix blanche :

— J'en suis malade pour elle. Si seulement elle décidait de rentrer chez elle et d'affronter sa mère... Mais c'est la dernière chose qu'elle fera et elle est persuadée que son grand-père et son frère mourront de honte s'ils apprennent la vérité. Moi, je suis sûre que ce sont des types bien, qui la protégeraient, mais elle ne veut pas en entendre parler. Elle a du caractère, tu sais. Elle est même un peu forte tête, et elle serait bien capable de partir d'ici toute seule demain matin et d'atterrir dans un hôtel minable. Et après ça, Dieu sait où...

— Elle ne partira pas sans toi, Sarah. Elle te porte aux nues, et à juste titre. Tu es bien plus qu'une amie pour elle, et je suis sûre que finalement elle écoutera tes conseils.

— Oh, je ne crois pas ! En tout cas elle ne rentrera pas chez elle. Je ne pourrai pas l'influencer là-dessus.

— Ta sœur ne pourrait pas la prendre chez elle en attendant ? demanda Clara, qui faisait la vaisselle dans une bassine posée sur la pierre à évier.

Sarah et la cuisinière se retournèrent d'un seul mouvement.

— Oh ! dit Sarah en souriant à la jeune fille, ma sœur a dix mouflets, et le plus âgé a onze ans. Ils vivent dans un appartement, ce sont des bâtiments de quatre étages avec des cours à n'en plus finir et ma sœur est au troisième étage. Encore, elle a de la chance, elle a quatre pièces, mais deux ne sont pas plus grandes que des boîtes à chaussures. Il faut monter les seaux d'eau depuis la cour. Et il n'y a que quatre cabinets pour tous les appartements. Tu vois un peu dans quelles conditions vit ma sœur, Clara... En tout cas c'est gentil d'y avoir pensé...

— Elle va me manquer, dit Clara en se retournant vers ses deux compagnes.

— À nous aussi, tu sais...

— Elle est tout d'une pièce, elle est franche et elle m'apprenait des tas de mots...

Les trois jeunes filles échangèrent un regard complice et chaleureux, puis Sarah se leva vivement.

— Je vais aller la voir.

— Essaie de la faire descendre pour manger quelque chose. La poissonnière a pu m'avoir quatre harengs frais ce matin...

Lorsque Sarah entra dans la chambre de Marie Anne, elle trouva celle-ci en train de boucler la valise posée sur son lit.

— Je suis prête, dit-elle calmement. (Puis elle regarda Sarah droit dans les yeux :) Je me suis dit que si vous vouliez m'aider à trouver une chambre, ou un meublé... je... je pourrais trouver un travail, et avec l'argent que j'ai je me débrouillerai de toute façon.

— Venez vous asseoir, dit Sarah en désignant à Marie Anne le bord du lit et en passant le bras autour de son épaule. C'est une bonne idée, une très bonne idée même, poursuivit-elle sur un ton très calme, mais pour cela il faut beaucoup d'argent. Combien avez-vous ?

— En tout, dix-huit livres et cinq shillings.

— Quoi ! Je pensais que vous aviez environ cinq livres, pas plus ! dit Sarah en laissant tomber son bras.

— Grand-papa m'a envoyé de l'argent dans sa dernière lettre, et Pat aussi. Je ne vous l'ai pas dit parce que (elle baissa la tête) je voulais vous offrir un cadeau et... j'attendais de découvrir ce qui vous ferait le plus plaisir.

— Oh, ma chérie ! dit Sarah en passant de nouveau son bras autour de ses épaules et en la serrant contre elle. Dieu vous bénisse pour cette pensée. Mais... dix-huit livres et cinq shillings, c'est beaucoup d'argent. À côté, est-ce qu'elle est au courant ?

— Non, non. Elle m'avait demandé, quand je suis arrivée, de lui confier l'argent que m'enverrait éventuellement mon grand-père, car la plupart des domestiques sont des voleurs, disait-elle.

— Ah, vraiment ? Elle a dit ça, hein ? Eh bien, il n'est pas encore né celui qui pourrait lui prendre quelque chose. Quoi qu'il en soit, laissons tout ça de côté jusqu'à demain matin. Il faudra que je sorte très tôt mais nous réglerons ces questions à mon retour... Maintenant, venez manger quelque chose : c'est votre dernier vrai repas dans cette maison. La cuisinière a préparé du hareng frais... Laissez-moi vous dire une chose (Sarah hocha la tête) : elles vont vous regretter, en bas, surtout Clara, parce que vous étiez le seul rayon de soleil de cette maison. Vous allez nous manquer, à toutes...

— Oh ! Sarah, je vous en prie !

— Allez, ça suffit. Nous verrons tout ça demain. Maintenant, venez.

Le foyer Mary Ping était situé au bout d'une longue rue autrefois habitée par des marchands cossus. C'était une maison basse, en pierre grise, que n'agrémentait aucun arbre ni aucune pelouse, et qui faisait plutôt penser à une caserne.

La gardienne qui avait ouvert le lourd portail de fer à Sarah la précéda dans un vaste hall carrelé, que deux femmes étaient en train de frotter. Elles levèrent sur Sarah des regards étonnamment semblables, où se lisait une grande lassitude.

La femme la conduisit dans un long couloir, puis se retourna vers elle.

— Vous voulez voir qui ?

— La directrice... la responsable... peu importe.

— Vous ne connaissez même pas son nom, dit la femme en s'esclaffant.

— Non. Je sais seulement qu'elle attend une nouvelle pensionnaire ce matin.

— Ah, encore une... Vous êtes sa mère ?

— Non, je ne suis pas sa mère.

Sarah avait presque hurlé et la femme se retourna vivement.

— Pas de ce ton-là ici, ma petite dame, si vous ne voulez pas en prendre une...

Les deux femmes se dévisagèrent, puis la matrone se remit en route et ouvrit violemment une porte au bout du couloir.

— Betty ! Fais entrer cette femme dans la salle d'attente. C'est pour Mlle Frank.

Puis elle tourna les talons sans autre forme de cérémonie. La dénommée Betty se tenait devant Sarah, un large sourire aux lèvres. Elle était affligée d'un ventre énorme qui semblait lui faire perdre l'équilibre.

— Salut ! Vous venez voir Mlle Frank ? Bienvenue au club !

Sarah passa devant la fille hilare pour entrer dans une pièce où pas moins de dix femmes étaient au travail. En voyant Sarah, elles cessèrent immédiatement leur bavardage. Toutes étaient manifestement à divers stades de grossesse. Quatre d'entre elles étaient attablées, occupées à coller un objet plat, apparemment fait de papier, mais Sarah ne parvint pas à distinguer ce que c'était. L'une d'elles était assise devant une machine à coudre, une autre cousait des tabliers en toile de jute. D'autres ourlaient des bavoirs de bébé. Au fond de la pièce, d'autres encore avaient l'air tout aussi affairées, Sarah ne voyait pas à quoi. En tout cas, elles lui souriaient.

— C'est comment le monde, à l'extérieur? demanda l'une d'elles.

Une autre, alourdie par un ventre énorme, lui lança en riant :

— Vous êtes nouvelle?...

— Tu as déjà vu un ventre aussi plat? cria une fille à une autre par-dessus la table. Même pas un petit Polichinelle dans le tiroir!

Sarah était sur le point d'emboîter le pas à la dénommée Betty, toujours hilare, lorsqu'une des filles s'approcha d'elle en déversant une flopée de jurons et de blasphèmes. Sarah en fut d'autant plus choquée que celle qui les proférait n'avait vraisemblablement pas plus de dix-huit ans.

Quand on s'appelle Sarah Foggerty et qu'on a grandi dans une maisonnée remplie de mâles qui jurent tous comme des charretiers, on est habituée aux « bon Dieu! » et autres « sacrebleu! »... Mais lorsque les noms de Jésus, de la Croix et de la Sainte Vierge jaillirent de cette jeune bouche, suscitant rires et gloussements chez les autres filles, Sarah sortit de ses gonds.

— Ferme ta sale petite gueule! hurla-t-elle. (Puis se retournant vers les autres :) Quand je suis entrée, j'avais de la compassion pour vous, mais je me rends compte que vous êtes à votre place ici et que vous n'avez que ce que vous méritez. (Puis, s'adressant à Betty, qui subitement ne riait plus :) Je m'en vais. Reconduisez-moi.

— Bien, madame. (Betty s'exécuta, mais avant de lui ouvrir la porte elle la regarda droit dans les yeux.) Vous vous trompez, madame, nous ne sommes pas à notre place ici, nous essayons seulement de nous en tirer le mieux possible. Phyllis est mal embouchée, c'est vrai. C'est dommage mais c'est le seul moyen pour elle d'exprimer ses sentiments. C'est un peu comme une compensation d'avoir échoué dans cet enfer.

Sarah eut la sensation désagréable que la jeune femme la remettait à sa place.

— Je suis désolée, dit-elle à voix basse. Mais son langage m'a choquée. Vous savez, je devais faire admettre ici une jeune fille dont la famille veut se débarrasser, mais... je me rends compte que je ne pourrais pas... même si elle venait...

La jeune femme la regarda intensément un court instant.

— Ah, oui, je comprends. Elle est enceinte? Oh! je suis bête... vous ne seriez pas venue ici sinon... En tout cas, je lui souhaite bonne chance, où qu'elle aille. (Betty sourit de nouveau.) De toute façon, elle aurait été de trop ici, le foyer est prévu pour trente et nous sommes déjà trente-deux.

— Au revoir.

— Au revoir, madame.

Ça lui fit plaisir de s'entendre appeler madame, mais elle ne serait jamais une dame.

Comme si elle avait pressenti que cette visiteuse peu ordinaire ne s'attarderait pas, la concierge attendait Sarah. Elle la reconduisit dans l'allée de graviers, déverrouilla le portail, et la fit sortir sans un mot ni même un au revoir.

Sarah ne rentra pas directement à la maison. Elle prit un omnibus à cheval qui s'enfonçait davantage dans East End, et descendit lorsque le cocher annonça « Le Prieuré ».

Elle passa devant les grilles de fer qui menaient au couvent des frères de Saint Peter the Rock, puis dépassa l'église Blue Virgin. Elle sourit en se remémorant le surnom de « voie sacrée » que l'on donnait à cette rue dans le quartier, à cause du couvent qui se trouvait tout au bout.

Un étroit raccourci coupait à travers une zone d'habitation très dense jusqu'à un quartier surnommé « Les Courts ».

Dans Ramsay Court, un homme pelletait des cendres entassées dans un coin pour les charger dans une charrette. À genoux, une femme récurait le sol en brique devant la rangée de cabinets. À l'arrivée de la visiteuse, elle se retourna et s'assit sur ses talons.

— Bonjour! Vous êtes bien matinale.

— Oh, oui, madame Barnes. Je crois que j'ai sauté dans mes vêtements en dormant.

Elles rirent toutes les deux, puis Sarah poussa la porte qui menait aux appartements. Elle dut faire un pas de côté pour éviter deux bambins qui jouaient dans la pénombre du couloir.

— Il ne faut pas vous mettre derrière la porte, dit-elle en se penchant vers eux.

Trois volées de quinze marches la conduisirent jusque chez sa sœur. Essoufflée, elle poussa la porte marquée d'un 3, aussitôt saluée par les cris des enfants.

— Mon Dieu, qu'est-ce qui t'amène à cette heure du matin ? lui lança sa sœur Annie.

— Oh là là ! ces marches !

— Il s'est passé quelque chose ?

— Ça, tu peux le dire, Annie. Tu n'as pas une goutte de café ?

— Si, il est noir comme du charbon mais je crois que c'est comme ça que tu l'aimes. Sers-toi et explique-moi ce que tu fais ici à dix heures du matin. Ta patronne est morte ?

— Non. Si seulement ça pouvait être vrai... Dis-moi, tu as entendu parler du foyer Mary Ping pour femmes en détresse ?

— Qui n'en a pas entendu parler ? C'est une maison qui recueille les filles de mauvaise vie, même que, lorsque le père Weir y est allé pour essayer de faire sortir les jeunes catholiques, les filles se sont ruées sur lui et l'ont presque déshabillé. Mais de quoi s'agit-il ?

— Figure-toi que la vieille chouette veut y envoyer Mlle Marie Anne. Elle a manigancé ça avec le pasteur et sa femme. Ils sont venus hier soir pour régler les détails. Après ça, la cuisinière m'a dit à peu près la même chose que toi sur le foyer et j'ai voulu me rendre compte par moi-même. J'y suis donc allée ce matin. Je n'ai vu qu'une salle pleine de filles mais ça m'a suffi. Mon Dieu !... Comme l'a fait remarquer l'une d'entre elles, toutes ne sont pas égales dans leur malheur, la chance et l'éducation y sont pour quelque chose. Mais l'idée que Mlle Marie Anne puisse échouer dans un endroit pareil m'a fait dresser les cheveux sur la tête. Heureusement, elle envisage de prendre un meublé et de trouver du travail. Mais j'ai peur qu'elle se fasse manger toute crue... Elle est trop belle, étrangement belle. Il y a quelque chose de très attirant dans son visage, et dans son caractère aussi. C'est une fille vraiment charmante. Forte tête aussi. Ça, elle a du tempérament... J'ai pensé à une chose : dis-moi, les deux pièces sous les toits... elles sont toujours libres ?

— Oui, c'est moi qui ai la clé. Le propriétaire me fait une ristourne de six pence par semaine sur le loyer pour que je les fasse visiter. Le mois dernier, il y a juste un type qui est venu voir, mais quand il a su qu'il fallait monter l'eau là-haut, il a dit que pour rien au monde il ne paierait un demi-dollar par semaine pour ce taudis.

— Je pourrais jeter un coup d'œil ?

— Prends la clé, elle est sur la cheminée. Mais, mon Dieu ! cette jeune fille ne pourra jamais vivre toute seule là-haut, il faut monter chaque goutte d'eau et chaque pelletée de charbon.

— Elle ne sera pas seule, Annie, puisque je serai avec elle. J'en ai vraiment par-dessus la tête de Martha Culmill et de sa mesquinerie. Et je suis persuadée que cette jeune fille se ferait damner pour moi si je pars avec elle. Elle a pris l'habitude de compter sur moi, tu comprends, et le pire c'est que je me sens responsable d'elle. Ça commence d'ailleurs à être un sérieux fardeau pour moi.

— Tu viendrais vivre au-dessus de chez nous ? dit Annie d'un ton impatient.

— Pour le moment, oui... mais il nous faudra meubler les pièces.

— Ça ne te coûtera pas trop cher si tu n'es pas trop difficile. Tu sais qu'on trouve tout au Paddy's Emporium, aussi bien un piano qu'un bateau à rames. Va donc jeter un coup d'œil...

Sarah était debout au milieu de la vaste pièce mansardée. Le plancher était recouvert d'un linoléum au dessin encore vif. La cheminée était un feu ouvert, avec un four à une extrémité et un fourneau à l'autre. Mais il n'y avait pas le moindre meuble. Elle alla ouvrir la porte qui donnait sur une autre pièce où se trouvait un lit à deux places à montants de cuivre, sans matelas mais dont les ressorts avaient l'air assez fermes. Le sol était également recouvert de linoléum et une fenêtre d'assez belle taille éclairait la pièce.

— Dis-lui que nous prenons l'appartement, dit Sarah, une fois redescendue chez sa sœur.

— Tu ne veux pas attendre un peu avant de te décider ? Tu te rends compte qu'il faut monter l'eau et le charbon et laver le linge dans la lessiveuse, en bas ? Tu imagines dans quel état seront tes jambes à la fin de la journée ? Les miennes sont en mille morceaux rien qu'à monter là-haut !

— Oui, je sais, mais je n'ai pas le choix. Je ne peux pas la laisser en ville, livrée à elle-même, je ne pourrais pas vivre avec cette idée.

— Mais enfin, Sarah, pour six pence ou un shilling de plus tu pourrais avoir un appartement décent au rez-de-chaussée, tu n'aurais pas tout ce trimbalage...

— Ne crois pas que je n'y ai pas pensé, Annie, mais elle n'a pas tellement d'argent — et moi non plus. Il faut le faire durer le plus longtemps possible. Après, il faudra bien que je trouve un travail quelconque, et je préfère qu'elle soit près de quelqu'un de confiance si je dois partir. Elle en est au quatrième mois et ça m'étonnerait qu'elle trouve un emploi de pianiste avant son terme... Pourtant elle en est parfaitement capable, elle joue si bien...

— Je te comprends, Sarah, mais il faut être réaliste : comment va-t-elle faire pour monter le dernier étage ?

— Oh ! elle est jeune, elle montera plus facilement que moi.

— Tu parles comme une vieille femme.

— C'est que je me sens vieille, Annie. Bon, il faut que je me sauve à présent. Le temps passe, et si nous voulons dormir quelque part ce soir... au fait, où est ton mari ?

— Il est parti à Brighton. Ils démolissent un vieil hôtel et je crois qu'ils en ont encore pour une semaine.

— Dieu merci !

— Oh ! il est comme il est, tu sais !

— Tu m'étonneras toujours, Annie. Tu sais qu'il ne te mérite pas mais tu prends toujours sa défense, dit Sarah en hochant doucement la tête.

— Tu t'en vas déjà, tante Sarah ? s'écria une petite voix.

— Je vais revenir, ma chérie, dit-elle en se penchant vers la petite fille de quatre ans. Et toi, Callum, ajouta-t-elle en ébouriffant les boucles du bambin de trois ans, tu grandis de jour en jour !

Puis, se tournant vers sa sœur :

— Où sont Kathleen et Joseph ?

— Je les ai mis tous les deux à l'école communale. J'aurais dû les laisser chez les sœurs mais ils n'apprenaient rien, à part des cantiques, des chansons irlandaises, le catéchisme et des prières. Ou alors ils jouaient avec de la pâte à modeler. Billy est à la communale depuis un an et il a plusieurs longueurs d'avance. Il sait lire, écrire et compter. Ce n'est pas comme Michael, qui déteste aller en classe toute la journée, il fait l'école buissonnière, comme Shane. Remarque, des fois je suis bien contente qu'il gagne jusqu'à deux shillings à emballer des résidus de charbon. Évidemment, le soir il faut que je le frotte dans la bassine pour enlever toute cette poussière noire — ça, c'est quand son père est là, les autres jours, il se rince sous le robinet dans la cour. Ça va barder quand le père Weir saura que les deux jeunes veulent devenir protestants. Ça n'est même pas la peine que je lui dise qu'ils sont tous protestants du fait que leur père est protestant, il va me répéter que puisque je suis leur mère et que je suis catholique, il faut que je me batte contre les feux de l'enfer avec une lampe à huile pour sauver leur âme.

— Il faut que j'y aille, Annie, dit Sarah en riant.

Combattre les feux de l'enfer avec une lampe à huile ! Où donc allait-elle chercher tout ça ? En un sens, elle était contente de revenir vivre près d'Annie. Ce serait de nouveau un peu comme avant qu'elles ne traversent la mer pour venir tenter leur chance en Angleterre... Dieu leur vienne en aide !

Elles se tenaient toutes les deux à une certaine distance du lit, les yeux fixés sur son occupante, qui vilipendait Marie Anne.

— Je ne peux même pas te regarder, ma fille. Tu ne m'inspires que du dégoût.

Marie Anne avait beau serrer les dents en écoutant les invectives de sa tante, elle ne put s'empêcher de penser qu'elle avait eu les mêmes mots pour Evelyn et de les regretter une fois de plus amèrement.

— Tu vas dans un foyer qui n'est ni plus ni moins qu'une maison de correction où on te fera prendre conscience de la dépravation de ta conduite. Car tu as une nature perverse. Même avant d'avoir fauté, tu étais insoumise et tu avais mauvais esprit.

— Vous avez fini, ma tante ? demanda Marie Anne lorsque Martha Culmill fit une pause pour reprendre son souffle.

— Comment cela ? fit celle-ci, décontenancée.

— Si vous en avez terminé avec ma turpitude, permettez-moi de vous parler de la vôtre, car vous êtes méchante, intolérante et avare. Vous êtes de la même branche de la famille que ma mère, et vous avez beaucoup de points communs avec elle.

— Impertinente ! Comment oses-tu... Co... comment oses-tu me parler sur ce ton ! Foggerty, emmenez-la hors de ma vue, je ne veux plus jamais la revoir !

— Oui, madame. Une petite seconde. Vous me payez toujours le samedi, je ne vous apprends rien. Nous sommes au quatrième jour de la semaine et je voudrais la moitié de ma paie : vous me devez en fait quatre shillings, mais je n'en prendrai que trois.

— De quoi parlez-vous ? Pourquoi voulez-vous de l'argent au milieu de la semaine ?

— Je dois faire face à une dépense imprévue, madame.

— Comment cela ?

— Je ne peux pas en parler, madame, vous ne comprendriez pas... mais croyez-moi, le moindre penny me sera nécessaire. Vous m'obligeriez en...

— Vraiment ! C'est la dernière ! Donnez-moi la boîte.

Tandis que Sarah s'exécutait, sa maîtresse prit une petite clé dans un coffret, sur la table de chevet. Elle sortit trois shillings de la boîte et les lança sans ménagement à Sarah.

— Merci, madame, dit l'astucieuse Irlandaise en les glissant dans sa poche. Nous sommes quittes, je ne vous ai rien volé, je n'ai pris que mon dû.

Martha Culmill s'était redressée dans son lit, son regard naviguant de sa servante à sa nièce, toutes deux habillées pour sortir.

— Quelle mouche vous a piquée ce matin, Foggerty ? Au travail, à présent, vous avez assez perdu de temps. Vous savez ce que vous avez à faire. Quand vous en aurez fini avec elle, revenez ici : j'ai l'intention de descendre au rez-de-chaussée aujourd'hui.

— Madame, vous feriez bien de vous armer de courage : je vais m'occuper de mes affaires en effet — et des siennes par la même occasion, dit-elle en désignant Marie Anne d'un mouvement de tête. Elle n'ira dans aucun foyer et surtout pas dans celui où vous voulez l'envoyer. Ils osent appeler ça un foyer ! Il n'y a que des filles des rues, des prostituées mal embouchées. J'y suis allée ce matin, et, si je pouvais, je vous y emmènerais et je vous laisserais là où vous voulez mettre votre nièce. Vous m'entendez, madame ? Il n'y a que des prostituées là-bas, des filles qui sortent du ruisseau, des débauchées. Et pour ne rien vous cacher, je pars avec elle.

— Vous ne partirez pas, Foggerty ! Comment osez-vous ? Je vous ferai arrêter toutes les deux par la police. Je vais télégraphier à sa mère et à son grand-père.

— Madame, à votre place je ne gaspillerais pas mon argent : elle leur a déjà écrit à tous les deux pour les prévenir qu'elle partait de chez vous. Elle a même dit à son grand-père qu'elle quittait cette maison car elle ne pouvait plus vous supporter.

On aurait dit Martha Culmill frappée de mutisme ou victime d'une attaque : elle était retombée sur ses oreillers, la mâchoire pendante, sans réaction. Elle ne se mit à crier que lorsque les deux jeunes femmes se dirigèrent vers la porte.

— Foggerty ! Foggerty ! Revenez, vous n'avez pas le droit... je suis une femme malade !

— Dans ce cas, il faudra vous payer une infirmière, madame.

— Je vous retrouverai et vous passerez en justice, vous me le paierez !

— Faites ce que bon vous semblera, madame. Venez mademoiselle.

Elle tendit la main à Marie Anne, qui jeta un dernier regard à la femme alitée avant de tourner les talons, poursuivie par ses cris aigus :

— Foggerty ! Foggerty ! Revenez immédiatement !

Agnès et Clara les attendaient pour leur dire au revoir. Clara pleurait, et la cuisinière se mordait les lèvres et tremblait manifestement.

— Rien ne sera plus jamais comme avant, Sarah. C'est ta présence qui nous rendait la vie supportable dans cette maison, mais maintenant, Clara et moi, nous allons chercher une place ailleurs. Vous voyez, mademoiselle, maintenant elle est un peu comme vous — et même pire (elle fit un petit signe en direction de Clara). Personne ne veut d'elle, alors je lui ai promis de l'emmener avec moi. Mais ça ne va pas être facile de trouver une place ensemble.

La petite servante se précipita vers Marie Anne, passa ses bras autour de son cou, et elles restèrent ainsi un moment, serrées l'une contre l'autre.

— Je sais que tu vas chez ta sœur, Sarah, mais... où habite-t-elle ?

Sarah se tourna vers Marie Anne, qui avait les yeux pleins de larmes à présent, et sembla réfléchir.

— Il vaut mieux que tu ne le saches pas, c'est plus prudent. Si quelqu'un de sa famille cherchait après elle et te force à parler... Restons-en là. Mais je te promets que nous viendrons de temps en temps cogner à la porte de derrière pour dire bonjour... et voir si vous êtes toujours là.

— Vous feriez ça, Sarah ?

— Bien sûr. N'est-ce pas, mademoiselle ?

— Naturellement, Agnès. Nous viendrons vous voir.

À son tour, la cuisinière prit Marie Anne dans ses bras et la tint contre elle.

— Bon, allons-y, mademoiselle, dit Sarah, voyant que la situation se chargeait d'émotion... Prenons nos bagages et sortons dans la rue. Nous hélerons un taxi. Et si nous voulons dormir dans un lit ce soir, nous avons encore du pain sur la planche.

Dix minutes plus tard, elles étaient dans un taxi et faisaient au revoir de la main à la grosse femme et à la petite servante, debout sur les marches...

Quinze minutes plus tard, après un détour pour pouvoir accéder à l'entrée de Ramsay Court, le chauffeur aidait Sarah à décharger les bagages. Il avait annoncé dix pence pour le prix de la course.

— Voilà, gardez la monnaie et merci à vous, dit-elle en lui donnant un shilling.

C'était la première fois qu'elle s'offrait le luxe de laisser un pourboire de deux pence à un chauffeur de taxi mais, comme la plupart de ses collègues, il ne se montra guère satisfait...

— Laissez-moi faire ! s'écria Sarah en voyant Marie Anne essayer de soulever les valises. Je vais en monter deux pour l'instant et vous, restez ici pour surveiller tout le reste. Ne vous éloignez pas une minute et ne laissez personne s'en approcher, d'accord ?

Marie Anne ne répondit pas, les yeux fixés sur la silhouette svelte et énergique de Sarah, qui traversait la cour, une valise dans une main et un fourre-tout plein à craquer dans l'autre. L'endroit lui parut pour le moins étrange. Elle écarquilla les yeux à la vue d'une femme qui vidait un seau de cendres chaudes sur un tas grésillant dans un coin de la cour, tandis qu'une autre, devant un petit bâtiment, maniait un bâton dans une lessiveuse. Marie Anne avait déjà vu des femmes faire la lessive de cette façon, il y avait chez elle deux lessiveuses, une pour le personnel et une pour la famille, elle n'était donc pas surprise outre mesure. Elle le fut davantage, en revanche, en apercevant un homme qui réajustait son pantalon, sortant manifestement de ce qu'elle jugea être les water-closets.

Tout en rentrant les pans de sa chemise dans son pantalon, l'homme se tourna vers elle.

— Vous avez besoin d'un coup de main, jeune fille ?

— N... non, merci, bredouilla-t-elle, immédiatement sur la défensive.

— Vous attendez quelqu'un ?

— Oui, oui.

L'homme jeta un regard circulaire dans la cour.

— Alors vous venez habiter ici ?

Elle ne répondit pas car elle vit Sarah qui s'approchait derrière l'homme.

— Salut, Sarah, c'est toi ? fit l'homme qui avait suivi le regard de Marie Anne.

— Oui, monsieur Barnes.

— Tu n'es pas au travail ?

— Non, j'en avais assez depuis un moment, j'ai laissé tomber.

— Ne me dis pas que tu viens habiter ici, dit-il en désignant les bagages.

— Si. En tout cas pour l'instant.

— L'appartement du haut ?

— Ouais.

— Mon Dieu ! Mais c'est une véritable ascension !

— Ouais. Venez, ramassons les bagages, dit-elle à l'adresse de Marie Anne.

— Donnez-moi cette grosse valise, dit l'homme. Je suis encore assez costaud pour la porter. Jusqu'à notre palier, en tout cas.

— Oh ! merci, Frank !

Lorsqu'ils atteignirent le premier étage, l'homme sourit.

— Je suis encore bon à quelque chose, au moins.

— Pose-la, Frank. Nous allons nous débrouiller toutes seules jusque là-haut.

— Vous allez habiter là aussi ? demanda-t-il en dévisageant Marie Anne.

— Oui, oui, elle reste là, coupa Sarah sans laisser à Marie Anne le temps de réagir. À bientôt, Frank.

Elle ramassa vivement les deux valises et monta jusqu'au deuxième, suivie de Marie Anne, qui portait le reste des bagages.

— Bon sang, je ne tiendrai jamais le coup, dit Sarah, une fois dans l'appartement d'Annie, en laissant choir les valises. Annie, je te présente Mlle Marie Anne Lawson. Voici ma sœur, mademoiselle.

— Enchantée de faire votre connaissance, dit Marie Anne, que la politesse ramena à la réalité.

Elle tendit la main à Annie, comme aurait fait Clara.

— Moi de même, mademoiselle.

Annie eut l'air manifestement abasourdie en voyant la protégée de sa sœur : cette grande jeune fille faisait plus de seize ans. Elle était bien comme Sarah la lui avait décrite. Elle avait dit qu'elle était belle mais, à ses yeux, elle était plutôt étrange — voire étrangère — que belle.

Quant à Marie Anne, elle n'arrivait pas à réaliser que c'était là son futur cadre de vie. Jamais elle n'aurait imaginé que Sarah fût en relation avec quelqu'un qui vivait dans de telles conditions. Dix enfants habitaient là, avait dit Sarah... et cette cour, où les gens semblaient vaquer à toutes sortes d'occupations. C'était leur lot quotidien et ç'allait bientôt devenir le sien...

— Si nous voulons un matelas et quelque chose pour nous couvrir cette nuit, nous ferions bien d'aller tout de suite chez Paddy. Tu gardes nos affaires jusqu'à ce que nous revenions, Annie ? dit Sarah.

— Tu peux les laisser dans le coin aussi longtemps que tu veux. Je ne serais pas étonnée que ce soir vous dormiez ici devant le feu : vous n'avez pas beaucoup de temps pour faire toutes vos courses et installer votre lit là-haut. En tout cas, le dîner sera prêt quand vous rentrerez, même si ce n'est que du bouillon de mouton et des boulettes de graisse de bœuf.

Marie Anne se dit qu'elle n'était pas prête d'oublier les deux heures qu'elle avait passées au Paddy's Emporium. Si Ramsay Court et les conditions de vie de la sœur de Sarah l'avaient étonnée, elle fut littéralement abasourdie par l'ambiance du magasin : du rez-de-chaussée au quatrième étage, ce n'étaient que bousculades et empoignades. Au rez-de-chaussée s'empilaient, dans un désordre indescriptible, des monceaux d'objets hétéroclites, comme si une explosion venait de se produire. Au premier étage s'entassaient des chaises dépareillées, des canapés ou des lits; au deuxième, il y avait de quoi équiper une gigantesque cuisine; au troisième, des draps, des nappes et des rideaux; au dernier, enfin, des montagnes de vaisselle de toute sorte.

Sarah se dirigea vers le troisième étage, où se trouvait le linge, ou plutôt des fins de série : draps, couvertures, couvre-lits ou taies d'oreiller, serviettes de toilette et rideaux.

Paddy O'Connell leur avait emboîté le pas. Le magasin était étonnamment calme pour un mercredi. Probablement parce que c'était le milieu de semaine... Il avait repéré les deux jeunes femmes, qui tranchaient avec la clientèle habituelle du magasin, et les avait suivies.

— Puis-je vous être utile, mesdames?

— Oui, Paddy, répondit Sarah en lui faisant carrément face. J'ai une sœur qui vit dans les Courts et vous lui avez meublé ses quatre pièces pour presque rien, il y a douze ans de ça. Pour ce qui est de l'argent, nous sommes à peu près dans la même galère aujourd'hui. Mais nous avons un deux-pièces avec cuisine à meubler et nous voulons de la marchandise correcte. Vous n'avez rien de mieux, planqué quelque part?

— Oh, mademoiselle! Je ne cache rien, pour l'amour de Dieu! Tout est là, en vue.

— Ah, c'est ce que j'ai entendu dire en effet. Regardez ces draps, dit Sarah en fouillant dans un tas de linge. Ils sont tout rapiécés, on voit même au travers!

— Cherchez au fond du panier, vous trouverez sans doute quelque chose de mieux. Les gens ne regardent jamais jusqu'au fond.

Sarah se tourna vers Marie Anne.

— Faites comme il dit, cherchez des taies d'oreiller. Nous avons besoin de tout, draps, couvertures, serviettes... et il nous faut un matelas, aussi. Mais je ne vais pas l'acheter chez vous : je n'aurais pas besoin de louer une charrette, il marcherait tout seul à cause de la vermine !

— Allons, mademoiselle, ça n'est pas très gentil de me dire ça. Je vais voir dans les réserves si je peux vous trouver quelque chose de correct. Mais d'abord, dites-moi combien vous pouvez mettre.

— Je veux deux paires de draps, deux oreillers avec leurs taies, une demi-douzaine de serviettes, des grandes. Une ou deux nappes, deux paires de rideaux. Pas trop fins. Ça m'est égal s'ils sont passés, je veux qu'ils soient épais, comme de la tapisserie.

— Comme vous voulez, mademoiselle, dit-il, ponctuant chacune de ses demandes d'un hochement de tête un peu obséquieux.

— Il me faut aussi un tapis, des descentes de lit en bon état et deux fauteuils. Nous nous débrouillerons sans canapé.

— Oh, je dois bien avoir un canapé à vous proposer, dit-il avec une pointe d'ironie.

— Comme vous voulez, monsieur, répliqua-t-elle en l'imitant, ce qui le fit rire.

— Combien avez-vous à dépenser ?

Marie Anne jeta un rapide coup d'œil à Sarah avant de déclarer :

— Il n'y a rien de valable là-dedans. (Elle montra un assortiment de linge qu'elle venait de sortir du panier.)

Sarah étouffa un petit rire.

— Comment pouvez-vous dire une chose pareille ! En plein milieu du magasin ! Qu'est-ce qu'il ne faut pas entendre !

Dites-moi ce que vous pouvez dépenser pour meubler entièrement vos deux pièces...

— Deux livres dix à trois livres. Que cela reste entre nous.

Paddy O'Connell regarda alternativement les deux jeunes femmes, manifestement issues d'une autre classe sociale, et se demanda pourquoi elles allaient dans un endroit comme Ramsay Court. L'une était vêtue comme une gouvernante et elle en avait le langage, l'autre semblait issue de la classe moyenne et était plus difficile à cerner.

— Pour quand voulez-vous tout ça ?

— Aujourd'hui. Vous avez toujours votre charrette ?

— Oui, mademoiselle, mais nous avons aussi une camionnette.

— Oh, c'est encore mieux.

— Vous voulez un appartement pour deux personnes entièrement équipé pour deux livres dix à trois livres ? Ne vous attendez pas à grand-chose de bien pour ce prix-là ! Comme j'ai cru le voir, mademoiselle est très exigeante sur la qualité du linge de lit, et elle risque de pointer son nez ici plus souvent qu'à son tour, alors je vous propose un marché. Je peux transformer vos deux pièces en un petit palais pour... disons trois livres chacune.

— Chacune ! Mon Dieu ! s'exclama Sarah en regardant Marie Anne, qui, à sa grande surprise, ébaucha un sourire. Vous avez entendu ça ?

— Oui. Nous pourrions peut-être aller jusque-là...

— Je ne sais pas, dit Sarah en hochant la tête.

— Bon, écoutez, intervint vivement Paddy. Je vous fournis matelas, linge de lit, meubles, de la meilleure qualité. Rien de ce que vous avez vu dans le magasin, de la marchandise qui vient de marchés privés.

— Bon, voyons.

— Comme vous voulez, mademoiselle, comme vous voulez.

Il se dirigea vers le rez-de-chaussée, où un jeune homme en aidait un autre à extraire une lourde cuisinière d'un fouillis d'objets.

— Si on me demande, je suis dans le magasin, Barney.

— Bien, monsieur O'Connell.

Paddy déverrouilla les doubles portes du magasin puis fit passer les jeunes femmes le long d'un étroit corridor, ouvrit une autre porte, et s'effaça pour les laisser entrer dans une immense pièce. Elles firent quelques pas, puis regardèrent autour d'elles avec étonnement. Là, les marchandises n'étaient pas stockées en vrac comme dans l'autre magasin : tous les articles étaient rangés pour pouvoir être examinés plus facilement et avaient l'air neufs. Sans un mot, Paddy O'Connell passa devant elles et ouvrit une armoire pleine de linge.

— 6 —

Les deux sœurs se tenaient debout côte à côte au milieu de la pièce.

— Alors ? dit Sarah.

— Mon Dieu ! C'est tout neuf !

— Enfin, presque...

— C'est magnifique, on ne reconnaît pas l'appartement ! Et les carpettes ! On dirait de vrais tapis. Vous avez même allumé le feu ! Il faudra nettoyer le fourneau à la mine de plomb, je viendrai faire ça un de ces jours, je ne veux pas que tu te salisses les mains.

Annie passa son bras sous celui de sa sœur puis regarda Marie Anne, qui se tenait près de la porte de la chambre. Elle portait une robe de laine bleue, et ses cheveux bruns étaient dénoués sur ses épaules. Elle sourit à la sœur de Sarah.

— Ça vous plaît, madame Annie ? Venez voir la chambre.

— Elle a changé, murmura Annie à l'oreille de Sarah. Maintenant je comprends pourquoi tu la trouves jolie.

— Pour sûr, c'est une belle fille... Allez, Annie, viens voir la chambre.

— Ma parole, c'est plein comme un œuf ! s'exclama Annie. Une armoire, une commode et une coiffeuse ! Par tous les saints, je n'ai pas vu autant de meubles depuis le temps où j'étais placée, il y a des années de ça !

— Vous n'avez encore rien vu, regardez les draps, dit Marie Anne d'un ton animé, en soulevant l'édredon bleu matelassé dans sa housse assortie, puis deux couvertures molletonnées. C'est de la batiste, ils ne sont pas usés du tout et il n'y a pas un seul raccommodage, à part une brûlure ronde sur le revers. Nous en avons trois paires pareilles, n'est-ce pas, Sarah ?

— Oui, ma chère.

— C'est la même chose pour les serviettes de toilette. Quelques-unes ont été coupées à chaque bout, vous ne trouvez pas ça bizarre, madame Annie ?

Annie se tourna vers sa sœur et sembla esquisser un clin d'œil.

— En effet. C'est quelqu'un qui devait fumer au lit...

— Mais pourquoi avoir découpé les serviettes ?

— Oh ! les gens ont des manies bizarres, des fois... Eh bien ! vous avez arrangé ça magnifiquement... Si seulement il y avait l'eau courante dans ces appartements... le charbon et les cendres, passe encore, mais la corvée d'eau... Vous avez même un vaisselier ! Moi qui ai toujours rêvé d'en avoir un... dit Annie en revenant dans la pièce principale. (Puis, s'assurant que Marie Anne ne pouvait pas entendre, elle se pencha vers Sarah.) Tu penses la même chose que moi à propos du linge ?

— Exactement, Annie. Tout ce qu'il y a dans ce fichu magasin a été fauché, je te parie. Paddy nous a dit d'abord qu'il n'avait pas d'argenterie, mais après il nous a montré de beaux couverts en disant que ce n'était pas de l'argent... En tout cas (elle approcha son visage tout près de celui de sa sœur) je ne vais pas le raconter en confession, et s'il a autre chose à me proposer...

Les deux sœurs éclatèrent de rire.

— Il t'a extorqué combien ?

— Six livres.

— C'est une somme... Il a un peu forcé, non ?

— Six livres, ce n'est pas grand-chose pour tout ça, Annie ! Je ne sais pas qui il a escroqué avant mais, de toute façon, avec nous il n'a pas exagéré. Tout à l'heure, tu parlais de la corvée du charbon : j'y ai réfléchi. Je donnerai six pence à chacun des garçons, à l'un pour monter le charbon et vider les cendres tous les jours, et à l'autre pour porter l'eau et les commissions. Pour le reste, je me débrouillerai. Qu'est-ce que tu en penses ?

— Oh ! ils seront très contents. Surtout Michael, il rêve de se faire un peu d'argent de poche.

Pendant que les deux sœurs parlaient, Marie Anne s'était assise dans la petite chaise en osier placée entre la tête du lit et la table de toilette et regardait par la fenêtre. Demain elles auraient accroché les rideaux et retourneraient chez Paddy O'Connell pour chercher une ou deux lampes. Elles avaient oublié de lui en demander. Il y avait des becs de gaz dans les rues, mais Annie avait dit que jamais ils n'installeraient le gaz car dans un avenir proche tout le pâté de maisons devait être détruit. D'ici une dizaine d'années, à ce qu'elle avait entendu dire.

Marie Anne se sentait heureuse, et pourtant... Elle redoutait que son grand-père et son frère aient un choc quand ils liraient sa lettre. Elle leur avait assuré qu'elle se portait bien et qu'elle travaillait dur à ses dessins, en prenant bien soin de ne pas leur donner son adresse. Sinon, ils seraient venus toutes affaires cessantes et n'auraient sans doute pas supporté de voir les conditions dans lesquelles elle vivait.

Au bout d'une semaine, les occupantes de la mansarde avaient déjà leurs habitudes. Bien sûr, ça n'avait pas été si facile au début et elles avaient dû surmonter quelques obstacles. Dans son for intérieur, Sarah se disait que la situation de Marie Anne n'était pas fameuse et que ça ne ferait qu'empirer dans les temps à venir. En tout cas, pour l'instant, assise dans sa chaise en osier devant la cheminée, avec Marie Anne à côté qui dessinait, sa planche sur les genoux et les pieds sur un pare-feu nouvellement acquis, elle se dit que le roi n'était pas son cousin !

Elle leva les yeux de la rubrique « petites annonces » du journal et regarda Marie Anne.

— Vous avez bientôt fini ? Je pourrais jeter un coup d'œil ?

— Dans une minute ou deux, répondit Marie Anne sans lever la tête de son travail. Tu as trouvé quelque chose ?

— Rien qui me convienne : cuisinière, femme de chambre, plutôt des emplois pour Clara ou pour notre cuisinière, dit-elle en riant. Il y a plein d'offres pour du travail de nuit aussi, comme faire des lessives de dix heures du soir à deux heures du matin. Annie a fait ça une fois, c'est payé trois fois rien, il paraît que c'est l'enfer... Pourtant, il va bien falloir que je trouve quelque chose, nous ne pouvons pas vivre de l'air du temps.

À cette constatation, Marie Anne suspendit son geste.

— Il nous reste dix-sept livres, nous avons payé un mois de loyer d'avance, il nous faut un shilling par mois pour donner aux garçons...

— Et six shillings par semaine pour la nourriture, et peut-être plus... avec ce que vous dévorez, mademoiselle... Et avez-vous pensé qu'il faudra payer le docteur, et des habits pour le bébé ? Si nous restons assises à ne rien faire, quand le bébé sera là, nos dix-sept livres seront déjà loin...

— J'ai l'intention de trouver du travail, et vite. Regarde !

Marie Anne lança la planche à dessin à Sarah.

— Mon Dieu, ça n'est pas possible ! s'écria-t-elle. (Elle se mit à sourire.) Mais ce sont eux tout craché ! Comment avez-vous fait pour vous rappeler si bien leur visage ? Et qu'est-ce que vous avez écrit en bas ?... Oh ! *Les Bonnes Manières.*

Marie Anne avait représenté les enfants d'Annie en train de s'empiffrer : Shane, reconnaissable immédiatement, tenait un os de mouton entre ses dents à la façon d'un harmonica; Michael, une boulette de suif dans la bouche, donnait une grande tape dans le dos de Joseph; tandis que Mary s'essuyait les doigts dans les cheveux de Callum. Le bébé d'un an était dans le panier à linge sous la table, en train de jouer avec quelque chose qui ressemblait à la marmite dans laquelle Annie mijotait ses ragoûts.

Sarah riait de bon cœur à présent.

— C'est vraiment très drôle... mais vous ne les voyez tout de même pas comme ça pour de vrai? Annie fait tout son possible pour qu'ils se tiennent bien. C'est vrai qu'hier soir il y a eu un peu de chahut, c'est Maureen qui a commencé, comme toujours. Elle taquine souvent les garçons et évidemment, après ça, ils font tout pour la faire enrager. C'est à mourir de rire... mais il vaut mieux qu'Annie ne voie pas ce dessin, car elle les reconnaîtrait immédiatement, malgré les drôles de têtes que vous leur avez faites. Vous êtes douée, vous savez, et pas seulement pour le piano : vous avez vraiment un bon coup de crayon.

— Et j'ai bien l'intention de m'en servir. Je vais vendre ces dessins.

— Ne vous emballez pas! À qui croyez-vous pouvoir vendre des dessins comme ceux-là?

— Aux journaux, je te l'ai déjà dit... *Punch, The Illustrated London News*... aux quotidiens, comme *The Times* et le *Daily Telegraph,* ou d'autres...

— Pouvez-vous me dire, ma chère, comment vous allez entrer en contact avec ces journaux-là?

— J'irai me présenter dans les bureaux. Ou plutôt, *nous* irons : tu viens avec moi.

— Ah bon?

— Oui. Écoute, Sarah... (la voix de Marie Anne était déjà moins assurée) il faut bien que je fasse quelque chose, je suis comme toi, il faut que je gagne ma vie.

— Non ma chère, vous n'êtes pas comme moi, *obligée* de gagner votre vie. Mais ce n'est pas la peine de remettre ça sur le tapis, je suppose. Pourtant, j'insiste...

— Tu perds ton temps, dit Marie Anne d'une voix neutre. Au bout d'un moment de silence, elle prit un autre dessin et le montra à Sarah.

— Mon Dieu! mais c'est Paddy O'Connell au milieu de son bric-à-brac! Vous avez représenté les quatre étages avec tout le fouillis qui dégringole! En trois coups de crayon! C'est vraiment bon. Je retire tout ce que j'ai dit... Qu'est-ce que vous avez écrit en dessous? *L'Empire des restes.* C'est la vérité, il récupère tous les restes des vies brisées.

Sarah plongea son regard dans les profonds yeux bruns qui l'observaient, et elle effleura doucement la joue de Marie Anne.

— Vous avez quelque chose de plus que les autres, je l'ai senti dès notre première rencontre...

— Alors, tu viendras avec moi voir les journaux?

— Vous croyez que je vous laisserai porter tout ça toute seule? fit Sarah en se raidissant et en reprenant le ton abrupt qui lui était habituel.

— Je ne prendrai que quelques échantillons avec moi, de toute façon.

— Et les deux que vous venez de me montrer?

— Oh oui! ce sont mes *cartes maîtresses.*

Sarah la regarda un moment mais ne lui demanda pas de traduire, car elle avait compris le sens de l'expression.

C'était un jour gris de novembre, froid et humide. Tout le monde disait que le brouillard allait être mauvais cette nuit-là, et Marie Anne et Sarah commençaient à se décourager. Elles avaient froid et l'humidité transperçait leurs vêtements. On les avait envoyées gentiment promener. Un peu partout, les employés, que ce soit à *Punch* ou à l'*Illustrated London News,* leur avaient posé la même question : « Vous avez rendez-vous ? » Sarah avait dit : « Non, mais cette jeune dame a quelque chose à vendre, de merveilleux dessins en l'occurrence », et on leur avait répondu que de merveilleux artistes travaillaient déjà pour le journal et qu'on n'avait besoin de personne, au revoir et merci.

Dans les bureaux du *Times,* on lui avait demandé si elle appartenait à une agence. Et comme elle avait répondu qu'elle travaillait pour son propre compte, ils lui avaient dit qu'ils ne prenaient pas de dessinateurs indépendants pour le moment.

Au *Daily Telegraph,* Sarah prit l'initiative et demanda à voir le rédacteur en chef.

Avaient-elles un rendez-vous ? Non, mais son amie avait de splendides dessins qui l'intéresseraient sûrement.

On lui rétorqua que le rédacteur en chef ne recevait que sur rendez-vous et jamais d'artistes, de toute façon. Il y avait un département spécial.

Alors serait-il possible de voir quelqu'un de ce département spécial ? Non, il fallait écrire.

— À qui ? demanda Sarah.

— Au chef du département artistique. Si vous voulez vendre vos dessins, bien sûr. À ce moment-là, je pourrai vous obtenir un rendez-vous.

Sarah se dit qu'elle détestait Fleet Street et qu'elles feraient mieux de rentrer à la maison. Elles commençaient à être vraiment trempées.

En tournant à l'angle d'une petite rue, Marie Anne aperçut l'enseigne du *Daily Reporter* et dit d'un ton presque suppliant :

— Essayons encore celui-ci...

La porte donnait sur un petit hall carré, qui débouchait lui-même sur un plus grand vestibule, et les bureaux se trouvaient derrière un vaste comptoir. Tous les journalistes étaient absorbés dans leur travail et personne ne fit attention à elles. Elles se dirigèrent vers le bout du comptoir, où un homme finit par les remarquer.

— Oui ? dit-il en se levant. Que puis-je faire pour vous ?

Difficile de dire qui fut le plus étonné, de Sarah Foggerty ou de l'homme, quand Marie Anne brandit son bloc à dessin et le posa prestement sur le bureau.

— Je viens vendre mes dessins.

L'homme semblait fasciné par le regard intense de Marie Anne, dont le teint d'albâtre avait rosi à l'air vif du dehors. Lorsqu'il baissa enfin les yeux sur le dessin qu'elle lui présentait, il tomba sur un groupe d'enfants attablés. Il observa le dessin en silence pendant un moment, le tourna dans un sens, puis dans l'autre, émit enfin un petit rire et, souriant aux deux jeunes femmes, finit par dire :

— C'est drôle.

Marie Anne et Sarah échangèrent un bref regard, s'efforçant de ne pas sourire. L'autre dessin était celui de Paddy dans son grand magasin.

— Bien vu, laissa tomber l'homme. Vous êtes depuis longtemps dans le métier ?

— Par intermittence, dit-elle en avalant péniblement sa salive.

— Vous avez déjà vendu quelque chose ?

— Non.

— C'est dommage mais nous ne publions jamais de dessins...

Il tourna une autre page : le dessin représentait une femme à la lessiveuse, dans une cour jonchée de détritus. *Le progrès n'est pas loin...* disait la légende.

L'homme fit un drôle de bruit de gorge et prit les trois dessins.

— Attendez une minute.

— Où allez-vous ? demanda vivement Sarah.

L'homme se pencha sur le bureau et la regarda droit dans les yeux.

— Je vais en faire des copies, et les revendre à prix d'or ! Qu'est-ce que vous vous imaginez, mademoiselle ?

— Quel culot ! maugréa Sarah, adressant à Marie Anne un sourire complice, tandis que l'homme disparaissait dans un autre bureau.

Il en ressortit au bout de cinq minutes, accompagné d'un autre homme. Ignorant Marie Anne et Sarah, ils se dirigèrent vers une porte à l'autre extrémité de la salle. Peu de temps après, l'homme vint leur faire signe de le suivre en soulevant une partie du comptoir et les fit entrer dans un vaste bureau. L'homme leur présenta le rédacteur en chef, un monsieur d'âge mûr aux tempes grisonnantes et aux sourcils broussailleux.

— C'est vous l'auteur ? dit-il d'un ton péremptoire.

— Oui, bien sûr, rétorqua Marie Anne.

L'homme qui les avait reçues fut surpris du ton de la jeune fille, qui tranchait tellement avec celui de sa compagne.

— Vous êtes à votre compte ? reprit le plus âgé des deux hommes.

Marie Anne eut un petit clignement de paupières.

— En quelque sorte.

L'homme pencha un peu la tête comme pour mieux l'observer.

— Quel âge avez-vous ?

— Dix-huit ans.

Il hocha la tête.

— Et depuis combien de temps dessinez-vous ?

— Depuis que j'ai su tenir un crayon.

— Vraiment ! répliqua-t-il en imitant son intonation. Comment vous appelez-vous ?

Elle avala péniblement sa salive, jeta un coup d'œil en coulisse à Sarah et répondit au grand étonnement de celle-ci :

— Marie Anne Foggerty.

— Ne serait-ce pas un nom irlandais ? fit le rédacteur en chef en se tournant vers son employé.

— Sans doute, sans doute, répliqua celui-ci.

— Notre journal ne publie rien de ce genre, reprit l'autre à l'adresse de Marie Anne. Du moins, jusqu'à présent, il ne s'y est pas risqué. Mais je n'ai rien contre l'innovation.

L'homme la regarda plus intensément.

— Nous allons tenter le coup. Mais je ne peux pas vous payer beaucoup. Quatre shillings pièce.

— Cinq.

Les deux hommes sursautèrent et dévisagèrent Sarah, qui soutint leur regard.

— Ces dessins valent bien plus que ça. Ils sont excellents.

— Alors comment se fait-il que vous ne les ayez pas vendus plus tôt ?

— Nous n'avons pas essayé, mentit Sarah avec un aplomb qui décontenança Marie Anne. Vous êtes le premier journal que nous voyons.

Les hommes se consultèrent du regard, et Marie Anne intervint vivement :

— Je comptais demander cinq shillings par dessin mais j'accepte de vous les laisser pour quatre.

L'homme le plus âgé et Marie Anne échangèrent un long regard.

— Je suis le rédacteur en chef de ce journal, dit-il en guise de présentation. Je m'appelle Stokes, John Stokes, et voici mon assistant, M. Mulberry. Je vais prendre les trois dessins que vous m'avez montrés. Je suppose que vous en avez d'autres dans vos cartons, mais je préfère ne pas les voir pour l'instant. J'ai ma petite idée là-dessus et si ça marche, je vous tiendrai au courant. Où habitez-vous ?

Comme Marie Anne semblait hésiter, Sarah intervint :

— Un peu après Bing Road, à Ramsay Court, sous les toits.

Le rédacteur et son assistant se consultèrent du regard.

— En plein dans East End, n'est-ce pas ?

— En effet, rétorqua Sarah. C'est temporaire.

John Stokes regarda Sarah d'un air intrigué, comme s'il avait du mal à la situer. Puis il hocha légèrement la tête et se tourna vers Marie Anne.

— Vous avez accepté de me céder vos dessins pour quatre shillings, mais vous les aviez estimés à cinq. Alors, un shilling de plus ou de moins, qu'est-ce que c'est pour un nouveau projet, n'est-ce pas ? Je vous en donne cinq shillings, mademoiselle Foggerty. Qu'en dites-vous ?

— Je vous suis très reconnaissante, monsieur.

— Donnez-moi le registre et les formulaires, dit-il en se tournant vers son assistant.

L'employé alla prendre les documents dans le tiroir d'un meuble classeur, et tendit un formulaire à son patron. Celui-ci y écrivit quelque chose et le tendit à Marie Anne.

— Voici un reçu pour vos dessins. Doulton vous donnera vos cinq shillings quand vous partirez. Si vous voulez bien signer...

Il lui présenta le registre sur lequel il venait d'écrire et Marie Anne lut à voix haute :

— Déposé ce jour, le vingt-six novembre, trois dessins destinés à être imprimés tels quels, l'éditeur se réservant le droit de modifier les légendes si nécessaire.

Elle prit le stylo qu'il lui tendait et elle signa « Marie Anne Foggerty », puis lui rendit le registre et le stylo en souriant. Il lui sourit à son tour avant de se lever.

— Qui sait ? C'est peut-être le début d'une longue collaboration... mais vous risquez de ne pas entendre parler de nous avant la mi-décembre, ou même plus tard. Tout dépend de la réaction du public, vous comprenez ?

Elle ne voyait pas vraiment mais acquiesça d'un signe de tête.

— Oui, je vous remercie, monsieur.

— Merci, mademoiselle Foggerty.

Comme elles se dirigeaient vers la porte, le rédacteur en chef les arrêta.

— Je n'ai pas retenu votre nom, mademoiselle, dit-il à l'intention de Sarah.

Elle se retourna et le regarda bien en face.

— Foggerty également, monsieur.

Sur quoi elles sortirent, laissant le rédacteur en chef et son assistant, qui se mordaient les lèvres pour ne pas éclater de rire.

— Qu'en dites-vous ? demanda John Stokes.

— Je dis qu'elle est enceinte.

— Quoi ?

— Oui, la plus jeune des deux, je vous assure qu'elle est enceinte.

— Qu'est-ce que vous racontez ? Elle est comme une planche à pain !

— Vue sous un certain angle, pas tant que ça ! Je m'y connais, j'en ai eu trois. Je dirais qu'elle est dans son quatrième mois, peut-être un peu plus.

— Bon, bon... en tout cas, elle ne s'appelle pas plus Foggerty que moi Windsor.

— Là je suis d'accord. Mais dites-moi, pourquoi lui avez-vous fait signer le registre ? C'est un contrat ordinaire, comme pour un article...

— Si ses dessins plaisent, ce sera différent. C'est une caricaturiste née. Bien qu'elle ne soit pas issue du peuple, elle a l'œil pour croquer les petites gens et, dans East End, elle trouvera de quoi nourrir son inspiration. Envoyez donc Doulton se promener là-bas demain pour voir à quoi ressemble ce Ramsay Court, ça m'intéresse. Vous pensez qu'elle est enceinte ? Je parierais que sa famille la recherche, ou alors qu'elle s'est fait mettre à la porte. Quoi qu'il en soit, elle est bien accompagnée, avec cette femme... on dirait qu'elle a un corset lacé avec du fil de fer barbelé !

Pour le moment, celle dont le corset était censé tenir avec du barbelé marchait d'un pas alerte, au côté de Marie Anne, à la poursuite d'un omnibus. Malgré le froid et l'humidité, elles étaient toutes deux excitées comme des gamines, échangeant des clins d'œil et éclatant de rire sans raison.

— Oh là là ! j'ai une de ces faims ! dit Sarah dès qu'elles furent assises dans l'omnibus. Je me sens capable d'avaler un cheval entre deux tranches de pain.

— Avec ou sans moutarde ? fit Marie Anne, reprenant le mot de Clara.

Les deux jeunes femmes penchèrent la tête l'une vers l'autre, la main devant la bouche pour étouffer leurs rires.

— J'ai une idée, dit Sarah. Si nous allions manger un morceau chez Ernie Everton pour fêter l'événement ? Nous pouvons bien nous offrir ça.

— Ernie Everton ? Où est-ce ?

— Oh ! deux arrêts seulement avant le couvent ! C'est un restaurant très connu, la nourriture est bonne et on peut boire quelque chose si on a envie. Le soir c'est toujours plein, car il y a un chanteur ou une attraction. Les tourtes sont excellentes, les saucisses purée aussi, il y a également du fromage de tête et des pieds de porc avec du pain bis. C'est très familial comme ambiance, c'est toujours bondé après les mariages ou les fêtes... même après les enterrements. Mais il n'y a pratiquement jamais de bagarres. Il faut dire qu'Ernie pèse à peu près une tonne, c'est dissuasif... C'est un brave type.

Et quand Marie Anne dit : « alors je prendrai une tourte avec des petits pois, des saucisses avec de la purée et des pieds de porc et du pain », elles rirent de plus belle, leurs têtes l'une contre l'autre...

Une enseigne, *Chez Ernie Everton,* signalait l'entrée de la taverne, qui se composait de deux grandes salles. Un large comptoir courait sur la longueur des deux pièces, séparées par une cloison. L'une des deux salles n'était accessible que par une petite porte : c'était une pièce réservée aux hommes, une sorte de club où ils buvaient, jouaient aux cartes ou au billard et où, s'ils ne respectaient pas exactement le précepte affiché au mur, « Les jeux d'argent sont interdits », personne ne leur en voulait... La plus grande des deux salles, le restaurant proprement dit, était occupée par des tables de deux, quatre ou six personnes. Une circulation était ménagée contre la cloison, au bout de laquelle se dressait une estrade avec un piano et un tabouret. Devant le comptoir, un espace permettait aux clients qui attendaient qu'une table se libère de boire un verre.

Il était deux heures et le coup de feu du déjeuner était passé. Il n'y avait que six personnes assises dans la salle et quelques clients faisaient encore la queue au bar pour prendre leur commande.

Sarah dit à Marie Anne de s'installer à une table pour deux et prit place dans la file d'attente. Un homme gigantesque se tenait à l'extrémité du comptoir, servant une minuscule dose de whisky, et, à côté de lui, une femme menue, que Sarah savait être sa femme, remplissait deux assiettes de petits pois d'un air distrait.

— Quand elle arrivera, je lui dirai que ce n'est pas la peine qu'elle enlève son chapeau et son manteau, lança-t-elle à l'adresse de son mari.

— Ne fais pas ça sinon nous allons être en carafe, rétorqua le patron, d'une voix étrangement délicate pour un homme de sa corpulence.

— Elle nous a fait le coup trop souvent, répliqua la femme.

L'homme qui précédait Sarah dans la file se pencha vers le comptoir et commanda :

— Une pinte de brune, s'il vous plaît, madame.

— Une minute, je vous prie.

— Une brune, Ernie ! cria-t-elle en direction de son mari.

— Tout de suite, tout de suite !

L'homme prit sa bière et laissa poliment la place à Sarah. C'est alors qu'elle eut une sorte d'illumination — un signe du

Ciel, devait-elle dire par la suite. Elle jeta un rapide coup d'œil à la file derrière elle et se pencha vers la patronne.

— Pourrais-je vous dépanner, madame ? Ça serait juste pour un moment... j'ai déjà servi dans un bar pendant deux ans... Là, je suis venue avec une amie manger un morceau mais j'ai une heure devant moi. Si ça peut vous aider...

La femme consulta son mari du regard.

— Vous savez tirer la bière à la pression ?

— Oh ! oui madame, il y a un bout de temps que je ne l'ai pas fait mais c'est une chose qui ne s'oublie pas...

La femme n'hésita pas longtemps.

— Passez par cette porte, là-bas, dit-elle en désignant l'extrémité du comptoir. Je vais vous faire entrer derrière.

— D'accord. Je vais juste prévenir mon amie.

Elle se dirigea vivement vers la table où était installée Marie Anne.

— Allez au bar vous commander quelque chose à manger, bredouilla-t-elle en toute hâte. Je vais leur donner un coup de main.

— Quoi ?

— Faites ce que je vous dis, ne vous en inquiétez pas.

Marie Anne s'exécuta, quelque peu médusée.

Quelques minutes plus tard, à sa grande surprise, elle vit Sarah derrière le comptoir, qui disait :

— Je peux faire un essai ? Le premier coup, ça va sûrement déborder.

— Bon, essayez une fois, dit la femme en servant une tourte et des petits pois à un client.

— Ça fera quatre pence.

Il y avait deux pompes à bière, une pour la brune, une pour l'amère. Sarah prit une des poignées de cuivre brillant et tira doucement dessus, en disposant une pinte sous le robinet. Mais lorsqu'elle le ferma, la mousse se répandit autour de la chope.

— Un coup pour rien, dit-elle à l'intention de la patronne.

Un client demanda une pinte de brune. Sarah tira précautionneusement la poignée, la relâchant à mi-course, et la pinte se remplit, avec un faux col de mousse.

Elle posa la chope sur le comptoir avec un grand sourire et l'homme avança les quatre pence.

— Merci, mademoiselle, dit-il avant de se diriger vers une table.

Ernie Everton s'approcha d'elle d'un pas lourd.

— Ça n'était pas mal du tout ! Je peux vous confier ce côté-là ? Laissez-moi passer, mademoiselle.

Et comme si Sarah avait fait ça toute sa vie, elle se fit toute petite contre l'évier. Ernie Everton se glissa derrière elle et s'arrêta près de sa femme.

— Elle fera toujours l'affaire pour un remplacement au pied levé.

La femme ne répondit pas et le gros homme disparut dans l'autre salle, derrière l'estrade où se trouvait le piano. Mme Everton se précipita auprès de Sarah, désignant la chope qui avait débordé.

— Faites-en deux pintes, puis remplissez encore un peu le haut. Nous ne pouvons pas nous permettre de gaspiller, vous comprenez ?

— Oui, oui, je comprends bien.

Mme Everton se tourna vers les étagères surchargées de bouteilles, de pichets et de chopes à bière, prit un tube qui était fixé au passe-plat et parla dedans :

— Envoie une autre assiette de petits pois, Daisy. Ne démarre pas les saucisses purée avant quatre heures. Pour l'instant, il me faudrait encore quelques petits pains bis...

Environ une demi-heure plus tard, il n'y avait plus que deux clients, qui finissaient de siroter leur bière au bar, et Sarah, retrouvant de vieux réflexes, essuya le comptoir humide.

— Vous n'étiez pas venue manger un morceau, jeune fille? demanda la patronne.

— Si, si, madame.

— Ça va être calme pendant un moment, je pense. Tout ce qu'il va rester de chaud, ce sont les tourtes et les petits pois, mais nous avons aussi du bon fromage de tête.

— Je prendrai plutôt une tourte et des petits pois, si vous voulez bien.

— C'est la Providence qui vous a envoyée chez nous aujourd'hui, dit Mme Everton en servant une généreuse portion de tourte et des petits pois sur une assiette. Quant à celle qui aurait dû être là, elle aura mon pied au derrière, c'est moi qui vous le dis! Quand je l'ai embauchée, elle était fauchée, mais je ne sais pas ce qui lui est arrivé... Le jeu, ou quelque chose comme ça... En tout cas, il faut croire qu'elle n'a pas besoin d'argent... Nous payons bien : trois pence de l'heure, sans compter les pourboires et la boustifaille! Ça ne se trouve pas tous les jours.

— Sûrement.

— Mangez, nous nous arrangerons plus tard. Nous allons sans doute encore avoir un moment d'affluence tout à l'heure et nous aurons besoin de vous. Vous habitez dans le quartier?

— À dix minutes d'ici.

— Vous avez un emploi?

— Pas pour le moment.

— Vous... n'auriez rien contre un travail comme celui-ci?

— Non, mais pas toute la journée.

— Nous n'avons pas besoin de quelqu'un à plein temps. En général, le coup de feu dure de midi à deux heures — des fois un peu plus. Le soir, nous avons toujours beaucoup de travail, de cinq à dix heures.

Son assiette toujours à la main, Sarah mordit une bouchée de sa tourte.

— Je vous remercie beaucoup, madame. La journée, ce serait parfait, mais pour le soir je ne sais pas encore. Vous voyez, la jeune (elle faillit dire « dame ») fille là-bas, eh bien, je dois m'occuper d'elle et je ne peux pas la laisser toute seule le soir.

— Vous pourriez l'amener ici. (La femme se mit à rire.) C'est un peu bruyant mais il n'y a jamais de bagarre. Ernie y veille.

— Oh ! merci beaucoup ! Nous allons en discuter. Au fait (elle désigna l'estrade d'un signe de tête), elle joue très bien du piano.

— Non ?

— Mais si. Et je suis sûre qu'elle donnerait cher pour pouvoir jouer en attendant que j'aie fini de manger.

— Oh ! mais ce serait avec joie ! Nous serions très heureux de l'entendre. Le soir, nous avons un pianiste, il ne casse rien mais il connaît tous les airs à la mode. Il joue à l'oreille, je crois.

— Je vais la prévenir.

Sarah sauta littéralement dans la salle et posa son assiette sur la table de Marie Anne.

— Vous voulez bien jouer un morceau ?

— Comment ça ?

— Un morceau de piano, quoi !

— Ils m'autoriseraient ?

— Oui ! Je viens juste de leur demander.

— Oh ! Sarah... mais... c'est magnifique !

— Alors allez-y, qu'est-ce que vous attendez !

Marie Anne se dirigea d'abord vers le comptoir.

— Merci, merci infiniment, dit-elle à la petite femme.

Puis elle monta sur l'estrade, souleva le couvercle du piano et vit que c'était un instrument de très bonne facture. Elle promena ses doigts sur le clavier et constata avec satisfaction qu'il était accordé.

Elle s'assit et se concentra une minute avant d'entamer l'adagio d'une sonate de Mozart.

Lorsqu'elle eut fini, elle jeta un regard vers la salle. Les quatre personnes assises l'avaient écoutée avec attention. Mme Everton rayonnait littéralement. Encouragée, Marie Anne attaqua l'*Appassionata* de Beethoven. Absorbée par sa musique, elle ne vit pas M. Everton et les deux clients qui étaient restés au bar s'approcher du podium.

Elle termina avec un grand geste de la main, et il y eut un moment de silence admiratif.

— Ça alors ! s'exclama une femme.

— Ça fait longtemps que je n'ai pas entendu quelqu'un jouer aussi bien, dit un homme. Vous êtes une sacrée pianiste, mademoiselle.

Marie Anne ne sentait pas la sueur qui perlait sur son front. Elle se tourna alors vers la petite assistance.

— Ça, c'est la surprise du jour ! Vous jouez dans un orchestre, mademoiselle ? demanda le gros M. Everton de sa voix fluette.

— Non, monsieur.

— Ou avec une autre formation ?

— Non plus, monsieur.

— En tout cas, reprit Mme Everton, vous avez dû avoir de bons professeurs.

Quelque peu gênée, Marie Anne ne répondit pas, et se tourna de nouveau vers le clavier. À présent ses doigts couraient légèrement sur les touches, tandis qu'elle jouait une berceuse de Brahms.

Sarah avait fini son plat et reposé son assiette sur le comptoir.

— Je reste si vous voulez, madame Everton, mais c'est calme pour le moment.

— En effet. Merci de votre aide. (Elle ouvrit le tiroir-caisse et tendit six pence à Sarah.) Vous êtes restée un peu moins d'une heure mais je vous en paie deux. Ça sera pour votre amie, pour la musique.

Elle jeta un coup d'œil à son mari, qui écoutait Marie Anne.

— Quel est ce morceau ?

— Je ne sais pas mais c'est le jour et la nuit. En tout cas, je doute qu'avec son talent et sa classe elle joue des rengaines de Marie Lloyd ou des trucs dans ce genre-là... Enfin, on ne sait jamais...

— Je vais prendre mon chapeau et mon manteau, dit Sarah. Merci beaucoup pour l'argent, c'est très gentil à vous.

— À vous aussi, mademoiselle. Vous savez ce que vous allez faire ? Laissez-moi votre adresse et nous vous préviendrons si nous avons besoin de vous.

Sarah hésita un moment.

— J'habite Ramsay Court, au dernier étage.

— Ramsay Court ? répéta la femme sans parvenir à dissimuler sa surprise. Ah oui ! je connais ce quartier.

— C'est là que vous me trouverez.

— Puis-je savoir quel genre de travail vous faisiez avant, mademoiselle ?

— Bien sûr, madame. Vous n'allez pas me croire mais j'étais dame de compagnie d'une invalide.

— Vraiment ?

— Oui, vraiment.

— Eh bien... ce n'est pas tout à fait la même chose que de servir de la bière à la pression !

— C'est vrai, mais je préfère ça de loin.

— Vous parlez sérieusement ?

— Oh oui ! madame Everton !

Laissant la petite femme éberluée, Sarah prit son manteau et son chapeau au portemanteau. « Jamais deux sans trois... Dieu merci... », se dit-elle en s'habillant.

Elle donna une petite tape sur l'épaule de Marie Anne.

— Allons-y.

— J'étais perdue dans mes pensées.

— Je vois.

Un client, sa chope vide à la main, félicita chaleureusement Marie Anne quand elle descendit de l'estrade.

— Merci, mademoiselle, du fond du cœur.

— Je vous en prie, dit-elle en souriant, et l'homme lui rendit son sourire.

Marie Anne se dirigea vers Mme Everton, qui se tenait derrière le bar.

— Merci beaucoup de m'avoir laissée jouer, je n'ai pas de piano pour l'instant et ça me manque... Me permettriez-vous de jouer un peu dans l'après-midi, même un court instant ?

M. et Mme Everton échangèrent un bref regard. Ce fut lui qui répondit, après un petit hochement de tête de connivence avec sa femme.

— Passez quand vous voulez, mademoiselle, et s'il n'y a personne au piano — ce qui est toujours le cas l'après-midi — vous serez la bienvenue. Je ne peux pas vous engager mais je vous offre le repas. Je ne peux vraiment pas faire plus.

— Merci. Merci infiniment, dit Marie Anne en faisant un salut de la tête à l'un et à l'autre.

Puis elle rejoignit Sarah en courant presque, et toutes deux sortirent en sautillant comme des collégiennes.

Une fois dans la rue, elles s'arrêtèrent et se regardèrent.

— C'est une journée de rêve, tu ne trouves pas, Sarah ? Il faut que j'écrive à grand-papa pour le rassurer.

— Mouais, fit Sarah, c'est ça : dites-lui que je sers des bières à la pression derrière un comptoir et que vous jouez du piano devant les clients qui se les jettent derrière la cravate.

— 7 —

La magie de cette journée fut de courte durée. Après avoir couru joyeusement sous la pluie, elles étaient trempées jusqu'aux os. Sarah, plus résistante, ne tomba pas malade, mais Marie Anne attrapa un rhume qui la cloua au lit. Annie leur conseilla de faire venir un docteur, tout en les avertissant qu'il demanderait sans doute deux shillings en s'apercevant que Marie Anne avait de quoi payer, par rapport aux patients habituels de Ramsay Court.

Annie avait vu juste : le docteur demanda deux shillings, mais il était fort aimable et ne se montra pas trop curieux quant à la situation de sa patiente.

C'était la semaine précédant Noël, Marie Anne était presque guérie et vaquait à ses occupations, mais elle ne s'était pas risquée à sortir dans le brouillard et l'humidité car elle toussait encore. Presque deux mois s'étaient écoulés depuis que le *Daily Reporter* avait pris ses dessins et elle n'avait toujours pas de nouvelles. Elle trompait la monotonie des jours en dessinant, mais elle s'ennuyait et devenait irritable. Un peu de consolation lui venait des enfants d'Annie, particulièrement des aînés. Ils montaient avec des papiers de couleur, dans lesquels ils découpaient des guirlandes pour décorer la maison. Marie Anne faisait leur portrait, à leur grand amusement. Quand elle leur faisait de drôles de frimousses, Maureen taquinait les garçons en leur montrant les dessins.

— Regardez-vous !

— Ça n'est pas nous, ça ! Nous n'avons pas des dents de lapins !

Et la petite pièce se trouvait illuminée par les rires des enfants. Il faisait si sombre depuis plusieurs jours... Un matin, Sarah aperçut une lueur par la fente des rideaux. Elle se leva d'un bond, se frotta les yeux et se précipita pour ouvrir les rideaux.

— Regardez ! Il y a du soleil ! C'est merveilleux ! Ça fait combien de jours que nous n'avons pas vu le soleil ? Levez-vous, vous êtes guérie à présent... Faisons-nous un petit plaisir : sortons ! Si nous allions chez Ernie manger un morceau ? Vous pourrez jouer du piano. Vous n'avez jamais donné suite à leur proposition, je me demande pourquoi...

Ces temps derniers, Marie Anne avait du mal à se mettre en train le matin, elle se sentait un peu faible, chose qui ne lui était jamais arrivée et qu'elle acceptait mal et elle devait se forcer. Mais ce jour-là elle sortit volontiers du lit. Après avoir pris leur petit déjeuner et effectué les corvées quotidiennes, elles étaient prêtes à sortir. Sarah avait relevé bien haut le col de Marie Anne sous son chapeau et ajustait son écharpe autour de sa gorge.

— C'est ça ! Étrangle-moi ! dit-elle en riant. Explique-moi pourquoi tu veux que nous passions d'abord chez Paddy. Nous avons tout ce qu'il faut.

— Non, il nous manque encore quelque chose. Avez-vous pensé au berceau ?

— Pas encore, mais...

— Il y a peu de chances que nous trouvions un berceau, mais je pense qu'un grand panier à linge garni avec des oreillers pas trop rebondis pourra faire l'affaire. Et au lieu de manier le pinceau, vous manierez l'aiguille, vous nous ferez de jolies housses pour les oreillers et une pour le panier avec un ou deux volants autour. Et ne faites pas cette tête-là chaque fois que je parle du bébé, il est déjà à moitié fini, là-dedans (elle tapota le ventre de Marie Anne). Et quand il ou elle sera là, nous aurons un adorable bébé et nous ferons une vraie famille !

Pourtant, en disant cela, elle ne pouvait s'empêcher d'entendre la voix de sa mère : « Une bouche de plus à nourrir et ce n'est pas pour ça que je n'aurai plus à récurer les planchers. Ce salaud de Daily s'en fiche bien ! Avec tout ce que je fais pour lui... l'ingrat... » « Pauvre maman, se dit Sarah, mais elle s'en est sortie et nous nous en sortirons aussi ! Mais comment ? Ça, Dieu seul le sait. »

— À quoi penses-tu, Sarah ?

— À rien.

— Ce n'est pas vrai, je le sais.

— Vous savez toujours trop de choses, mademoiselle. Allons à l'Emporium. Pas en voiture, c'est trop lent... mais sur les ailes de l'amour !

Marie Anne poussa Sarah vers la porte en riant.

— Tu devrais arrêter de lire de la mauvaise poésie, en plus tu n'aimes pas ça.

— C'est vrai !

M. O'Connell les accueillit comme de vieilles connaissances. Il leur trouva immédiatement un vaste panier à linge en bon état et deux grands oreillers avec des housses en lin. Mais l'affaire du jour fut la moitié d'une pièce de coton imprimé, presque quinze mètres de tissu pour deux shillings. Autant dire qu'il ne gagnait rien dessus — il l'avait payée un shilling six et le vendait au mètre deux pence.

— Ça doit faire une éternité que vous l'avez, répliqua Sarah.

Et lui, comme lorsqu'il était à court d'arguments, ne fit que répéter :

— Comme vous dites, mademoiselle, comme vous dites...

Sarah lui demanda de garder leurs achats tandis qu'elles allaient manger un morceau chez Ernie Everton.

— Paddy's Emporium à votre service, mesdemoiselles ! rétorqua-t-il en riant. Et mangez une tourte à ma santé !

Il n'était guère plus de onze heures, il y avait peu de clients attablés et seulement un couple au bar. Et à part M. et Mme Everton, une jeune femme très élégante, à l'air renfrogné, servait la bière derrière le comptoir.

Dès qu'elle les aperçut, Mme Everton s'écria :

— Tiens ! Bonjour ! Il y a un moment que nous ne vous avons pas vues. Nous nous disions que...

— Mon amie était au lit, madame Everton, elle a eu un mauvais rhume.

— Oh ! je suis désolée, dit la patronne. Mais nous pensions bien que c'était quelque chose comme ça... Je suppose que vous aimeriez plaquer quelques accords ?

Elle s'était penchée sur le comptoir et regardait Marie Anne.

— J'aimerais beaucoup, madame Everton, si ça ne vous pose pas de problème.

— Au contraire, ma chère. Nous serions ravis de vous entendre de nouveau. Nous avons beaucoup parlé de vous. Mais d'abord, qu'est-ce que vous mangez ?

Sarah et Marie Anne échangèrent un regard, et ce fut Sarah qui répondit :

— Je crois qu'elle préfère jouer d'abord, mais moi je vais manger tout de suite.

— Bien, bien.

Tandis que Marie Anne se dirigeait vers le piano, Sarah commanda une saucisse purée.

— Que diriez-vous d'une petite tranche de foie avec ?

— Parfait. Merci.

Marie Anne fit jouer ses articulations avant de faire courir amoureusement ses mains sur les touches. Les gammes se déroulaient doucement sous ses doigts, montant ou descendant aussi harmonieusement que si elle jouait un vrai morceau. Puis elle se mit à jouer tout doucement...

Comme Mme Everton envoyait la commande, un homme s'approcha du comptoir.

— Oh ! bonjour, vous voilà donc de retour ?

— Oui, madame Everton.

— Contente de vous revoir. Ça sera la même chose que d'habitude ?

— Oui, une demi-pinte de bière brune.

— À vos ordres, dit-elle en riant tout en tirant la bière.

— Vous êtes là pour longtemps cette fois-ci ?

— Oh ! je repars pour le nouvel an !

— Vous avez travaillé dur pendant tout ce temps ?

— Oui. Vraiment. Et les frères sont de véritables tyrans.

— Ça n'a pas changé. Et ils savent compter ! Frère Percival manie-t-il le marteau et le ciseau à bois avec autant de vigueur ?

— Plus que jamais, madame Everton.

L'homme vida la moitié de sa bière.

— Et ils ne savent jamais combien vendre ces pièces — qui sont surtout les vôtres, en réalité. Car j'imagine que le frère Percival est moins actif maintenant à quatre-vingt-dix ans passés.

— Oh ! ne croyez pas ça : il travaille à une grande œuvre. Je ne réalise que les petites choses.

— J'aimerais pouvoir me payer quelques-unes de ces « petites choses », comme vous dites.

— Oh ! vous savez, madame Everton, ce n'est pas si cher.

— Ce n'est pas ce qu'on dit. Il paraît que c'est la faute des marchands. Ils rafleraient tout si les frères les laissaient faire. Mais ils sont malins, ces frères. Je suis étonnée que vous n'ayez pas rejoint la confrérie.

— J'en ai été moi-même étonné, madame Everton. Ils n'ont pourtant pas ménagé leurs efforts. Mais je n'ai pas les qualités requises, je suis trop attaché aux choses de ce monde.

Elle se mit à rire.

— Vous ? Trop attaché aux choses de ce monde, ça m'étonnerait ! Vous vous plaisez là où vous vivez en ce moment ?

— Oui, beaucoup.

— Vous avez un atelier ?

— Oui et j'ai tout ce qu'il me faut sous la main.

— On m'a dit qu'ils avaient essayé de vous retenir et qu'ils ne vous ont libéré qu'à condition que vous leur donniez des « bricoles » deux fois par an...

— Foutaises, madame Everton, les frères ont été bien trop contents de se débarrasser de moi ! Cependant, il est vrai que je leur dois tout, ils ont été à la fois un père et une mère pour moi. Ce sont eux qui m'ont élevé, vous le savez, et je leur en suis très reconnaissant.

Il y eut un sifflement du côté du passe-plat et Mme Everton prit le plat commandé par Sarah.

— Ça m'a l'air appétissant, dit l'homme, tandis que la patronne posait l'assiette sur le comptoir. Je prendrais volontiers la même chose, madame Everton.

— Très bien, monsieur, je passe la commande.

— Qui est-ce qui joue du piano ? dit-il en se penchant sur le bar. Vous fréquentez le monde de la musique maintenant, madame Everton ?

— Oh, c'est une amie de mademoiselle, dit-elle en désignant Sarah, qui nous fait de temps en temps le plaisir de jouer pour nous.

L'homme se tourna vers Sarah et la regarda droit dans les yeux.

— Elle joue merveilleusement bien.

— Oui, répondit Sarah en se dirigeant vers une table.

Elle avait reconnu l'homme. Annie lui en avait souvent parlé. C'était le frère au visage mutilé, celui qui portait une sorte de masque : la moitié de sa tête était enveloppée dans une écharpe de coton brun foncé, doublée de blanc. Il portait un grand chapeau mou rabattu sur un côté, qui ne laissait visibles que son œil droit, une pommette saillante et une partie de son menton qui disparaissait dans le col de sa chemise blanche.

Annie disait qu'il avait dû être ébouillanté quand il était enfant. Ou alors qu'il avait une tache de naissance. Mais c'était peu probable car on n'avait jamais vu une tache de naissance de cette importance. En tout cas, toujours d'après Annie, il avait de très belles mains. Elle avait vu quelques-unes de ses œuvres à une vente organisée par les frères. C'était une sorte de kermesse qui avait lieu deux fois par an et qui proposait des vêtements et des livres d'occasion, ainsi que des objets faits main confectionnés par les paroissiens, qui ne se vendaient jamais : pourquoi aller payer un shilling et demi une paire de chaussettes tricotées à la main quand on peut les faire soi-même pour six pence ? Le stand d'exposition des sculptures était de loin le plus intéressant. Le vieux frère Percival avait été autrefois un sculpteur célèbre, et, depuis qu'il était entré dans la communauté, celle-ci avait su exploiter ses talents. Les frères dirigeaient également une petite école privée.

On racontait que frère Percival avait mis un ciseau à bois entre les mains du grand escogriffe qui se tenait au bar lorsque celui-ci n'avait que trois ans et qu'il ne l'avait plus lâché depuis. Quel âge pouvait-il avoir ? Trente ans, peut-être...

Il allait se diriger vers l'estrade où jouait Marie Anne lorsque le sifflement annonçant que sa commande était prête se fit entendre derrière le comptoir. Il fit demi-tour, paya son plat puis alla vers la table de Sarah.

— Ça ne vous dérange pas que je m'asseye à côté de vous ?

— Au contraire, je vous en prie.

Il s'assit et, tournant son regard vers le podium :

— Votre amie joue magnifiquement bien.

D'où il était, il ne voyait Marie Anne que de dos.

— Elle est jeune. Elle étudie dans une académie de musique?

— Euh, oui... mais plus maintenant. Elle a dû arrêter.

— Oh! c'est vraiment dommage. C'est du Liszt, dit-il, s'interrompant au milieu de son plat. Un morceau très difficile.

— Vous jouez du piano?

— Non, malheureusement. Je me suis un peu essayé à l'orgue quand j'étais au couvent. Vous avez entendu Mme Everton? (Il fit un petit signe de tête en direction du bar.) J'ai été élevé par les frères.

— Je sais, dit Sarah en lui souriant.

— Ah bon?

— Je suis la sœur d'Annie Pollock. Elle habite Ramsay Court.

Elle vit ses yeux s'agrandir et ses sourcils se lever sous le feutre de son chapeau. Sa bouche se fendit en un large sourire qui fit plisser le masque de tissu.

— Les Pollock de Ramsay Court? C'est la bête noire du père Broadside. Votre sœur a commis le crime impardonnable d'être mariée à un protestant, c'est ça? Arthur Pollock... oh, je me souviens bien de cette époque...

— Oh! moi aussi, dit Sarah en riant sans retenue. Le père Broadside venait toujours quand Arthur n'était pas là et il menaçait Annie de tous les feux de l'enfer. Il était pire que le père Weir. Au début, elle en avait une peur bleue, mais à la fin elle ne se laissait plus intimider. (Le sourire s'effaça du visage de Sarah.) Vous savez — ou plutôt non, vous ne pouvez pas savoir puisque vous êtes vous-même un frère ou un prêtre —, ils peuvent semer la discorde dans un couple, vous n'avez pas idée. Naturellement, Arthur tenait à ce que ses enfants fréquentent une école protestante, il n'était pas disposé à payer un ou deux pence par semaine à une école de bonnes sœurs.

— Oui, oui, je sais. Et je le comprends. Le jour où j'ai pris son parti, je me suis fait traiter de renégat et je me suis fait infliger une sévère pénitence. Pas par les frères — ce sont des hommes modérés — mais par le père Broadside. Vous savez, dans un combat naval, les gros fusils tirent par le travers du bateau, et frère Percival disait toujours que le père Broadside n'était pas né normalement mais avait dû sortir du flanc d'un navire comme un boulet de canon ! C'est un homme très dur... et tellement sectaire.

Sarah et l'homme se sourirent, complices.

— La nourriture est toujours bonne ici, n'est-ce pas ?

— Il n'y a que très peu de temps que je viens mais j'apprécie, en effet.

Au bruit des applaudissements, ils se tournèrent vers l'estrade. Marie Anne avait cessé de jouer et les clients manifestaient leur contentement. Tandis que Marie Anne se dirigeait vers le bar, où la patronne attendait pour prendre sa commande, l'homme se leva précipitamment, comme pour aller à sa rencontre. Mais il la laissa passer sans rien dire, incapable de détacher son regard de la jeune femme.

Sa grossesse, quoique peu avancée, était maintenant bien visible. Puis, comme Marie Anne revenait vers la table avec son plat, la mâchoire inférieure de l'homme tomba imperceptiblement. Marie Anne ne le regarda pas en face tant qu'elle ne fut pas arrivée près de la table, avec son assiette de tourte et de petits pois. L'homme se leva et lui offrit sa chaise.

— Asseyez-vous, dit-il. Je vais me chercher une autre chaise.

Elle resta interdite un moment, sans savoir au juste pourquoi. L'homme lui parut étrange — pas à cause de son visage emmitouflé ni de son feutre à larges bords. C'était quelque chose d'autre qui la mettait mal à l'aise. Peut-être sa voix. Il n'avait ni l'accent de Londres, ni aucun autre accent familier. Sa voix était celle d'un homme instruit, une voix nette, qu'elle semblait avoir déjà entendue.

— Vous auriez dû essayer la saucisse purée. Avec un peu de foie, c'était délicieux, dit Sarah.

L'homme tira une chaise vers la table et s'assit, le côté visible de son visage tourné vers Marie Anne. Elle était pleinement consciente que son regard était fixé sur elle. Ce qui n'échappa pas à Sarah. Elle se pencha vers Marie Anne.

— Figurez-vous que ce monsieur et moi nous sommes découvert un point commun : nous connaissons tous deux le père Broadside, le prêtre dont je vous ai parlé, qui terrorisait ma sœur et venait chez elle le lundi matin faire un scandale si elle n'était pas allée à la messe le dimanche. Comme il ne pouvait rien pour les enfants, il avait décidé de sauver l'âme de ma sœur... Eh bien, figurez-vous que ce monsieur a été élevé par les frères, au couvent juste en face de chez nous. Il connaît Annie et sa nichée, ainsi que toutes les histoires sur les deux prêtres qui voulaient à tout prix lui éviter l'enfer.

Marie Anne se tourna vers l'homme avec un sourire.

— Vous êtes moine? demanda-t-elle avec une brusquerie qui frisait l'impolitesse.

— Non, non. Je ne possède aucune des vertus nécessaires pour faire un bon religieux, c'est pourquoi ils m'ont jeté dehors! Mais je vais deux fois par an au couvent leur porter quelques bricoles pour leurs ventes de charité.

— Monsieur est sculpteur, dit Sarah en se penchant de nouveau vers Marie Anne. Il est connu dans toute la région : il va y avoir une exposition demain, nous irons voir.

— Je ne connais pas votre nom, mademoiselle?...

— Foggerty.

— Eh bien, mademoiselle Foggerty, les frères n'apprécieraient pas que vous flattiez de la sorte mon humble talent, dit-il en riant. Et, soit dit entre nous, vous n'entendrez jamais mes éloges au couvent, en tout cas ouvertement. Même si, derrière mon dos, ils disent des choses aimables, en face, ils prétendent que je ne suis qu'un instrument dans la main de Dieu, que je ne suis que locataire de mon talent...

Il éclata d'un rire clair qui gagna les deux jeunes femmes. Puis il se leva, et les salua l'une après l'autre, en touchant le revers de son chapeau.

— Je vous verrai demain à la kermesse ?

— Oui, oui, nous ferons un saut, dit Sarah. Mais ne vous attendez pas à ce que nous achetions un de vos animaux bizarres qui coûtent une fortune !

— Dommage, car nous avons cruellement besoin d'argent !

Puis il se dirigea vers le bar, échangea quelques mots avec Mme Everton et sortit d'un pas vif.

— Le bon Dieu commet souvent des erreurs, dit Sarah, mais le jour où Il a mis une marque sur le visage de cet homme, Il a vraiment fait une grosse gaffe, même s'Il lui a donné des mains habiles.

Le lendemain matin, le soleil était caché et le ciel si bas qu'on l'eût dit posé sur les cheminées. En sortant du raccourci qui conduisait au couvent, Marie Anne frissonna et resserra son manteau.

— Je vous l'ai déjà dit, il vous faut un manteau plus chaud, votre jaquette est trop mince. Je connais une boutique de vêtements d'occasion où il y a des articles en très bon état, ce n'est pas un vulgaire décrochez-moi-ça, je vous assure.

— D'accord, d'accord, nous irons, répondit Marie Anne d'un ton un peu agacé. Pour l'instant nous allons à la kermesse, et ils s'attendent à ce que nous achetions quelque chose.

— Écoutez, son histoire comme quoi ils ont besoin d'argent, c'est de la blague. À mon avis, les frères roulent sur l'or, en partie grâce au travail de gens comme lui et comme frère Percival. Vous avez entendu ce qu'a dit Annie hier soir : il paraît qu'à Noël et au printemps il apporte au couvent un sac rempli d'objets. Il vient en train et, ensuite, il prend un taxi jusqu'ici. D'après Annie, Shane, qui fait des petits travaux pour les frères — toujours bénévolement, d'ailleurs — les a vus décharger un grand nombre de caisses en bois d'un taxi.

— Cela prouve au moins une chose, c'est que cet homme a été heureux chez les frères. C'est sa façon de leur témoigner sa reconnaissance, je suppose...

De nombreux stands étaient installés dans les jardins du couvent sous un vélum. Au fond, près du mur, toutes sortes de statuettes d'animaux, oiseaux ou reptiles en marbre, de bougeoirs et de boîtes à cigares ou à bijoux en bois sculpté étaient disposées sur une longue table. À chaque extrémité se trouvait une statuette portant une lampe : l'une représentait une jeune femme magnifiquement proportionnée, et l'autre un jeune homme au corps d'athlète, toutes deux étant fixées sur un socle de pierre blanche.

Marie Anne s'arrêta pour admirer la statuette de la jeune femme.

— C'est très beau, n'est-ce pas? dit le frère qui se tenait derrière la table.

Marie Anne sourit au visage rouge et poupin qui se penchait vers elle.

— Oui. Les deux statues forment un très bel ensemble. Ont-elles été sculptées ici?

— Non, répondit le frère, avec l'empressement du vendeur sentant qu'il a peut-être ferré un client. C'est notre cher ami, Don McAlister (il désigna du menton le stand des livres, où l'homme qu'elle avait rencontré la veille était en discussion avec un client), qui les a sculptées dans son atelier. Il saura vous en parler mieux que moi, je vais le chercher.

— Je vous en prie, ne vous donnez pas cette peine. J'ai déjà été présentée à... M. McAlister.

— Alors vous connaissez son travail?

— Pas vraiment. À vrai dire, je ne l'ai rencontré qu'hier.

Le frère pointa l'index sur Marie Anne et sa voix monta d'un ton sous l'effet de l'excitation.

— Ah! C'est vous, la jeune virtuose qui jouez du piano chez Ernie Everton!

— Oui, effectivement. Mais vous exagérez, je ne joue pas si bien que ça...

— Don a dit que c'était magnifique et il a l'oreille musicale. Enfin... c'est peut-être beaucoup dire. En tout cas, il avait du goût pour l'orgue — quand il en jouait, il nous crevait les tympans ! Ah ! te voilà, dit le frère en regardant par-dessus l'épaule de Marie Anne. J'étais en train de raconter tes exploits à cette jeune dame. Je crois que vous vous connaissez.

Marie Anne se retourna vers l'homme.

— Bonjour, mademoiselle Foggerty, dit-il en lui souriant.

Elle ne s'habituait décidément pas à s'entendre appeler Foggerty, mais elle lui rendit son sourire.

— J'admirais cette magnifique lampe.

— Et frère John vous a convaincue de l'acheter ? Elle ne vaut que vingt livres.

— Nous n'avons pas encore évoqué la question du prix, dit frère John. C'est vingt-deux livres chacune — quarante si vous prenez les deux.

— Une bagatelle ! Je vous les emballe tout de suite ou je vous les envoie par l'omnibus ?

Elle rit franchement, tout en se demandant comment il avait le cœur à plaisanter, avec son infirmité.

— Ah ! voilà Mlle Sarah, reprit-il. Je parie qu'elle a acheté l'autre.

— Qui parle d'acheter ? dit Sarah.

— Eh bien, mademoiselle Foggerty, frère John a persuadé votre sœur d'acheter une lampe. C'est vingt-deux livres pièce, quarante les deux.

— C'est très aimable à lui, répondit Sarah d'un ton sérieux. Je les prends à condition qu'il les envoie à ma sœur Annie à Ramsay Court et qu'il fasse venir le père Broadside pour les bénir.

Les deux hommes éclatèrent d'un grand rire qui se mêla à celui de Sarah, mais Marie Anne se contenta de sourire.

Quelque chose chez cet homme la mettait mal à l'aise. Non qu'elle eût peur de lui — enfin, pas vraiment... — mais il lui faisait penser à quelqu'un, ou à quelque chose, de peu agréable. Elle s'éloigna un peu du petit groupe pour regarder les autres objets, s'émerveillant de la précision des écailles sur le dos d'un crocodile ou admirant un éléphant en ivoire de moins de cinq centimètres de haut avec un éléphanteau à ses côtés. Il y avait aussi deux mésanges bleues, un aigle aux ailes à demi déployées qui semblait vouloir s'envoler de la table et un cheval haut de douze centimètres environ, en train de se cabrer, sculpté dans un bois sombre.

Elle promenait ses doigts dessus lorsque la voix de Don McAlister la surprit :

— Je l'aime bien, moi aussi.

Il prit la sculpture et la lui tendit.

— C'est du chêne des marais, un matériau magnifique à travailler mais parfois difficile. Quand vous avez fini votre œuvre, vous avez l'impression que vos doigts tremblent, comme si quelque chose venu de la terre vous disait : « Cesse de me tourmenter, avec ce ciseau trop aiguisé... »

Marie Anne le regardait sans sourire. Une vague d'irritation montait en elle. Oui, c'était bien le sentiment qu'il lui inspirait : de l'irritation. Sa façon de voir les choses, de citer quelqu'un, ou de railler, comme s'il fallait en permanence amuser la galerie, l'exaspérait. Mais pourquoi se comportait-il ainsi ? Avec l'apparence qu'il avait... C'était peut-être précisément *la* raison.

D'un geste rapide et précis, il remit le cheval sur son petit socle.

— Si vous voulez bien m'excuser...

Et il disparut par une fente de la toile de tente, au bout du stand.

— Vous avez vu quelque chose qui vous plaît ? dit Sarah en s'approchant.

Marie Anne lui montra le cheval.

— Oui, j'aime beaucoup celui-ci. J'aimerais bien l'offrir à mon grand-père pour Noël.

Sarah prit la statuette, regarda l'étiquette au dos et le reposa sur la table.

— N'y pensez plus, c'est cinq livres.

Elle prit Marie Anne par le bras et lui fit faire demi-tour.

— Ne me brusque pas comme ça, dit-elle d'une voix basse et autoritaire, en dégageant vivement son bras.

Déroutée, Sarah prit tranquillement les devants et sortit des jardins. Marie Anne la suivit et la rejoignit dans le petit chemin.

— Je suis désolée, Sarah. Je ne sais pas pourquoi j'ai réagi de cette façon. En fait, si, je sais, c'est à cause de cet homme. Il m'exaspère.

Sarah s'arrêta et regarda intensément Marie Anne.

— M. McAlister ? Pourquoi cela ? Vous ne l'avez vu que deux fois et il s'est montré des plus agréables. En ce qui me concerne, je ne serais pas fâchée de le voir plus souvent.

— Sarah (la voix de Marie Anne était sourde et elle trouvait difficilement ses mots), je suis incapable de l'expliquer mais il me fait une drôle d'impression. Tout ce que je sais, c'est que la première fois que je l'ai vu j'ai été effrayée. Pourquoi, je n'en sais rien.

— C'est à cause de son visage ?

— Non, pas vraiment. Je te l'ai dit, je n'en sais rien.

Sarah poussa un soupir.

— Allez, on dit que les femmes enceintes ont souvent des idées bizarres. On va demander à Annie ce qu'elle en pense. Elle a sans doute un ragoût de mouton sur le feu, son mari est censé rentrer ce soir. J'espère qu'il sera aussi sobre que l'autre fois ! Il était à jeun et si poli que je me suis demandé s'il n'avait pas rejoint l'Armée du Salut...

Dès qu'elles entrèrent chez Annie, celle-ci tendit une lettre à Marie Anne.

— Du courrier pour vous, mademoiselle.

— Ah ?

Elle lança à Sarah un regard qui signifiait « Mais qui donc sait que je suis ici ? ».

— Je sais d'où ça vient, s'exclama joyeusement Sarah. Ouvrez vite !

Marie Anne décacheta l'enveloppe et lut à voix haute :

Chère mademoiselle Foggerty,

Auriez-vous l'obligeance de passer à mon bureau le 3 janvier, afin d'envisager une future collaboration ? Peut-être une série sur cette famille d'enfants. Nous n'avons pas eu d'échos tout de suite pour les dessins, mais par la suite on nous a demandé des scènes de genre, comme les enfants à table.

En espérant que cette suggestion vous agréera,

Sincèrement vôtre,

John Stokes, rédacteur en chef.

Marie Anne virevolta et jeta ses bras autour de Sarah.

— J'ai gagné ! J'ai du travail ! Lis-ça. (Puis, se tournant vers Annie :) J'avais porté quelques-uns de mes dessins à un journal, et maintenant ils en veulent d'autres pour l'année prochaine.

— Je suis ravie, mademoiselle. Vous vous sentirez plus à l'aise en sachant que vous avez quelque chose devant vous. Et ça vous occupera.

— Moi aussi, dit Sarah. Je serai plus tranquille, je pourrai aller servir la bière chez Ernie, en sachant que vous ne vous morfondrez pas ici.

Marie Anne se tourna vers Sarah et dit d'un ton presque suppliant :

— Sarah... Je vais pouvoir acheter ce cheval, je veux l'offrir à mon grand-père. Je sais qu'il coûte cinq livres mais si je gagne de l'argent...

— Bien sûr, mais cinq livres c'est une grosse somme, ma chérie. Enfin, comptez sur moi, vous aurez votre cheval. Je vais marchander et vous ne le paierez pas cinq livres, c'est moi qui vous le dis.

— Oh non ! tu ne vas pas marchander avec eux !

Sarah se tourna vers Annie.

— Non, mais tu entends ça ! Ne pas marchander avec les frères ! Tiens, je vais me gêner ! Les juifs, à côté, ce n'est rien, ils n'arrivent pas à la cheville de la sainte Église catholique quand il s'agit de gratter de l'argent. Ils sont capables de dépecer un pou pour vendre la peau, et je ne marchanderais pas avec eux ? Ça alors ! Je voudrais bien voir ça !... Tu as du ragoût sur le feu, Annie ?

— Comme tous les samedis.

— Donne donc une bonne assiettée à mademoiselle, si tu veux bien. Je reviens dans quelques minutes.

Une fois dehors, Sarah se sentit moins légère, et sa désinvolture s'évanouit avant même qu'elle eût atteint le rez-de-chaussée. Cinq livres ! En admettant qu'elle l'obtienne pour quatre livres, son pécule ne serait plus que de six livres et il leur fallait vivre encore quatre mois dessus. Elle s'imaginait gagner des mille et des cents avec ses dessins, mais si elle en vendait deux par semaine, ça ne faisait pas plus de dix shillings. Et puis, il y avait le bébé... comment allait-elle se débrouiller avec un bébé en habitant au dernier étage ? Annie s'était bien débrouillée avec toute sa marmaille, mais Annie et elle avaient été à une autre école que cette fille-là. Et il faudrait payer le docteur et la sage-femme...

Oh ! et puis qu'elle achète son satané cheval et qu'elle l'envoie à son grand-père, si ça pouvait la rendre heureuse — dans la mesure où elle pouvait l'être dans sa situation...

Il y avait encore pas mal de monde dans les jardins du couvent et, en se frayant un chemin vers la grande table, Sarah eut tôt fait de repérer la haute stature de Don McAlister. Il était absorbé dans une conversation avec deux hommes. Elle ne voulait pas avoir affaire à un des frères, elle préférait traiter directement avec lui, car elle avait bien vu qu'il s'intéressait à Marie Anne — sans doute avait-il senti qu'elle était issue d'une autre classe sociale.

— Pour vous, ce ne sera pas un penny de moins, l'entendit-elle dire à l'un de ses interlocuteurs. Je sais bien que sur Regent Street le prix va doubler.

— Ce n'est pas facile de traiter avec vous...

— Ce n'est pas facile de sculpter non plus.

— Frère Percival pensait que nous pourrions couper la poire en deux.

— Frère Percival s'y connaît en affaires à peu près autant que moi en danse classique ! Cela dit, c'est à prendre ou à laisser. Quarante livres pour les cinq pièces que vous avez choisies, ni plus ni moins, et si vous ne les prenez pas, elles intéresseront sans doute Stevens, il doit passer dans l'après-midi. Vous connaissez ses goûts...

— N'en dites pas plus, c'est bon. Je les prends, vous pouvez me les envelopper.

Il emballa soigneusement les sculptures dans des boîtes en carton. L'un des deux hommes les plaça dans un grand panier plat, tandis que l'autre tendait l'argent à McAlister.

— Joyeux Noël, et j'espère que nous nous verrons l'été prochain.

— Si Dieu le veut...

— Eh oui, si Dieu le veut, répétèrent les deux hommes en riant, et ils s'éloignèrent.

Don McAlister avait remarqué que Sarah attendait comme si elle avait quelque chose à lui dire et il s'approcha d'elle.

— Vous revoilà ! Vous avez décidé d'acheter les lampes ?

— Je voudrais bien voir ça ! En fait, elle s'est entichée de ce petit cheval, mais cinq livres, c'est trop cher, nous ne pouvons pas mettre autant. Alors je me suis demandé si vous n'en auriez pas un autre, avec un petit défaut, presque invisible.

Sarah n'avait pas prévu cet argument, mais il lui sembla efficace et elle se laissa aller à son intuition...

— Autrefois vous vendiez ces pièces-là moins cher, je crois...

Il se pencha vers elle et dit à voix basse :

— Mademoiselle Foggerty, l'Irlande ne sait pas quel fin diplomate elle a perdu en se passant de vos services jusqu'à aujourd'hui !

— Cessez de vous moquer de moi ! Vous parlez de diplomatie ! Je ne fais que vous rafraîchir la mémoire. Vous vendiez bien les pièces abîmées, non ?

— C'était il y a très longtemps, dit-il en riant.

Il se pencha et prit le cheval, tournant le dos à Sarah.

— À qui veut-elle l'offrir ? À un enfant ?

— Non, non. Elle a un grand-père qu'elle adore et elle veut lui faire un cadeau de Noël.

— Elle a un grand-père ? dit-il en se retournant brusquement. Alors, comment se fait-il ?...

— Oh ! je ne peux pas vous raconter, c'est une trop longue histoire. Si elle m'avait écoutée, elle serait déjà rentrée chez son grand-père, mais elle ne réalise pas vraiment ce qui l'attend ici. Vous connaissez les Courts, n'est-ce pas ? Nous habitons sous les toits mais nous avons bien arrangé l'appartement, grâce à Paddy's Emporium, soit dit en passant. Une vraie providence, celui-là !

— Oh ! en effet, je me demande ce qu'auraient fait les habitants du quartier sans Paddy. Mais, dites-moi, son grand-père sait-il où elle est ?

— Mon Dieu, non !

— Il ne connaît même pas son adresse ?

— Écoutez, monsieur McAlister, ce sont ses affaires et je ne veux pas m'en mêler. Tout ce que je sais, c'est que la plupart des Anglais riches sont cruels, ce sont des salauds sans cœur et j'espère qu'ils brûleront tous en enfer !

— Et que pensez-vous des riches Irlandais ? fit-il en souriant.

— Il y en a si peu que ça ne vaut même pas la peine d'en parler. En Irlande, tous ceux qui possèdent quelque chose sont anglais.

Il éclata de son rire franc et sonore puis, désignant le frère à l'autre bout de la table :

— Comme dirait frère John, vous me mettez du baume au cœur, mademoiselle Foggerty ! Quant à ce cheval, ajouta-t-il en caressant le dos de la statuette, il a effectivement un défaut : regardez son sabot, celui qui est en l'air. Si vous observez attentivement, vous verrez qu'il est beaucoup plus gros que l'autre. Les deux sabots sont disproportionnés.

Sarah cligna des paupières pour examiner les sabots du fringant cheval.

— Vous avez raison, monsieur McAlister, il y a bien un centimètre de différence. Ça fait beaucoup, un centimètre ? fit-elle, incapable de réprimer un petit rire.

— Ça fait beaucoup : deux livres, mademoiselle Foggerty.

— Oh merci ! Merci beaucoup, c'est très gentil à vous.

Il prit une petite sculpture sur la table et la lui tendit.

— Prenez ça, c'est un petit présent pour vous, qui êtes si bonne avec cette jeune femme dans le besoin.

Un moment, Sarah resta sans voix devant le petit objet que l'homme venait de lui mettre dans le creux de la main. « C'est un cafard, songea-t-elle. Je déteste ces insectes. » Un peu interloquée, elle lui demanda :

— ... C'est quoi, comme genre d'insecte ?

— C'est un scarabée. Un insecte vénéré par les anciens Égyptiens. Ils pensaient qu'il les aidait à revenir sur terre après leur mort. C'est un porte-bonheur.

Elle referma doucement les doigts sur le scarabée.

— Nous en avons bien besoin, en ce moment... Merci, merci beaucoup. Il nous a sans doute déjà porté bonheur car, voyez-vous, c'est le deuxième événement heureux qui se produit depuis tout à l'heure : en arrivant à la maison, il y avait une lettre d'un journal qui veut lui acheter ses dessins, toutes les semaines, je pense. Vous savez, elle dessine très bien, elle fait des sortes de caricatures, très drôles.

— Vraiment ? Elle est caricaturiste, en plus ! Mais quel âge a-t-elle ?

Sarah détourna la tête et haussa les épaules.

— Quand on lui demande son âge, elle dit qu'elle a dix-huit ans, mais en réalité elle n'en a que seize.

Il ne répondit rien mais continua à regarder Sarah, qui se justifiait comme si elle était accusée de quelque chose.

— Je n'y peux rien, j'ai usé ma salive à essayer de lui démontrer ce qui était le mieux pour elle.

— Et qu'est-ce que vous croyez qui est le mieux pour elle ? dit-il d'une voix neutre.

— Qu'elle rentre chez elle, bien sûr. Mais elle a une mère qui mériterait d'être enfermée pour cruauté mentale. Enfin, ce sont ses affaires, après tout. Croyez-moi, monsieur McAlister, j'ai fait de mon mieux.

— Je n'en doute pas un seul instant, mademoiselle Foggerty (son expression et le son de sa voix se firent soudain graves), et je ne peux que répéter ce que je vous ai déjà dit : elle a de la chance d'avoir une amie comme vous. Il faut que je m'en aille à présent, mais, qui sait, nous aurons peut-être l'occasion de nous revoir. En tout cas, prenez bien soin du scarabée.

— C'est promis, je vous remercie. Au revoir.

— Au revoir.

Il était trois heures de l'après-midi et les frères venaient de fermer les grilles du jardin. Ils savaient en effet que, dès la nuit tombée, les articles disparaîtraient des stands, malgré toutes les lampes à huile qu'ils pourraient allumer. Ils craignaient surtout pour les objets précieux restés sur la grande table et les avaient débarrassés une heure auparavant. Aujourd'hui, le stock avait été allégé grâce au passage de trois marchands, mais il restait quelques pièces à emballer. Don McAlister tenait à s'en occuper lui-même car, le lendemain, il devait participer à une exposition privée.

Les frères avaient empaqueté les articles invendus et les avaient rangés dans la réserve. Paddy O'Connell ferait sans doute un tour le lendemain et leur offrirait une somme dérisoire pour les en débarrasser.

— La journée n'a pas été si mauvaise, Don, dit un des frères en passant près de lui. Huit livres et deux pence et demi pour des bouquins et des nippes.

— C'est très bien, Peter.

— Peut-être, Don, mais je préfère bêcher ou pelleter du charbon. À l'extérieur, les gens sont bizarres, tu sais, Don. La plupart du temps, ils me terrifient.

— Allons, allons... fit Don en donnant au frère une bourrade à l'épaule. Tu es un vieux menteur, tu adores la compagnie. (Il se pencha vers lui et murmura à son oreille :) Et si le père supérieur savait tout ce que tu donnes, il te passerait un sacré savon ! Il doit déjà être en train de se demander pourquoi il y a si peu de boulets de charbon dans sa cheminée, ce soir !

Le visage du vieux moine prit une expression de bonté.

— Je n'ai donné que quelques boulets au gamin quand il est parti, dit-il à voix basse, et nous en regorgeons. Je parie que tu tiens ça de frère David ou de frère Malcolm, ils sont dans la salle de classe du premier avec les petits ; non qu'ils soient passionnés par l'enseignement, mais ça leur permet d'espionner tout ce qui se passe en bas. En tout cas, Dieu voit ce que je fais et c'est tout ce qui m'importe.

Don hocha la tête en regardant le vieux moine s'éloigner en trottinant. Ce cher frère Peter... s'il y avait un saint dans ce couvent, c'était bien lui. Il était le seul de la communauté à ne savoir ni lire ni écrire, mais il savait compter l'argent jusqu'à une livre. Il accomplissait sans jamais se plaindre les tâches les plus ingrates et les plus serviles, mais ne supportait pas qu'on se moquât de son habitude de faire main basse sur tout ce qui traînait à la cuisine ou ailleurs pour le donner à un enfant déshérité.

— Peter, cria Don, si on me demande, je suis à la chapelle.

— Ah bon ? (Le visage du vieil homme s'éclaira.) Entendu.

Tout en se dirigeant vers la chapelle, Don se disait que l'espoir ne meurt jamais dans un cœur bon, car il savait que Peter, comme les autres, espérait qu'un jour il se lasserait de sa liberté et de la méchanceté du monde extérieur et reviendrait vivre dans la paix et l'harmonie qui régnaient entre ces vieux murs. Pourtant, le couvent, construit autrefois sur une éminence au milieu des champs qui s'étendaient vers la rivière, était à présent environné d'habitations de toute sorte, et on se demandait comment il pouvait encore échapper au tumulte extérieur.

La chapelle était petite. D'un côté de l'autel se trouvait une statue de la Vierge tenant l'Enfant Jésus dans ses bras, et de l'autre, celle d'un jeune homme en robe, saint Aloysius, ce jésuite italien qui avait renoncé au monde à l'âge de vingt-trois ans pour mener une vie d'abnégation entre prière, jeûne et flagellation. Don avait toujours un sentiment de culpabilité en voyant cette statue car, à son avis, cet homme avait gâché sa jeunesse, et il se sentait incapable d'honorer un tel saint. Et puis, il trouvait bizarre que le saint patron des jésuites se trouvât dans une chapelle de bénédictins. On racontait que, des années auparavant, un homme fortuné était entré dans la communauté à une seule condition : qu'il pût apporter avec lui la statue du saint. Et, comme l'argent finit par avoir raison de tout, on lui avait accordé cette faveur surprenante.

Don fit une génuflexion en direction de l'autel puis s'assit sur le premier banc, contemplant la grande croix de bois accrochée au mur, avec un Christ mollement incliné en avant, au visage gris.

Il le contempla un instant puis ferma les yeux et murmura :

— Dites-moi ce que je dois faire...

Quand il eut fini de parler, il attendit en silence.

Et lorsque la voix intérieure se fit entendre : « Pourquoi me demander puisque tu as déjà pris ta décision ? », il répondit : « Parce que je veux savoir si j'ai raison d'intervenir. »

« Si tu ne fais rien, toute ta vie tu te reprocheras de n'avoir pas agi au moment où tu en avais l'occasion. Si ma mémoire est bonne, tu sais parfaitement que "la chance ne se présente pas deux fois" et que "seul le présent compte". »

Don McAlister leva la main, ouvrit les yeux, regarda le visage du Christ, qui semblait le contempler, et dit, d'une voix basse mais intelligible :

— Le père supérieur va être déçu que je parte demain.

Il aurait juré que la voix avait émis un petit rire...

Un léger sourire vint flotter sur ses lèvres car il savait exactement ce que le père allait dire. Don McAlister fit alors un geste étrange : il se leva, joignit les mains comme pour une prière, puis les posa sur la face du Christ avant de les porter à son propre visage dissimulé sous l'écharpe et murmura respectueusement : « Que Ta volonté soit faite, je crois en Toi mais protège-moi de ma faiblesse. »

— Oh non ! Don, tu ne vas pas partir demain, c'est la veille de Noël ! s'écria le père supérieur. Tu sais comme les frères sont heureux de t'avoir à cette époque de l'année ! Le jour de Noël, jour de réjouissance, est le seul de l'année où je supporte l'horrible harmonica de frère John, uniquement parce que tu chantes. Et puis, il y a une exposition de tes sculptures. Pourquoi partir demain ? Tu restes toujours jusqu'au nouvel an, d'habitude.

— Une affaire urgente m'appelle, mon père.

— Si urgente que cela ?

— Oui, mon père. Si urgente... que je Lui ai demandé conseil. (Il désigna la chapelle d'un léger mouvement de tête.)

Le père baissa les yeux vers ses mains, jointes sur son bureau. Mon Dieu ! mon Dieu ! se dit-il, encore cette vieille obsession ! Il se remémora le remue-ménage causé autrefois par le petit Don, alors âgé de trois ans, qui affirmait que Jésus lui avait parlé dans la chapelle et lui avait dit pourquoi son visage était ainsi marqué. Mon Dieu ! Quelle époque ! Il n'était lui-même que simple frère en ce temps-là, et il avait la responsabilité du petit disgracié. Il avait fait de son mieux pour lui ôter de l'idée que le Christ pouvait lui parler du haut de la Croix, mais il n'y était parvenu qu'en lui interdisant l'entrée de la chapelle, ce qui avait provoqué cauchemars, incontinence nocturne et méfiance chez le petit garçon, impossible à raisonner. Finalement, on l'avait laissé suivre son inclination naturelle, qui l'avait porté vers frère Percival et la sculpture, et, à partir de ce moment, il avait grandi normalement. Il était doté d'une forte personnalité, qui se manifesta lorsque le père Broadside, voulant en faire un prêtre, l'envoya au séminaire sans lui demander son avis. Ce serait déjà bien, avait estimé le père à l'époque, s'il devenait frère : il en avait toutes les qualités. Mais les frères se heurtèrent à une autre déception : Donald McAlister, l'enfant qu'ils avaient recueilli et qui aurait dû, par pure gratitude, être heureux de rejoindre la communauté bénédictine, leur déclara crûment qu'il ne se considérait pas comme un frère et qu'il ne se sentait pas fait pour ce genre de vie.

Quand on lui demanda comment il comptait affronter le monde extérieur dans sa condition, il répondit simplement qu'il était bien conscient de son handicap et qu'il travaillerait avec frère Percival et ferait don de ses œuvres à la communauté afin de prouver sa reconnaissance.

Le père supérieur se souvenait encore de la visite de l'abbé, quand il avait demandé à Don pourquoi il était si obstiné et que celui-ci avait répondu qu'il ne savait pas, qu'il avait demandé au Seigneur et avait obtenu cette réponse sibylline : « Attends et tu verras... »

L'abbé et le père avaient discuté jusque tard dans la nuit du sort du jeune homme, pour aboutir à la conclusion qu'il valait mieux qu'il reste sous la tutelle des frères. S'il répandait le bruit que Jésus lui parlait du haut de la Croix, la moitié de la population serait aux portes du couvent à réclamer des miracles... Autant l'avoir sous bonne garde.

Jésus parlant sur la Croix! Qu'aurait-il encore été capable d'inventer?

Un beau jour arriva au couvent un notaire l'informant qu'il avait un héritage. Seulement huit ans de cela... se dit le père. Cette visite avait tout changé : Don avait accepté l'héritage avec joie, comme s'il l'attendait depuis toujours. Bien sûr, il avait dû se confronter au monde, qui n'accepte pas facilement les singularités. Mais il était parti pour de bon, en toute connaissance de cause, heureux.

Le père leva les yeux vers la haute silhouette de Don, qui aurait pu être un très bel homme sans son handicap.

— Tu sais, Don, tu es toujours déconcertant. Tu l'étais, enfant, quand je m'occupais de toi. Tu as beaucoup... déçu (le père semblait avoir du mal à contrôler son émotion) notre bon père Broadside, alors qu'il ne souhaitait qu'une chose, te remettre dans la main de Dieu. Et notre cher abbé... tu l'as déçu, lui aussi. Oh! Don, tu as déçu beaucoup de gens, tu sais...

— Je le sais, mon père, je l'ai déjà entendu dire : Il m'a dit à peu près la même chose il n'y a pas cinq minutes.

Le père se leva brusquement.

— Tu ne joues pas encore à ce petit jeu-là, Don? demanda-t-il d'une voix dure.

— C'est Lui qui dicte les règles, mon père, répondit McAlister, le visage grave et la voix sévère. Il en a toujours été ainsi. Et puisque nous en parlons, mon père : je ne vous ai jamais posé la question mais... n'avons-nous pas chacun une petite voix intérieure qui nous permet de discerner le bien du mal ?

Le père hocha la tête, puis admit :

— Je pense que tu as raison, Don.

— Je ne sais pas comment les autres réagissent à leur petite voix. La mienne, en tout cas, ne s'est jamais tue. Quand j'étais enfant, elle me parlait comme un enfant parle à un autre, puis, quand j'ai grandi, elle a grandi avec moi. Avec une différence cependant : enfant, elle était d'accord avec moi sur la plupart des choses. Jeune homme, elle me parlait comme l'aurait fait un parent. À présent, elle me laisse le pouvoir de décision, tout en restant critique. Je suppose que vos auteurs modernes qui parlent de la psychologie et de la dualité de la nature humaine diraient purement et simplement que je me parle à moi-même, me donnant les réponses que je souhaite entendre. J'ai pas mal lu sur ce sujet récemment. Qu'en pensez-vous, mon père ?

Le père supérieur s'éclaircit la gorge avant de parler.

— Que puis-je te dire que tu ne saches déjà, Don ? Je n'ai jamais aimé ton attitude, tu le sais... Elle n'est pas normale.

— Est-il anormal de parler à Dieu, mon père ? Puis-je vous demander comment vous communiquez avec Lui ?

— Tu le sais très bien, Don. Dieu tout-puissant doit être approché avec respect, tout comme son fils unique, Notre-Seigneur Jésus-Christ.

Le père baissa la tête en prononçant le saint nom.

Les deux hommes se regardèrent un instant sans parler, et Don reprit :

— Je le sais, mon père, et je n'ai jamais été irrespectueux. Mais la différence entre nous est que moi je n'arrive pas à le voir là-haut, dans l'immensité du ciel. Sans doute une part de l'enfant que j'ai été survit en moi. Rappelez-vous cet épouvantable cantique que les sœurs apprenaient aux tout-petits : une phrase surtout me terrifiait, « le Christ m'est plus proche que ma propre peau, je le fais pleurer quand je fais un péché ». Voilà ce que je ressens à présent, quand je Lui parle.

Le père sourit d'un air compréhensif.

— Après tout, ces psychologues ont peut-être raison. Tu as une imagination enfantine, exacerbée. Quoi qu'il en soit, tu devrais prévenir les frères que tu pars demain matin, sinon je vais être assailli de questions auxquelles je ne saurai pas répondre. Tu ne crois pas, Don ?

— Pas pour l'instant, en effet, mon père. Mais je vous promets de revenir le plus tôt possible et de tout vous expliquer.

— Bien. Sur le plan pratique, ne reviens pas les mains vides, apporte encore quelques sculptures.

— Entendu, mon père. Merci.

Après le départ de Don, le père se laissa tomber sur son siège, le regard fixé sur la porte, en proie à un mélange de tristesse et d'exaspération. Avec sa voix intérieure... son caractère était tellement banal et complexe à la fois. Il avait une certaine sagesse, c'était indéniable. Quand il s'était occupé de lui, il l'avait considéré comme son fils, reprenant à son compte les paroles de Dieu, « Tu es mon fils bien-aimé en qui je me reconnais ». Il se souvint de cette fois où le petit garçon, joignant ses mains dans la prière de façon à cacher sa joue marquée, lui avait dit :

— Pourquoi Dieu est-il fâché contre moi ? Sœur Matilda m'a dit qu'il m'a fait différent des autres à cause des péchés de mon père.

Le père se souvint qu'il s'était insurgé contre les théories absurdes de sœur Matilda... « Que les péchés des pères retombent sur leurs enfants jusqu'à la quatrième génération... »

Il avait fallu un certain temps à frère Percival pour réparer les dégâts, expliquant à l'enfant que Dieu l'avait choisi pour une grande œuvre et qu'il ne devait pas se préoccuper de son visage mais se concentrer sur ses mains, car le Seigneur lui avait donné des mains magnifiques.

Le père soupira, persuadé que Don ne reconnaîtrait jamais qu'il avait été un enfant difficile et qu'il était devenu un homme difficile.

— 8 —

La journée avait été longue et fatigante. En cette veille de Noël, on aurait dit que tout Londres se rendait vers le nord, car le Scottish Express était bondé.

Lorsqu'il voyageait, Don s'accordait généralement le luxe d'un coin fenêtre en première classe, et il avait souvent le compartiment pour lui seul pendant tout le trajet. Les porteurs le connaissaient bien : c'est incroyable ce qu'une pièce de six pence en argent peut faire pour la tranquillité ! Lorsqu'il y avait des passagers, ils étaient souvent décontenancés par cet homme étrange qui gardait son drôle de chapeau vissé sur le crâne, mais ils se sentaient rassurés dès qu'il leur adressait la parole et supposaient qu'il avait eu un accident au visage.

Ce jour-là, pourtant, le compartiment était plein, et il se sentit soulagé en descendant à Durham pour prendre le train de Chester-le-Street.

Il faisait nuit lorsqu'il arriva et, après avoir emprunté pendant un moment la route nationale, Don s'engagea dans un sentier muletier qui suivait la pente abrupte de la colline, puis rejoignit la rivière par un chemin de traverse. Il bifurqua alors dans un pré, qui descendait doucement vers le mur de pierres sèches entourant son jardin derrière son cottage. Dans l'obscurité, il ne parvenait pas vraiment à le distinguer, mais il y posa la main, s'attardant amoureusement sur les pierres. Il suivit ainsi le muret jusqu'à une courbe qui s'interrompait brusquement sur le côté du cottage, ou plus précisément de l'atelier qu'il avait construit le long de celui-ci. L'obscurité était encore plus profonde à cet endroit, à cause de la proximité du bois qui jouxtait la rivière.

Il sortit une clé de sa poche, ouvrit la porte de la maison, s'arrêta un moment sur le seuil et inspira profondément. L'odeur ne s'était jamais dissipée depuis les huit années qu'il avait vécu là. Il avait senti, dès le jour où l'huissier lui avait ouvert la porte, cette odeur à nulle autre pareille : ce n'était ni celle des roses qui fleurissaient dans le jardin situé derrière le cottage à l'époque, ni celle de la lavande bordant le sentier qui serpentait jusqu'au ruisseau, ni même celle du carré d'herbes aromatiques, menthe, romarin, thym et ail sauvage. C'était celle d'un être humain en harmonie avec la nature et avec lui-même, cette tante qu'il n'avait jamais vue, et qui lui avait donné la chance inespérée de vivre une vie d'homme libre.

La première chose qu'il fit, avant même d'allumer, fut de se débarrasser de son chapeau et de son manteau. Puis il tâtonna le long du mur jusqu'à la table, où se trouvaient une lampe et une boîte d'allumettes.

Dès que la flamme se mit à vaciller, il prit une lente inspiration et promena sur la pièce un regard neuf, comme chaque fois qu'il rentrait de voyage. Des cendres et des bûches à demi consumées encombraient encore la cheminée, située à l'extrémité de l'immense pièce de séjour. Devant la cheminée, il y avait un vieux canapé recouvert de chintz rapiécé et un fauteuil profond en cuir portant des traces d'usure aux accoudoirs et sur le siège.

Contrastant avec l'aspect défraîchi du reste de la pièce, une table ovale, flanquée de quatre chaises au dossier sculpté, était placée le long d'un des murs. L'ensemble avait l'air neuf, et, pourtant, d'après l'inventaire de la maison, ces meubles avaient été fabriqués presque un siècle auparavant.

Au centre de la table était posée une autre lampe, avec un abat-jour rose, et, lorsqu'il l'alluma, la pièce prit un aspect chaleureux, malgré le tapis usé jusqu'à la corde et les rideaux passés au soleil.

Il s'agenouilla, prit du papier et du petit bois dans un panier posé à côté de la cheminée, les mit entre les bûches à demi consumées et craqua une allumette. Puis il s'allongea sur un plaid à côté du foyer en pierre, et réfléchit à la conduite à tenir. Allait-il s'y rendre immédiatement, une veille de Noël ? Il n'oserait pas y aller le lendemain, au cas où il y aurait des réjouissances... malgré les dires du fermier Harding, comme quoi il n'y avait pas beaucoup de gaieté dans cette maison. De toute façon, ce n'étaient pas les occupants de la grande maison qui le préoccupaient mais il aurait aimé savoir si le vieil homme s'était finalement définitivement installé au Petit Manoir. Cela avait fait jaser aussi. S'il ne venait pas à Noël, il serait sûrement là pour les étrennes, en tout cas. Mais si le vieil homme décidait de faire le voyage jusqu'à Londres, il le ferait sans doute au milieu de la semaine prochaine, lorsque les trains seraient moins bondés.

Mais pour l'instant, Don McAlister n'avait qu'une idée, c'était de se débarrasser de ce fichu masque, se laver, manger un morceau et s'affaler sur son bon vieux canapé.

Seul le présent compte.

Il fallait qu'il boive quelque chose de chaud avant de ressortir, mais avant tout, il devait se débarrasser de cet attirail. Il se leva et prit la lampe pour aller dans sa chambre. La pièce contrastait vivement avec le salon au mobilier usé mais confortable. À la place du grand lit de plumes où était née sa tante et où elle était morte se trouvait un lit à une place, une simple planche recouverte d'une paillasse. Dans un angle de la pièce, il y avait une commode en acajou toute délabrée, sur laquelle était posée une minuscule armoire vernie ne mesurant pas plus de trente-cinq centimètres de haut sur trente de large.

Il posa sa lampe et se dirigea vers une petite table de toilette de style Régence, dépouillée de tout accessoire ou flacon. Puis il se pencha vers le minuscule miroir avant de déboutonner le col de sa veste. Après l'avoir ôtée, il dégrafa la boucle d'une sangle passée derrière ses omoplates qui maintenait le dispositif assujettissant son masque. Il s'en libéra en le passant au-dessus de sa tête, puis posa le tout au pied du lit.

Il prit un masque propre dans l'armoire et le posa également sur le lit. Londres devient de plus en plus sale, se dit-il en comparant les deux linges, mais c'était probablement aussi dû à la poussière des trains...

Il se dirigea de nouveau vers le miroir et regarda son visage : c'était sans doute la chose qu'il détestait le plus au monde, mais il s'infligeait une sorte d'autopunition. Que pouvait-il espérer ? Que la peau sombre et martyrisée de son visage ait éclairci, comme par miracle ? Si seulement elle avait été douce partout, comme sur ses plaques lie-de-vin... mais non, rien ne lui avait été épargné ! Pourtant, ça aurait pu être pire, encore plus foncé, d'après un médecin. Mais pourquoi ne lui avait-on pas arraché la peau lorsqu'il était enfant ? Il n'y aurait eu que la douleur physique, il n'aurait pas dû se reconstruire entièrement une autre personnalité... Il se souvint qu'il détestait frère Bernard, qui lui avait dit une fois : « Il faut savoir faire bonne figure dans la vie. » Il devait avoir quatorze ans à l'époque, et lorsque celui-ci, ayant pris conscience de sa maladresse, était venu lui présenter des excuses, sa seule réponse avait été de le frapper.

Si seulement la tache n'avait pas envahi le coin de l'œil...

« Allez, il faut que je me trouve une chemise propre », se dit-il, se ressaisissant brusquement.

Il alla ensuite dans la cuisine, une pièce tout à fait simple, mais pourvue d'une cuisinière moderne avec four et réservoir d'eau chaude. Il prit une casserole dans le buffet, la remplit à demi au baquet d'eau fermé par un couvercle, et alla la placer dans la cheminée près d'une bûche incandescente.

De retour dans la cuisine, il versa un bon seau d'eau dans l'évier en pierre et se débarbouilla consciencieusement. Quinze minutes plus tard, après s'être fait une tasse de cacao, il était habillé et prêt à sortir.

Avant de partir, il fit encore une chose : la lampe en main, il s'engagea dans un étroit couloir, déverrouilla une porte, et, levant haut sa lampe, il inspecta son atelier. Tout était dans l'état où il l'avait laissé, ce qui n'avait pas toujours été le cas. La pièce mesurait quatre mètres de long sur deux mètres soixante-dix de large. Les quatre fenêtres qui l'éclairaient étaient très en hauteur, interdisant toute curiosité intempestive de l'extérieur.

À l'un de ses retours de Londres, il avait trouvé une des vitres soigneusement déposée, de façon à livrer passage à un homme. La tâche n'avait pas été bien difficile, les outils étaient à portée de main sur un banc, et un maillet de bois avait suffi.

Par chance, cela s'était passé à Noël, et il avait emporté au couvent ses plus belles pièces, le fruit de six mois de travail. Malgré tout, il était resté environ une vingtaine de sculptures sur les étagères. En examinant les dégâts, il s'était rendu compte que, si certaines sculptures avaient été brisées, d'autres avaient été dérobées intactes.

Apparemment, les vandales étaient plusieurs, sans doute des habitants du village, où on l'avait surnommé « l'homme au masque » et où il faisait l'objet d'une grande curiosité. Depuis cette nuit-là, il ne s'était plus rien passé. Ce qu'il en savait lui avait été rapporté par le fermier Harding, un homme aimable et compréhensif, et par Bob Talbot, le cantonnier chargé de l'entretien des berges et du repeuplement de la rivière.

En pensant à Harding, il se dit qu'il lui faudrait le prévenir de son retour. Il alla dans la cuisine allumer une lanterne, plaça un pare-feu devant la cheminée du salon et éteignit toutes les lampes de la maison.

Il sortit précautionneusement du sentier pierreux qui longeait le cottage et s'engagea dans un chemin creusé d'ornières qui serpentait entre le bois et le flanc de la colline. Au sortir du bois, le grand champ filait en pente douce jusqu'à la rivière, qui étincelait en contrebas. Après dix minutes de marche, il atteignit l'emplacement où se trouvait autrefois le campement des gitans. Il ne franchit pas le mur pour couper par les jardins de la grande maison, et se contenta de suivre tranquillement le pied de la colline pour atteindre le Petit Manoir, qui, toutes lumières allumées, ne paraissait pas particulièrement « petit ».

La façade était entièrement éclairée grâce aux lanternes disposées de chaque côté de la grande porte de chêne cloutée. Il n'y avait aucun balcon sur la longue et basse demeure de pierre et, à part un seuil d'une marche, elle était de plain-pied avec l'allée de gravier.

Don eut un moment d'hésitation avant de tirer sur la chaîne de la cloche en fer, dont l'écho résonna dans toute la maison. Il s'écoula une bonne minute avant qu'il n'entende des pas dans le vestibule. La petite servante au frais minois qui apparut dans l'encadrement de la porte ouvrit la bouche en grand, puis poussa un cri strident en voyant l'homme dont elle avait tant entendu parler, l'homme au visage masqué disparaissant sous un feutre, celui dont le seul nom terrorisait le village tout entier.

Il mit son pied dans l'entrebâillement pour l'empêcher de claquer la porte, et la petite bonne s'enfuit en criant :

— Madame Makepeace ! Madame Makepeace ! C'est lui ! C'est l'homme masqué !

Les hurlements alertèrent Mme Makepeace, qui se mit à crier à son tour :

— Pour l'amour de Dieu, que se passe-t-il, ma petite ? On dirait que tu as vu le diable !

— C'est lui, madame, hoqueta Katie Brooks, il est là, à la porte ! Il m'a empêchée de la refermer !

— De qui parles-tu ? Faut-il que je te secoue comme un prunier pour que tu me le dises, à la fin !

— Je ne veux pas y retourner...

Maggie Makepeace écarta la servante d'une bourrade et se dirigea vers la porte d'entrée.

— Oh ! bonsoir, dit-elle simplement en reconnaissant la haute stature de Don. Cette fille est idiote.

— Ça n'est rien, madame Makepeace. Votre maître est-il à la maison ? Je veux parler de M. Emanuel Lawson, bien sûr.

— Non, monsieur, il est au manoir. Il a attrapé un rhume, alors il reste là-bas quelques jours encore. Vous lui vouliez quelque chose de particulier ?

— Oui, c'est très particulier, en effet.

— Oh, bien. Entrez une minute, je vous en prie, dit Mme Makepeace en ouvrant grand la porte. Asseyez-vous, je vais chercher M. Makepeace, il saura mieux que moi quoi vous dire.

— Merci, madame Makepeace.

Don s'assit dans un siège aux accoudoirs sculptés figurant des serpents. C'était un travail magnifique, on aurait dit que la peau du serpent était véritable. Ce siège faisait partie d'une paire, et, promenant son regard autour de lui, Don remarqua d'autres meubles de style indien, un secrétaire et des tables basses. Les murs étaient ornés de grandes toiles, des marines exclusivement. Évidemment, c'était une famille d'armateurs... À sa gauche, un magnifique escalier avec une rampe en fer forgé, aux marches recouvertes d'un tapis rose profond, menait à l'étage.

Un tapis de même couleur, flanqué de deux autres, qu'il identifia comme des tapis persans, réchauffaient le sol du hall d'entrée. Son inspection des lieux fut interrompue par la voix de Barney.

— Bonjour, monsieur McAlister, puis-je faire quelque chose pour vous ?

Don se leva.

— Oh oui ! monsieur Makepeace. Voyez-vous... j'ai... une nouvelle importante à communiquer à M. Lawson — le vieux M. Lawson — et... je pensais le trouver ici.

— Il est là de temps en temps, mais il y a de moins en moins de personnel pour s'occuper de lui ici. Alors, quand il n'est pas très bien, M. Patrick se fait du souci et préfère qu'il reste là-haut pour pouvoir veiller sur lui.

— Il est alité ?

— Non, pas du tout. Impossible de lui faire garder la chambre. Pardonnez-moi de dire ça, mais notre maître est une forte tête. Voulez-vous aller là-haut pour lui parler ?

— Volontiers, mais j'ai peur de recevoir le même accueil que celui que m'a fait votre petite bonne...

— Oh ! monsieur McAlister, ne prêtez pas attention à elle, c'est une petite bécasse. Je vais la réprimander.

— Oh non ! ne faites pas ça, monsieur Makepeace. Sa réaction est compréhensible. (Il n'ajouta pas, comme il l'eût fait par le passé, « C'est ma faute, parfois j'oublie que je ne suis pas comme les autres »...) Mais pourriez-vous aller au Manoir glisser un mot à votre maître ?

— Oui, monsieur.

— Auriez-vous l'obligeance de lui dire que j'ai quelque chose de très « spécial » — j'insiste sur ce mot — à lui dire ?

— J'y vais de ce pas, monsieur McAlister. Asseyez-vous dans le salon en attendant, il y a toujours du feu dans la cheminée, au cas où le maître viendrait à l'improviste — ce qui lui arrive de temps en temps. Il préfère cette maison au Manoir. Il a été très heureux ici avec sa dame. À moins que vous ne vouliez tenir compagnie à ma femme dans la cuisine ? Elle sera enchantée.

— En êtes-vous si sûr ?

— J'en suis certain, monsieur McAlister, absolument certain. Elle n'est pas aussi stupide que les gens du village.

Lorsque McAlister entra à la suite de Barney Makepeace dans la cuisine, où Katie était en train d'émincer des cerises confites pour Mme Makepeace, qui mettait la touche finale à un gâteau, la jeune servante resta bouche bée.

— Asseyez-vous, dit Barney en avançant une chaise. J'en ai pour dix minutes au plus.

— Merci, monsieur Makepeace. (Don se pencha vers Mme Makepeace par-dessus la table de cuisine :) Madame Makepeace, je vous en prie, rassurez votre assistante, dites-lui que je ne dévore les servantes que le samedi, et de toute façon jamais avant midi.

Maggie Makepeace renversa la tête en arrière et émit un rire sonore.

— Et que mangez-vous le dimanche, monsieur McAlister ?

— Des cuisinières, madame Makepeace, exclusivement.

Il y eut un gloussement étouffé à l'autre bout de la table, mais ni l'un ni l'autre ne semblèrent y prêter attention.

— Les préférez-vous au déjeuner ou au dîner ? demanda Mme Makepeace, se prenant au jeu.

— Au déjeuner, madame Makepeace, c'est plus léger, je garde les plats de résistance pour le soir.

— Et que prenez-vous, comme plat de résistance ?

Maggie Makepeace pleurait de rire et s'essuyait les yeux avec un coin de son tablier.

— Au choix, un prêtre ou un pasteur.

— Oh ! monsieur McAlister ! Vous n'avez pas honte ! Vous allez finir au bout d'une corde !

— Hum... je sais. C'est pourquoi, je n'en mangerai pas, de toute façon ils me donneraient une indigestion. D'ailleurs, rien qu'à les entendre...

Maggie Makepeace s'amusait comme une folle.

— Et changez-vous de menu pendant la semaine ?

— Oui, je fais mon choix parmi les domestiques.

— Vraiment ?

— Oui. Je commence par un maître d'hôtel. Je n'ai jamais pu supporter l'arrogance des maîtres d'hôtel.

Le gloussement à l'autre bout de la table s'était transformé en rire franc, et Don, tournant son bon profil vers la jeune fille, lui adressa un sourire auquel elle répondit timidement, tête baissée.

Les yeux encore brillants de larmes de rire, Mme Makepeace finit de garnir le glaçage de son gâteau avec les cerises confites.

— Ce n'est pas vraiment un gâteau de Noël mais une sorte de madeleine à la crème, le maître l'aime beaucoup avec son café le matin. Toutes les provisions pour le repas de Noël sont au garde-manger, dit-elle en désignant d'un mouvement de tête une porte peinte en blanc au bout de la cuisine, au cas où il changerait d'avis et ne dînerait pas là-haut ce soir-là. Ce qui pourrait bien être le cas. Comme je le dis souvent à M. Makepeace, les temps changent, et ici un peu plus vite qu'ailleurs... aussi, plus rien de ce qui se passe là-haut ne m'étonne, à présent.

— Moi non plus, madame Makepeace. Mais espérons que Noël apportera quelques surprises agréables.

Maggie prit un air grave et poussa un gros soupir.

— Les choses ne sont plus ce qu'elles étaient, vous savez. À une époque nous nous sentions en sécurité, mais à présent c'est fini, le monde est sens dessus dessous. La reine est une vieille dame en mauvaise santé, et il y a des émeutes à Londres.

— Des émeutes à Londres ! J'en viens, madame Makepeace, et je vous assure que je n'ai rien vu de tel.

— Vraiment ?

— Là où j'étais, en tout cas, c'était parfaitement calme, mais je n'ai rien lu dans les journaux non plus.

— C'est drôle. Robert Green, un valet de pied, là-haut, qui ne sait pas lire, remarquez, a raconté à Fanny Carter que — c'est Frank, le maître d'hôtel, qui le lui a dit — les Irlandais faisaient des émeutes à Londres pour obtenir leur autonomie ou quelque chose comme ça. Et je lui ai dit : pourquoi on ne la leur donne pas, et qu'ils rentrent chez eux ?

Don ferma les yeux pendant un moment, se gratta la gorge et dit :

— Oui, c'est une bonne idée, pourquoi ne pas leur accorder leur indépendance et les renvoyer chez eux ?

— Mais on dit tellement de choses ces temps-ci, il ne faut pas croire tout ce qu'on raconte. Si vous saviez les bruits qui courent... ce que Fanny Carter raconte à Katie ! Il ne faut pas prêter l'oreille à tous ces racontars. Tout ce que je souhaite, c'est que le maître décide de rester ici. Il est toujours heureux quand il vient ici. Quand le temps le permet, il fait de longues promenades dans la campagne, sinon il passe des heures dans la bibliothèque. Il est si drôle parfois, vous savez, monsieur McAlister. Je me souviens, un jour de la semaine dernière, il y avait un brouillard à couper au couteau et il est arrivé, emmitouflé jusqu'aux yeux. Il venait du Manoir, là-haut, et je lui ai demandé pourquoi il était sorti par un temps pareil. Et savez-vous ce qu'il m'a répondu ? « Je cherche un pont assez haut pour me jeter dans le vide. »

Maggie se mit à rire.

— Vous vous rendez compte ! Il a toujours une histoire drôle à nous raconter. La maîtresse lui disait tout le temps « Emanuel Lawson, celle-là, tu leur as déjà racontée, elle commence à sentir le moisi ! » C'était une femme adorable, n'est-ce pas, Katie ?

La jeune fille osa enfin se tourner vers l'homme.

— Oh, oui, adorable. Elle a accepté de me prendre à son service quand j'avais neuf ans, à condition que j'aille à l'école à mi-temps. Je détestais l'école mais comme je voulais travailler ici, j'ai accepté.

— Et vous avez appris à lire et à écrire ? demanda Don.

— Oh ! un peu, mais je n'ai jamais été très douée pour ça.

— Elle est capable d'écrire son nom et son adresse, intervint Mme Makepeace, et de rédiger une note en majuscules si nécessaire. Elle écrit plus facilement en majuscules, mais ça ne plaisait pas à l'institutrice, hein, Katie ? Et elle lui donnait comme punition des pages entières de livre à recopier en minuscules.

Elles se firent un petit signe de tête complice, et Don se dit que les circonstances de la vie sont étranges, qui rapprochent parfois des êtres aussi différents que cette femme d'âge mûr et cette toute jeune fille, devenues de vraies amies de cœur, à n'en pas douter. Il se dit aussi que de temps en temps Mme Makepeace devait bien donner une taloche à Katie, mais au bout du compte ça n'était pas bien grave.

Leur attention fut attirée par un bruit dans le hall, et Mme Makepeace s'essuya prestement les mains et lissa son tablier.

— Les voilà, je crois. Venez, dit-elle en ouvrant la porte.

Et elle sortit, suivie par Don.

Barney débarrassait son maître de son manteau et Don s'inclina devant le vieux monsieur. Pat l'accompagnait.

— Bonsoir, monsieur Lawson. Bonsoir, monsieur.

— Bonsoir, monsieur McAlister, répondit Pat. J'ai cru comprendre que vous aviez des nouvelles à nous annoncer.

— Eh bien, ne restons pas plantés là, dit Emanuel Lawson. Y a-t-il un bon feu dans le salon, Barney ?

— Il y en avait un quand je suis parti, en tout cas.

Barney ouvrit la porte du salon et s'effaça pour laisser passer son maître, tandis que Pat s'écartait à son tour, invitant Don à suivre son grand-père.

Les trois hommes s'assirent autour du feu et Emanuel Lawson parla le premier.

— J'espère que vous m'apportez des nouvelles qui vont me combler, dit-il en regardant Don bien en face.

— J'en suis certain, monsieur.

— Mais... avant de commencer... Excusez-moi, je ne veux pas paraître impoli mais... je ne vois pas votre visage avec ce chapeau ridicule. Êtes-vous obligé de le garder à l'intérieur, monsieur ?

— Non, monsieur, mais voyez-vous, je suis rarement invité dans les salons, et le seul endroit où je l'ôte, c'est le couvent où j'ai été élevé. Ce chapeau me permet de tenir mon étoffe en place, mais je crois qu'en réalité sa fonction est de détourner l'attention des gens de ma disgrâce, qui, je le sais, dégoûte certaines personnes et en gêne d'autres.

— Je suis désolé, monsieur. Excusez-moi de vous avoir parlé ainsi.

— Je vous en prie, ne soyez pas désolé. Je vais faire ce que vous demandez.

Et pour la première fois de sa vie d'adulte, hormis en présence des frères, Don ôta son chapeau et le posa à terre à côté de sa chaise.

Les deux hommes le regardèrent, intrigués. Ils virent une sorte de couronne de métal, à demi dissimulée par les cheveux, qui supportait un certain nombre d'attaches fines.

Le linge qui recouvrait son visage paraissait plus large.

Emanuel Lawson toussota, puis dit brusquement :

— Bien, mettez-vous à l'aise. Nous vous écoutons à présent : est-ce que vous avez vu ma petite-fille ? Lui avez-vous parlé ?

— Oui, monsieur, deux fois.

— Où ça ? Où était-elle ?

Don observa un court silence avant de répondre.

— La première fois que je l'ai vue, elle jouait du piano dans une auberge de l'East End, à Londres, monsieur.

— *Comment !*

Le vieux monsieur semblait prêt à bondir du canapé mais son petit-fils mit le bras en avant.

— Doucement, grand-papa.

— Dans un bar, en train de jouer du piano, comment est-ce possible ?

— Elle jouait comme ça, pour le plaisir, elle n'avait pas d'engagement, monsieur. Mais son amie, une certaine Mlle Foggerty, servait la bière, pour dépanner le patron.

Emanuel Lawson sembla s'enfoncer dans les coussins du canapé. Il mordit ses lèvres minces puis murmura :

— Mon Dieu !

— Je l'ai revue hier, monsieur, avec son amie, à la kermesse du couvent où j'exposais mes œuvres. Je crois que vous savez que je suis sculpteur, j'habite Rill Cottage, près de la rivière. M. Lawson et moi, ajouta-t-il à l'adresse de Pat, nous sommes déjà rencontrés. Nous sommes tous les deux pêcheurs.

— Comment va ma petite-fille, monsieur ?

— Bien. Elle est en bonne santé... mais il faut que vous sachiez qu'elle est... dans un état...

— Que voulez-vous dire ? Elle n'a pas la tuberculose ? La phtisie ?

— Non, non.

Pat et Don échangèrent un rapide coup d'œil, puis Don reprit calmement :

— Je crois qu'elle est dans son cinquième mois de grossesse environ, monsieur.

— Dieu tout-puissant ! Qu'est-ce que vous dites ?

Le vieil homme se laissa tomber sur les coussins, la tête dans les mains, incapable de dire autre chose que « Non ! non ! »

Pat s'approcha de son grand-père et lui passa un bras autour des épaules.

— Allons, calme-toi. Ça ne veut pas dire qu'elle n'est pas en bonne santé ni en sécurité.

Il interrogea Don du regard.

— Oui, je crois qu'elle est en sécurité, dit-il lentement, bien qu'elle vive dans des conditions très modestes. D'après ce que j'ai cru comprendre, elle occupe un deux-pièces sous les toits à Ramsay Court avec son amie. En l'occurrence, le mot « Court » n'a rien de royal, c'est un quartier très pauvre de la ville. Ce n'est pas un des pires, c'est seulement un quartier ouvrier où les gens essayent de vivre décemment malgré des conditions difficiles. Il y a longtemps que je ne suis pas allé dans ces « Courts », mais il y a fort à parier que ça n'a pas changé depuis des années. Les conditions sanitaires y sont... comment dire... assez primitives. Il faut porter l'eau et le charbon dans les appartements et les escaliers sont très raides. Je sais que cette question inquiète beaucoup Mlle Foggerty.

Le vieil homme murmura, les yeux toujours fermés :

— Foggerty... Dans ses lettres, elle parle sans arrêt de Mlle Foggerty... elle l'appelle Sarah, la meilleure amie qu'elle ait jamais eue...

— Elle a raison, monsieur, car, sans Sarah Foggerty, je ne sais pas ce qui lui serait arrivé dans cette grande ville. J'ai demandé à Mlle Foggerty pourquoi votre petite-fille ne voulait pas rentrer à la maison et, d'après le peu qu'elle m'a dit, j'ai cru comprendre que c'était à cause de sa mère...

Le vieil homme se redressa dans le canapé et se tourna vers son petit-fils.

— Tu as entendu, Pat ? Elle devait être au courant...

Pat hocha doucement la tête.

— Oui, elle devait tout savoir... depuis le début... Mon Dieu !

— Pat, les choses vont changer, crois-moi. Ça fait longtemps qu'ils réclament du changement. Eh bien, le moment est venu à présent.

Le vieil homme se tourna vers Don.

— Pourriez-vous la persuader de rentrer à la maison ?

— Moi ? Certainement pas. Je crois qu'elle a un peu peur de moi, car c'est moi qui l'ai trouvée inconsciente quand elle est tombée contre ce mur ; elle s'est réveillée un instant et elle m'a vu, sans ça (il tapota le linge qui masquait son visage), car je profite parfois de l'obscurité pour ne pas le mettre. Elle a dû en garder une vague image au fond de sa conscience, je l'ai senti à son regard la première fois que je l'ai vue.

— Elle ne sait pas qui vous êtes ?

— Non, monsieur. C'est dans le Northumberland qu'elle a vécu cette mauvaise expérience, et là, nous étions à Londres, elle n'a pas fait le rapprochement.

— Que devons-nous faire, à votre avis ?

— Vous devriez aller la trouver vous-même, monsieur.

— C'est impossible, coupa Pat. Grand-père a été fatigué ces temps derniers, il ne pourra jamais faire un pareil voyage.

— Tais-toi, Pat, qu'est-ce que tu racontes ? Je ne suis pas encore gâteux, que je sache ? Et je tiens mieux sur mes jambes que toi lorsque tu as eu ton accident. Je compte bien aller à Londres, et le plus vite possible. Maudites vacances ! Il n'y aura pas de train demain, le premier de l'an non plus. Le lendemain, ça ira, n'est-ce pas ?

— Oui, ce sera plus calme pour voyager, acquiesça Don.

— Bien, fit le vieil homme en s'adressant à Pat. Réserve un compartiment dans un train qui part de bonne heure. (Puis, se tournant vers Don :) La voiture vous prendra en haut de la route à l'heure dite.

— C'est très aimable à vous mais je voyage toujours...

— Oui, je sais, en seconde.

— Pas du tout, monsieur, fit Don d'un ton rêche. Je voyage toujours en première, pour être seul.

— Excusez-moi, je ne voulais pas vous offenser. Mais puisque vous venez avec nous, nous voyagerons ensemble... de toute façon, nous ne pourrons rien faire sans vous. S'il faut grimper trois étages, je ne pourrai certainement pas le faire. Y a-t-il un hôtel à proximité où nous pourrions loger et où vous nous l'amèneriez ?

— Je ne pourrai la faire venir nulle part, monsieur. Seule Mlle Foggerty pourra l'influencer. Et il n'y a pas d'hôtel dans un quartier comme celui-là. Mais ne vous préoccupez pas de cela, vous pourrez loger chez les frères, ils ont l'habitude de recevoir des visiteurs, ou des hôtes qui font des retraites. Une partie du couvent leur est réservée. Vous y serez très bien accueillis.

Le vieil homme acquiesça d'un mouvement de tête, puis se tourna avec peine vers son petit-fils.

— Elle le sait depuis le début et elle n'a rien fait ! Elle s'en fiche éperdument ! Ta mère n'est pas une femme, Pat, c'est une femelle sans cœur. Qu'elle aille au diable !

— Ne t'énerve pas, grand-père. Si nous buvions un verre ? Pour fêter la bonne nouvelle.

— Tu déraisonnes, Pat. Vous buvez, monsieur ?

— Je prends volontiers un verre de vin de temps à autre.

— Avez-vous une préférence ?

Don sourit.

— Oui, monsieur... j'aime le bon porto.

Pour la première fois depuis le début de l'entretien, un sourire effleura les lèvres du vieux monsieur. Il s'adressa à son petit-fils.

— Va dire à Barney de nous sortir un 82.

— 82 ! Mazette !

— Fais ce que je te dis. Et quand je voudrai ton avis, je te le demanderai, d'accord ?

— Oui, grand-papa, comme d'habitude, n'est-ce pas ?

Et il partit d'un grand éclat de rire.

Emanuel Lawson parlait à présent d'un ton calme et mesuré.

— Lorsque j'aurai le temps de réfléchir à tout ça, je prendrai pleinement conscience de ce que je vous dois pour ce que vous avez fait ce soir. Ma petite-fille est ce que j'ai de plus cher au monde depuis que j'ai perdu mon épouse. Comme vous avez pu le constater, j'aime beaucoup mon petit-fils, mais Pat n'a jamais eu à se battre. Il est doté d'un heureux caractère, et en général tout le monde l'aime, mais ma petite Marie Anne — je n'aime pas qu'on l'appelle Marie, ce n'est pas son vrai prénom — a dû se bagarrer dès le début de sa courte existence. J'ai toujours été de son côté et nous sommes devenus très proches. Je me suis senti bien seul quand elle est partie à Londres, et quand j'ai reçu sa lettre me disant qu'elle... disparaissait, sans m'en donner la raison, j'ai été bouleversé. Jamais auparavant je ne m'étais senti vieux et sans recours, mais là, j'ai eu la sensation que mes forces vitales m'abandonnaient peu à peu. Quand elle reviendra, je revivrai, c'est certain. Tant il est vrai que je les accueillerai avec plaisir, elle et son enfant, je ne peux cependant pas nier que ç'a été pour moi un grand choc d'apprendre la nouvelle de sa grossesse. Avez-vous un peu plus de détails ?

— Non, monsieur. Je ne sais rien de plus que ce que je vous ai dit, mais je pense, quoi qu'il arrive, que vous pouvez bénir le ciel qu'elle ait une amie comme cette Mlle Sarah Foggerty.

— Vous pouvez me faire confiance, monsieur : je n'oublierai jamais ceux qui lui sont venus en aide durant cette période difficile. Mais quand je pense à cette vieille fille desséchée et pingre à qui ma belle-fille l'a confié, je me sens des envies de meurtre.

Pat entra avec un plateau sur lequel étaient disposés trois verres et une bouteille de vieux porto.

— Je ne l'ai pas fait décanter, je préfère laisser cette opération délicate à une main experte ! dit-il à son grand-père.

Et lorsque Don eut prit le verre que lui tendait le jeune homme, il but une gorgée et ferma les yeux en faisant claquer sa langue.

— Ça me fait exactement le même effet, dit Emanuel Lawson.

— Il est excellent. Je ne suis pas grand connaisseur en vins — à la différence de certains frères —, mais je suis capable de reconnaître un vieux porto : celui-ci est extraordinaire.

La conversation se mit à rouler sur des sujets plus généraux, et le vieux monsieur manifesta une certaine curiosité à son égard : avait-il intégré la communauté en tant que religieux ? Comment avait-il été amené à vivre chez les frères ? Connaissait-il ses origines ? Hélas ! non. Aimait-il son nouveau style de vie ? Oui, la vie au couvent comportait un certain nombre de contraintes et la liberté dont il jouissait à l'extérieur le satisfaisait pleinement. Il n'en était pas moins reconnaissant envers les frères qui l'avaient recueilli, et particulièrement envers son tuteur, le frère Percival, un grand sculpteur fort connu à Rome en son temps et qui lui avait appris son art.

Il y eut une pause dans la conversation et Don jugea qu'il était temps de prendre congé. Il se leva, prit son chapeau et tendit la main au vieux monsieur.

— En dehors des circonstances, ç'a été pour moi un réel plaisir de faire votre connaissance, monsieur.

— En ce qui me concerne, je ne sais plus ce que signifie le plaisir, monsieur, mais je vous serai reconnaissant toute ma vie de ce que vous avez fait. De toute façon, nous allons nous revoir bientôt. Pat réglera tout ça. Je vous souhaite une bonne nuit.

— Bonne nuit, monsieur.

Pat raccompagna le visiteur.

— Vous nous avez fait une sacrée surprise pour Noël !... Au fait, quel est votre prénom ?

— Don, enfin... c'est Donald, mais je déteste ce prénom.

— Pour ma part, Don, je suis très impatient de prendre ce train pour aller retrouver ma petite sœur. Tout comme grand-papa, je l'adore et je me réjouis qu'elle revienne, même si la situation est un peu bancale...

— Je vous comprends, mais tout ça s'arrangera avec le temps... en général, c'est ce qui se passe dans ces cas-là...

En revenant au salon, Pat se répéta le lieu commun : « avec le temps »... mais pas dans cette maison... pas avec eux...

— Va au Manoir, Pat, et dis-leur de ne pas m'attendre, ni ce soir, ni demain, ni jamais.

— Oh ! grand-papa, tu ne peux pas faire ça, je veux dire...

— Ne me dis pas parce que c'est Noël, s'il te plaît. C'est Noël aussi pour cette petite, là-bas à Londres, qui doit monter trois étages avec des seaux d'eau, dans son état !

— Je suppose qu'elle ne porte pas les seaux d'eau, tout de même.

— Eh bien, tu supposes mal, mon garçon. Elle vit dans un taudis, figure-toi. Tu imagines que les voisins sont aux petits soins pour elle ? Maintenant, fais ce que je te dis, va les voir, dis-leur que... dis à ta mère que je ne remettrai les pieds dans la maison qu'avec ma petite-fille, enceinte de cinq mois.

— Grand-papa, s'il te plaît...

Pat glissa son bras sous celui de son grand-père et l'amena doucement vers le canapé.

— Viens t'asseoir.

— Je n'ai pas envie de m'asseoir, Pat. Ça fait des années que je ne me suis pas senti aussi fort. Peut-être est-ce l'effet de l'indignation mais peu importe, j'espère que ce sentiment ne me quittera pas et, crois-moi, quand elle sera de retour, les choses vont changer ici. Ça fait un moment que ça me trotte dans la tête mais je me disais que je ne pouvais pas faire ça. Eh bien maintenant, je n'ai plus aucun scrupule ! Ils vont avoir le choc de leur vie ! Il y a des années que j'aurais dû agir. Et si mon fils s'était comporté un peu plus en homme, je n'aurais pas changé mes dispositions.

— Grand-papa, je ne veux pas aller là-bas leur parler de ça, ni ce soir, ni demain. Je dirai que tu te sens très fatigué et que tu as décidé de rester ici un jour ou deux. Il sera temps d'aborder le sujet quand nous serons de retour avec Marie Anne.

— Tu crois qu'ils vont gober ça ? Ils vont poser des questions.

— S'ils insistent, je leur laisserai entrevoir quelque chose... sans rien dire de précis, sinon je crois que mère va devenir folle.

— Ça fait des années que cette femme a perdu l'esprit, sinon elle n'aurait pas traité sa fille de cette façon. Quoi qu'il arrive, tout est de sa faute. Et pour la première fois de ma vie, je me réjouirai de voir un châtiment tomber justement.

Pat soupira et regarda intensément cet homme qu'il aimait, cet homme qui, grâce à une volonté de fer, avait fait de l'affaire familiale ce qu'elle était aujourd'hui : une entreprise hautement respectée dans le milieu des affaires. La société avait doublé d'importance en quarante ans avec l'apparition de la vapeur. Cette volonté implacable se manifestait de nouveau, et Pat en redoutait les effets pour le reste de la famille.

Comme il se dirigeait vers la porte, son grand-père l'interpella :

— En passant, dis à Maggie de mettre tout de suite des bouillottes dans mon lit, car je ne vais pas tarder à me coucher.

Dans le hall, Pat croisa Barney, qui portait des bûches pour la cheminée du salon.

— Ah, Barney, je voulais vous demander de ne parler à personne du visiteur qui est venu ce soir.

— Entendu, monsieur Pat.

— Per-sonne, n'est-ce pas ?

— N'ayez crainte, je serai muet comme une tombe.

— Maggie est-elle au courant ?

— Oui, ainsi que Katie.

— Alors dites-leur de se taire également. Elles connaîtront bien assez tôt les conséquences de cette visite. Si quelqu'un vous demande quoi que ce soit, répondez que l'homme est un parfait inconnu et que vous ne savez rien du motif de sa visite.

— Ne vous inquiétez pas, monsieur, personne n'en saura rien, vous avez ma parole.

Pat enfila son pardessus, mit son écharpe et sa casquette, puis se munit d'une canne, avant de sortir.

Le froid de la nuit était piquant. Une épaisse couche de gel recouvrait les toits des étables et des dépendances. Les cailloux de la grande allée qui reliait les deux maisons crissaient sous ses pas. En flânant, il fallait quatre minutes pour faire le trajet, mais ce soir Pat marchait d'un pas vif. Il était dans le même esprit que Marie Anne lorsqu'elle avait envie de s'enfuir à toutes jambes... loin, loin de cette maison... Il se dit qu'il aurait volontiers échangé sa place contre celle de sa petite sœur, dans ce taudis là-bas, à Londres : l'idée qu'elle vivât dans des conditions précaires, enceinte, lui donnait envie de pleurer. Oh ! Marie Anne ! Comment tout cela était-il arrivé ?... Elle qui fuyait la compagnie des hommes... En tout cas, ça ne s'était pas produit quand elle vivait ici, elle était si jeune, si naïve et farouche, elle semblait si peu adaptée à la vie en société... Une chose se vérifiait — c'était en tout cas le point de vue de sa mère : partout où elle passait, Marie Anne semait des catastrophes.

Lorsqu'il arriva au bout de l'allée, sur la vaste esplanade faisant face au balcon, il vit un des palefreniers qui conduisait les chevaux attelés à la grande voiture vers les écuries, ce qui signifiait que ses parents étaient rentrés. Il se prit à espérer sincèrement que sa mère avait reçu suffisamment d'invitations du château et des manoirs environnants pour la distraire pendant les vacances, car son statut social risquait d'être réduit à néant par l'orage qui allait bientôt éclater. Du moins, c'était ainsi qu'elle verrait les choses.

Une fois dans le hall, brillamment éclairé et décoré de guirlandes, il se débarrassa de son pardessus et le jeta sur une chaise. Puis il se dirigea vers le salon, d'où parvenait un bruit de conversation.

Quand il entra, sa mère était en train d'ôter délicatement son chapeau, bordé de plumes d'autruche fixées à la coiffe par des sortes de griffes. C'était sa dernière acquisition et elle en était apparemment très fière.

— Ah ! te voilà, Pat ! Nous avons passé une soirée délicieuse, tu aurais dû venir. Il y avait des gens très intéressants : sir Eustace Dodd, le député Clive Parkington — le cousin de lord Dean — et M. et Mme de Fonier — des Français : elle, c'est une dessinatrice très connue. Il s'est passé quelque chose ? demanda-t-elle en remarquant l'expression grave de son fils.

— Oui, en quelque sorte.

— Il est arrivé quelque chose à beau-papa ?

— On peut dire ça.

— Où est-il ? demanda son père, qui s'était approché.

Pat regarda son père mais ne répondit pas tout de suite. Il ressentait presque de la compassion pour cet homme faible, qui menait une vie misérable uniquement parce qu'il n'arrivait pas à tenir tête à sa femme. Pat répondit d'un ton neutre, voire aimable :

— Grand-papa a décidé de rester au Petit Manoir, père.

— Il est toujours là-bas ?

— Oui, père. Et il a l'intention d'y passer le reste des vacances. Si vous n'y voyez pas d'inconvénient, ajouta-t-il d'un ton suave.

— Pourquoi veut-il passer ses vacances au Petit Manoir, c'est nouveau ? dit Vincent.

— Je suppose, dit Pat en se tournant vers son frère.

La voix de sa mère s'interposa, sèche et tranchante.

— Il a dû se passer quelque chose. De quoi s'agit-il ?

— Il m'est impossible de vous en parler ce soir, mère. Je vous le dirai après les vacances.

— Très bien, Pat, intervint James Lawson. Puisque tu ne veux rien dire, j'irai me rendre compte par moi-même. J'y vais de ce pas.

Pat agrippa son père par le bras.

— À votre place, je ne ferais pas ça, père. Attendez la fin des vacances.

Pat se dirigea vers la porte, mais son frère Vincent lui barra le chemin.

— Non, mon cher, tu ne sortiras pas d'ici avant de nous avoir dit de quoi il s'agit. Qu'est-ce que tu as fait pour que grand-papa quitte le Manoir et aille s'installer là-bas ?

— Je n'ai rien à voir là-dedans. S'il te plaît, laisse-moi sortir.

— Pas question. Nous n'allons pas rester ici à nous tourmenter en essayant de comprendre pourquoi grand-papa a quitté la maison un soir comme celui-là, sachant qu'il est un peu souffrant. Alors cesse ce petit jeu, je t'en prie.

— Laisse-moi passer, Vincent, sinon, je serai obligé de t'y forcer.

— Allons ! Ne sois pas stupide, n'essaie pas de jouer les héros et dis-nous ce...

Le coup partit si vite que personne ne réalisa : Vincent titubait près de la porte, se tenant le menton d'une main et la gorge de l'autre, suffoquant et crachant.

Pat fit face à sa famille, son regard naviguant de son père à sa mère, en passant par sa sœur Evelyn, qui n'avait pas encore ouvert la bouche. Il allait tourner les talons quand sa mère se mit à crier :

— Qu'est-ce qui t'a pris ? Tu aurais pu le tuer !

— Oui, j'aurais pu, sur le moment j'en avais vraiment envie et ce n'est pas la première fois, d'ailleurs. Il m'a provoqué assez souvent, et j'espère bien que c'est la dernière fois. J'ai appris beaucoup en crapahutant sur les ponts des bateaux, ajouta-t-il en se tournant vers son frère, à faire tous les sales boulots que tu trouvais indignes de toi. Monsieur n'aime pas se mêler au commun des mortels, n'est-ce pas ?

Son père posa doucement la main sur son bras.

— Pat, allons, allons... c'est Noël, ce soir.

— Oh ! père, dit-il d'une voix radoucie, qu'est-ce que ça signifie, le soir de Noël, dans cette maison ? J'ai vu plus d'esprit chrétien dans les entrailles d'un bateau plein de voyous que dans cette maison, et permettez-moi de vous dire que votre sens chrétien va être mis à l'épreuve dans les jours qui viennent. (Sa voix se raffermit :) Je vais satisfaire votre curiosité, et vous serez sans doute heureuse d'apprendre (il lança un regard aigu à sa mère, qui était devenue livide) que votre chère fille rentre à la maison. Grand-papa a reçu ce soir-même la visite d'un gentilhomme qui a vu Marie Anne à Londres, vivant dans des conditions effroyables. Qui plus est, elle est enceinte de cinq mois. Et puisque vous voulez absolument savoir ce qui est arrivé à grand-papa, il a décidé de la faire rentrer et de la garder avec lui au Petit Manoir. Voilà.

— Non, non... gémit Veronica Lawson en dodelinant de la tête comme une poupée de chiffon.

Le corps à demi penché, elle fit quelques pas en arrière, ses mains tâtonnant autour d'elle, comme une aveugle à la recherche d'un soutien. Elle finit par buter contre le canapé et se laissa tomber lourdement sur les coussins.

— Non, non, gémit-elle. Je ne le tolérerai pas... Il n'en est pas question, vous entendez ? Oh, mon Dieu, mon Dieu !

Soudain, un autre son vint se mêler aux lamentations de Veronica Lawson : Evelyn était secouée par un rire hystérique. Son père se précipita vers elle.

— Arrête, Evelyn, tu m'entends ? Tais-toi immédiatement !

Mais Evelyn, en proie à un rire inextinguible, hoquetait entre deux accès d'irrésistible gaieté :

— Dire que ça... ça ne m'est pas arrivé, à moi ! C'est elle qui... elle est enceinte ! L'indomptable, l'insaisissable Marie Anne va avoir un bébé ! Hourra ! Hourra !

Son père donna à Evelyn une gifle sonore qui la fit taire instantanément. Puis les larmes se mirent à rouler sur les joues d'Evelyn. Pat se précipita vers elle et l'entraîna hors de portée de leur père.

— Viens, Evelyn, montons.

Une fois dans sa chambre, il la fit asseoir sur une chaise. Ses larmes coulaient toujours.

— Je suis désolée, je suis désolée, gémit-elle.

— Maintenant, ça ne sert à rien. Tu aurais dû être moins dure avec elle autrefois.

— C'est vrai qu'elle attend un enfant ?

— Oui, oui, c'est vrai.

— Et elle est enceinte de cinq mois ?

— Oui.

Elle se mit à lécher ses larmes, et Pat lui essuya gentiment les joues avec son mouchoir.

— Pat...

— Oui ?

— Je... je voulais un bébé.

— Eh bien... je crois que c'est un désir légitime pour une jeune femme...

— Je veux dire (elle secoua la tête)... je voulais un enfant de *lui,* Pat. J'ai aimé un homme.

Pat se raidit insensiblement et s'écarta de sa sœur. Il était décontenancé. Tout d'abord, il se dit qu'elle délirait un peu. Evelyn s'en rendit compte.

— C'est la vérité, Pat. C'est pour ça que Marie Anne m'a giflée, rappelle-toi. Elle nous avait surpris ensemble. Elle me prenait pour une débauchée. Ça s'est passé la nuit où elle s'est enfuie et où on l'a retrouvée inanimée contre le mur, elle courait parce qu'elle venait de nous voir.

Il avait du mal à croire que la jeune femme assise en face de lui était la même Evelyn que celle à qui il avait dit récemment : « Fais bien attention, sinon mère t'aura mariée avant même que tu saches où tu es ! » et qui lui avait lancé un regard hautain pour toute réponse.

Elle se laissait enfin aller, et il comprit qu'en réalité elle avait été écrasée par sa mère jusque dans son moi le plus intime.

Il prit ses mains dans les siennes et s'accroupit sur le tapis.

— Ne t'inquiète pas. Tu verras, un de ces jours tu vas rencontrer quelqu'un et tu sauras immédiatement qu'il est fait pour toi et toi pour lui. Ça arrive comme ça... ça m'est bien arrivé...

— Ah oui ?

Evelyn renifla et avala sa salive, sortit un mouchoir impeccablement repassé de sa manche, le secoua pour le déplier et s'essuya les yeux.

— Qui est-ce ? Je la connais ?

— Non, pour l'instant, c'est un secret. Je n'en ai même pas parlé à grand-papa. C'est une jeune travailleuse. Le moment venu, nous nous marierons.

— Tu as de la chance, Pat, tu as vraiment une bonne nature et tout te réussit. J'ai été un peu hystérique tout à l'heure, mais j'avais déjà envie de rire quand tu as frappé Vincent. Ça fait des années que je voulais le faire !

Le frère et la sœur se sourirent.

— Quand Marie Anne reviendra, essaie d'être gentille avec elle. C'est une créature adorable, elle a un cœur d'or, et si elle est farouche, c'est qu'elle a cruellement manqué d'amour pendant toute son enfance.

— Depuis qu'elle est partie, je me sens terriblement coupable d'avoir été si dure avec elle par moments. Mais je réalise maintenant que je calquais mon attitude sur celle de mère, je ne faisais que suivre son exemple. J'essaierai d'être gentille avec elle mais je ne sais pas si elle m'acceptera. Je ne crois pas être allée plus de deux fois au Petit Manoir ces deux dernières années, et sans doute se sentira-t-elle mieux si elle ne me voit pas.

— Tu verras bien. Elle aussi aura changé, vraisemblablement... c'est inévitable. En tout cas, nous allons à Londres le lendemain du jour de l'an. Je n'ai pas la moindre idée du jour de notre retour, ça dépendra du temps qu'il nous faudra pour la persuader de revenir. Dans les quelques lettres que j'ai reçues d'elle — très différentes de celles qu'elle écrivait à grand-papa —, elle disait catégoriquement qu'elle ne reviendrait jamais ici. Elle avait dans l'idée de trouver du travail à Londres grâce à ses dessins.

— Vraiment ?

— Hum... Elle a déjà réussi à en vendre quelques-uns, à un journal, je crois. Et elle a joué du piano dans une sorte de pub.

— Un pub ?

— C'est ce que j'ai cru comprendre. Elle n'a pas joué pour de l'argent mais parce que c'était le seul endroit où il y avait un piano. Ils l'ont laissée jouer parce que sa meilleure amie, qui lui tient lieu d'ange gardien — je ne crois pas me tromper sur cette Mlle Foggerty —, aide de temps en temps à servir au comptoir.

— C'est incroyable !

— Je sais, Evelyn, c'est difficile à croire mais c'est ainsi.

— Tu veux que je te dise une chose, Pat ? Je l'envie... si tu savais comme je l'envie...

Il ne sut que répondre et se pencha pour l'embrasser sur la joue.

— Ne t'en fais pas, Evelyn, ta chance viendra. Dors bien. Je passerai te voir demain matin.

Dans le salon, James Lawson était resté debout, à l'écart du canapé, où sa femme était assise à côté de son fils aîné, qui avait passé un bras autour des épaules de sa mère. Il fut parcouru d'un frisson glacé en entendant parler son fils Vincent.

— De toute façon, tu as agi pour le mieux, mère. Elle s'est toujours comportée comme une sale petite garce. Et je te promets une chose, c'est que je lui ferai payer son inconduite un jour ou l'autre. Je l'ai détestée dès sa naissance, et je compte bien en finir avec elle une bonne fois pour toutes.

— 9 —

Dans le taxi qui les emmenait au couvent, Emanuel Lawson se tourna vers Don :

— Pourrions-nous voir l'endroit où vit ma petite-fille, avant de nous rendre chez les frères ?

— Oh ! monsieur, vous ne verrez pas grand-chose, à part la cour...

— Ce sera suffisamment édifiant, je suppose, dit le vieux monsieur d'un ton impatient. Vous ne m'avez pas raconté grand-chose si ce n'est que les conditions de vie dans ce quartier sont difficiles, et je voudrais me faire une opinion par moi-même. Ça n'est pas possible ?

— Si, si, je vais indiquer le chemin au chauffeur, répondit Don en souriant.

« Vous ne m'avez pas raconté grand-chose... » Don repensa aux paroles du vieil homme... Pourtant, il n'avait cessé de lui parler pendant tout le voyage, répondant au flot de questions dont M. Lawson l'avait submergé entre deux petits sommes.

Lorsqu'ils arrivèrent à Ramsay Court, Don aida le vieux monsieur à descendre sur le pavé gras. Pat s'avança pour prendre le bras de son grand-père, mais celui-ci le repoussa vivement.

— Je n'ai pas besoin de soutien, mon garçon. Donne-moi plutôt ma canne.

S'appuyant lourdement sur le pommeau, il fit quelques pas dans la cour, puis s'arrêta à la vue d'une femme qui sortait d'un water-closet. Tout en réajustant ses vêtements, elle donna un coup de pied dans une boîte en fer, qui rebondit à travers la cour. Un homme émergea d'un autre cabinet en fourrant les pans de sa chemise dans son pantalon, et la femme lança, désignant un gamin qui jetait un seau de cendres chaudes sur le tas accumulé dans l'angle de la cour :

— Quand vont-ils se décider à nettoyer ?

Les yeux écarquillés, Emanuel Lawson observait la scène.

Jeune homme, il avait fait trois ans dans la marine, et il en avait vu défiler, des ports et des bouges de toute sorte. Mais il ne se rappelait pas avoir vu pareil taudis et cette vision ranima des souvenirs enfouis au fond de sa mémoire.

En levant les yeux jusqu'au dernier étage, il aperçut une petite rangée de fenêtres sous les toits. Mon Dieu, sa petite Marie Anne vivait donc là-haut...

Il était bien conscient que, dans les hameaux entourant sa propriété, les cottages laissaient fort à désirer du point de vue de l'hygiène et du confort, mais il était convaincu que la scène triviale à laquelle il venait d'assister n'était qu'un faible aperçu de la vie dans ces taudis...

— Viens, grand-père, allons-nous-en.

Le visage d'Emanuel trahissait le dégoût et la consternation mais, en passant devant Don pour rejoindre le taxi, il s'abstint de toute remarque.

Les trois hommes étaient assis dans des fauteuils, dans une petite pièce confortable. Un feu crépitait dans la cheminée. Le père supérieur en personne les avait présentés à frère Peter, chargé de veiller à leur confort durant leur séjour.

— Une boisson chaude vous ferait sûrement plaisir après un voyage aussi long et fatigant...

Pat remercia le père supérieur. Emanuel Lawson, adossé dans son fauteuil, les yeux mi-clos, se taisait.

— Allez-vous régler cette affaire tout de suite ? demanda-t-il lorsqu'il s'aperçut que Don allait quitter la pièce avec le père.

— Pas immédiatement, monsieur. Il faut d'abord que j'explique au père la raison de notre visite.

Et il sortit à sa suite.

— J'espère que nous n'avons pas affaire à un grincheux, dit le père à Don tandis qu'ils traversaient le vestibule.

— Non, mon père. Lorsque vous connaîtrez son histoire — du moins ce que j'en sais — vous comprendrez. Mais d'abord, permettez-moi de vous remercier d'avoir câblé si vite votre réponse et de nous recevoir si aimablement.

— Tu n'as pas à me remercier, Don. Simple faiblesse humaine. J'ai été guidé par l'envie de satisfaire ma curiosité, je mourais d'envie de savoir ce que signifiaient tes allées et venues...

Cinq minutes plus tard, le père supérieur connaissait toute l'histoire de la petite-fille de ce gentilhomme du Northumberland.

— Et elle attend un enfant, dis-tu ?

— Oui, mon père. Elle est enceinte de cinq mois.

— Le grand-père le sait-il ?

— Oui, je l'ai mis au courant.

— Si la mère de cette jeune fille l'a rejetée une première fois, je suppose qu'elle n'est pas prête à l'accueillir à bras ouverts à présent.

— Elle n'aura pas le choix. La famille possède deux résidences, le Manoir et le Petit Manoir. La jeune fille s'installera dans la seconde.

— Tu dis qu'en ce moment elle habite Ramsay Court.

— Oui, mon père.

— Mon Dieu ! Elle va avoir un choc en voyant son grand-père...

— J'y ai pensé, mon père, et je me suis dit qu'il vaudrait mieux la prévenir avant qu'elle vienne ici.

— Et c'est toi qui vas t'en charger ?

— Je ne vois pas qui d'autre... bien que ça ne me réjouisse guère...

Le père se leva, passa un bras autour de l'épaule de Don et lui sourit.

— Je t'ai toujours dit que tu nous avais beaucoup déçus, tu le sais, en n'intégrant pas notre communauté. Mais je comprends à présent que Dieu avait d'autres desseins pour toi en te donnant ta « liberté », comme tu dis. Il t'a donné une cause à servir. Alors, fais ce que tu dois, et je ne veux entendre parler de rien avant l'heureux dénouement de cette histoire.

Sans autre cérémonie, Don sortit du couvent. Pourtant, une fois dehors, il hésita un moment en pensant aux paroles du père : « Dieu a d'autres desseins pour toi. » Dans ce cas, il aimerait bien qu'Il lui fasse un signe car, ces temps derniers, il ne savait plus du tout quelle orientation donner à sa vie. Durant ses premières années au cottage, il avait connu une forme de bonheur. Mais depuis quelque temps, il était en proie à la mélancolie, surtout le soir, quand, après son travail quotidien, il s'asseyait devant le feu avec un livre ou quand, débarrassé de son masque de fortune, il sortait dans la nuit et le vent, exposant son visage à la pluie, à la grêle ou à la neige. Dans ces moments-là, il regrettait la compagnie des frères et, tout au fond de lui-même, il devait admettre que la solitude lui pesait. Et la semaine dernière, quand le fermier Harding lui avait proposé un chiot, il n'avait pas dit non, pensant que ça lui ferait une compagnie.

— Bonjour, Don ! Te voilà de retour, c'est formidable ! J'espère que tu seras encore là pour la messe du jour de l'an. Frère Ralph a composé un nouveau cantique et je compte bien le jouer à l'harmonica. Si le père ne me le confisque pas et ne le jette pas au feu avant! Où vas-tu?

— Pour l'instant, à la cuisine, chiper une tasse de thé et un petit quelque chose à me mettre sous la dent avant de sortir faire une course.

— Je te verrai après la prière?

— C'est promis, John.

Il faisait nuit noire et le froid était vif. Les lumières de la ville éclairaient faiblement le pavé luisant.

En sortant du couvent, Don fut étonné de voir les rues si désertes. Il est vrai que c'était l'heure où les familles d'ouvriers sont à table.

Une lampe à huile était suspendue à l'entrée du couloir desservant les appartements et, en traversant la cour, il croisa une nuée de gamins qui couraient en tous sens : à la vue de la haute silhouette coiffée du chapeau à larges bords, les enfants se figèrent sur place, puis se dispersèrent avec des piaillements d'oiseaux.

Au premier étage, Don prit une longue inspiration. Au deuxième, il dut faire une pause, non seulement afin de reprendre son souffle, mais aussi pour se repérer dans la quasi-obscurité du palier, dont l'éclairage indigent provenait de la seule lampe extérieure. Sur le palier du troisième, il fut réconforté de trouver une chandelle posée sur un bougeoir de fortune, qui dispensait une lueur vacillante.

Il reprit son souffle, aspirant de grandes bouffées malgré l'air confiné, puis frappa doucement à la porte.

Il s'apprêtait à frapper une seconde fois lorsque la porte s'ouvrit toute grande sur une Sarah médusée, qui resta un moment bouche bée avant de pouvoir articuler un mot.

— Ça alors! Monsieur McAlister! finit-elle par dire d'un ton aigu. Qu'est-ce qui vous amène si tôt au paradis?

Il rit de bon cœur avant de répondre, sur le même ton :

— C'est l'archange Gabriel qui m'a fait appeler : je suis porteur d'une grande nouvelle pour une certaine Marie Anne Foggerty.

— Oh ! dans ce cas... Qui oserait mécontenter l'archange Gabriel ? Entrez.

Il resta un moment étonné par le confort de la pièce et par le goût avec lequel elle était meublée.

— Cette pièce est vraiment magnifique ! Oh ! bonsoir, mademoiselle...

Il ne finit pas sa phrase, car il n'arrivait pas à dire « Foggerty », non plus que « Lawson ».

Marie Anne s'était levée, une expression inquiète sur le visage.

— Bonsoir, monsieur McAlister.

— Asseyez-vous, dit Sarah. Je ne vous donne pas ma chaise, avec votre poids, vous passeriez au travers ! Prenez ce fauteuil, ça devrait aller.

Elle lui présenta ce qu'il reconnut être un authentique Sheraton, avec un pied rafistolé, et il s'assit avec précaution.

— Ne craignez rien, celui-ci a été mis à rude épreuve, il ne cédera pas !

— Je vous crois sur parole, dit-il en riant.

Sarah s'assit sur le bord de sa chaise.

— Allez-vous nous annoncer que vous avez trouvé du travail pour nous deux, dans une maison distinguée où Marie Anne pourra jouer du piano et où je passerai mon temps à m'occuper d'une vieille dame ? Mais je tiens à savoir à qui j'ai affaire d'abord, dit-elle en pointant son index vers Don.

Il ne répondit pas à son sourire et se tourna vers Marie Anne.

— Je suis désolé, je n'ai pas de travail à vous proposer. Je suis venu pour parler à Mlle... Lawson.

Marie Anne, le regard brûlant d'impatience, entrouvrit imperceptiblement les lèvres mais ne dit rien. Sarah, muette elle aussi, les observait tour à tour.

— Je vous ai reconnue, mademoiselle Lawson, le jour où nous nous sommes rencontrés au restaurant. Peut-être ne vous le rappelez-vous pas, mais ce n'était pas la première fois que vous me voyiez. Quant à moi, je vous ai vue souvent courir dans les champs quand vous étiez toute jeune, et je me disais qu'il aurait suffi d'un petit coup de pouce pour que vous vous envoliez comme un oiseau.

Il sourit doucement à cette évocation, attendit une réponse qui ne vint pas et poursuivit :

— Je sais que vous avez été troublée, vous aussi, ce jour-là : vous aviez une sensation de déjà-vu et vous aviez raison, car c'est moi qui vous ai trouvée inanimée, la nuit où vous vous êtes cogné la tête contre ce mur. Vous fuyiez je ne sais quoi, ou je ne sais qui... Lorsque vous avez en partie repris connaissance et que vous m'avez vu, vous... vous avez eu un choc et vous vous êtes évanouie de nouveau.

L'expression de Marie Anne n'avait pas changé.

— Vous vous rappelez ?

— Oui, oui... dit-elle lentement en hochant la tête. Maintenant je m'en souviens.

Elle se rappela le clair de lune, puis le visage effrayant penché sur elle. Elle comprenait à présent ce que cachaient le masque et le chapeau de feutre. C'était l'homme défiguré par une tache de naissance, dont Fanny parlait comme d'un ogre. C'était horrible, car elle savait aussi que c'était un sculpteur de grand talent, un homme raffiné et instruit, qui vivait dans un cottage près de la rivière, là-bas, au pays.

Pourquoi avait-elle pensé « au pays » d'un seul coup ? Enfin, c'était le pays où elle avait vécu. Il était venu lui en parler, elle en était sûre.

— Qu'êtes-vous venu faire ici, monsieur McAlister ? demanda-t-elle abruptement.

Il la regarda un moment sans parler puis se leva.

— Je suis venu vous dire, mademoiselle Lawson, que votre grand-père et votre frère Patrick sont en ce moment dans les chambres d'hôtes du couvent.

Marie Anne mit une main en avant pour agripper le dossier de la chaise. Sarah s'approcha d'elle et lui passa son bras autour des épaules.

— Allons, vous saviez bien que ça arriverait tôt ou tard.

Tous trois se turent un instant.

— Ça fait longtemps que tu es au courant ?

— Je ne savais rien ! protesta Sarah. Je l'apprends en même temps que vous. Jamais je n'aurais gardé un tel secret ! Cela dit, c'est la meilleure chose qui puisse vous arriver... je veux dire, de rentrer chez vous.

— Ce n'est pas chez moi, Sarah, je te l'ai déjà dit. Monsieur McAlister, sachez que je ne rentrerai pas. C'est impossible. Vous n'auriez jamais dû faire cette démarche. Ma mère ne voudra pas de moi et ça va briser la famille.

— Autant que je sache, mademoiselle Lawson, votre mère n'a pas eu son mot à dire dans cette affaire. Vous n'irez pas chez elle mais au Petit Manoir, où vous êtes attendue et où votre grand-père a décidé de vivre en permanence. Et j'ai autre chose à vous dire, mademoiselle : votre grand-père est déterminé à ne pas quitter Londres tant que vous ne serez pas décidée à rentrer à la maison. Il déteste déjà la ville, particulièrement ce quartier et la cour du rez-de-chaussée.

— Il est venu ici ? s'écria Marie Anne d'un air incrédule.

— À peine descendu du train, il a demandé à voir l'endroit où vous viviez. C'est un vieux monsieur et il a souffert d'un mauvais rhume cet hiver. Pourtant il vit au grand air. Je vous laisse imaginer les conséquences que l'air vicié de Londres pourrait avoir sur sa santé s'il restait ici trop longtemps.

Marie Anne croisa les mains sur son ventre rond et dit d'un air pitoyable :

— Je ne veux pas paraître à ses yeux dans mon état. Il a toujours pris ma défense, il me tenait en haute estime. Pat et lui étaient les seules personnes de la famille qui voyaient un peu de bien en moi, et maintenant…

Elle baissa la tête.

— Il vous tient toujours en haute estime parce qu'il vous aime. Apparemment, vous êtes la seule personne qui comptez dans sa vie et, s'il doit faire des reproches à quelqu'un, il dit que c'est lui le premier à blâmer pour avoir permis qu'on vous envoie à Londres.

— Que dois-je faire, Sarah ?

— Vous le savez parfaitement. Cessez de tergiverser et partez avec M. McAlister voir le grand-père et le frère après qui vous pleurez sans arrêt. Demain, j'aurai fait vos bagages et vous serez prête à partir.

— Sûrement pas, dit Marie Anne d'un ton ferme. Quoi qu'il arrive, il faut que je prenne mes dispositions et ça prendra au moins un jour ou deux. As-tu pensé à Annie et à ses enfants ?

— Annie, ça me regarde, ce n'est pas votre histoire.

— Ça me regarde aussi, elle a été très gentille avec moi. Et puis, il y a mes dessins, il faut que j'aille voir M. Stokes pour l'avertir de mon départ… je veux continuer à lui envoyer des caricatures, j'y tiens beaucoup. Je sais que je suis douée et je peux faire une carrière dans ce domaine.

— D'accord, d'accord !

— J'irai lui demander si je peux lui faire parvenir mes dessins par la poste. N'oublie pas qu'il s'est montré généreux, il m'en a donné cinq shillings pièce.

— Il faut dire que je l'ai un peu aidé…

Pendant cet échange, Don était resté à l'écart, son regard naviguant de l'une à l'autre.

— Et Mme Everton ! Je ne peux pas partir sans la remercier de m'avoir laissée jouer du piano.

— N'oubliez pas Paddy O'Connell et son Emporium, tant que vous y êtes ! fit Sarah d'un ton sarcastique, les poings sur les hanches.

Marie Anne prit son visage dans ses mains et murmura :

— Grâce à lui, nous ne sommes pas mal installées, n'est-ce pas ?... Bien sûr, j'irai... Tout ça avant d'aller voir grand-papa.

Elle s'assit, des larmes roulaient le long de ses joues. Mais cette fois-ci, Sarah ne s'apitoya pas : elle disparut dans la chambre, d'où elle ressortit dans la minute, portant le manteau, l'écharpe, le chapeau et les bottines de Marie Anne.

— Habillez-vous, dit-elle d'un ton sans réplique. Vous faites perdre son temps à M. McAlister. Et je pense qu'il en a assez de tous ces épanchements.

Marie Anne se leva docilement et se laissa habiller.

— Viens avec moi, dit-elle au moment où Sarah lui tendait son chapeau.

— Oh non ! certainement pas.

— Écoute, Sarah Foggerty, dit-elle d'une voix assurée, tu ne cesses de me dire ce que je dois faire ou ne pas faire. Maintenant, c'est moi qui te le dis : si tu ne m'accompagnes pas, je n'y vais pas.

Il y eut un silence, puis Don finit par dire, d'une voix gutturale :

— Mademoiselle Foggerty, si j'étais vous, j'irais chercher mon manteau.

Vingt minutes plus tard, frère Peter les accueillait à l'entrée du couvent. Il s'apprêtait à conduire Marie Anne au salon quand elle se retourna vers Sarah.

— Tu viens avec moi ?

— Non.

— Mais...

— Vous devez prendre vos responsabilités, mademoiselle Lawson, trancha Don. Votre grand-père n'en attend pas moins de vous.

Sarah et Don regardèrent la porte se refermer sur Marie Anne. « Grand-papa ! » suivi de « Pat ! Oh, Pat ! » furent les seuls mots qui leur parvinrent.

— Le père supérieur désire vous voir, dit Don à l'oreille de Sarah. Il aimerait connaître un peu mieux son entourage, dans la mesure de ce que vous en savez, bien sûr. Si vous voulez bien vous asseoir, je vais voir s'il est disponible.

Une fois seule dans le petit salon, Sarah s'assit, les mains jointes entre les genoux. De sa vie, elle n'avait jamais eu autant envie de pleurer qu'à cette minute : elle se demandait comment elle pourrait vivre sans Marie Anne, elle s'était mise à l'aimer comme sa propre fille, la fille qu'elle n'avait jamais eue — et n'aurait sans doute jamais. Leur rencontre datait de quatorze mois seulement, qui comptaient autant que quatorze années : elle avait l'impression de la connaître depuis le berceau. À présent, il fallait bien qu'elle se raisonne, elle devait passer au second plan : rentrer dans sa famille était la meilleure chose qui puisse arriver à Marie Anne, la seule solution pour elle et pour le bébé. Sarah s'était assez rongé les sangs en se demandant comment elles se seraient débrouillées avec un enfant, dans ce deux-pièces minable sous les toits, avec ces escaliers mortels... L'événement de ce soir était providentiel. Il fallait faire confiance au bon Dieu... mais avait-Il vraiment pensé au petit bâtard ? Dans les taudis, il aurait été accepté sans problème, mais en serait-il de même dans la classe sociale où il allait naître ? C'était une dame, elle était très jeune et avait déjà connu un homme. La société la rejetterait probablement, malgré la protection de son grand-père, qui avait l'air d'un homme très puissant et très influent.

L'espace d'une minute, elle se dit qu'en un sens Marie Anne aurait peut-être été plus heureuse ici, à élever son enfant en travaillant, pour peu qu'elles aient habité un rez-de-chaussée.

Elles avaient parlé la moitié de la nuit et étaient parties se coucher en discutant encore. Sarah était inflexible : elle ne voulait en aucun cas céder à Marie Anne, et celle-ci ne voulait à aucun prix rentrer dans le Northumberland sans elle, grand-papa ou non...

À dix heures le lendemain matin, elles étaient toutes deux prêtes à sortir, Sarah devant se trouver à dix heures et demie au couvent car M. Lawson désirait lui parler.

Le frère Peter les fit entrer immédiatement dans le salon. Sarah resta dans un coin, raide et mal à l'aise, tandis que le vieux monsieur prenait Marie Anne dans ses bras. Le plus jeune des deux messieurs s'approcha d'elle et lui tendit la main.

— Bonjour, je suis Patrick, le frère de Marie Anne.

— Enchantée, monsieur.

— Grand-père, voici Mlle Foggerty, dont Marie Anne nous a tant parlé.

— Bonjour, monsieur, dit Sarah, soutenant le regard aigu du vieil homme.

— Bonjour, mademoiselle Foggerty. Asseyez-vous, je vous prie.

Sarah prit un fauteuil à côté de Marie Anne et M. Lawson vint s'asseoir en face d'elle.

— Mademoiselle Foggerty, permettez-moi d'abord de vous remercier infiniment. Sans vous, je ne sais pas où ma petite-fille serait en ce moment, sans doute n'aurait-elle pas trouvé ces deux pièces que vous avez su rendre si confortables malgré les inconvénients que présente l'immeuble. Ni la chaleur humaine dont vous l'avez entourée, vous et les vôtres.

Le vieux monsieur se tut un instant, glissa un regard tendre à Marie Anne, puis reprit d'un ton sans faiblesse :

— Ma petite-fille vient de me signifier fermement qu'elle ne rentrerait avec moi qu'à la condition expresse que vous soyez du voyage. Comme vous le savez, dans les mois à venir, Marie Anne va avoir besoin d'une nurse et d'une compagne. Je ne vous fais donc pas une faveur en vous offrant cette place.

Nous pensons d'abord à Marie Anne et nous avons besoin de vos services — moi, en tout cas. Marie Anne, je présume, attend autre chose de vous, car vous semblez être la seule personne qui lui ayez témoigné de l'affection depuis qu'elle a quitté la maison. Que dites-vous de cela, mademoiselle Foggerty ? Je vous écoute.

Sarah se tut un long moment avant de répondre.

— Ce que je dis, monsieur, c'est d'abord un grand merci pour la gentillesse et la générosité de votre offre. Mais comme j'ai déjà essayé de le lui dire — votre petite-fille est très têtue, je ne sais pas de qui elle le tient mais le fait est (un léger sourire se dessina sur ses lèvres) — nous avons discuté une bonne partie de la nuit et voilà la situation : j'ai une sœur qui vit à Ramsay Court, à l'étage en dessous, elle a dix enfants. Je l'ai toujours aidée dans la mesure de mes moyens et, en ce moment, elle a plus que jamais besoin de moi, car son mari s'est blessé au pied et ne pourra pas travailler pendant un certain temps. Je me sens responsable vis-à-vis d'elle et des enfants. Son fils aîné, Shane, est très doué, mais il ne va plus à l'école car il est obligé de gagner un peu d'argent en mettant du charbon en sacs — ou plutôt des débris de charbon. J'ai eu quant à moi la chance d'avoir un peu d'instruction, je sais lire et j'ai une assez belle plume. J'aimerais que ce garçon ait sa chance.

— Oui, oui, je comprends. Je suppose que vous avez dû écrire et lire toutes les lettres échangées entre ma belle-fille et sa demi-sœur, et vous en savez sans doute long sur la mère de Marie Anne.

— En effet, monsieur.

M. Lawson se tourna vers son petit-fils.

— Qu'est-ce que tu dis de tout ça ?

— Vous le savez déjà, grand-père.

— Tu es toujours décidé à quitter le Manoir pour t'installer avec nous ?

— Pat ! s'écria Marie Anne en se levant d'un bond, ne fais pas ça !

— Pourquoi pas ? Je n'ai jamais été heureux là-haut. Pas plus que toi.

— Mais elle... elle va me détester encore plus.

— Pardonne-moi d'être brutal mais je ne crois pas que ce soit possible.

Marie Anne baissa la tête.

— Tu as peut-être raison.

— Dès que tu seras rentrée, il y aura de grands changements à la maison, mais nous verrons cela plus tard. Pour l'instant, réglons le problème de Sarah, dit Patrick en se tournant vers elle. Grand-père a l'intention d'engager du personnel pour le Petit Manoir. C'est une résidence située sur la propriété. Autrefois, il habitait là avec ma grand-mère, mais ces temps derniers il vivait plutôt au Manoir et n'y venait que rarement, c'est pourquoi il n'a gardé que trois personnes à son service : Maggie et Barney Makepeace, un couple de vieux serviteurs qui se sont toujours occupés de lui, et Katie, une jeune femme de chambre. Puisque désormais nous allons être plus nombreux au Petit Manoir, grand-père a l'intention de faire venir du personnel du Manoir. Cette nouvelle équipe aura besoin d'une gouvernante et, d'après Marie Anne, la gestion d'une maison n'a pas de secrets pour vous, puisque vous l'avez fait pour sa tante. Et il paraît que vous êtes très économe (il eut un sourire espiègle et un regard en coin vers sa sœur), voir parcimonieuse...

— Oh ! mademoiselle, s'écria Sarah indignée, qu'avez-vous été raconter là !

— Nécessité fait loi, dit Pat.

— Ah ! les bons vieux dictons... intervint Emanuel Lawson.

— Surtout quand il y a péril en la demeure ! ajouta Sarah en souriant.

Que quelqu'un, et plus particulièrement une servante, osât renchérir après son grand-père, déconcerta quelque peu Pat, qui eut un petit sourire contraint.

— D'après Marie Anne, poursuivit M. Lawson, il vous est arrivé d'aider financièrement votre sœur.

— Décidément, vous vous êtes crue obligée de tout dire ! explosa Sarah.

— Non, pas tout, répliqua Marie Anne d'un ton impertinent. Attends la suite !

— À combien s'élevaient vos gages chez Martha Culmill ? enchaîna Emanuel Lawson, après avoir échangé un bref coup d'œil avec son petit-fils.

— Six shillings par semaine, monsieur.

— Six shillings ! répéta-t-il d'un ton incrédule en regardant Pat.

— Y avait-il des domestiques ?

— Une cuisinière et une femme de chambre.

— Pas d'infirmière pour la nuit ?

— Non, monsieur.

— Et combien donniez-vous à votre sœur là-dessus ?

Sarah se tortilla sur le canapé, mal à l'aise. Elle n'aimait pas qu'on s'immisce dans ses affaires, elle faisait ce qu'elle voulait de son argent, mais cet homme désirait une réponse précise et elle ne pouvait pas éluder la question.

— La moitié. Trois shillings.

— C'est donc une question d'argent qui vous retient auprès de votre sœur et de ses enfants ?

— Non, monsieur, pas uniquement. Je les aime beaucoup. Ils sont ma seule famille, et si jamais je me faisais renvoyer d'un travail, je sais que je serais toujours accueillie à bras ouverts chez eux. Et c'est là que j'ai emmené Mlle Marie quand nous nous sommes retrouvées le dos au mur.

— Mais, en ce moment, elle a besoin d'argent avant tout, si j'ai bien compris ?

— Je suppose que oui... Quand on touche le fond, c'est toujours un problème d'argent, dit Sarah en hochant la tête.

— Vous avez raison. Voici donc ma proposition : j'ai besoin d'une gouvernante, que je compte rétribuer une livre par semaine — nourriture, vêtements d'uniforme et logement dans un appartement confortable en sus. C'est bien ce qui était convenu, Pat ?

Pat se mit à rire en voyant le plaisir manifeste que prenait son grand-père à l'entretien. Il ne l'avait pas vu si heureux depuis bien longtemps.

— Oui, grand-père, c'est à peu près ça.

— J'attends votre réponse, mademoiselle Foggerty.

Marie Anne, voyant sa meilleure amie incapable de proférer une parole, vint s'asseoir à côté d'elle sur le canapé et lui prit la main. Elles se regardèrent un moment en silence, puis Sarah finit par dire d'une voix étranglée :

— Mais... notre appartement, et toutes les affaires qui sont dedans ?

— J'y ai pensé, dit Marie Anne. Je continuerai à payer le loyer car je compte bien gagner de l'argent avec mes dessins. Ça fera une chambre pour les grandes, et un havre où Annie pourra se réfugier de temps en temps. De toute façon, tu sais, je me sens redevable envers la tribu : le rédacteur en chef n'aurait jamais pris mes dessins s'il n'avait pas vu d'abord celui qui montre les enfants à table.

— Bien, dit M. Lawson en se levant vivement, à quelle heure pouvons-nous avoir un train aujourd'hui ?

— Aujourd'hui ?

— Oui, Pat, tu as bien entendu.

— Eh bien, il est presque onze heures, il y a un train vers une heure, je crois.

— Il faut que nous disions au revoir à nos amis, intervint Marie Anne.

— Ils habitent loin d'ici ?

— Non, grand-papa, à dix minutes.

— Eh bien, ça vous laisse un peu moins d'une heure pour être de retour ici avec vos bagages. Je ne supporte pas cette ville, l'air y est irrespirable.

— Bien, grand-papa. Nous serons de retour dans une heure. (Elle se pencha pour l'embrasser sur la joue :) Tu n'imagines pas à quel point je suis heureuse de te revoir.

— Moi aussi, ma petite-fille, moi aussi, dit-il en lui caressant les cheveux. Allez, maintenant. Vous n'avez pas de temps à perdre.

Il s'écarta légèrement et murmura en aparté :

— Aie l'œil sur ton amie, car je n'ai pas envie qu'elle change d'avis avant le départ.

— Il n'y a pas de danger, elle se plaira là-bas, j'en suis sûre ! dit Marie Anne en riant. N'est-ce pas, Sarah ?

— Ça reste à voir, mademoiselle. De toute façon, si je ne me plais pas, je pourrais toujours aller chez M. McAlister, il paraît qu'il vit tout près de là, au bord de la rivière.

Le vieux monsieur prit un air sérieux tout à coup.

— Nous devons beaucoup à ce gentilhomme. Ne l'oublions jamais.

— Non, grand-papa, nous ne l'oublierons jamais...

McAlister les accompagna jusque dans leurs compartiments et envoya un télégramme à Barney Makepeace au Petit Manoir, Moorstone, près de Chester-le-Street, Northumberland, ainsi libellé :

ENVOYEZ LA GRANDE VOITURE À LA GARE DE DURHAM AUJOURD'HUI, SEPT HEURES.

Il les étonna en ne rentrant pas avec eux, mais il avait promis aux frères de passer le nouvel an au couvent.

Son visage, en tout cas la partie accessible aux regards, rosit nettement lorsque Sarah Foggerty, au moment de partir, prit sa joue masquée dans sa main et le regarda au fond des yeux.

Marie Anne ne sembla pas lui produire le même effet lorsqu'elle lui tendit la main en disant :

— Je vous remercie de m'avoir permis de recommencer une nouvelle vie. Je ne sais pas ce que l'avenir me réserve, mais je n'oublierai jamais le bonheur que je ressens en ce moment, et c'est à vous que je le dois. Merci infiniment.

Il resta sur le quai jusqu'à ce que le train ait disparu, puis fit demi-tour et s'achemina lentement vers le couvent, le long des rues obscures. Jusqu'à présent, il avait toujours beaucoup aimé passer le jour de l'an chez les frères, mais ces derniers jours, il avait fait l'expérience de la compagnie des femmes... une femme et une jeune fille étrangement belle, dont la présence avait éveillé en lui un sentiment nouveau. Une voix intérieure lui commandait d'enfouir ce sentiment le plus vite possible au fond de sa mémoire et de reprendre le cours de sa vie...

En montant dans l'omnibus, il se sentait un peu dans l'état d'esprit d'un homme dont le seul désir est de se soûler, et il décida, si l'occasion se présentait, de goûter à la bière de frère Peter. Il ne refuserait pas car, si redoutable qu'elle fût pour l'estomac, elle lui apporterait l'oubli.

TROISIÈME PARTIE

— 1 —

Toute la famille, Patrick excepté, était rassemblée dans le bureau. La pièce, située entre la bibliothèque et la salle de billard, était la seule où on pouvait hausser le ton sans être entendu du reste de la maison. Et, à ce moment précis, Veronica Lawson ne s'en privait pas. Elle se tenait toute raide près du fauteuil de cuir où son mari était assis, au coin du feu.

— Faites quelque chose, vous m'entendez ! Descendez régler cette affaire immédiatement ! Et demandez-lui ce qu'il a l'intention de nous faire subir encore après ça !

James Lawson était penché en avant, les mains croisées sur son estomac protubérant, le regard rivé sur le tapis.

— Ce bâtard ne doit pas voir le jour, poursuivit sa femme. Je ne l'admettrai pas.

Il se redressa lentement et leva les yeux vers elle.

— Que voulez-vous dire ?

— Rien de plus. C'est insupportable. Il faut agir.

Veronica Lawson prit une profonde inspiration et se tourna vers son fils, assis en face, puis vers sa fille aînée, qui se tenait près de la fenêtre et regardait le parc couvert de neige d'un air absent.

Décontenancée un moment par l'absence de réponse, elle s'écria :

— Je vais descendre moi-même l'interroger.

— Il n'en est pas question, mère, dit Vincent en se levant d'un bond. De toute façon, nous serons bientôt fixés sur ses intentions. Ce matin, j'ai surpris Billings qui bavardait dans l'écurie : apparemment, Young a emmené grand-père voir Ferguson la semaine dernière à son bureau, à la suite de quoi ce dernier s'est rendu hier au Petit Manoir avec son assistant.

— Il a fait venir son conseiller en affaires ? Tu en es sûr ?

Une sorte de rictus involontaire plissa les lèvres de Veronica Lawson.

— C'est ce que j'ai entendu dire, mère. Il n'y a rien d'autre à faire qu'à attendre.

— Je me demande ce qu'il peut faire de pire... Il a déjà pris notre voiture et emmené Young, qui était à notre service depuis des années, ainsi que deux garçons d'écurie.

James Lawson quitta son fauteuil dans un mouvement d'impatience, s'agrippa des deux mains au manteau de la cheminée et reprit sa femme sur un ton qui était loin d'être calme.

— Il a repris *sa* voiture et *ses* gens, Veronica. Nuance.

Puis il fit volte-face et poursuivit d'une voix tonitruante, en la regardant droit dans les yeux :

— Vous êtes-vous une seule fois demandé qui est à blâmer dans cette histoire ? Non, bien sûr, tout est la faute de Marie Anne. Si vous aviez rempli votre rôle de mère auprès de cette enfant comme vous l'avez fait pour Evelyn (il pointa l'index vers la fenêtre), nous n'en serions pas là aujourd'hui ! Vous êtes une femme dénaturée, voilà la vérité, vous m'entendez !

— Père ! dit Vincent sur un ton de réprimande.

James se tourna vers son fils, haussant encore le ton.

— Et toi, ne me parle pas sur ce ton. Ça fait des années que j'aurais dû te mater, car tu n'es qu'un petit salaud, tu as toujours été cruel envers cette petite, chaque fois que tu as pu lui attirer des ennuis, tu ne t'en es pas privé. Alors ne viens pas me dicter ma conduite, c'est compris ?

Evelyn s'était détournée de la contemplation du paysage et regardait son père, stupéfaite. C'était la première fois qu'elle le voyait se comporter en maître chez lui — ou plus exactement chez son père, comme cela ne faisait plus de doute depuis que Marie Anne était de retour, voici trois semaines. Et, pour la première fois, elle éprouva du respect pour lui lorsqu'il sortit de la pièce en claquant la porte.

Avant qu'ils aient eu le temps de reprendre leurs esprits, la porte se rouvrit et Pat entra.

— Je viens d'informer père que nous devons nous retrouver dans la bibliothèque à deux heures. Grand-père désire nous voir tous ensemble.

— Ordres du palais ! J'espère que tu lui as dit que tu n'étais pas le messager de service.

— Je ne me considère pas comme tel, mais il s'agit d'une affaire privée.

— Les dés sont donc jetés d'avance.

— Non. Je n'en sais pas plus que vous sur les intentions de grand-père.

— Le bruit court qu'il a vu son conseiller juridique, dit Veronica en s'avançant vers son fils. Pas plus tard qu'hier. Et il s'était rendu à son bureau la semaine précédente.

— Si vous l'avez entendu dire, mère, c'est que cela doit être vrai.

— Tu n'es au courant de rien ? demanda Vincent.

— Non. Et je n'ai pas envie de savoir, ce n'est pas mon affaire.

— Ah bon ? Pourtant tu as sauté sur l'occasion pour aller vivre avec lui.

— Oui. Et j'en suis très heureux, imagine-toi, car je ne l'ai jamais été dans cette maison.

— Oh ! s'écria sa mère d'un ton lamentable. C'est plus que je n'en puis supporter...

Elle se précipita vers la porte, Vincent sur ses talons.

— Toi, mon garçon, je te réglerai ton compte, tu ne perds rien pour attendre, siffla-t-il à Pat avant de partir.

Une fois seuls, le frère et la sœur se regardèrent un instant, puis Evelyn s'avança lentement vers Pat.

— Tu ne sais vraiment pas ce qui se prépare ?

— Sincèrement non, Evelyn, répondit Pat en hochant la tête. Je sais que grand-père a pris de nouvelles dispositions. Il voulait m'en parler mais j'ai refusé, j'ai pensé qu'il valait mieux qu'il garde ses décisions pour lui.

— Tu crois qu'il va prendre des mesures radicales ?

— Je n'en sais rien. Tout ce que je peux dire, c'est qu'il y aura du nouveau. Où et comment, je l'ignore. Mais je sais pourquoi : c'est directement à cause de mère. Je crois que grand-père ne l'a jamais acceptée comme belle-fille, bien qu'il ait fait des concessions. L'ambition de notre mère pour acquérir une position sociale dans le comté lui a toujours tapé sur les nerfs. Du temps de grand-mère, ils étaient tenus en haute estime, et toutes les portes leur étaient ouvertes. Mais grand-père était tout sauf un mondain, il se consacrait entièrement à ses affaires. Le premier sujet de discorde entre mère et lui fut un bal où elle voulait inviter des gens qu'il ne connaissait ni d'Ève ni d'Adam. Cet incident a eu lieu pendant la deuxième année du mariage de nos parents, ensuite il est allé s'installer au Petit Manoir, d'où il n'a plus bougé jusqu'à la mort de grand-mère. À ce moment, je crois que mère a essayé de tirer les ficelles de nouveau, tu en as eu un échantillon ces dernières années... Il paraît qu'elle t'a présenté quelqu'un... Il te plaît ?

— Je ne sais pas, Pat. Il a environ le double de mon âge, il a déjà été marié. Franchement, l'idée d'épouser cet homme me répugne, mais, apparemment, il faut que je me décide si je ne veux pas passer le reste de mes jours dans cette maison avec mère. J'ai vingt-six ans, Pat, et je ne peux plus espérer avoir des jeunes gens à mes pieds... d'ailleurs je n'en ai jamais eu...

— Vingt-six ans, c'est jeune, de nos jours ! Les temps changent, Evelyn. On dit qu'après la disparition de la reine il y aura une véritable révolution dans les esprits. Ne serait-ce que parce qu'il y aura un homme sur le trône et que le futur roi est un authentique libéral. Sérieusement, Evelyn, ne te marie pas uniquement pour fuir la maison, je t'en prie ! Tu es destinée à quelqu'un, j'en suis sûr. Tu es une belle femme, une belle jeune fille, car pour moi tu es toujours une jeune fille, surtout quand tu souris en te penchant un peu en avant, comme ça...

Elle avança la main et prit celle de son frère entre les siennes.

— Tu sais, Pat, c'est drôle, depuis le soir où j'ai pleuré, je me sens différente. Je pourrais dire plus légère mais, en fait, c'est plus que cela, j'ai un regard différent sur les gens — même sur Marie Anne. Mon Dieu ! Je me suis dit l'autre soir que si elle était née dans une famille royale elle aurait déclenché une guerre mondiale.

— La pauvre chérie ! Non, mais tu la vois semer la discorde dans le monde ! Si tu la connaissais vraiment, tu découvrirais la plus aimable et la plus tendre des créatures. À propos de guerre, je redoute le conseil de famille de cet après-midi.

— Est-il vrai que grand-père reçoit de temps en temps à dîner cet homme masqué ?

— Oui, c'est vrai, Evelyn. Cet homme masqué, comme tu l'appelles, c'est Don McAlister, un homme cultivé et intelligent, et habile sculpteur de surcroît.

— Ah... qu'est-ce qu'il a au visage ? Il a été brûlé ?

— Je ne sais pas, Evelyn, je ne le lui ai jamais demandé.

— J'ai entendu Fanny Carter et Carrie Jones bavarder, avant leur départ pour le Petit Manoir. Elles disaient que la jeune servante, Katie, a ameuté toute la maison avec ses hurlements la première fois qu'elle lui a ouvert la porte. A-t-il quelque chose à voir avec le retour de Marie Anne ?

— Oui, c'est lui qui a retrouvé sa trace. Je te raconterai tout ça un jour.

— Tu as vraiment l'intention de rester vivre là-bas avec grand-père ?

— Oh oui ! L'atmosphère est si différente au Petit Manoir ! La maison est pleine de rires et de gaieté.

— Oh ! dit Evelyn avec son petit ton aigrelet d'autrefois, si tu avais été là ces deux dernières semaines, tu aurais entendu des rires ici aussi, figure-toi. Ça fait des années que nous n'avions pas eu autant d'invités, ils espéraient tous voir la fille perdue et affichaient une obséquiosité sournoise vis-à-vis de mère, tout en riant sous cape à ses dépens. Par moments, je n'ai pu m'empêcher de la plaindre d'être obligée de faire bonne figure alors qu'elle n'avait qu'une envie, c'était de les gifler. De plus, elle est profondément affectée de ne pas avoir reçu d'invitation officielle pour le bal du château, alors qu'avant Noël lady Knight nous avait laissé entendre que cela allait de soi. Et, circonstance aggravante à mon avis, une servante venait d'être renvoyée du château quelque temps auparavant : elle était dans le même état que Marie Anne... Mais *elle,* on l'a renvoyée...

Evelyn se détourna et se dirigea vers la fenêtre.

Il la regarda tristement en pensant que l'Evelyn d'autrefois n'était pas morte. Après tout, c'est compréhensible, se dit-il en quittant la pièce.

Ce fut le maître d'hôtel, Frank Pickford, qui accueillit son vieux maître, accompagné de M. Patrick.

— Bonjour, monsieur, dit-il en l'aidant à ôter son manteau.

— Où sont-ils ?

— La famille est réunie dans le salon, monsieur.

— Dites-leur de me rejoindre dans la bibliothèque.

Cinq minutes plus tard, Veronica Lawson, précédant son mari, entra dans la pièce. Evelyn suivait, puis Vincent, qui referma la porte sans trop de ménagement. Ils restèrent un moment debout à regarder Emanuel, assis au bout de la grande table de lecture, sur laquelle il avait disposé un certain nombre de documents.

— Asseyez-vous, nous en avons pour un bon moment. James, mets-toi à côté de moi, en face de Patrick.

— Oui, père.

Tandis que James s'exécutait, Vincent avança prestement un siège vers sa mère, à l'autre bout de la table, avant qu'elle n'ait eu le temps de dire quoi que ce soit de fâcheux. Elle posa les mains sur le revêtement de cuir du bureau et se mit à tambouriner de façon ostentatoire. De l'autre extrémité de la table, Emanuel la toisa du regard.

— Quand vous aurez cessé votre signal de guerre, Veronica, et qu'Evelyn et Vincent seront assis, nous pourrons commencer.

Il attendit encore un petit moment, puis brandit un rouleau de parchemin qui était posé sur la table.

— Je doute qu'aucun d'entre vous ne connaisse vraiment l'histoire de cette maison et du Petit Manoir, et même si c'est le cas, ça ne vous fera pas de mal, il est en effet nécessaire de vous la remémorer. Le Petit Manoir a été construit en 1750 et s'appelait alors La Jachère. Ne me demandez pas pourquoi, mais il est vrai que le terre-plein qui l'entoure évoque en effet une terre en friche. Son propriétaire était un certain Isaac Wilding, armateur de son état. La propriété comprenait huit cents acres de terres, plus six cents autres en fermage, qui sont aujourd'hui louées à M. Harding. À cette époque, les affaires de M. Wilding étaient prospères et, à un moment donné, il souhaita s'installer dans une demeure plus luxueuse. C'était un homme ambitieux, qui avait lui aussi une femme ambitieuse. (Emanuel s'abstint de regarder sa belle-fille, et poursuivit :) Il acheta un terrain de mille quatre cents acres et fit construire cette maison et les écuries. Il vécut largement, dépensant sans compter, tant et si bien que son affaire coula.

J'ai oublié de vous signaler qu'il avait légué La Jachère à son fils, et toute la famille fut balayée par le raz de marée. C'est aux environs de 1780 que mon arrière-grand-père acheta cette maison, et, comme l'avait fait le précédent propriétaire, il installa son fils à La Jachère. Malheureusement, ni l'un ni l'autre ne vécurent assez longtemps pour jouir du fruit de leur travail. Mon grand-père avait repris l'affaire en 1800. Sur ses six enfants, il ne lui restait que deux fils vivants et, comme ses prédécesseurs, il installa l'un d'eux au Petit Manoir, auquel il fit ajouter une aile quand la famille de son fils s'agrandit. D'ailleurs, cette aile, qui est restée fermée pendant des années, revit à présent, je vous assure (il jeta un regard circulaire autour de la table en hochant la tête). Mon père est né dans cette maison et j'y ai vu moi-même le jour vingt-trois ans plus tard, c'est pourquoi j'ai préféré y rester avec ma femme et te léguer le Manoir quand tu t'es marié... (Le vieil homme se pencha vers James...) Et ce fut une erreur, une grossière erreur. Cependant, rien n'a été consigné par écrit, il ne s'agissait que d'une promesse verbale, selon laquelle la maison serait à toi tant que tu vivrais. Tu te le rappelles ?

James regardait son père, le visage congestionné, se mordant les lèvres avec un mouvement nerveux, incapable de proférer une parole. Emanuel Lawson reprit :

— Durant toutes ces années — pas loin de trente, puisque les jumeaux vont avoir vingt-neuf ans —, j'ai entretenu vos domestiques, hommes et femmes, j'ai tout financé : leurs gages, leurs uniformes. Je l'ai fait avec de plus en plus de réticence car, moins votre famille était nombreuse — puisque les jumeaux étaient au Canada et que Marie Anne était bannie (il lança un regard assassin à sa belle-fille, qu'elle lui rendit) —, plus votre train de vie devenait dispendieux : il vous fallait toujours plus de serviteurs, et pour quoi faire ? Pour les voir se bagarrer ou paresser sur les pelouses ! Vous avez deux mille deux cents acres, et qu'en avez-vous fait ? Excepté les bois, vous avez fait des pelouses, des plates-bandes et des serres pleines de plantes exotiques dont vous ne connaissez même pas les noms ! J'ai laissé faire en pensant : je deviens vieux, à quoi bon me gendarmer ? Tout ça n'a pas d'importance... Mais à présent, j'ai réalisé que je ne suis pas trop vieux pour jouir du temps qui me reste et réparer les erreurs commises envers ceux qui ont été privés de leur jeunesse.

Sentant un léger mouvement à côté de lui, le vieil homme se tourna vers Pat sans s'interrompre.

— Ça va, Pat, ne t'inquiète pas. Je ne vais pas avoir une attaque. Pourtant il y aurait de quoi. Bien, finissons-en avec les préliminaires, j'en suis à peine à la moitié de ce que j'ai à vous dire. Comme à l'origine, il y avait huit cents acres attachées au Petit Manoir, sans compter les terres louées à Harding, j'ai décidé de lui en allouer quatre cents autres à l'ouest de la propriété, adjacentes à ses propres terres, afin qu'il les cultive ou les mette en pâture. De cette façon, je crée une sorte de frontière — invisible sur le terrain, mais bien réelle sur le papier. Il tapota du plat de la main un document posé devant lui. Tout est là, noir sur blanc : il vous reste mille acres (dit-il en se tournant vers son fils). Et comme vous aurez moins de terres, vous aurez besoin de moins de personnel — n'oubliez pas que, dorénavant, vous devrez les payer de votre propre poche. J'ai fait dater l'acte rétroactivement au 1er janvier de cette année. Moins vous aurez de personnel, plus ce sera facile à gérer. J'ai déjà repris Young à mon service, ainsi que deux garçons d'écurie, et la voiture. Je ne vous prive pas de moyen de locomotion, puisqu'il vous reste la carriole. Vous pouvez également congédier deux jardiniers et, en ce qui concerne le personnel de maison, j'ai repris deux servantes. Vous vous en tirerez très bien avec un valet de pied ou un maître d'hôtel, vous n'avez pas besoin des deux. Il est vrai que vous ne regardiez pas à la dépense tant que c'était moi qui payais... À mon avis, Green fera très bien l'affaire à lui tout seul. (Il se pencha de nouveau vers son fils :) J'ai fait procéder à une enquête au château et au manoir de Baintrees. Eh bien, avec toutes leurs obligations, dont la moindre n'est pas celle de recevoir des hôtes royaux de passage et autres gros bonnets de Londres, ils n'ont que quatre domestiques de plus que vous ! Donc, James, je vous conseille de convoquer votre intendante et de lui suggérer de faire des économies si elle tient à sa place. Les choses vont changer, et rapidement, comptez sur moi. Ah ! j'oubliais, je prends Lady et son poulain au Petit Manoir.

— Non, vous ne pouvez pas me faire ça !

C'était Vincent qui avait crié, il s'était à moitié levé de sa chaise, le visage congestionné de colère.

— Lady est à moi, je l'ai toujours montée !

— À toi ? Depuis quand, s'il te plaît ? Je me souviens l'avoir achetée il y a dix ans et l'avoir montée deux ans. Je me souviens également t'avoir interdit de la monter il y a quatre ans, parce que tu la faisais toujours écumer. Brindle t'aurait mieux convenu, elle courait bien et supportait plus de poids, mais tu n'arrivais pas à lui faire faire ce que tu voulais. J'ai toujours considéré que Lady était trop délicate pour ta façon de monter. En tout cas, mon petit monsieur, si à l'avenir tu souhaites monter une jument comme Lady, il faudra que tu te la paies. Et je finirai bien par savoir quel est le palefrenier qui m'a désobéi... Au fond, tout ça vient du fait que tu as toujours joué au patron. Mais nous y reviendrons plus tard.

Il ne s'expliquait pas clairement pourquoi il avait voulu reprendre cette jument et son poulain, mais peut-être avait-il au fond de sa tête l'image d'une petite fille à cheval sur un poney...

— La seconde partie de l'entretien ne sera pas longue (il regarda son fils droit dans les yeux), notre entreprise étant une affaire familiale.

Puis il regarda alternativement Vincent, toujours cramoisi de fureur, et Pat, qui s'était levé et se tenait près de lui.

— James, en ce qui concerne la compagnie et d'après mes conseillers juridiques, étant donné que je suis à la tête de l'affaire et que je possède soixante et un pour cent des parts, je suis libre d'agir à ma guise.

James sembla faire un effort surhumain pour hocher la tête en signe d'acquiescement.

— Bien. James, tu possèdes vingt pour cent des parts, c'est exact ?

Comme James ne répondait rien, Emanuel Lawson haussa le ton.

— Je me trompe ?

— Non, non, père.

— Vincent en a dix pour cent et les neuf pour cent restants appartiennent à Pat. Je ne me suis pas préoccupé des jumeaux, ils se débrouillent très bien par eux-mêmes et n'ont pas besoin de mon aide. J'ai l'intention de donner dix pour cent supplémentaires à Pat, pris sur mes parts, ce qui l'amène à dix-neuf pour cent. Il y a un autre sujet dont je veux t'entretenir en privé, James, à propos des parts, une fois que tu auras réfléchi à ta nouvelle situation et à la façon dont tu comptes assurer ton train de vie à l'avenir. Car je doute que ton seul salaire y suffise, n'est-ce pas ?

— En effet, père, dit James. (Sa voix était réduite à un murmure.)

— Bien. Nous en parlerons plus tard. Maintenant, il faut que vous sachiez que, si je venais à disparaître demain, toutes mes parts seraient transmises à ma petite-fille, Marie Anne Lawson, lui assurant le contrôle de la compagnie.

Un concert de cris l'empêcha d'aller plus avant. James bondit, imité par Vincent, qui se mit à crier :

— Non, non ! Vous ne pouvez pas nous faire une chose pareille !

Curieusement, Veronica resta de marbre.

Emanuel les enveloppa d'un regard dénué de tendresse.

— Vous semblez oublier une chose, c'est qu'il s'agit de *ma* compagnie. Ce sont mes ancêtres qui l'ont bâtie, au prix de leur travail et de leurs efforts. Et si j'ai moi-même contribué à la faire prospérer pour qu'elle occupe la place qu'elle a aujourd'hui, c'est grâce à un seul d'entre vous, Patrick, qui m'a assisté dès qu'il a été en âge de le faire et qui s'est totalement investi dans l'affaire depuis plusieurs années. Il a travaillé sur les bateaux, dans les moindres recoins, même les moins ragoûtants, à fond de cale et sur les ponts, où il a bien failli se briser les reins. Tandis que toi, Vincent, tu t'estimais trop bien né pour aller dans une cale ou dans un entrepôt. Je crois bien que tu n'as jamais mis les pieds sur un bateau de ta vie, pas même sur le pont ! Quant à toi, James, tu n'es guère sorti de ton bureau depuis des années. Pat est le seul d'entre vous sur qui j'ai pu compter, et quand Marie Anne sera propriétaire de la compagnie, si tu venais à disparaître, James, j'ai pris les dispositions légales pour que Pat en soit le directeur. Tout est donc en ordre de ce côté-là. En tant que propriétaire de cette affaire et de cette maison, ainsi que du Petit Manoir, j'ai donc agi en toute légalité. Si tu souhaites continuer à vivre dans cette maison, James, tu es le bienvenu, mais tu devras trouver les moyens de l'entretenir car il ne faudra plus compter sur moi à l'avenir.

— Vous n'êtes qu'un vieillard pervers et méchant ! Je vous hais ! hurla Veronica.

Vincent posa sa main sur celle de sa mère, qui s'approchait dangereusement d'un lourd encrier en cristal, et il n'était pas le seul à penser qu'elle allait le jeter à la tête de son beau-père.

— Vous n'êtes qu'une vieille bête malfaisante !

Emanuel Lawson se leva, longea la table et vint se poster près de Veronica, la dominant de toute sa haute stature.

— Comment osez-vous me traiter de malfaisant, vous qui avez envoyé votre fille chez une vieille bigote, un monstre de cruauté du même acabit que vous. Vous avez même câblé à votre demi-sœur de ne pas la renvoyer auprès de moi, vous avez insisté pour qu'elle la place dans un foyer, et quel foyer ! Un refuge de prostituées, où elle aurait échoué sans l'aide de Mlle Foggerty : c'est elle qui a pris les choses en main. Elle a quitté Martha pour emmener Marie Anne chez sa propre sœur, dans un milieu pauvre, où elle a trouvé plus de compréhension et d'amour qu'elle n'en avait jamais eu chez elle. Pour finir, sachez que j'ai pris toutes ces dispositions pour l'avenir de ma compagnie uniquement à cause de vous. Mon fils a commis la plus grosse erreur de sa vie en vous épousant. Il faut dire que vous étiez attirée par sa fortune et que vous avez fait des pieds et des mains pour l'épouser. Vos parents étaient de simples cordonniers, vous étiez sans dot, mais vous aviez la folie des grandeurs, n'est-ce pas ? Vous vouliez fréquenter les riches et les puissants. À présent, vous avez le choix, ma chère belle-fille, soit vous restez ici, avec un personnel restreint, soit vous déménagez.

Sachant que la colère rendrait Veronica muette, il regagna son siège et s'adressa à Vincent, qui maintenait toujours les mains de sa mère sur le bureau.

— Tu as un très bon salaire et tes parts te rapportent, tu pourras donc participer à l'entretien de la maison. Je suis sûr que c'est ce que Pat aurait fait s'il avait décidé de vivre ici.

Puis il se tourna vers sa petite-fille.

— Je ne t'ai pas oubliée, Evelyn. Si tu ne te maries pas, tes besoins seront assurés. Et en attendant, je vais te faire une rente confortable.

Pas un muscle du visage d'Evelyn ne tressaillit. Pour elle, le vieil homme venait de détruire sa famille. Ils n'avaient jamais été très proches mais, là, il avait déclenché une véritable tempête : l'idée que Pat passât avant son frère aîné était inconcevable. Vincent était capable de commettre un acte désespéré. Qui plus est, il ne supporterait jamais qu'un jour la compagnie tombe sous le contrôle de Marie Anne.

Quant à sa mère, c'était désormais une femme brisée. Quoique... elle était capable de survivre rien que pour prier qu'un grand malheur s'abatte sur son beau-père.

Evelyn savait que son grand-père s'attendait à une forme de remerciement, mais elle ne put s'y résoudre.

James Lawson était toujours assis, la tête baissée et les mains jointes.

— James, j'aimerais te voir... disons demain après-midi, ça te laisse le temps de réfléchir. À moins que ça ne soit trop tôt ?

James releva la tête et répondit sans émotion apparente :

— Non, père. Je serai dans votre bureau demain après-midi.

En aidant son grand-père à se lever, Pat croisa le regard de son père et lui fit un petit signe de tête, un signe de compréhension. Il aida son grand-père à rassembler ses documents, puis tous deux sortirent de la pièce.

Vincent aida sa mère à se mettre debout et l'escorta jusqu'à la porte sans proférer une seule parole, laissant James assis à la table. Evelyn regarda son père et eut pitié de lui : il avait tout juste dépassé la cinquantaine, et paraissait aussi vieux que son propre père. Perdant, il n'y avait pas d'autre mot, c'était un perdant. Elle l'avait toujours considéré comme un homme dénué d'ambition et de sens pratique, un faible incapable de tenir tête à sa femme. Le seul endroit où il semblait faire montre de quelque autorité était leur chambre à coucher, et bien avant que sa mère ait décidé de l'installer à l'autre bout de la maison, elle savait pourquoi ils se disputaient presque toutes les nuits.

Quant à sa mère, elle l'avait toujours jugée comme une femme forte, dévorée d'ambition, qui considérait sa deuxième fille comme un obstacle à son ascension sociale. Mais de là à l'écarter de la maison pour l'envoyer dans un endroit sordide, comme l'avait décrit son grand-père, cela paraissait incroyable. L'épithète « terrifiante » semblait mieux lui convenir que « malfaisante » et elle savait que son acharnement à vouloir la marier n'était guidé que par sa propre ambition et non par le désir de la voir heureuse. Le gibier qu'elle avait rabattu pour elle, cette fois-ci, était un homme riche, à demi américain, versé dans le commerce des automobiles — une affaire en pointe qui allait l'enrichir encore. Était-ce un hasard qu'il ne soit pas venu lui rendre visite la semaine passée ? Elle savait qu'il devait rentrer en Amérique, et peut-être était-il déjà parti… De toute façon, elle allait devoir affronter la fureur de sa mère quand elle lui dirait que sa réponse aurait été non.

Elle s'approcha de son père et lui dit doucement :

— Savez-vous ce qui me ferait plaisir en ce moment, père ?

Il leva vers sa fille un visage livide et la dévisagea sans mot dire.

— Un grand verre de porto, sans citron.

— C'est une bonne idée, mais à cette heure de la journée ça ne passera pas inaperçu.

— Sauf si j'y vais moi-même. Il n'y a personne dans la salle à manger en ce moment. Je peux me glisser par la porte.

Il lui donna une petite tape sur le bras et se leva lourdement.

— Allez vous asseoir près du feu, père.

Tandis qu'Evelyn sortait furtivement, il approcha un fauteuil près de la cheminée. Il était glacé jusqu'aux os.

C'était un froid intérieur, causé par la conscience que sa vie n'était qu'un vaste échec et qu'à cinquante et un ans il était encore sous la coupe de son père. Sa fille s'en était rendu compte, et elle lui avait parlé comme jamais auparavant, gentiment, affectueusement même. Ils boiraient ensemble un verre de porto, mais il n'aspirait qu'à se soûler pour oublier que, demain, il devrait affronter de nouveau son père.

— 2 —

James Lawson n'avait jamais frappé à la porte du Petit Manoir, mais, à présent, la situation avait changé, les deux maisons étaient deux propriétés distinctes. Il venait de traverser la pelouse couverte de neige qui crissait sous ses pas et il eut un pincement au cœur en voyant deux palefreniers entraîner Lady et son poulain, deux hommes qu'il considérait il y a seulement quelques jours comme *ses* domestiques — à supposer qu'ils les ait jamais considérés — et qui, sans le savoir, personnifiaient la rupture entre les deux maisons.

La neige avait été déblayée sur le seuil. James gratta ses semelles contre le décrottoir fixé à côté de la porte, chose à laquelle il n'aurait jamais pensé auparavant, car quel que fût l'état de ses bottes, son valet de pied se précipitait pour les lui ôter et lui passer ses pantoufles...

Il actionna la poignée de la sonnette d'entrée, et ce fut Carrie Jones qui vint ouvrir.

— Oh ! bonjour, monsieur, s'exclama-t-elle d'une voix étranglée.

— Bonjour... hum... Jones.

Il avait eu du mal à se rappeler son nom. Son visage lui était certes familier car il avait dû passer devant elle pendant des années, mais il n'avait jamais échangé un mot avec cette servante.

— Ça pince dehors, n'est-ce pas monsieur ?

— Oui, oui, il fait très froid.

— Le maître est au salon, dit-elle en l'aidant à ôter son manteau.

— Merci.

Il se dirigeait vers la porte du fond lorsqu'une jeune femme traversa le hall. Elle était vêtue d'une robe en laine de coupe ample qui ne parvenait pas à dissimuler son ventre. Ses cheveux bruns brillants retombaient en boucles sur sa nuque. Il s'arrêta, pétrifié. Était-ce bien sa fille Marie Anne, qu'il n'avait pas vue depuis près d'un an et demi ? Cette jeune femme, enceinte, ne ressemblait en rien à l'enfant qu'il connaissait.

Elle aussi s'était arrêtée, une main sur la poignée de la porte. James ouvrit lentement les bras et elle courut vers lui.

— Père ! Père !

En serrant dans ses bras sa plus jeune fille, James Lawson était au bord des larmes. Il était incapable de parler, même de dire son nom, car il venait de réaliser que pour la première fois de sa vie il prenait dans ses bras cette enfant conçue dans la violence et élevée sans amour.

— Père, c'est bon de vous voir, dit-elle en s'arrachant à son étreinte, sans lui lâcher les mains. Je suis désolée d'avoir semé le trouble... Je ne le voulais pas, je vous assure, père.

— Chut... chut...

Comme encouragé par le son de sa propre voix, il reprit :

— Ne t'inquiète pas, je comprends.

Puis, un sourire contraint aux lèvres :

— Où est-il ?

— Dans le salon. Mais il vient juste de s'assoupir, il fait toujours un petit somme d'une demi-heure après le déjeuner. Venez, père, par ici...

Elle le prit par la main et le conduisit vers le petit couloir qui desservait l'aile ouest.

Il ne se souvenait pas depuis combien d'années il n'était pas allé dans cette partie de la maison, probablement peu avant la mort de sa mère. Elle en avait fait ce qu'elle appelait sa « retraite » et, depuis sa disparition, l'aile n'était pas fermée, elle était simplement ignorée, son père n'ayant gardé que les Makepeace et une servante pour s'occuper de lui quand il venait au Petit Manoir, à ses moments perdus.

Ils étaient à présent dans un petit vestibule, qui se prolongeait d'un côté par un couloir et de l'autre par quelques marches basses donnant sur ce qui était autrefois la nursery. Peut-être était-ce le reflet de la neige au-dehors, mais tout paraissait lumineux.

— Allons dans mon petit salon, dit Marie Anne, il y fait bon, et je suis si heureuse de pouvoir bavarder avec vous, père.

Il ne répondit pas « moi aussi, Marie Anne » tant il était médusé par le changement qui s'était opéré en elle. Elle lui rappelait sa propre mère, par certains côtés... était-ce parce qu'elle aussi affectionnait cette petite pièce ? Il remarqua immédiatement que le tapis et les rideaux étaient neufs, et il se dit que son père avait fait redécorer toute l'aile pour accueillir sa petite-fille chérie.

Ils s'assirent sur le canapé devant la cheminée, où brûlait un feu de bois.

— Je suis navrée, père, je n'ai pas souhaité tous ces changements que grand-père vous a imposés. Croyez-moi, si j'avais su qu'il se montrerait aussi dur, je ne serais pas revenue.

— Ma chérie, il fallait que tu reviennes.

— Non, père, pas forcément. Pas après avoir échappé à tante Martha.

Il hocha la tête en signe d'assentiment.

— Hum... Ne me parle pas de Martha... j'ai eu tellement de remords quand ta mère t'a envoyée là-bas...

— Oh ! tante Martha était décidée à m'envoyer dans ce foyer... et je ne sais pas ce que je serais devenue sans sa gouvernante, Mlle Foggerty... Sarah. C'est elle qui m'a tirée de plus d'un mauvais pas. Je croyais pouvoir me débrouiller toute seule, mais à présent je sais que je n'y serais pas arrivée, surtout dans une ville comme Londres et (sa voix s'étrangla) dans mon état. (Elle posa gentiment une main sur son genou :) Aimeriez-vous faire la connaissance de Sarah... enfin... de Mlle Foggerty ? Grand-père l'a engagée comme gouvernante, mais, pour moi, c'est toujours Sarah.

— Oui, bien sûr, si tu le souhaites... Avec plaisir.

Elle se leva et tira le cordon de sonnette d'un geste naturel, puis vint se rasseoir à côté de son père. La porte s'ouvrit bientôt et Fanny Carter apparut.

— Fanny, veux-tu demander à Mlle Foggerty de venir un instant, si elle n'est pas trop occupée ?

— Oui, mademoiselle.

Quand la petite bonne eut refermé la porte, James regarda intensément sa fille : elle se comportait en véritable maîtresse de maison — ç'aurait été une bonne leçon pour sa mère, se dit-il.

Marie Anne, une expression animée sur le visage, se pencha vers son père.

— Il ne faudra pas vous formaliser de ses propos, père. Elle est irlandaise, vous vous en apercevrez immédiatement. Elle a des reparties très drôles, mais elle n'a pas la moindre notion du rang et met tout le monde sur le même pied. (Le visage de Marie Anne s'assombrit.) À certains moments, c'est uniquement grâce à son sens de l'humour que je n'ai pas sombré dans le désespoir... j'aurais pu commettre une bêtise... J'ai été affreusement malheureuse là-bas, si vous saviez...

Il posa sa main sur celle de sa fille.

— Si quelqu'un est à blâmer dans cette affaire, c'est bien moi. Il y a des années que j'aurais dû redresser la tête. J'ai été trop faible avec ta mère et trop égoïste. Si je m'étais montré plus ferme, tu n'aurais pas subi toutes les épreuves que tu as endurées depuis que tu es toute petite. Il n'y a que peu de temps que je l'ai réalisé. Par la force des choses.

On frappa à la porte. Marie Anne dégagea sa main de celle de son père et se leva pour saluer Sarah.

— Entre, Sarah, je voudrais te présenter mon père.

James Lawson amorça un mouvement pour se lever mais Sarah l'arrêta d'un geste de la main.

— Ne vous dérangez pas, monsieur, restez assis ! Je suis très heureuse de vous rencontrer.

James prit la main qu'elle lui tendait et la secoua vigoureusement.

— Très heureux également, mademoiselle Foggerty. Je sais combien vous avez été bonne pour ma fille, à un moment où elle avait grand besoin d'aide et d'amitié.

— J'ai été bien récompensée, monsieur. Car c'est vrai que je l'ai prise sous mon aile dès le premier jour, et ce n'est pas souvent qu'on reçoit un prix pour avoir recueilli un oiseau blessé, mais là, je peux dire que j'ai tiré le gros lot !

Marie Anne vit que son père souriait et elle crut même qu'il allait éclater de rire.

— Voulez-vous une tasse de thé, monsieur ? Il est bientôt trois heures, et mademoiselle en prend habituellement à cette heure-là.

James jeta un regard en coulisse à Marie Anne et s'aperçut qu'elle aussi souriait.

— Qu'en penses-tu ? Ça me paraît une bonne idée.

— Oui, père. Je prendrais volontiers une tasse de thé.

— C'est comme si c'était fait, dit Sarah en faisant volte-face. Je m'en occupe personnellement.

La porte à peine refermée, James se mit la main sur les yeux en se mordant la lèvre inférieure. Marie Anne se pencha vers lui en s'appuyant sur son bras.

— Je sais ce que vous pensez, père. Elle occupe le poste de gouvernante et elle met un point d'honneur à bien jouer ce rôle

— ou du moins l'idée qu'elle s'en fait. Comme vous avez pu vous en rendre compte, elle n'engendre vraiment pas la mélancolie. Fanny et Carrie l'aiment bien. Quant à Mme Makepeace, c'est moins sûr... elle règne en maîtresse absolue depuis si longtemps qu'elle ne voit pas d'un bon œil l'arrivée d'une nouvelle gouvernante. De toute façon, Sarah finira par la séduire, ne t'inquiète pas.

— Je n'en doute pas !

Marie Anne prit soudain un air grave.

— C'est elle qui m'a appris la vie, elle m'a fait découvrir un monde dont je ne soupçonnais même pas l'existence. Sa sœur vit au troisième étage d'un immeuble vétuste, elle a dix enfants et un mari qui ne lui est d'aucune aide. Sarah lui donne de l'argent depuis des années : la moitié du maigre salaire qu'elle recevait chez Martha, à savoir six shillings par semaine, allait à sa sœur.

— Six shillings par semaine ?

— Oui, père. Pour travailler nuit et jour. Et c'est chez sa sœur qu'elle m'a emmenée, alors que Martha voulait m'envoyer dans cet horrible foyer pour prostituées. C'est ainsi que nous avons pris ce deux-pièces sous les toits, juste au-dessus de chez sa sœur. Les escaliers étaient raides et il fallait tout monter : l'eau, le charbon... mais j'ai rencontré là plus d'amour et de gentillesse que je n'en avais connu dans toute ma vie... Et j'ai même gagné ma vie grâce à mes dessins.

— Quel genre de dessins ?

— Oh ! vous savez, mes caricatures...

— Tu as réussi à les vendre ?

— Oui, à un quotidien. D'abord ils ne m'ont proposé que quatre shillings pièce, mais grâce à Sarah j'en ai obtenu cinq. C'était en décembre. J'ai cru qu'ils m'avaient oubliée depuis, mais j'ai reçu une lettre du rédacteur en chef. Il voulait me voir au début de la nouvelle année et me proposait de travailler régulièrement pour son journal. Mes dessins lui ont beaucoup plu et il en veut un ou deux par semaine. Et savez-vous où j'ai puisé mon inspiration ?

James Lawson hocha la tête d'un air dubitatif et elle poursuivit :

— Ce sont neuf enfants attablés autour d'un ragoût de mouton, se poussant du coude et grignotant les os, qui m'ont donné l'idée d'une caricature que j'ai intitulée *Les Bonnes Manières.* C'est vraiment drôle, il faudra que je vous la montre. J'ai donc répondu à ce quotidien en précisant que mon nom n'était pas Foggerty — j'avais jugé plus prudent de prendre un pseudonyme —, et je dois leur envoyer des dessins chaque semaine.

— Vraiment ?

— Oui, père. Mais Pat m'a dit que c'était du vol organisé.

— Pourquoi cela ?

— Il dit que je devrais me faire payer une livre par dessin, et il propose de m'établir un contrat. Il s'en occupera lors de son prochain voyage à Londres.

— Bien, bien. Tu m'étonnes vraiment, tu sais.

— Je m'en doute, père — et à plus d'un titre.

Elle baissa la tête, la voix soudain atone. James posa doucement la main sur l'avant-bras de sa fille.

— Ne sois pas offusquée de ma question, ma chérie, mais est-ce que le père de ton enfant est au courant de ton état ?

— Oh oui ! Dès qu'il l'a su, il est retourné en Espagne.

— C'est un Espagnol ?

— Oui, père. C'est le professeur de musique que tante Martha m'avait choisi, en marchandant le prix des leçons... Il y a bien des façons d'être humilié dans la vie, père.

— C'est vrai, ma chérie. Néanmoins, je suis heureux que tu m'aies révélé son identité. Je saurai quoi répondre à ceux qui... enfin, le bruit court que le père de ton enfant est... ce McAlister. Mais je n'y ai pas cru une seconde. Ton grand-père semble avoir une si haute opinion de lui...

Marie Anne s'était levée, et elle resta bouche bée un instant avant de pouvoir parler.

— Comment osent-ils ?... M. McAlister ! C'est insensé ! C'est un homme extraordinaire, et si je suis ici aujourd'hui, c'est grâce à lui. Il m'a vue jouer du piano dans le restaurant où Sarah travaillait occasionnellement, il m'a reconnue et il est venu tout raconter à grand-papa et à Pat... M. McAlister ! Comment les gens peuvent-ils penser une chose pareille... Il est tellement... défiguré...

— C'est ce que je me suis dit aussi...

— Qui a fait courir ce bruit, père ?

— Oh ! ça doit venir des domestiques, sans doute parce que ton grand-père l'a invité plusieurs fois à dîner...

— C'est vrai. Pat et lui le considèrent comme un homme très intelligent. C'est aussi un excellent sculpteur, qui fait don de ses œuvres deux fois par an au couvent situé tout près des Courts — ce sont les taudis où j'habitais avec Sarah. Grand-papa a tenu absolument à voir l'endroit et il a été horrifié. C'est M. McAlister qui a fait venir grand-père et Pat à Londres et qui a arrangé notre rencontre, au couvent... Il a fait tout ce qui était en son pouvoir pour me venir en aide, et entendre de telles médisances, c'est insupportable, père !

— Ce ne sont que des ragots de domestiques, il ne faut pas y prêter attention, ma chérie.

— Mais les ragots ont vite fait de se répandre, vous le savez, père. Je suppose qu'ils s'attendent à ce que mon enfant naisse avec une tache de vin !

— Allons, allons, viens t'asseoir à côté de moi. C'est ma faute, je n'aurais pas dû t'en parler. Mais je suis content que tu m'aies accordé ta confiance.

— Vous savez, père, je suis sûre que si ç'avait été *lui,* il ne m'aurait pas abandonnée, comme l'autre l'a fait.

— Il était jeune ?

— Non... il avait presque quarante ans.

— Le salaud ! gronda James Lawson.

— Oh ! il n'est pas le seul à blâmer, père. Je me croyais amoureuse. Mais je ne savais pas ce que c'est que l'amour… et je ne sais toujours pas.

Sans frapper son petit coup habituel à la porte, Sarah fit irruption, poussant devant elle une table roulante avec le thé, des brioches beurrées et des petits pains au lait.

— Voulez-vous que je vous serve ?

— Non, merci, Sarah, je m'en occupe.

— Bien. Commencez par les brioches, tant qu'elles sont chaudes.

Au moment où elle s'apprêtait à sortir, la porte s'ouvrit sur Emanuel Lawson.

— Voilà ce qui se passe dès que j'ai le dos tourné !

James était sur le point de se lever mais son père l'arrêta d'un geste.

— J'étais sur le point d'aller vous voir, père, mais…

— Reste assis, James. Si Mlle Foggerty veut bien m'apporter une tasse et une soucoupe, je prendrai le thé avec vous.

— Tout de suite, monsieur.

Dès que Sarah fut sortie, Emanuel se pencha vers son fils.

— Je ne me suis jamais autant amusé que depuis qu'elle est dans la maison. Ce n'est pas tant ce qu'elle dit qui est drôle mais la façon dont elle le dit, et puis sa voix… Dès qu'elle ouvre la bouche, on a envie de rire.

— En effet, approuva James en souriant. C'est son accent, aussi. Inutile de demander d'où elle vient.

— Ce sont des brioches ? demanda Emanuel.

— Oui, grand-père, dit Marie Anne en lui tendant le plat.

— C'est la première fois que l'on me sert des brioches avec le thé de trois heures, s'étonna Emanuel. C'est une idée de qui ?

— De votre nouvelle gouvernante, grand-papa.

— Ah ! encore une de ses innovations ! Le porridge du matin aussi a changé : il est plus salé et mélangé avec du lait, c'est bien meilleur... mais il ne faudrait pas que ça revienne aux oreilles de Maggie.

Ils se mirent à rire tous les trois lorsque la porte se rouvrit sur Sarah, qui apportait une tasse, une soucoupe et une petite assiette.

— Je vais vous servir, dit Sarah, ça vous évitera de vous lever.

— Bon, je veux bien, s'il te plaît, Sarah.

Sarah servit le thé, disposa deux petites tables basses avec les assiettes, les brioches et les pains au lait, puis, comme si elle venait d'accomplir une corvée, s'essuya les mains sur le petit tablier volanté qu'elle portait sur sa jupe d'uniforme bleu pâle. Elle adressa à Marie Anne un petit sourire en coin qui semblait dire « Alors, je ne m'en tire pas si mal ? », avant de sortir de la pièce.

Marie Anne tendit le plat à son père en imitant l'accent de Sarah.

— Voulez-vous une brioche, ou préférez-vous un petit pain au lait ?

Et il répondit sur le même ton :

— Si ça ne vous prive pas, je prendrai un petit pain.

Emanuel, en voyant son fils rire de bon cœur, se demanda depuis combien de temps il ne l'avait pas vu s'amuser ainsi — en admettant que ça lui soit arrivé un jour. Il semblait avoir oublié le but de sa visite, et cette insouciance nouvelle n'était pas seulement due à la présence de la jeune Irlandaise. Son père ne l'avait jamais vu parler à une de ses filles comme il le faisait à présent avec Marie Anne. Et il savait que James était là depuis un certain temps car la servante, qui était entrée dans le salon au moment où il se réveillait, l'avait prévenu que M. James était arrivé mais que Mlle Marie Anne l'avait fait entrer dans son petit salon pour ne pas le déranger.

Il avait attendu vingt bonnes minutes, puis s'était impatienté. Et maintenant son fils était là, fort différent de l'homme qu'il était la veille. Pourtant, il savait que ce qui l'attendait n'était pas drôle...

Une fois qu'ils eurent pris le thé et bavardé encore un moment à bâtons rompus, Marie Anne se leva.

— Il faut que je vous quitte. Je vais aller voir Maggie pour superviser le dîner, car elle n'était pas satisfaite du menu élaboré par Sarah. Elle critique la soupe irlandaise en prétendant que « sa » soupe écossaise a toujours plu jusqu'à maintenant, et elle trouve que les sauces emportent le goût, et a-t-on déjà vu mettre de la sauce sur une sole au citron, etc. Alors, grand-père, attendez-vous à manger de la soupe irlandaise ce soir, et une sauce tartare d'une aigreur à vous en dégoûter pour le restant de votre vie !

— C'est étonnant que ta sorcière irlandaise n'ait pas réussi à embobiner Maggie, railla Emanuel, ses pouvoirs seraient-ils en train de faiblir ?

— Laissez-lui un peu de temps, Maggie est un véritable bastion. Mais Sarah en viendra à bout. Elle ne s'avoue jamais vaincue.

Après le départ de Marie Anne, un silence gêné s'installa entre le père et le fils.

Le vieil homme parla le premier.

— Je suppose que tu n'avais pas vu Marie Anne depuis longtemps ?

— Depuis plus d'un an, père.

— Comment la trouves-tu ?

— Elle a tellement changé, dit James, mal à l'aise, en changeant de position sur son siège. Ce n'est plus la petite sauvageonne qu'elle était avant son départ, on a peine à imaginer qu'elle avait un tempérament si fier... tout ça semble avoir disparu...

— Oh ! détrompe-toi ! Bien sûr, elle n'ira plus courir la campagne comme une gazelle, mais elle n'a rien perdu de son caractère et, personnellement, je ne voudrais pas avoir à m'y frotter.

Emanuel se tut un instant, le regard dans le vague, puis tourna vivement la tête vers son fils.

— Sache une chose, James, c'est que je me fiche du tiers comme du quart des racontars qui circulent parce qu'elle va avoir un enfant illégitime. Tout ce que je sais, c'est qu'elle a redonné un sens à ma vie, par sa seule présence. Elle est ici depuis peu et elle a fait de cette maison le foyer qu'elle était du temps de ta mère. Il y a deux ans, avant son départ, je songeais à ma fin et je m'inquiétais de ce qu'il adviendrait d'elle après ma mort, je me demandais qui serait capable de la comprendre, et de s'occuper d'elle. Et à présent, c'est elle qui s'occupe de moi et apporte un rayon de soleil à mes vieux jours. J'ai retrouvé une raison de vivre. Bien sûr, la mort viendra, à son heure, ça peut être ce soir ou demain, ou dans plusieurs années. Mais j'ai préféré prendre dès aujourd'hui ces dispositions, dont certaines, je le sais, te paraissent injustes. C'est pourquoi je tenais à te voir en privé afin de te préciser mes intentions. D'abord, sache que, quoi qu'il arrive, le Manoir t'appartient : je te l'ai légué par testament. Cependant, comme je l'ai dit hier, il dépend entièrement de toi de l'entretenir tel qu'il est, il te suffit pour cela de réduire le personnel et les dépenses à des proportions raisonnables. Il est encore temps de mettre le holà aux débordements de ta femme, mon fils, crois-moi, il n'est pas trop tard... Je ne veux pas te mettre le dos au mur et je t'aiderai si nécessaire, mais cela devra rester strictement entre nous car je ne veux plus que quiconque dans cette maison continue à penser que je t'entretiens. Tu me suis ?

James regarda son père sans faire de commentaire.

— Venons-en à la partie la moins plaisante, poursuivit Emanuel. Tu possèdes vingt pour cent des parts de la compagnie : je veux que tu m'en vendes dix pour cent, je te les paie trois fois leur valeur. Je ne les garderai que très peu de temps car je veux les céder à Pat. Et tu es en droit de te demander pourquoi. Sois lucide, James : Vincent possède-t-il une seule des qualités nécessaires pour être directeur ? D'autre part, Pat a non seulement les dispositions requises, mais il a beaucoup travaillé, tandis que Vincent n'a fait que gaspiller son temps dans les bureaux. Je le sais, son bureau était contigu au mien. Je doute que cela ait beaucoup changé depuis... De toute façon, tu n'as jamais aimé diriger. Je me trompe ? Et au fil des années, surtout depuis que je me suis retiré, tu t'es énormément reposé sur Pat. Tu comprends donc pourquoi je souhaite qu'il devienne directeur et conseiller de Marie Anne, rôle qu'il ne pourra remplir que s'il a la majorité des parts. Si tu me vends la moitié des tiennes, Pat en détiendra vingt-neuf pour cent.

— Vincent ne le supportera jamais, père.

— Inutile de le mettre au courant. Nos avocats sont capables de travailler discrètement et Vincent ne l'apprendra jamais de ton vivant. Ce qu'il pourra dire ou faire alors n'aura pas d'importance, et Pat prendra ta place en toute légitimité. De toute façon, James, quelle que soit ton opinion, je ne permettrai jamais à Vincent de diriger ma société.

James regarda calmement son père. Il avait toujours eu un peu peur de cet homme, et à présent il comprenait pourquoi : il avait un caractère indomptable, dont sa fille Marie Anne avait directement hérité. Elle n'avait rien de lui, et encore moins de la femme qui l'avait mise au monde, oh non ! Il n'y avait pas en elle la moindre trace du tempérament de sa mère. Il se demanda comment ça ne l'avait pas frappé plus tôt... sans doute parce que son père n'avait pas eu l'occasion d'exercer son pouvoir de décision depuis quelque temps. Cela dit, l'attitude de son père aurait dû l'accabler or, curieusement, il ne ressentait ni terreur ni gêne en sa présence. Peut-être au fond était-il simplement las... et tout ce qu'il souhaitait, c'était manger, boire et bien dormir... Pourquoi pas dans cette maison ? Peut-être aurait-il été heureux ici, comme quand il était enfant et que sa mère le prenait sur ses genoux. Elle lui caressait les cheveux, lui refaisait sa raie en disant : « James, ne te fais pas la raie au milieu ! » et il répondait : « Mère, je n'y peux rien, mes cheveux se mettent comme ça tout seuls »... Il régnait une drôle d'atmosphère dans cette maison...

— Qu'as-tu ? demanda Emanuel, brisant sa rêverie.

— Rien, père.

— Tu es tout pâle subitement.

— Je... je dois être un peu fatigué.

— Et bouleversé, je suppose. C'est compréhensible. Je n'aurais peut-être pas dû te parler ainsi.

— Oh ! ne vous inquiétez pas, père. Vous avez fait comme bon vous semblait.

Il pensa « comme d'habitude » mais se tut, reconnaissant que son père s'était montré très généreux envers lui et les siens pendant la plus grande partie de sa vie. Si seulement Veronica avait été différente... Pourtant, il avait été amoureux d'elle autrefois, mais il était certain qu'elle ne l'avait jamais réellement aimé et qu'elle s'était servie de lui pour parvenir à ses fins. Elle l'avait toléré, et encore pas très longtemps. Il avait trouvé une compensation dans la bonne chère et le bon vin... il n'avait pas toujours eu cette panse rebondie... Il fut un temps où il était aussi mince que Patrick.

— Au fait, père, je ne vous ai pas dit que j'avais écrit aux jumeaux il y a quelques mois, à David, en tout cas, qui transmet les lettres à son frère — vous savez que John n'a jamais été porté sur l'écriture. David m'a demandé de venir passer des vacances là-bas, et je lui ai répondu qu'il m'était impossible de partir. (Il fit une pause et se mit à rire.) Je crois que je ne supporterais pas d'avoir le mal de mer pendant une aussi longue traversée. Alors je lui ai suggéré d'inviter plutôt sa mère. Eh bien, il m'a répondu il y a deux jours, et d'ailleurs elle aussi a reçu une lettre de David, dans laquelle il lui propose de venir — mais elle ne m'en a pas encore parlé.

— Ce serait une bonne chose pour toi si elle s'absentait. Tu pourrais renouer avec ta vieille amie. Tu vois toujours...

Avant que James ait eu le temps de répondre, Pat ouvrit la porte.

— Hello, père. Oh là là ! Il fait un de ces froids !

Il alla tout droit vers la cheminée et se frotta les mains devant les flammes, puis se tourna vers son grand-père.

— J'ai rencontré Don McAlister sur mon chemin et je l'ai invité à dîner, ça ne vous dérange pas ?

— Au contraire ! Il est toujours le bienvenu dans ma maison, tu le sais bien, quelle que soit l'heure du jour ou de la nuit. Je ne crois pas que tu connaisses Don McAlister, James ?

— Je ne me le rappelle pas, en effet.

— Si tu l'avais rencontré, je doute que tu aies pu l'oublier. Il est plus connu dans la région sous le surnom de « l'homme au masque », ou quelque chose d'approchant, car il a le visage abîmé et il le dissimule sous une sorte d'écharpe.

— Ah ! c'est le moine qui a retrouvé la trace de Marie Anne à Londres ?

Pat rit aux éclats.

— Non, père, ce n'est pas un moine ! Il a seulement été élevé au couvent chez les frères et il raconte des tas de choses passionnantes sur la vie des moines, mais je crois qu'il n'a jamais eu la vocation. Ils l'ont même envoyé à Rome, mais ça n'a rien donné ! Je suis sûr que vous le trouveriez très intéressant, père. Si vous restiez à dîner ?

— Oh non ! merci, je suis attendu au Manoir.

— Pourquoi ne pas faire prévenir que tu dînes chez ton père, pour une fois ? intervint Emanuel.

— Oh oui ! père, renchérit Pat, je vais envoyer Mike. Ne refusez pas, s'il vous plaît, ce n'est pas si souvent que nous sommes tous les trois réunis.

— Entendu, Pat. Va prévenir Mike. Tu as raison, ce n'est pas si souvent que nous dînons ensemble.

— Où as-tu laissé McAlister ? demanda Emanuel.

— Au salon, répondit Pat en souriant. Marie Anne est avec lui, ainsi que votre gouvernante. J'imagine que la conversation est animée... Dois-je le faire venir ici ?

— Pas tout de suite. Reviens dans quelques minutes, j'ai un mot à te dire en privé. Ensuite nous irons tous au salon.

À ce moment-là, au salon, la conversation avait effectivement pris un tour animé. Lorsque Don était arrivé, Sarah avait immédiatement remarqué que, au lieu de son feutre à larges bords, il portait une casquette assez ajustée.

— Vous l'avez confectionnée vous-même ?

— Oui, Sarah.

— On dirait du cuir.

— Mais *c'est* du cuir. Un cuir très souple.

— Sarah, je t'en prie ! dit Marie Anne sur un ton de reproche.

— Oh ! je voulais juste dire que c'est une amélioration, répliqua Sarah en se tournant vers Marie Anne, puis de nouveau vers Don. Comment se fait-il que vous n'y ayez pas pensé plus tôt ?

— J'avoue, Sarah, que ça ne m'était pas venu à l'esprit avant d'être invité dans une atmosphère familiale, et je sais qu'il est impoli de garder son chapeau en présence des dames.

— Ça ne nous a pas choquées, et nous pouvons faire ça pour vous.

— Vous avez fait pour moi plus que vous ne pouvez imaginer, Sarah, ainsi que Mlle Marie Anne.

— Vous savez, quand j'étais petite, nous avions un ami juif. Il nous apportait toujours des vêtements et des tas de choses, il habitait trois portes à côté de chez nous, et il avait une casquette comme la vôtre.

— Vraiment ? Comme ça, je me sens plus près du Seigneur !

— Plus près du Seigneur ?

— Mais oui, Sarah. Vous êtes catholique, n'est-ce pas ? Vous devez donc savoir que Notre Seigneur était juif...

— Oh oui ! bien sûr, mais ça, aucun prêtre ne veut l'admettre, surtout pas un du genre du père Broadside.

— En effet.

— Vous vous rendez compte (Sarah se tourna vers Marie Anne) que nous nous sommes rencontrés tous les trois dans East End, et même si nous n'y avons vécu que très peu de temps, il me semble que nous avons changé depuis que nous sommes ici, vous ne trouvez pas ?

Marie Anne s'était adossée à son fauteuil et s'amusait des échanges entre les deux êtres, qu'elle considérait comme ses meilleurs amis.

— Qu'en dites-vous, Marie Anne ?

— Je ne sais pas, je n'y ai pas réfléchi, Sarah. C'est toi la tête pensante !

— Allons, ne me faites pas marcher ! En tout cas, dès qu'on parle de religion, il y a des déclarations de guerre, dit Sarah en se tournant vers Don. Voulez-vous une tasse de thé ?

— Volontiers, Sarah, dit-il avec un large sourire.

— Si vous voulez bien patienter une minute...

Avant de sortir, elle voulut avoir le dernier mot et se tourna vers Don.

— Vous êtes vraiment mieux avec cette casquette, je vous assure.

— Je suis désolée, Don. Elle n'avait pas l'intention de vous offenser.

— Je vous en prie, Marie Anne, ne vous excusez pas pour Sarah. Elle est comme une bouffée d'air frais, elle dit toujours ce qu'elle pense. Et je crois que son observation est juste : nous avons changé. Vous n'avez plus rien à voir avec la jeune femme qui vivait sous les toits à Ramsay Court, et Sarah n'a plus besoin de jouer les anges gardiens auprès de vous, car elle occupe ici une fonction qui lui donne un sentiment d'indépendance. Malgré tout, je crois qu'elle sera toujours votre ange gardien...

— J'en suis persuadée également et j'en suis très heureuse, Don. C'est tellement réconfortant d'avoir quelqu'un qui veille sur vous avec tendresse. Je n'avais jamais connu cela auparavant. Je lui en serai reconnaissante jusqu'à la fin de mes jours, vous savez, c'est la première femme qui m'ait témoigné de l'affection. Et vous, Don, en quoi pensez-vous avoir changé ?

Il se pencha en avant et posa ses coudes sur ses genoux, en présentant à Marie Anne le côté masqué de son visage de façon à ce qu'elle ne puisse pas voir l'expression de son regard.

— Ce qui a changé en moi est très difficile à expliquer et à comprendre, je crois. Lorsque j'ai quitté les murs du couvent, il y a huit ans, pour venir habiter Rill Cottage, je croyais que toutes les portes s'ouvraient devant moi. Or je me trompais. La plupart des frères étaient mes amis, et ici je n'ai rencontré que haine et méfiance. J'en ai beaucoup souffert, jusqu'au moment où j'ai fait la connaissance du fermier Harding et de sa femme, ainsi que celle de Bob Talbot, qui s'occupe de la rivière. Les gens ont peur de l'anormalité, et de tout ce qu'ils ne comprennent pas. Les ragots de bonne femme et les superstitions sont aussi vivaces qu'au siècle dernier. Excepté mes deux visites annuelles au couvent, j'ai vécu dans une grande solitude, et bien que j'aie désiré ma liberté, j'ai bien failli retourner chez les frères, qui d'ailleurs n'attendaient que cela. Pourtant, malgré la chaleur et la fraternité qui règne parmi ces hommes, chacun se retrouve face à lui-même par moments. Ce qui est bien différent de la solitude imposée par le désespoir ou par le rejet. Je crois que chacun de nous connaît des plages de solitude dans sa vie. Les frères sont sans doute aidés par leur entière dévotion à Dieu. En général, les hommes trouvent un remède à la solitude dans le mariage, non seulement pour procréer, mais aussi pour trouver chez une compagne affection et compréhension. Bien sûr, si l'amour est au rendez-vous, c'est une chance !

Don se redressa d'un seul coup et porta sa main à son front.

— Mon Dieu ! Excusez-moi, mademoiselle Marie Anne, je parle trop, je m'égare.

— J'espère que vous vous égarerez encore de nombreuses fois ainsi, dit-elle en posant la main sur la sienne, les lèvres entrouvertes. Je ne suis plus une petite fille, Don, même si grand-papa et Pat me voient encore comme j'étais avant de quitter la maison. L'expérience que j'ai vécue à Londres m'a fait mûrir prématurément malgré mes dix-sept ans, et seuls Sarah et vous me considérez comme la femme que je suis devenue. Je suis consciente que je vais mettre au monde un enfant illégitime, qui sera en butte au mépris des gens. Déjà maintenant, si je m'aventure hors du parc, je sens le poids de la honte. Je sais que j'ai commis un grave péché, le pire qu'une jeune fille de mon milieu puisse commettre, et je n'ai aucune indulgence à espérer de la part des amis de la famille.

Au bruit des roulettes de la table à thé, dans le couloir, Marie Anne retira vivement sa main.

— Il ne faut pas voir les choses ainsi, ma chère. Mais nous en reparlerons une autre fois.

— Je me demande pourquoi j'ai pris la table roulante, dit Sarah en entrant, un plateau aurait largement fait l'affaire. Enfin, acceptez les dons de Dieu et rendez grâces pour tous Ses bienfaits !

— Certainement, sœur Sarah, fit Don en riant. Je vais dire une neuvaine pour ce thé !

— Ne vous y mettez pas, vous aussi, monsieur McAlister ! Sinon j'aurai tout le monde contre moi ! (Puis elle se tourna vers Marie Anne.) Oh ! je sais ce que vous pensez : je ne suis pas faite pour ce poste, n'est-ce pas ?

— En effet, mademoiselle Foggerty. Vous passerez à mon bureau demain matin.

— Très bien, madame. Mes bagages seront prêts.

Dans un tournoiement de jupons, elle fit une parodie de révérence et virevolta hors de la pièce. Don et Marie Anne se mirent à rire de bon cœur.

— Sérieusement, Don, il faudra quand même que je lui parle mais je ne sais pas si ça servira à grand-chose. Cela dit, elle ne se permet ce langage qu'avec vous et moi. Elle fait vraiment de son mieux, et d'ailleurs c'est une gouvernante tout à fait capable, les servantes l'ont adoptée. Katie aussi, à la cuisine, ce qui n'a pas été du goût de Maggie Makepeace. Elle a su se faire respecter des hommes également. Quant à grand-papa, je suis sûre qu'elle l'amuse beaucoup.

— Pour ma part, mademoiselle Marie Anne, je trouve que c'est une femme de cœur et je la tiens en haute estime.

— Servez-vous une tasse de thé, dit Marie Anne, ignorant le compliment. Êtes-vous bien installé dans votre cottage, Don ?

— Oh oui ! Mais je crois que vous le trouveriez vétuste. Le tapis est usé jusqu'à la corde, les couvertures sont rapiécées et les rideaux passés de couleur depuis des années. À part ça, il y a une belle cheminée qui donne une atmosphère chaleureuse. Et puis le principal, c'est qu'il est à moi.

— C'est une tante du côté de votre père ou de votre mère qui vous l'a légué ?

— Je ne sais pas, je ne connais rien de mes parents ni de ma famille, sinon que, bébé, j'ai été rejeté.

— Excusez-moi, je ne voulais pas être indiscrète.

— Je sais bien, Marie Anne. Quand il fera beau, vous viendrez me rendre visite avec Sarah, n'est-ce pas ? C'est à un bon kilomètre d'ici par la route mais vous pouvez couper en passant par les champs et la ferme Harding.

Un bruit de voix se fit entendre dans le couloir et il baissa la voix.

— Permettez-moi de vous dire encore une chose, Marie Anne. Le fait que votre grand-père me reçoive avec tant de chaleur dans cette maison signifie pour moi bien plus que je ne peux dire... les mots sont trop faibles pour exprimer...

La porte s'ouvrit et, avant que la famille entre, Marie Anne eut le temps de murmurer :

— Vous n'imaginez pas le plaisir que nous prenons à votre compagnie, Don — moi en particulier...

— 3 —

C'était la fin février et il faisait un temps exceptionnellement beau pour la saison. Il était tombé un soupçon de neige pendant la nuit, mais le soleil du matin l'avait fait fondre. Il était deux heures de l'après-midi et l'air était très doux. En arrivant chez les Harding, Marie Anne dégrafa le col de son manteau vert et ôta ses gants doublés de fourrure pour caresser le chien de berger, un bel animal de concours.

Mme Harding lui tenait compagnie tandis que son mari, à quelques mètres de distance, s'entretenait avec Nathaniel Napier.

Marie Anne avait déjà rencontré M. Napier les deux fois où elle était venue à la ferme. Il était nouveau venu dans la région et venait d'acheter la petite ferme adjacente à celle de M. Harding. Celui-ci l'avait pris sous son aile car il n'y connaissait rien en matière d'agriculture.

M. Harding et M. Napier riaient de voir Don batailler avec son nouvel ami, le chiot qu'il venait d'adopter. C'était la première fois qu'on lui passait une laisse et il n'avait pas l'air d'accord du tout.

Marie Anne et la fermière s'étaient jointes à leurs rires, lorsqu'elles aperçurent derrière le muret de pierre une cavalière qui marchait à côté de son cheval en le tenant par la bride. De toute évidence, l'animal boitait. Au moment où elle passait devant la cour de la ferme, M. Harding se précipita au-devant d'elle.

— Bonjour, mademoiselle Evelyn. Vous avez des ennuis ?

— Oh bonjour ! monsieur Harding. Mon cheval a quelque chose à son sabot arrière gauche.

— Nous allons voir ça, dit-il en se tournant vers son voisin. Monsieur a été vétérinaire, ça ne devrait pas lui prendre longtemps...

À l'exception de Marie Anne, tous s'étaient approchés du cheval et de sa cavalière.

— Je peux toujours regarder..., dit M. Napier en souriant à Evelyn.

Il souleva doucement la jambe du cheval et la lui fit plier de façon à examiner le sabot.

— Ah, ah, voilà le coupable ! s'exclama-t-il. La pauvre bête ! Auriez-vous une paire de pinces sous la main, monsieur Harding ?

Le fermier se dirigea en toute hâte vers son atelier, au fond de la cour, et revint avec deux paires de pinces de tailles différentes.

— Lesquelles voulez-vous, monsieur Napier ?

— Je préfère les plus petites. (Puis, s'adressant à Evelyn :) Prenez sa tête, s'il vous plaît. Et parlez-lui.

— Je crois que c'est un clou mais je ne vois pas s'il est entré profondément. Voulez-vous aider mademoiselle à tenir son cheval, s'il vous plaît, monsieur Harding ?

Il donna une vigoureuse secousse pour arracher le clou, et manqua tomber à la renverse tandis que le cheval reculait.

— Voilà, voilà, c'est fini, dit-il en lui tapotant la jambe. Il a dû souffrir.

Evelyn regarda le clou que Nathaniel tenait au creux de sa main.

— En effet. Il est tout rouillé.

— Oui. Il est entré de biais sous le sabot et a pénétré dans la chair. Il faudra dire à son palefrenier de faire chauffer un baquet d'eau additionnée de phénol et de lui mettre le sabot dedans. Le plus chaud sera le mieux. Au début il risque de ne pas apprécier, mais il faudra insister. Et pour être plus tranquille, vous devriez faire venir son vétérinaire. Prenez le clou et montrez-le-lui.

— Merci beaucoup, monsieur, vous êtes très aimable, dit Evelyn en prenant le clou dans sa main gantée.

Elle ne reprit pas immédiatement la bride de son cheval, et se dirigea vers Marie Anne, qui se tenait un peu à l'écart. Les deux sœurs se regardèrent un moment puis Evelyn parla la première.

— Comment vas-tu ? demanda-t-elle à voix basse.

— Je vais bien, Evelyn, je te remercie. J'allais rentrer... veux-tu que nous fassions le chemin ensemble ?

Evelyn haussa les épaules, puis marmonna :

— La route est à tout le monde... (Puis, semblant regretter sa brutalité, elle ajouta :) Si tu veux, bien sûr...

Marie Anne prit congé de M. Harding et de M. Napier puis cria dans la cour de la ferme :

— Au revoir, madame Harding, merci pour la boisson !

— Le plaisir était pour moi, mademoiselle. Revenez quand vous voulez.

Don était toujours aux prises avec le jeune chien.

— Au revoir, monsieur McAlister.

— Au revoir, mademoiselle Lawson, dit Don en prenant le chiot dans ses bras.

Les deux sœurs marchaient côte à côte depuis un moment, lorsqu'Evelyn questionna Marie Anne :

— Le... bébé est pour quand ?

Marie Anne, surprise, sembla hésiter un moment avant de répondre.

— Fin avril, début mai. D'après Mme Makepeace, ce pourrait être une quinzaine plus tôt ou une quinzaine plus tard.

Mal à l'aise, Marie Anne avait rougi, et elles se turent encore quelques minutes. Ce fut de nouveau Evelyn qui rompit le silence.

— Tu as peur ?

Marie Anne continua à marcher sans rien dire.

— En un sens, je crois que oui, dit-elle au bout de quelques secondes, quand je m'autorise à y penser.

Elle s'abstint de mentionner les prédictions de Mme Makepeace, selon qui une première naissance peut être très douloureuse bien qu'on l'oublie immédiatement. Sarah avait porté un jugement peu amène sur les jacasseries des femmes de la campagne.

Lorsque Marie Anne s'arrêta soudain pour regarder sa sœur en face, celle-ci dut stopper son cheval. Elle dévisagea à son tour cette jeune femme qui ressemblait si peu à la Marie Anne qu'elle avait connue, et qui lui parlait sur un ton véhément.

— Tu sais, les événements consécutifs à mon retour ne me font éprouver aucune compassion pour mère, ni pour personne dans la maison, à l'exception de père. Je suis vraiment désolée pour lui. Je regrette aussi de t'avoir frappée, j'ai honte de t'avoir dit toutes ces horreurs. Le seul argument que je puisse invoquer pour ma défense, c'est que je ne comprenais rien à l'amour ni aux sentiments à cette époque. Mais j'ai comblé mon ignorance pendant cette année passée, et de la façon la plus douloureuse qui soit. Aussi, maintenant, je voudrais que tu me pardonnes, Evelyn.

Evelyn regarda sa jeune sœur, qui n'avait cessé de l'agacer durant toute sa jeunesse. Elle avait dix ans quand elle était née et elle l'avait toujours considérée comme une intruse, qui avait usurpé sa place de favorite auprès des hommes de la maison. Pourtant, même avant l'entrée en scène de Marie Anne, Evelyn n'avait guère reçu d'attentions de la part de son père ; son grand-père n'était pas vraiment aux petits soins pour elle et elle se bagarrait tout le temps avec ses frères. Malgré tout, elle avait été longtemps la seule fille de la maison, et c'était avec une grande satisfaction qu'elle s'était aperçue que sa mère n'aimait pas cette petite fille, la confiant à des nounous qui abdiquaient les unes après les autres à cause du caractère indomptable de l'enfant.

Lorsqu'elle vit des larmes dans les yeux de sa sœur, elle se radoucit.

— Écoute, tout ça c'est du passé, alors ne te rends pas malade et tournons la page, s'il te plaît. C'est ma propre folie qui est à l'origine de tout ça.

— Non, ce n'était pas de la folie, Evelyn. Nous accomplissons certains actes guidés par des sentiments cachés au plus profond de notre âme et dont nous ne sommes pas maîtres. Du moins c'est ce qui m'est arrivé, et je pense qu'il en a été de même pour toi.

Elles se retournèrent en entendant un bruit de galop : c'était Vincent, qui venait dans leur direction. À sa vue, Marie Anne recula d'un pas sur le bas-côté herbeux. Il fit stopper son cheval dans un nuage de poussière, flanc contre flanc avec celui d'Evelyn.

— Qu'est-ce qui te prend ? Tu lui as fait peur, il est déjà perturbé aujourd'hui, il a un sabot abîmé.

Elle prit son cheval par l'encolure et lui flatta le museau.

— Là, là, ce n'est rien, ce n'est rien.

Evelyn jeta un regard furieux à son frère.

— Tu ne pouvais pas passer ton chemin tranquillement, non ?

— Et manquer l'occasion de dire un mot à ma petite putain de sœur ! Jamais !

— Vincent ! hurla Evelyn. Va-t'en !

— Certainement pas ! Pour qu'elle t'embobine comme elle l'a fait avec les autres, grand-père, Pat, et à présent père, qui ne décolle pas de ce maudit Petit Manoir. Il les lui faut tous ! Et toi, tu restes là à faire la causette avec elle ! Aurais-tu oublié, ma chère sœur, que c'est à cause d'elle que nous n'avons plus de domestiques, et que bientôt elle va nous dépouiller en s'appropriant la compagnie, à Newcastle ?

Il fit soudain reculer son cheval de façon à mieux voir Marie Anne, qui était restée appuyée contre le muret de pierre, puis, d'une pression des genoux, il lui fit faire un écart et brandit son fouet à quelques centimètres de son visage.

— Tu vas enfin avoir ce que tu mérites, espèce de petite ordure !

— Si tu oses me toucher, tu le regretteras !

La vieille haine qu'elle croyait éteinte resurgissait, et elle eut envie de s'agripper à sa jambe pour le faire tomber et le rouer de coups. Comment osait-il l'injurier de la sorte ?

— Comment oses-tu me parler ainsi, toi qui n'as cessé de me martyriser quand j'étais petite ! Essaie seulement de lever la main sur moi...

Lorsqu'elle vit le fouet frôler les cheveux de Marie Anne, Evelyn bondit vers son frère et lui donna un coup de cravache sur la cuisse qui manqua de le désarçonner et fit reculer son cheval.

— Va-t'en, tu m'entends ! Rentre à la maison immédiatement.

Il se rajusta sur sa selle et jeta un regard féroce à Marie Anne, puis éperonna sa monture qui partit au galop.

Marie Anne était toujours adossée au mur, une main sur son ventre, l'autre à son front. Quant à Evelyn, elle était appuyée contre le flanc de son cheval, un bras autour de la selle. Puis elle se tourna vers sa sœur, et marcha vers elle aussi loin que la longueur de ses rênes le lui permettait.

— Viens, tu ferais mieux de rentrer maintenant, dit-elle calmement.

Marie Anne ne dit rien pendant un moment, le temps de reprendre le contrôle d'elle-même : elle savait que s'il avait abattu son fouet sur elle, elle l'aurait désarçonné et que, malgré son état, elle l'aurait battu, elle aurait griffé ce visage qu'elle avait trop souvent vu au-dessus du sien quand il s'amusait à la clouer au sol pour la torturer.

Evelyn tira son cheval sur le bas-côté, de façon à pouvoir prendre la main de Marie Anne.

— Viens, il faut rentrer et te reposer.

Marie Anne sentit ses jambes se dérober sous elle en marchant et elle vacilla un peu. Evelyn lui prit le bras et, jetant ses rênes sur l'encolure de son cheval, elle conduisit sa sœur jusqu'à la porte du Petit Manoir.

— Ça va aller maintenant ?

— Oui, oui, merci, Evelyn.

— Essaie de ne pas te trouver sur son chemin. Il est dangereux. Si tu vas à la ferme, évite de passer par la route, prends plutôt par le bois.

— Oui, oui, Evelyn, merci.

Evelyn attendit qu'elle fût entrée et conduisit son cheval vers la grille principale du Manoir...

Marie Anne faillit se trouver mal en entrant dans la maison, et le personnel s'affaira autour d'elle. Comme son grand-père demandait pourquoi on l'avait laissée sortir seule — question qui s'adressait à Sarah —, celle-ci répondit d'un ton indigné que Mlle Marie Anne tenait absolument à se promener seule, qu'elle avait essayé maintes et maintes fois de l'en dissuader mais qu'elle s'était entendu dire qu'elle avait besoin de solitude de temps en temps.

Quelques instants plus tard, Marie Anne était allongée sur le canapé. Emanuel était assis à côté d'elle, cherchant à savoir ce qui l'avait à ce point bouleversée.

Marie Anne regardait son grand-père sans rien dire. Pouvait-elle lui dire que Vincent l'avait menacée avec son fouet et qu'il l'aurait frappée sans l'intervention d'Evelyn, que le désordre qu'elle avait involontairement créé dans la famille allait tourner au désastre ?

Cependant, elle éprouvait le besoin de se confier à quelqu'un, car elle avait plus que jamais peur de son frère. Il éprouvait une telle haine pour elle qu'il était capable de la tuer. Une fois, il lui avait passé les mains autour du cou en disant « Tu vois, je pourrais t'étrangler si je voulais » et, effectivement, il avait commencé à lui serrer la gorge. Elle ne voulait pas en parler à Sarah, celle-ci ne tiendrait pas sa langue et voudrait absolument faire quelque chose. Elle attendrait donc que Pat rentre et elle lui demanderait d'en parler à son père.

Tout ce qu'Emanuel réussit à lui arracher, c'est qu'elle avait marché trop longtemps.

Elle était au lit lorsque Pat vint la voir, mais elle dut attendre que Sarah fût sortie pour lui parler. Après avoir écouté son récit, il prit la parole d'un ton posé.

— Laisse-moi faire. Je veillerai personnellement à ce qu'il ne t'importune plus jamais. Veux-tu que j'appelle le Dr Ridley ?

— Oh non ! ça va aller. C'est juste le choc... et j'ai aussi été surprise par ma propre violence. Je t'assure que, si je l'avais arraché à sa selle, je ne sais pas de quoi j'aurais été capable... C'est une sensation terrible, tu sais.

— Laisse-moi faire, Marie Anne, je m'en occupe. Je reviens dans un moment. Repose-toi en attendant, dit-il en l'embrassant sur la joue.

Il se dirigea vers la bibliothèque, où son grand-père était en train de lire.

— Je vais au Manoir, j'ai besoin de quelques livres, je ne serai pas long.

— Comment l'as-tu trouvée ?

Pat hésita un instant avant de répondre.

— Très fatiguée. Elle a oublié qu'elle porte un bébé, je crois.

La nuit était noire et l'herbe raidie par le gel, la tiédeur de l'après-midi n'était plus qu'un souvenir.

Lorsque Pat entra au Manoir, il croisa son père dans le hall. Il eut l'air surpris de le voir.

— Quelque chose ne va pas ?

— En effet, père. Puis-je vous parler en privé ?

— Bien sûr. Montons dans mon bureau.

Pat suivit son père à l'étage.

— Assieds-toi.

— Non merci, père, je ne reste pas longtemps. Je suis juste venu vous dire que Vincent a agressé Marie Anne aujourd'hui.

— Vincent a fait quoi ? fit James Lawson d'un air incrédule.

— Il l'a agressée.

— Ça n'est pas possible !

— Si, père.

Et Pat lui fit le récit complet de la scène qui s'était déroulée l'après-midi même.

— Grand-père ne sait rien, Marie Anne ne veut pas le lui dire. Quand elle est rentrée à la maison, elle était tellement bouleversée qu'elle a failli s'évanouir — elle a prétendu que c'était parce qu'elle avait trop marché. Elle n'en a parlé à personne d'autre que moi. Mais elle voulait que vous soyez au courant car s'il tente à nouveau de la molester elle se sent capable de le blesser. Ils se détestent mutuellement, et je vous ai rapporté mot pour mot les injures qu'il lui a jetées à la face. Ça n'est pas surprenant qu'elle ait eu envie de le griffer au visage après ça.

— Mon Dieu ! Qu'est-ce qui nous attend encore !

— Je l'ignore, père, mais Marie Anne a conscience d'avoir été involontairement la cause de la zizanie dans notre famille. Si elle n'éprouve aucun remords en ce qui concerne mère et Vincent, elle est sincèrement désolée pour vous et moi, et elle se sent coupable envers Evelyn, même si sur le moment son comportement vis-à-vis d'elle était compréhensible.

James demeura un instant pensif, la tête baissée.

— Comment se sent-elle ?

— Pour le moment, ça a l'air d'aller, mais on ignore quelles répercussions cela peut avoir sur son état. Elle n'est pas loin de son terme, le bébé est prévu pour avril... un peu plus tard peut-être. Père, voulez-vous que je... règle cette affaire moi-même ?

— Non, non, répondit James d'un ton énergique. C'est à moi de le faire. Ton grand-père n'est pas au courant, dis-tu ?

— Non, Marie Anne ne voulait pas le perturber.

— Bien. Je préfère que tu restes toi aussi en dehors de ça. Tu n'as pas croisé de domestiques en entrant ?

— Non, père.

Lorsqu'ils descendirent dans le hall, Green ouvrit la porte pour laisser sortir Pat, qui souhaita bonne nuit à son père.

— Personne n'est venu ce soir. Et vous n'avez pas vu M. Patrick, dit James à voix basse au valet.

— Bien monsieur, j'ai compris.

— Où sont-ils ?

— Madame est au salon avec M. Vincent et Mlle Evelyn doit être dans sa chambre.

— Envoyez une des filles lui dire qu'elle descende immédiatement nous rejoindre au salon.

— Oui, monsieur.

En ouvrant la porte du salon, James vit sa femme et son fils en grande conversation, assis l'un près de l'autre sur le canapé.

Il avança lentement dans la pièce, et s'adressa à Vincent sur un ton que ni sa femme ni son fils ne lui connaissaient.

— Debout !

— Comment ?

— Tu as parfaitement entendu. Je n'ai pas l'intention de me répéter.

Vincent glissa un regard de biais à sa mère : elle fixait son mari d'un air ahuri. Puis il se leva comme si cela lui coûtait un effort disproportionné, une lueur presque insolente dans les yeux.

— Que se passe-t-il, père ?

— Tu ne vas pas tarder à le savoir.

Veronica se leva à son tour.

— Si c'est à propos de ce qui s'est passé cet après-midi, je suis au courant. Si Evelyn ne s'était pas promenée avec elle, tout cela ne serait pas arrivé.

— Il est heureux au contraire qu'Evelyn ait été là, car si mon fils avait courageusement abattu son fouet sur sa sœur, je peux vous assurer qu'il ne serait pas ici en ce moment avec sa tête à claques. Même dans l'état où elle est...

La porte s'ouvrit, interrompant la tirade de James, et Evelyn entra dans la pièce.

— Si tu l'avais évitée, comme je t'avais dit de le faire, hurla Veronica à l'adresse de sa fille, cet incident n'aurait jamais eu lieu !

— Comme je vous l'ai déjà dit, mère, si *je* n'avais pas été là pour arrêter son coup de fouet et l'empêcher de lui lancer les pires injures, il l'aurait frappée. C'est uniquement parce que *moi* je l'ai frappé qu'il a arrêté son geste. En tout cas, elle n'a rien dit à grand-père, sinon il aurait déjà flanqué Vincent dehors avec perte et fracas.

Evelyn se tourna vers son père.

— Elle n'en a pas parlé à grand-père, n'est-ce pas ?

— Non, Evelyn, sinon ce noble individu, que je répugne à considérer comme mon fils, aurait été mis définitivement à la porte. N'oublie jamais cela, Vincent : je suis encore le maître dans cette maison, même départie d'un train coûteux et inutile. C'est moi qui commande et je te préviens : si jamais tu t'en prends encore à ma fille — car quoi qu'elle ait fait, elle reste ma fille —, tu quitteras cette maison pour de bon, j'en fais personnellement mon affaire. Et je t'écarterai définitivement des affaires, dussé-je pour cela aller en justice. Et sache que ce n'est pas d'aujourd'hui que m'en est venue l'idée.

James se tourna ensuite vers sa femme, pointant sur elle un index menaçant.

— Et n'essaie pas d'intervenir car ton opinion m'est totalement indifférente. En revanche, tu vas m'écouter : sache que j'ai l'intention de rendre visite à mon père et à ma fille quand j'en ai envie. Et si ça ne vous plaît pas, madame, je suis prêt à envisager une procédure de séparation, et vous pourrez partir avec le seul de vos rejetons qui tienne de vous pour la cruauté mentale, ah ! vous faites une belle paire, tous les deux ! Je sais que les jumeaux vous ont invitée au Canada, et à votre place je sauterais sur l'occasion, ça détendra l'atmosphère !

James se tourna alors vers Evelyn, qui le regardait avec des yeux écarquillés, et poursuivit sur le même ton.

— J'ai cru comprendre que ta sœur s'est excusée pour l'attitude qu'elle avait eue avec toi par le passé. J'ignore si tu as accepté ses excuses mais tu t'es promenée avec elle et tu l'as défendue. Je t'en remercie.

Il termina son discours en s'adressant de nouveau à sa femme.

— Voilà ce que j'avais à vous dire, et (il coula un regard vers Vincent) quant à vous, je vous conseille de bien y réfléchir.

Sur ces mots, il sortit de la pièce.

La porte était à peine refermée que Vincent se jeta sur sa sœur, qui s'apprêtait à suivre son père, et l'agrippa par le bras.

— Il faudrait que tu choisisses ton camp, grinça-t-il entre ses dents. Toi qui la détestais...

— Lâche-moi !

— Quand je voudrai. Écoute-moi bien, si jamais tu vas une seule fois là-bas...

Quand la gifle partit, ce fut sa mère qui cria :

— Mais qu'est-ce qui te prends !... Mon Dieu, que se passe-t-il dans cette maison ? Vous allez me rendre folle ! Et tout ça à cause d'elle, elle attirera toujours le malheur sur nos têtes !

— Bon sang ! Je t'aurai, toi aussi, siffla Vincent en se tenant la joue. Toi et tous ceux qui sont de son côté.

— Écoute-moi bien, Vincent, je ne me promenais pas avec elle, je marchais à côté de mon cheval, il avait un pied blessé et c'est un ami des Harding qui a enlevé un clou de son sabot. Marie Anne se trouvait là, et quand elle s'est mise à marcher le long de la route, qu'aurais-je dû faire, s'il te plaît, marcher derrière elle ou lui demander de dégager la route ? Évidemment, toi, tu l'aurais sans doute fait tomber, n'est-ce pas ? Eh bien sachez — ceci s'adresse à vous, mère — que je n'éprouve plus vis-à-vis d'elle les mêmes sentiments qu'autrefois. Quand elle m'a attaquée, elle avait pour cela des raisons que vous ignorez. Vous pouvez méditer ça... Quant à toi, mon cher frère, réfléchis à deux fois avant de lever la main sur moi, car je ne suis pas la petite Marie Anne.

Sur quoi elle sortit en claquant la porte derrière elle.

Veronica se laissa doucement aller contre le dossier du canapé et se prit la tête dans les mains, se balançant d'avant en arrière.

— Cette fille perdue n'aura de repos que lorsqu'elle aura détruit complètement notre famille. Tu verras qu'elle causera notre perte à tous les deux...

Vincent vint s'asseoir à côté de sa mère, passa son bras autour de ses épaules et l'attira contre lui.

— Mon Dieu ! non, pas tant que je serai en vie, mère. Laissez-moi faire. D'une façon ou d'une autre, je résoudrai le problème.

— 4 —

Entre cet incident et le jour, marqué d'une pierre blanche, où naquit l'enfant se produisirent certains événements qui eurent des répercussions sur l'avenir des occupants du Manoir.

C'était vers la fin mars. Marie Anne était devant sa planche à dessin, dans une petite pièce située au bout de la maison qu'elle avait transformée en atelier. Sarah était avec elle, assise près du feu. Elle tricotait laborieusement car, selon ses propres termes, elle n'était « pas très habile avec les aiguilles, quelles qu'elles soient ».

Elle jeta un coup d'œil par la fenêtre et soupira : il faisait un soleil éclatant et l'air était agité d'une légère brise.

— Voilà encore une belle journée de passée, grommela-t-elle. Si ça se trouve, en avril, il va se mettre à tomber des hallebardes... Vous ne voulez pas marcher un peu, jusqu'aux grilles ?

Marie Anne posa son crayon et se tortilla sur sa chaise pour trouver une position confortable. Elle portait l'enfant très haut mais son poids, qui l'alourdissait beaucoup à présent, semblait la tirer vers le bas. Elle soupira à son tour.

— Oh ! Sarah, je suis fatiguée de te le répéter, je n'ai pas envie de sortir. Je suis très bien là.

— Vous êtes pâle comme un linge.

— Peut-être mais je me sens bien. Je n'ai pas besoin de marcher.

— Pourtant, c'est bien vous qui couriez comme un lapin autrefois, d'après ce qu'on m'a raconté ! Et avant toute cette histoire, vous aviez même envie de vous promener toute seule. « Sarah, j'ai besoin de me retrouver avec moi-même », disiez-vous. Et moi ça m'avait tellement contrariée, je me suis sentie rejetée, inutile pour tout dire ; mais je comprenais, car c'est un besoin pour chacun d'entre nous par moments. N'oubliez pas qu'il vous reste encore un mois avant l'accouchement, si cette sorcière de Maggie ne s'est pas trompée ! À moins que ça ne soit quinze jours avant, ou quinze jours après... Et si ce sont des jumeaux, vous êtes partie pour dix-huit mois !

— Sarah, ne me fais pas rire, ça me fait mal ! dit Marie Anne en mettant les mains sur son ventre.

— Tant mieux si je vous fais rire, car je ne vous ai pas vue beaucoup sourire ces temps-ci...

Marie Anne ne répondit pas, elle se leva lentement et vint s'asseoir près du feu sur le petit canapé, à côté de Sarah, qui posa son tricot et lui prit doucement la main.

— Que se passe-t-il, ma chérie ? Qu'est-ce qui vous tracasse ? Vous pensez toujours à... lui ?

— Je ne sais pas... je ne sais pas ce qui m'arrive, Sarah, répondit Marie Anne d'une voix brisée. J'ai l'impression qu'une menace pèse sur moi... comme si j'allais mourir, comme si c'était mon destin de ne jamais voir mon enfant...

— Allons, allons, ne dites pas de bêtises, vous verrez votre enfant et vous vivrez heureuse.

Sarah se rapprocha et la serra contre elle.

— Tout ça à cause de ce salaud ! Mais je vous assure qu'il n'osera plus vous toucher, car votre grand-papa serait bien capable de prendre son fusil et de le tirer comme un lapin... Allons, chassez ces idées noires et écoutez ce que vous dit votre bonne fée. N'écoutez plus cette sorcière de Maggie, fiez-vous plutôt à moi ! Oh, il faut que je vous raconte quelque chose : vous savez que Mlle Brooks... enfin... notre Katie, qui travaille à la cuisine, fréquente Bobby Talbot, celui qui s'occupe de la rivière. Ce Bobby raconte à Katie tout ce qu'il voit, et Katie, qui adore bavarder, répète tout à Fanny et à Carrie. Les dernières nouvelles concernent votre sœur Evelyn.

— Evelyn ?

— Oui, oui. Elle va se promener à cheval au moins deux fois par semaine — et peut-être plus, mais il ne l'a vue que deux fois — près de la rivière. Comme c'est inhabituel, ça a éveillé l'attention de M. Bobby, qui a regardé quel chemin prenait la cavalière. Et savez-vous ce qu'il a découvert ?

— Non, je n'en ai pas la moindre idée, Sarah.

— Eh bien, Mlle Evelyn allait chez le nouveau fermier, Nathaniel Napier, c'est pourquoi elle passait par là. Et il paraît qu'elle y reste de plus en plus longtemps à chaque fois. Qu'est-ce que vous dites de ça ?

Marie Anne se tut un instant. Elle repensa à Nathaniel Napier : c'était un homme fort agréable, qui s'exprimait avec distinction. Elle se dit que ce serait merveilleux si leur attirance était réciproque, et que la culpabilité qu'elle ressentait encore par rapport à sa sœur disparaîtrait. Mais, mon Dieu, c'était un pauvre fermier, et leur mère serait folle de rage, elle qui voulait que sa fille fasse un riche mariage. Si jamais tout ça parvenait aux oreilles de leur mère, ça ferait du vilain, comme dirait Sarah.

Vincent, au même moment, employa exactement les mêmes termes.

— Tu te rends compte ! Ça va faire du vilain, si mère a vent de cette histoire. Sans parler de la mésalliance ! Mon Dieu ! Un simple fermier ! Je n'arrive pas à y croire...

Le frère et la sœur chevauchaient côte à côte sur un chemin étroit, bordé d'un muret de pierre d'un côté et de hautes broussailles de l'autre, et les flancs de leurs montures se touchaient presque.

— J'entends bien y mettre le holà et je vais dire deux mots à ce monsieur, menaça Vincent en désignant un portail bas.

Evelyn se tourna vivement sur sa selle pour faire face à son frère.

— Ose seulement entrer dans cette cour et je vais immédiatement chercher un certificat de mariage et j'épouse un simple fermier, comme tu dis. Et permets-moi de te dire une chose, mon frère : tu t'aventures sur un terrain délicat. Car si tu m'as suivie — ou fait suivre —, sache que moi aussi je peux le faire, grand-père m'en donnerait sûrement les moyens : quelles explications donnerais-tu pour tes visites hebdomadaires à Newcastle ? Les femmes de la famille ne sont pas au courant et les hommes croient que tu vas dans une maison close... mais je connais suffisamment ta haine des femmes, tu nous as assez torturées, Marie Anne et moi, lorsque nous étions enfants pour avoir compris qu'il ne s'agissait pas de cela. Alors, fais bien attention, mon cher frère, si jamais tu passes cette porte, je jure devant Dieu que je saurai ce que tu vas faire à Newcastle. Tu n'as certainement pas de maîtresse, j'imagine mal une femme avoir de l'attirance pour toi, alors quels plaisirs peut rechercher un homme de ton âge, doué d'un tel physique et d'un tel tempérament ? Tu pâlis, on dirait... Tout à l'heure tu étais tout rouge et à présent te voici blanc comme un linge... J'ai été suffisamment claire, je crois ?

Evelyn regarda son frère, qui s'était mis à grincer des dents, puis elle ajouta :

— Je sais que tu as envie de tuer Marie Anne parce que tu ne reconnaîtras jamais que ce n'est pas elle la cause de la dislocation de notre famille mais notre mère. Je te préviens : si jamais tu lui faisais du mal, tu ne survivrais pas longtemps, car je connais quelqu'un qui la vengerait sur-le-champ.

Evelyn se réajusta sur sa selle et fit monter son cheval vers le portail de la petite ferme. Elle arrêta sa monture, se pencha pour détacher le loquet, et entra.

Vincent, livide, les mâchoires crispées, n'avait pas bougé. Puis il donna un méchant coup de talon à son cheval pour lui faire faire demi-tour et s'en alla.

Une fois dans la petite cour de la ferme, Evelyn mit pied à terre, attacha les rênes à un poteau, et jeta un coup d'œil dans la grange : il n'y avait personne. Elle se dirigea alors vers la maison. La porte de la cuisine était ouverte.

Habituellement, il arrivait dès qu'il l'entendait. En regardant autour d'elle, elle l'aperçut derrière la haie, un seau d'eau à la main, près d'un muret en construction. Elle savait qu'il voulait construire une porcherie et, d'où il se trouvait, il avait dû entendre ce qui s'était dit sur le chemin. Mon Dieu, se dit-elle, j'ai encore commis une maladresse...

Elle l'entendit se laver les mains à la pompe et se retourna de façon à ce qu'il ne vît point son visage.

— Entrez, ma chère, dit-il juste dans son dos.

Comme une petite fille docile, elle entra dans la grande pièce basse aux poutres apparentes : c'était une cuisine de ferme typique, agréable, à laquelle venait s'ajouter le confort inhabituel d'un grand fauteuil et d'un banc recouvert de coussins. Comme dans toutes les fermes, une longue table flanquée de deux chaises trônait au milieu de la pièce. Nathaniel tira une chaise.

— Asseyez-vous.

Elle s'exécuta, la tête baissée, jusqu'à ce qu'il lui fit lever le menton avec son index. Il la regarda droit dans les yeux.

— Accepterez-vous de venir avec moi demain vous inscrire au registre des mariages ?

— Oh ! je suis désolée pour hier, bredouilla-t-elle, j'étais en colère...

— Je comprends, c'est pourquoi je vous le demande de nouveau aujourd'hui, bien que nous ne nous connaissions que depuis trois ou quatre semaines.

— Oui, je veux bien, dit-elle en le regardant à son tour.

— C'est tout ce que je voulais savoir.

Il tira la deuxième chaise et s'assit près d'elle. Leurs genoux se touchaient presque.

— Avez-vous bien réfléchi, Evelyn ? Savez-vous ce à quoi ce mariage vous engage ? Vous n'aurez que cette salle de ferme, qui sert de cuisine et de salle à manger, un salon, trois chambres à coucher — assez confortables —, une salle de bains avec un chauffe-eau et un grenier qui court sur toute la longueur du bâtiment. Vous n'aurez pas de domestiques, et les attentions que nous aurons l'un pour l'autre seront les seules. Il me reste tout juste assez d'argent pour me constituer un stock. Depuis qu'il a davantage de terres à exploiter grâce à votre grand-père, M. Harding m'a laissé des champs, où je pourrai faire courir un cheval. Je dois dire que sans M. Harding, je n'aurais pas été seulement un vétérinaire de chevaux raté mais aussi un fermier raté. Vous êtes en droit de vous demander pourquoi j'ai acheté cette ferme et cessé l'activité de chirurgien vétérinaire que j'exerçais auparavant. J'ai l'impression de tout savoir sur vous, et rien de ce que j'ai entendu ne semble correspondre à la personne que je viens de découvrir. Mais vous ne savez rien de moi, et je vais vous raconter mon histoire : j'avais vingt-quatre ans et je venais tout juste de m'installer. J'avais repris une vieille clinique vétérinaire, après le départ en retraite de l'ancien propriétaire. C'était dans une petite ville dont la population animale suffisait tout juste à me faire vivre, mais j'étais très heureux, j'avais épousé la petite-fille de l'ancien propriétaire, une ravissante jeune fille de vingt ans. Au bout de trois ans de mariage, elle mourut en couches, ainsi que le bébé.

Evelyn n'avait cessé de le regarder et il ne cilla pas à l'évocation de ce triste souvenir.

— Je fis des efforts pour essayer de continuer à vivre mais ce fut peine perdue : j'étais brisé. Sans doute n'ai-je pas le caractère bien trempé. Un autre aurait sans doute surmonté son chagrin, mais je n'y parvins pas. Ma jeune femme en pleine santé était morte à cause de la négligence et du manque d'hygiène d'une sage-femme. Bien sûr personne ne songea à blâmer le docteur, qui ne s'était pas réveillé à temps après une soirée bien arrosée. Je vendis mon affaire à perte, je rompis avec mes amis. Mes parents étaient morts mais il me restait une sœur, une femme adorable, et son mari. Mais ils ne parvinrent pas à me consoler. Je passai d'un travail à un autre, pour assurer ma subsistance. Puis je m'embarquai en mer pour deux ans. J'y appris les limites de la souffrance physique, quand les mains restent collées aux cordages par le gel... Revenu à terre, je repris mes errances. Puis ma chère sœur mourut. Elle me laissa assez d'argent pour reprendre une affaire mais j'avais perdu la main. Je voulais quand même m'occuper d'animaux, et finalement je trouvai cette petite ferme à vendre et je l'achetai. La propriétaire était une veuve qui partait vivre à la ville avec sa fille. Elle se montra très généreuse dans la transaction et me laissa les meubles, qui provenaient d'une grande propriété de famille ; ils sont anciens et solides, certains sont même très beaux. J'ai eu de la chance et je m'estime très heureux d'avoir des voisins comme M. Harding et sa femme, ils me sont d'un grand secours.

Et un jour il arriva que, tandis qu'une fois de plus je demandai conseil à M. Harding, une dame apparut, tenant par la bride un cheval blessé, et quelque chose en moi que je croyais mort depuis longtemps se ranima à sa vue. M. Harding me raconta un peu le désordre qui régnait dans sa famille. Ainsi, ce jour-là, je fis également la connaissance de l'auteur supposé de ces troubles, une jeune femme enceinte. Et lorsque je vis les deux sœurs marcher côte à côte le long de la route, je me dis que je ne les reverrais sans doute jamais. Et puis (il se pencha légèrement pour lui prendre la main), vous êtes revenue quelques jours plus tard pour me remercier d'avoir soigné votre cheval. Ma seule réponse fut de vous inviter à revenir me voir — je me disais pourtant que j'allais au-devant des ennuis — mais depuis, j'ai guetté votre visite chaque jour avec de plus en plus d'impatience, et j'ai compris que j'étais tombé amoureux de vous.

Evelyn posa sa main sur la sienne à son tour et dit d'une voix douce :

— Je crois entendre ma propre histoire, Nathaniel, car ce que vous essayez de me dire, c'est que vous n'avez rien d'autre à offrir que vous-même et cette petite ferme. Moi non plus je n'ai rien d'autre que moi-même, et une petite rente qui suffirait à peine à payer la ration de foin d'un poney.

Sa voix se réduisit à un murmure puis se brisa.

— Ça fait longtemps que je suis à vendre, Nathaniel.

— Ne dites pas cela, Evelyn, vous êtes une très belle jeune femme et je suis étonné que vous ne soyez pas déjà mariée.

— J'aurais pu, dit-elle en souriant à présent, mon dernier prétendant avait quarante-huit ans, cinq enfants presque du même âge que moi, et il était affligé d'une bedaine naissante.

Nathaniel repoussa sa chaise en riant, se leva et prit Evelyn dans ses bras. Il la serra fort contre lui, et ses lèvres touchant presque les siennes, il murmura :

— Dites-moi franchement, ma chérie, êtes-vous prête à venir habiter ici ? La vie d'une femme de paysan est faite de corvées auxquelles votre éducation ne vous a pas préparée, et il ne s'agit pas seulement de la maison, il y a aussi des tâches à accomplir à l'extérieur. Êtes-vous bien décidée ?

Elle leva lentement la main et fit courir ses doigts dans ses cheveux rebelles.

— Oui, Nathaniel, répondit-elle tendrement. Si vous voulez bien d'une femme qui ne sait faire ni la cuisine ni la lessive, je serais très heureuse de vous épouser, c'est mon plus cher désir.

Il emprisonna ses lèvres dans les siennes, et elle glissa ses bras autour de son cou. Ils faillirent perdre l'équilibre et se redressèrent, riant et rougissant. Puis il prit son visage entre ses mains et la regarda au fond des yeux.

— Je ne pensais pas de nouveau rencontrer le bonheur dans ma vie, et je ferai tout ce qui est en mon pouvoir, ma chère Evelyn, pour que vous soyez aussi heureuse que je le suis moi-même en ce moment.

— Oh ! Nathaniel...

— C'est trop long à prononcer, en tout cas pour une épouse. Appelez-moi Nick à partir de maintenant, voulez-vous. Et puisque nous sommes samedi après-midi, un fermier, fût-il novice, peut prendre un peu de repos. Je suggère que nous allions rendre visite aux Harding. Sally aura sûrement beaucoup de choses à vous apprendre. Qu'en dites-vous ?

— Tout ce que vous voulez... Nick.

— Dans ce cas, madame, je vais me mettre sur mon trente et un. En attendant, vous pouvez visiter la maison et juger par vous-même si vous avez envie d'y passer le reste de votre vie.

Leurs mains se frôlèrent de nouveau, et, tandis qu'il montait dans la salle de bains, elle sortit de la pièce et entra dans le petit vestibule, qui donnait sur un salon sommairement meublé et peu confortable. À l'étage, il y avait trois chambres carrées au mobilier rustique et un grand débarras. Délaissant l'échelle qui montait au grenier, elle resta sur le palier. Je ferai de cette maison un véritable foyer, se dit-elle en laissant errer son regard sur la campagne environnante. Une fois que j'aurai remporté la victoire — car la bataille contre sa mère serait rude, à n'en pas douter.

— 5 —

— Il n'en est pas question, ma fille. Absolument pas question ! Je ne me laisserai pas humilier une fois de plus. Un ouvrier agricole, imaginez un peu !

— Ce n'est pas un ouvrier agricole, mère, c'est un fermier. Petit, c'est vrai, mais un fermier quand même.

— Comment est-ce possible, quand Vincent dit que sa terre est de la taille de notre potager ? De toute façon, tu n'épouseras pas un fermier, je préférerais marcher sur ton cadavre. Comment peux-tu, sachant ce que j'ai souffert ? Pense un peu à la façon dont tu as été élevée, dont tu vis maintenant... même avec une domesticité réduite, tu ne mets jamais la main à la pâte. Tu crois que tu pourras passer le reste de ta vie dans une petite ferme avec un salaire pas plus gros que celui d'un ouvrier, à ce que je comprends.

Evelyn répondit d'une voix basse et régulière :

— Je reprends vos mots, mère. Comment je vis maintenant ? Comment nous vivons ?... Comme des ermites. Est-ce qu'on sort jamais ? Évidemment non, comment pourriez-vous aller en visite ? Dans la petite voiture ? Oh non ! Et est-ce que nos vieux amis passent jamais nous voir ? Non, à part deux de vos vieilles commères, Lola et Bertha, deux vieilles filles desséchées qui passent leur vie à aller d'une maison à l'autre rapporter les ragots. Elles, elles adorent venir ici déverser tout ce qu'on raconte sur vous, mais de façon si habile que vous ne pouvez jamais leur rendre la pareille. La moindre de vos paroles, elles la racontent au château, au Mont, aux Bleuets, partout. Vous voyez, même si je ne deviens que femme de fermier, au moins ça me changera.

— Ça te changera ? hurla Veronica Lawson, semblant perdre tout sang-froid. Tu te rends compte de la situation où tu vas te mettre ? Non mais est-ce que tu te rends compte, toi qu'on a toujours pomponnée depuis ta naissance ?

Alors Evelyn se mit à hurler aussi fort que sa mère.

— Oh oui ! je sais, je sais même très bien. Il faudra que je fasse la cuisine, le ménage et la lessive. Oui, la lessive. Il faudra que je nettoie les étables. Je sais faire tout ça, je l'ai vu faire des milliers de fois... Et en plus, la porcherie et le poulailler. Mme Harding le fait et c'est un très bon professeur. Elle sait tout faire, je saurai tout faire moi aussi. Très bientôt.

Veronica Lawson regarda sa fille, bouche bée. Puis, se détournant d'elle, elle se dirigea vers la cheminée. Elle s'agrippa au bord du plateau de marbre comme si elle voulait l'arracher. Puis, brusquement, elle fit volte-face et cria :

— Je vais laisser ton père s'occuper de cette affaire. Je suis sûre qu'il lui reste assez d'amour-propre pour s'opposer à cette dernière humiliation que tu m'imposes. Une fille prostituée sur le point d'accoucher d'un bâtard et maintenant, toi, la fière Mlle Evelyn Lawson, qui t'abaisses au rebut de la société.

— Vous avez dit deux choses fausses, mère. Marie Anne n'est pas une prostituée. Elle a fait un faux pas, comme j'ai failli en faire un : elle a assisté à l'événement, qui ne s'est pas terminé comme le sien. C'est ce qu'elle a vu qui l'a dégoûtée et c'est à cause de ça qu'elle me haïssait. Oui, mère, ne faites pas cette tête, vraiment. Et je vais vous dire autre chose encore : ça s'est passé avec le cousin de Mabel, celui qui a mis la bonne dans le pétrin. Vous vous rappelez ? Maintenant, si vous voulez que je parte de cette maison avant d'être prête, je partirai, et j'irai chez mon grand-père. Ou plutôt j'irai chez Marie Anne, où je sais que je serai accueillie. C'est drôle, non, que Marie Anne m'accueille. Je vais faire immédiatement quelques bagages. Vous me répondrez plus tard, pour me dire si je dois rester ou partir, mais je partirai, pour aller me marier.

Ce ne fut pas Evelyn qui quitta la pièce, mais sa mère. Elle partit sans un mot, en trébuchant, aveuglée par la rage.

En sortant du bois, Pat déboucha devant le cottage de Don, où il appela : « Hé, il y a quelqu'un ? » Ne recevant pas de réponse, il frappa à la porte.

N'entendant rien, il l'ouvrit. Le feu brûlait vivement, mais pas le moindre signe du propriétaire du lieu. Se retournant pour regarder vers la rivière, il entendit le chiot aboyer et le vit qui remontait la pelouse en bondissant.

Comme l'animal, tout poils et pattes, sautait à sa rencontre, il aperçut Don émergeant de l'autre bout du bois qui descendait vers la rivière, et, presque simultanément, ils se saluèrent.

— J'ai jeté un coup d'œil dans la maison, dit Pat. Je me suis dit que vous vous étiez peut-être enivré et que vous dormiez.

— Que voulez-vous à pareille heure ? Comment les bateaux se détachent-ils du quai sans vous ?

— Je leur ai donné l'ordre d'attendre. Je voulais vous dire deux mots en privé.

— En privé ? Don ajouta en riant : Ça vous coûtera cher. Je n'entends les confessions qu'à l'heure.

Ce fut au tour de Pat de rire.

— J'ai souvent pensé à vous, catholiques, et à vos confessions. Vous avouez vraiment tout ?

— Eh oui, tout « parce que si vous ne le faites pas, vous savez ce qui vous attend ? »

Il hocha la tête solennellement.

— Si vous cachez quelque chose, vous êtes bon pour l'enfer. Eh oui ! mon vieux, pour l'enfer ! Et vous devez apporter votre petit bois de chauffe avec vous.

Pat rit franchement et dit :

— Eh bien, mon père, je ne cacherai rien, je vous le promets.

Ils entrèrent dans la maison, suivis de Nippy, qui gambadait à leurs jambes. Une fois à l'intérieur, Don demanda :

— Vous voulez une tasse de thé ?

— Non, merci, Don. Je dois vraiment vous voir. Ce que je veux vous dire, c'est que je veux me marier.

— Quoi ?

— Je vous l'ai dit, je veux me marier.

— Oui, j'ai bien entendu, mais qu'y a-t-il de si important pour que vous deviez vous absenter de votre travail ? Et pourquoi me le dire à moi ?

— Eh bien voilà : je veux épouser une catholique, et je voudrais y voir clair quant aux conséquences. Vous voyez, nous n'avons jamais parlé religion et, dans sa famille, ce sont de fervents catholiques ; leur fils unique est prêtre. C'est un couple charmant. Et il y a un autre obstacle. Sachant comment maman a courtisé le comté toutes ces années, je n'ai rien dit de mes affaires à personne. Le père d'Anita est directeur d'une mine. C'est un bon poste, mais mère ne le verra pas de cet œil, surtout maintenant qu'Evelyn lui a porté ce dernier coup, avec sa détermination à épouser son fermier. Mais pour en revenir à la religion : franchement, je ne veux pas devenir catholique, mais je sais qu'Anita voudra que ce soit son frère qui nous marie. Rien n'a encore été dit, mais quelle est ma position ? M'épousera-t-elle si je reste protestant ?

Don eut un petit rire sardonique.

— Oui. Mais seulement après vous avoir torturé avec leurs questions sur votre refus de devenir catholique. On exigera une chose de vous : que vos enfants soient élevés dans le catholicisme. Et même ainsi, dès le premier jour de votre mariage, on fera pression sur votre femme pour qu'elle vous convertisse. Vous comprenez, ils considèrent que vous vivez dans le péché, surtout elle. Pour elle, la punition de son échec sera dans l'au-delà.

Il y eut un silence entre eux, que Pat finit par rompre.

— Vraiment ?

— Vous n'en avez pas du tout parlé avec la famille ?

— Non. Pas même des fiançailles. C'est bizarre, maintenant que j'y pense, mais lors de mes deux dernières visites à Anita, pour le thé, il y avait un prêtre présent, un certain père Nixon. Il n'avait pas grand-chose à me dire, mais je sais qu'il me jaugeait. Un peu plus tard, le père d'Anita a rapporté une plaisanterie sur lui, que j'ai trouvée assez significative : « On dit de lui que s'il arrive à coincer le diable dans une pièce, en une heure il en aura fait un jésuite. »

— Ho ! dit Don. Je l'ai déjà entendue. C'est la plus vieille du répertoire des frères. Pourquoi êtes-vous allé tomber amoureux d'une catholique ?

— C'est arrivé, c'est tout, je ne l'ai pas fait exprès. Je remontais de la chaufferie avec l'ingénieur. Je me rappelle, j'étais en train de m'essuyer les mains sur un bout de corde quand nous avons tous les deux entendu un joyeux rire féminin monter du quai. Deux jeunes filles bavardaient avec des hommes, des officiers français, avons-nous supposé, du bateau amarré à côté du nôtre. Elles s'éloignèrent en riant toujours et lorsqu'elles passèrent devant mon bateau, je ne sais pas ce qui m'a pris, j'ai levé la main en une sorte de salut. L'une d'elles me l'a rendu en riant. Son rire était gai, jeune. Pendant les deux jours qui ont suivi, je n'ai cessé de penser à elle, mais je n'avais aucun moyen de savoir qui elle était. Toute une année est passée. Jusqu'au jour où Henry Morton, un de nos employés, qui nous quittait après trente ans de loyaux services, a amené sa famille à la petite fête d'adieu que nous donnions pour lui, ainsi que M. et Mme Brown, et leur fille

Anita. C'est étrange, mais nous nous sommes immédiatement reconnus, alors que nous nous étions à peine entrevus quelques secondes... Voilà comment ça a commencé. Elle a vingt-quatre ans. Elle enseigne le français dans une école privée. Ça m'étonnerait que vous la trouviez jolie, mais pour moi elle est la plus belle et la plus joyeuse créature du monde. Je veux l'épouser, qu'elle soit catholique ou protestante, ou je ne sais quoi.

Don répondit en riant :

— En tout cas, je vous ai prévenu. Et le conseil que je vous donne, c'est de vous ceindre les reins pour vous préparer au combat, car combat il y aura, si vous êtes décidé à ne pas adopter leur Église.

— Oui. Je ne connais presque rien de cette religion, mais d'après ce que j'en ai entendu dire, et après ce que vous venez d'ajouter, ça n'est pas pour moi. Vous savez, Don, une chose vient de me frapper... Nous... je veux dire ma famille, nous n'avons aucun ami catholique. Nous sommes tous protestants. Vous êtes le premier catholique à faire partie de nos amis.

— Vous m'en voyez très honoré, Pat, vraiment. Mais Sarah ? Peut-être qu'elle ne s'affiche pas dans la pratique, mais creusez un peu sous la surface, et vous verrez de quel côté elle est. Et est-ce que vous ne trouvez pas étrange que ce soit elle qui ait pris Marie Anne en affection et l'ait sauvée ? Tout le monde me remercie d'avoir ramené Marie Anne chez elle, mais c'est à tort, je n'aurais rien pu faire sans Sarah.

— Oui, vous avez raison, dit Pat en se levant. Et religion mise à part, c'est étrange, elle a complètement changé l'atmosphère de la maison. À propos, vous aurez probablement bientôt sa visite si vous ne faites pas attention. Vous n'êtes allé qu'une fois à la maison pendant ces quinze derniers jours. Ils se demandent ce que vous mijotez.

Sa voix se faisant interrogative, Pat demanda doucement :

— Vous ne vous sentez jamais seul ici ?

Don ne répondit pas, mais détourna son visage à demi masqué : Mon Dieu, mon Dieu ! Quelle question ! Est-ce que je me sens seul ? Il ne pouvait avouer : « Je me sens plus seul ici depuis que j'ai commencé à me rendre chez vous. » Et si Pat demandait : « Les femmes ne vous manquent pas ? » Il répondit :

— Oui, Pat, bien sûr que je me sens seul. Mais toute cette dernière semaine, j'ai tellement travaillé sur ma sculpture qu'à la fin de la journée j'étais trop fatigué, je crois, pour me laver et me préparer à rendre une visite. Vous savez (il montra le sofa), ce vieux lit est fort confortable. Et quand le feu flambe bien et que j'ai un peu d'eau-de-vie pour me réchauffer le cœur, je m'écroule de sommeil... Mais dites-leur que je vais bientôt passer. Je vous en prie, transmettez-leur mes excuses.

Scrutant Don du regard, Pat pensa qu'évidemment il avait des excuses. Mais les raisons véritables, quelles étaient-elles ? Il dit simplement :

— Bon ! je m'en vais. Merci de votre aide. Vous m'avez beaucoup aidé, croyez-moi, parce que samedi je vais me rendre au village minier, du moins dans la maison située derrière, et je vais parler. Et vous savez ? Je déteste traverser ce village, parce que le puits de la mine se trouve au bout de la rue. Êtes-vous jamais descendu dans une mine, Don ?

— Non, jamais.

— Eh bien, si jamais on vous le propose, refusez, parce que vous ne verrez plus jamais la nature humaine de la même façon. J'ai toujours été choqué par la manière dont les compagnies maritimes traitent leur équipage, surtout les hommes de la chaufferie. Mais depuis que M. Brown m'a fait descendre dans la mine, j'ai vu pire : les hommes rampent sur le ventre comme des fourmis et les chariots sont tirés et poussés par de simples gamins — ils doivent avoir au moins quatorze ans à cause de la loi sur le travail des enfants. Et je n'en croyais pas mes yeux, les hommes rampaient et creusaient dans des passages d'à peine cinquante centimètres de hauteur. J'ai compris quelque chose, ce jour-là. Que jamais jusqu'alors je n'avais connu la peur. Je n'avais qu'une seule idée, faire demi-tour, m'enfuir de ce trou d'enfer et remonter sur terre. J'ai eu tellement honte que j'ai failli en être malade quand j'ai enfin respiré de nouveau l'air du dehors. Pourtant, le soir même, lors d'un concert au village, j'ai vu certains de ces hommes chanter en chœur à pleine voix sous la baguette d'un véritable chef d'orchestre.

Don acquiesça.

— Oui, j'ai entendu dire qu'en bas c'était l'antichambre de l'enfer. Pourtant, génération après génération, des familles entières s'y succèdent. Il devrait bien y avoir un autre moyen de gagner sa vie.

Comme la question semblait insoluble, ils gagnèrent tous les deux la porte. Pat remercia Don encore une fois et lui arracha la promesse de bientôt passer dîner un soir.

Dans la chambre de sa maison, Don tira le voile de dentelle de la fenêtre, mais laissa ouverts les doubles rideaux en tapisserie lourde et passée. Il se dirigea vers sa commode basse, où était posé le petit cabinet à double porte, et il s'agenouilla devant lui. Puis, l'ayant ouvert, il contempla le crucifix. Il faisait encore assez clair dans la pièce pour qu'il puisse voir les mots écrits en beaux caractères sur le parchemin fixé à l'intérieur d'une des portes. Il avait beau avoir gravés à l'esprit les mots contradictoires qui y étaient inscrits, il ne se les était jamais lus à haute voix :

JE CROIS, AIDE-MOI DANS MON MANQUE DE FOI.

Se signant, il regarda le visage du Christ crucifié dont les yeux sans vie semblaient le dévisager, comme ils l'avaient fait dans la chapelle.

Pendant presque deux minutes, il resta l'esprit vide. Il ne posait aucune question, ne recevait donc aucune réponse. Jusqu'à ce que, après un long et profond soupir, il dise à voix haute : « J'ai fait ce que tu m'as demandé, et maintenant ? »

Il attendait, et la réponse vint.

— Rappelle-toi, je t'avais dit : si tu ne supportes pas la douleur, ne t'y expose pas. Apparemment, toi qui demandes toujours de l'aide mais n'en fais qu'à ta tête, tu as dû décider que tu ne supportais pas la douleur, et tu as cessé tes visites.

— La situation est donc désespérée ?

— Si tu le dis et que tu le décides, elle l'est.

— Oui, elle l'est, car quelle femme, surtout si jeune, pourrait supporter ça ?

Et de la paume de la main, il s'administra une gifle presque aussi forte qu'un coup de poing. La réponse ne se fit pas attendre.

— Quelqu'un qui te connaîtrait sans que tu te dévoiles.

— Oui, mais quand je suis dévoilé ?

— Alors, si elle t'aimait, ses sentiments pour toi n'en seraient que renforcés.

Après un silence, il continua :

— Elle n'a pas encore dix-sept ans.

La voix marqua clairement les mots.

— Elle va avoir un enfant. L'immaculée conception n'existe plus, rappelle-toi, donc si elle est enceinte, c'est qu'elle est allée avec un homme. L'as-tu oublié ?

La voix de Don se fit elle aussi plus dure.

— Non, non, je ne l'ai pas oublié, et je vois cette image à chaque fois que je regarde son beau visage innocent. Suggérerais-tu qu'à cause de ce qui est arrivé elle soit prête à se satisfaire d'un second choix ?

La voix s'adoucit.

— Je ne suggère rien. C'est toi qui le fais, ne l'oublie jamais. Tu es le maître de ton esprit, de tes pensées. Je ne suis que l'écho, qui, espères-tu, te fera voir plus clairement la voie que tu dois suivre.

Don regarda le corps inanimé sur la Croix. Puis, ayant refermé lentement l'une des portes, il regarda l'autre. Une feuille de parchemin y était aussi fixée, et il n'avait pas besoin de la lire, car les mots étaient inscrits dans son esprit :

TA DEMANDE A ÉTÉ ENTENDUE.

TON BOL DE MENDIANT EST PLEIN.

VA LE PARTAGER.

Les deux portes fermées, il se releva, s'assit au bord du lit, une main sur les yeux, et se demanda pourquoi il continuait à faire cela. Quand est-ce que ça avait commencé ? Il ne se rappelait plus quand il avait cru pour la première fois que le personnage de la Croix s'était mis à lui parler, et quand il avait réalisé qu'il ne faisait que se parler à lui-même, que c'était ce qu'on appelle son subconscient qui lui répondait. Tout ce qu'il savait, c'était qu'il avait été rejeté dès la naissance. De cela, il avait pris conscience non pas grâce aux frères, mais à cause des nonnes qui lui répétaient qu'il était méchant, que Dieu ne l'aimait pas, et que c'était la raison pour laquelle sa mère l'avait abandonné. C'était une chance que les frères soient apparus dans sa vie à ce moment. Mais c'était par eux qu'il avait appris pourquoi il se trouvait au couvent. À cause de son visage. Il avait entendu un frère âgé raconter l'histoire de sa naissance à un nouveau venu. C'était peut-être à partir de ce moment qu'il avait commencé à parler à la Croix.

Il se leva du lit et se dirigea vers la coiffeuse au miroir pivotant. Après s'y être dévisagé, il retira le masque de son cadre et le remplaça par un masque propre. Puis, avant de mettre la casquette en cuir qu'il portait toujours pour aller au Petit Manoir et qui lui donnait une excuse pour retirer le grand chapeau mou, il passa un peigne dans ses épais cheveux blonds. S'ils devenaient encore plus épais et plus longs, il n'arriverait plus à les contenir dans la petite casquette.

Il continua à scruter son reflet, puis sépara rapidement ses cheveux de façon à ce qu'ils lui retombent sur le front et recouvrent la cicatrice. Puis, se penchant, il dit à haute voix : « Pourquoi pas ? Pourquoi ne pas les laisser pousser devant et derrière ? Certains le font, des artistes, par exemple. » Lui-même était une sorte d'artiste. Ne serait-ce pas merveilleux s'il n'avait plus jamais à changer ce morceau de chiffon ?

Il fit brusquement demi-tour et donna de nouveau voix à ses pensées, en criant presque :

— Oublie-le, oublie-le.

Et il sortit.

— 6 —

En arrivant dans le hall du Petit Manoir, Pat fut surpris de voir Marie Anne tout habillée, avec manteau et écharpe, en train de retirer une épingle à chapeau. Il s'exclama :

— Tu es sortie ?

— Non, Pat. J'allais partir, mais Sarah dit qu'il y a du vent et que ce chapeau n'ira pas. Elle est partie me chercher cette horrible petite chose en laine qui s'accroche sous le menton comme un bonnet et qui me donne l'air ridicule.

Il baissa la voix.

— Tu es déjà sortie ? (Et comme elle secouait la tête, il ajouta :) L'heure approche, non ?

— Non, ce n'est pas encore pour tout de suite.

— Quand même, je n'irais pas très loin.

— Je vais jusqu'au bois, là où il y a un siège fait dans une souche d'arbre.

— Pour moi, c'est déjà loin. Pourquoi ?

— Eh bien, je m'interroge, et Sarah aussi. Nous nous demandons toutes les deux pourquoi Don n'est pas revenu nous voir. Si je vais jusqu'à la souche d'arbre, je peux m'y asseoir et attendre que Sarah traverse le bois pour aller lui parler chez lui. Tu sais quoi que ce soit sur lui ?

— Non, mais il y a quelque temps il disait qu'il avait du travail à terminer pour les frères.

Pat lui mit la main sur la nuque et noua son écharpe, en disant :

— Si j'étais toi, je n'irais pas jusqu'à la souche.

Le ton posé, elle expliqua :

— Don est un solitaire. C'est son visage qui le rend ainsi, et je sens que je lui dois tant. S'il ne m'avait pas ramenée, étant donné mes sentiments pendant tous ces derniers mois et malgré tous mes efforts pour faire contre mauvaise fortune bon cœur, je ne crois pas que j'aurais réussi à supporter ces escaliers et à monter jusqu'à cette mansarde dans mon état. D'autre part, pendant les premières semaines qui ont suivi mon retour, il a semblé reprendre vie et il a changé. Tu te rappelles, il y a eu une semaine où il est venu dîner trois fois chez nous en racontant des histoires à mourir de rire sur les frères et sur le père Broadside et ses paroissiens. Je me dis donc que quelque chose doit l'empêcher de venir, et quand je le verrai — si je le vois —, je le lui demanderai franchement.

Pat acquiesça de la tête.

— Oui, vas-y. À propos, est-ce que père est là ?

— Non, voilà autre chose. Il n'est pas venu hier non plus. On dirait que tout le monde perd la tête.

— Oh ! dit Pat en fermant les yeux un instant, pour reprendre l'expression de Sarah, le démon s'est mis de la partie chez nous. Je voulais que mère rencontre Anita mais elle a fait toute une scène. Il suffisait déjà, a-t-elle dit, que sa fille épouse un ouvrier agricole. Pourquoi est-ce que j'allais moi aussi m'abaisser jusqu'à aller chercher une femme dans un village minier, la fille d'un mineur en plus, etc. J'espérais amener Anita aujourd'hui — j'avais pris la voiture, Barney venait de la rentrer —, mais la mère d'Anita est alitée avec la grippe et sa fille n'a pas voulu la laisser seule. Malgré mon affection pour la pauvre femme qui est très gentille, sa grippe m'arrangeait : en effet, comme grand-père avait dit qu'il aimerait la rencontrer, j'aurais amené Anita directement ici, et elle se serait demandé pourquoi mère n'était pas là. Je ne lui ai rien dit de la situation, mais il faut que je le fasse bientôt. De toute façon, je vais aller voir ce qui est arrivé à père.

— Bonjour, monsieur Pat!

C'était Sarah.

— Bonjour, Sarah. Ne la laisse pas aller plus loin que l'entrée du bois.

— Même pas si loin, si je peux l'arrêter. Si vous voulez mon avis, elle est folle de sortir par un jour comme celui-là. Il y a eu d'autres jours, de belles journées où j'ai essayé de la faire sortir, mais elle ne voulait rien entendre. Il faut qu'elle choisisse aujourd'hui.

— Sarah, seulement parce que tu as dit que tu irais toi-même et qu'avec ta diplomatie irlandaise tu réussirais à le faire venir. Quant à moi, je la connais bien, ta diplomatie irlandaise, grâce à elle il se précipitera à nouveau chez les frères.

— Oh, vous! dit Sarah.

Puis elle enfonça rapidement le bonnet de laine sur la tête de Marie Anne, et le noua sous le menton, en disant :

— Allons-y. Le plus vite nous nous mettons en route, le plus tôt nous serons revenues.

Pat demanda :

— À propos, où est grand-père?

Ce fut Sarah qui répondit.

— Dans la bibliothèque, monsieur Pat. La dernière fois que je suis passée y jeter un coup d'œil, il ronflait paisiblement.

— Sait-il que vous sortez? demanda Pat à Marie Anne.

— Non, répondit-elle en secouant la tête, c'est une décision de dernière minute, et je ne l'ai pas dérangé car, comme dirait notre amie (elle montra Sarah du pouce), je serai de retour avant même d'être partie, si je réussis à partir.

Pat leur ouvrit la porte en disant :

— Allons, partez avant que vous ne vous disputiez. Pendant ce temps, je vais aller voir comment va grand-père.

Il souriait encore en se dirigeant vers le manoir. « Je serai rentrée avant même d'être partie, si je réussis à partir. » Cette Sarah, on pouvait compter sur elle.

Avant d'atteindre la maison, Pat vit son père en train de se diriger vers l'étable. L'entendant qui parlait à Vincent d'une voix forte, il s'arrêta.

— Je t'ai averti, prends garde. Je t'ai averti.

Voyant Pat, Vincent fit demi-tour et se dirigea vers l'un des box à chevaux, où un lad s'apprêtait à frotter un animal en sueur. James, apercevant Pat, l'accueillit.

— Bonsoir, Pat, il y a quelque chose ?

Pat, comprenant à quoi son père faisait allusion, répondit :

— Non, pas encore. J'ai... Je viens de la quitter. Elle est partie faire un tour avec Mlle Foggerty. C'est apparemment la première fois qu'elle sort depuis des semaines. Elles disent qu'elles iront jusqu'au bois, mais je doute qu'elles y parviennent avec ce vent. Tout va bien ici ?

— Tu as jamais vu tout aller bien ici ?

Cette attitude était nouvelle chez son père, car c'était un dominateur qui parlait, et qui chaque jour le surprenait de plus en plus. Aussi ne répondit-il pas directement.

— Tu vas passer aujourd'hui ?

— Tu rentrais ? demanda James en guise de réponse.

— Pas nécessairement.

— Je vais t'accompagner. J'ai besoin d'un peu d'air frais.

Après un petit moment, James dit :

— Les choses arrivent à leur terme. Avant qu'elle s'en prenne aux garçons, je vais demander une séparation.

— Oh, mon Dieu, mon Dieu ! Je ne vois pas comment elle va supporter ça, père. Il n'y a pas d'autre femme, si ?

— Non, mais ça fait douze ans ou plus que je ne partage plus sa couche. Ça devrait être une raison suffisante... Et quand je dis douze, c'est plutôt dix-sept ans. Après la nuit où nous avons conçu Marie Anne, je ne l'ai plus jamais approchée. Et ça s'est passé après une scène épouvantable.

Marie Anne, toujours Marie Anne. Conçue par deux êtres ennemis et qui, depuis, n'avait connu que l'adversité. Et qui, après avoir brisé la famille, s'était réfugiée au Petit Manoir. Oui, mais tout ça ne serait jamais arrivé si elle avait eu une mère différente.

Marie Anne et Sarah avaient depuis quelque temps déjà dépassé la sécurité des jardins et la limite de la propriété et marchaient sur un petit sentier sans ornières, d'où on voyait le fermier Harding en train de labourer un de ses champs.

Sarah, prenant le bras de Marie Anne, lui dit gentiment :

— Ça suffit, maintenant, non ? Vous ne voulez pas faire demi-tour ?

— Il faut d'abord que je m'assoie un peu, Sarah, j'ai les jambes comme du coton.

— Évidemment, vous marchez sur un sol dur. Je vous ai bien prévenue avant de sortir — mais vous m'avez rétorqué que vous n'aviez pas de béquilles — qu'un sol inégal serait plus fatigant que les tapis sur lesquels vous marchez toute la journée.

— Mais oui, tu m'as prévenue, mademoiselle Sagesse.

Marie Anne sourit en repoussant gentiment Sarah.

— Regarde ! Nous approchons du bois, et d'ici la vieille souche me paraît aussi accueillante qu'un fauteuil.

Quelques minutes plus tard, Marie Anne se laissa choir sur la souche en levant un visage souriant vers Sarah.

— Oh ! que c'est bon ! Et nous sommes abritées devant et derrière. Et regarde là-bas, dans la clairière, le magnifique tapis de jacinthes bleues ! ajouta-t-elle en montrant le bois.

— Oh ! que c'est beau ! Elles sont tout éclaboussées de soleil ! Vous savez ? J'ai toujours eu envie de cueillir des jacinthes. Quand j'étais petite, je m'en imaginais les bras pleins, et je n'en ai jamais cueilli une seule, parce qu'il n'y avait pas de bois là où nous vivions. J'avais dû voir dans un livre quelconque l'image d'un enfant avec un énorme bouquet de ces petites fleurs, car cette idée m'a poursuivie longtemps.

— Eh bien, voilà l'occasion, dit Marie Anne, parce que... (et sa voix se rompit)... je ne crois pas que je peux rester dehors assez longtemps pour que tu puisses aller chercher Don.

— Oh! mon Dieu!

Sarah, la voix pleine d'inquiétude, demanda :

— Vous avez des douleurs, ou quelque chose?

— Non, non, je n'ai pas de douleurs, la rassura Marie Anne en riant, et arrête de me regarder comme ça. Mais je sais que le temps que tu arrives à trouver Don et l'amènes ici, j'aurai à peine quelques minutes pour seulement lui dire bonjour et au revoir. Et, mademoiselle Sarah Foggerty, je reconnais que je suis un peu fatiguée.

— Oh! s'exclama Sarah en secouant la tête d'impatience, je vais vous dire ce que je pense...

— Et tu t'en iras. Oui, oui, je sais. Tu me l'as déjà dit. Mais maintenant écoute-moi. Va accomplir le rêve de ta vie. Va ramasser un bouquet de jacinthes, et puis nous reprendrons le chemin de la maison. Vas-y, parce que je ne bougerai pas d'ici avant que tu n'aies réalisé ce rêve. Vas-y, plus tu t'y mets vite, plus tôt nous prendrons le chemin du retour.

Après un grand soupir, Sarah, courant presque, s'élança vers le tapis de jacinthes, tandis que Marie Anne se demandait, comme si souvent ces derniers mois, ce qu'elle aurait fait sans l'amitié de cette femme. Évidemment, ç'aurait été merveilleux de se retrouver à la maison, auprès de quelqu'un qui s'occupât d'elle, mais si Sarah était restée à Londres comme elle en avait d'abord eu l'intention, la vie ici lui aurait semblé fort ennuyeuse après son séjour dans la capitale.

Le soleil la chauffait à travers l'écran d'épais buissons qui lui servait de coupe-vent derrière elle et sur sa gauche. Elle desserra les liens de son bonnet, puis déboutonna son manteau, en pensant que si la souche avait un dossier tout serait parfait.

Elle levait les bras pour empêcher le manteau de glisser de ses épaules quand il y eut un bruissement dans les sous-bois, derrière elle. Elle tourna à moitié la tête, s'attendant à voir un lapin qui détalait.

La main se posa sur son visage si rapidement qu'elle n'eut pas le temps de crier. Elle sut seulement qu'elle tombait à terre, puis elle vit un bras levé avec un bâton dans la main et se protégea la figure de ses deux mains. Une manche de sa robe était retombée jusqu'au coude, l'autre était maintenue par les mouchoirs enfouis sous son poignet.

Son premier cri fut étouffé, car elle ne pouvait plus respirer, mais quand elle sentit un second coup sur son bras recourbé, elle poussa un cri déchirant qui résonna dans tout le bois. Mais ce ne fut rien en comparaison de ses hurlements quand le gourdin s'abattit sur son ventre. Le dernier coup, qu'elle reçut sur le crâne, la laissa à demi inconsciente. Elle n'entendit pas les cris de Sarah, qui lui prenait la tête et les épaules dans ses bras, tout en cherchant à distinguer dans le fourré l'assassin, qui s'enfuyait dans des craquements de branches.

En levant les yeux sur les visages de Don d'un côté et de M. Harding de l'autre, elle gémit :

— Je cueillais simplement des jacinthes. C'est elle qui m'a demandé d'aller en ramasser.

— Vous avez vu qui c'était ?

Ce fut Don qui posa la question et Sarah secoua la tête, puis dit :

— Mais... mais...

Elle ne continua pas car Don, qui la repoussait pour lui prendre Marie Anne des bras, s'adressait à M. Harding en lui demandant, la voix tremblante :

— On ne peut la laisser ici à attendre de l'aide et la maison est trop loin, aussi aidez-moi à la transporter au cottage.

Se dressant sur ses hanches, il regarda le visage ensanglanté de Marie Anne et lui chuchota quelques mots rassurants :

— Marie Anne, je vais vous soulever. Tout va aller bien, tout va bien se passer.

Marie Anne paraissait inanimée, elle n'eut même pas un gémissement quand Don lui passa les bras sous les épaules et que M. Harding passa les siens sous ses genoux et son bassin. Puis ils se redressèrent et gagnèrent le chemin de terre.

Ils marchaient en crabe, quand Don dit soudain à Sarah :

— Retournez à la maison, Sarah, leur dire d'envoyer un docteur. Si M. Pat est là, demandez-lui de venir, mais ne dites encore rien au grand-père. Si ni M. Pat ni son père ne sont là, ramenez deux hommes avec vous. Mais assurez-vous d'abord qu'on appelle un docteur.

Comme Sarah hésitait à lui obéir, il cria sur un ton soudain de commandement :

— SARAH ! Faites comme je vous dis. Et tout de suite !

Semblant reprendre ses esprits, Sarah releva ses jupes et se mit à courir en sens inverse sur le chemin par lequel elles étaient venues, dans la direction de la maison.

Ayant ouvert sa porte d'une poussée du dos, Don entra, puis serra davantage Marie Anne dans ses bras avant de regarder le sofa.

— On ne peut la laisser ici, dit-il. Allons l'installer dans la chambre.

Ils furent soulagés de la poser sur le lit en bois, recouvert d'une simple paillasse.

— Dieu lui vienne en aide, dit Fred Harding. Pourquoi est-ce qu'elle doit subir ça, juste quand elle va accoucher ?

Comme s'il attendait une réponse, il regarda Don, qui ne fit que secouer la tête.

— Est-elle consciente ?

Don souleva avec précaution et douceur l'une des paupières de Marie Anne, puis murmura :

— Je crois que oui.

— Ils ne pourront jamais la ramener dans cet état.

— On verra ce que dira le médecin.

— Dieu sait quand il va arriver, dit Fred. J'espère que quelqu'un aura l'idée de lui dire de passer par la route principale et par chez nous. Écoutez : je crois que le mieux, c'est que j'aille chercher Sally. Elle était sage-femme. Évidemment, il y a longtemps de ça, mais c'est son domaine et nous avons eu trois enfants. Elle sera là en un rien de temps. Il me faudra à peine cinq minutes. Ça va aller ?

— Oui, bien sûr.

Détachant ses yeux du visage ensanglanté, Don s'approcha d'une bassine d'eau posée sur la table de toilette et prit dans un petit tiroir un mouchoir plié mais non encore repassé. Il l'y trempa, prit une serviette pendue près de là et retourna vers le lit, où, très doucement, il essuya le sang de la figure de Marie Anne en murmurant :

— Oh ! mon Dieu, mon Dieu !

Il se rendit compte que du sang suintait encore d'une mauvaise coupure, entre le haut de l'oreille et le front. Et le bras dont elle recouvrait son ventre était en piètre état. Lui aussi était couvert de sang. Même ses bas étaient rouges.

Quand il porta de nouveau les yeux sur son visage, il fut étonné de voir des larmes perler entre ses cils. Malgré sa voix intérieure qui pleurait : « Oh ! ma bien-aimée, ma toute belle ! », il prit une voix posée pour tenter de la rassurer.

— Maintenant, Marie Anne, vous allez vous remettre. Vous m'entendez ? Oui, je sais que vous m'entendez. Écoutez-moi : le docteur va bientôt arriver.

Mais il s'arrêta quand, le regard brouillé, elle annonça :

— Je vais mourir, Don.

— Quoi ! Pas de bêtises. Écoutez-moi.

Mais elle continua :

— Don, je savais que ça allait arriver. Sa haine m'a toujours poursuivie. Je savais qu'il finirait par me tuer. C'est ça qui m'a fait sortir de la maison aujourd'hui.

— Marie Anne, écoutez-moi : vous dites n'importe quoi. Vous n'allez pas mourir. Vous êtes blessée, vous saignez, vous êtes en état de choc, mais vous n'allez pas mourir. Vous allez vivre et donner le jour à votre bébé.

Tout en parlant, il jeta un coup d'œil au cabinet posé sur la commode et, en pensée, repartit en arrière dans le temps. Il entendait saint Aloysius dire tranquillement : « Je sais quel jour je vais mourir », et il mourut effectivement ce jour-là.

Mon Dieu, il devait se sortir cette idée de la tête. Elle ne pouvait pas mourir, ce n'était pas possible. Il ne pourrait le supporter. La voix en lui était calme, distante, mais très calme : « Tu recommences. Tu ne supportais pas de la voir. Tu ne supportais pas de la voir à cause de la douleur qu'elle provoquait en toi. Et maintenant tu ne peux supporter qu'elle meure. Ce sont simplement tes sentiments. Toujours toi, toi... »

Il se retenait de crier des insultes à sa voix intérieure, quand Marie Anne se remit à parler. Non seulement à parler, mais, soulevant son bras sauf, elle lui prit la main et, d'une voix faible mais ferme, elle dit :

— Ne vous inquiétez pas, Don... Ça fait un certain temps que je savais que ça allait arriver. Je ne savais pas comment il le ferait, mais j'ai toujours su qu'il le ferait, parce qu'il voulait déjà le faire quand j'étais enfant.

— Marie Anne...

— Écoutez, Don. J'attendais que vous veniez. Comme vous n'apparaissiez pas, j'ai senti que je devais vous voir tout de suite. Je ne sais pourquoi, mais c'est ce que j'ai senti. Je voulais vraiment parler de ça.

Elle retira sa main de la sienne et la posa sur le masque, mais sa voix s'affaiblit et ses yeux se refermèrent comme elle murmurait :

— Vous savez ce que je voulais dire, mais cela n'a plus d'importance.

Il lui tenait encore la main quand la porte s'ouvrit. Il se retourna brusquement et laissa aveuglément la place à Sally Harding, qui s'écria :

— Oh ! bonté divine, ma fille ! Ne vous inquiétez pas, le docteur va arriver. En attendant, je vais vous couvrir pour vous tenir au chaud. (Puis, se tournant vers Don :) Laissez-nous. Je vais m'occuper d'elle.

Une fois la porte refermée, Sally Harding se pencha sur Marie Anne et lui demanda doucement :

— Avez-vous mal quelque part, petite ?

Comme Marie Anne ne répondait pas, Sally ordonna :

— Écoutez-moi, vous devez me dire si vous avez mal quelque part.

D'un geste lent, Marie Anne mit sa main sur la partie haute de son ventre rebondi.

— Vous avez mal ici ? Au moins, nous savons où nous en sommes. Du moins, je crois...

Debout dans la grande pièce, le fermier Harding demanda :

— Elle a idée de qui c'est ?

— Plus qu'une idée. Elle sait qui c'est, tout comme moi.

— Comme toi ?

— Oui, c'était son frère.

— Le plus âgé ? Vincent ? J'ai entendu dire qu'il avait déjà essayé.

— C'est vrai.

— Est-il fou ?

— Je ne dirais pas ça. C'est un mauvais. Plein de haine et de méchanceté.

— Mais elle n'est qu'une enfant et il... il approche de la trentaine.

À ce moment, la porte s'ouvrit brusquement et Pat entra, demandant dans un râle :

— Qu'est-ce qu'il lui a fait ? Où est-elle ?

— Ça va, ça va, dit Don en tendant la main vers lui.

— Sarah... Sarah m'a dit qu'il l'avait battue... sur la tête, partout...

— Elle va aller mieux. Du moins, ce que je veux dire, c'est que nous saurons quel mal il y a quand le docteur arrivera. Vous l'avez envoyé chercher ?

— Oui. Barney est parti à toute allure. Il a pris la voiture. Je lui ai dit de l'amener chez vous, monsieur Harding.

— Vous avez bien fait. Oui, vous avez eu raison, il sera ici deux fois plus vite.

— Qui est avec elle ?

— Ma femme, monsieur. Elle connaît ces choses. Elle était sage-femme autrefois. Elle verra vite... quel mal il y a. Je veux dire, au bébé.

Se tournant vers Don, Pat dit :

— Sarah m'a dit que c'était Vincent. Évidemment. Qui d'autre ? Quand même, c'était difficile de croire qu'il irait aussi loin.

— Où est Sarah ?

— Avec père. Ils arrivent. Elle a failli s'évanouir en arrivant à la maison. Nous n'arrivions pas à comprendre ce qu'elle racontait. Elle hurlait tellement que nous avons dû l'emmener à la cuisine, de peur que grand-père l'entende, et nous ne voulions pas le bouleverser avant de savoir ce qui s'était vraiment passé.

Ils se tournèrent tous vers Mme Harding, qui sortait de la chambre et demanda à voix basse :

— Vous avez amené le docteur ?

— Non, nous l'avons envoyé chercher, dit Pat.

— Le plus vite il sera là, le mieux cela vaudra.

S'adressant à son mari, elle dit :

— Son cou est ouvert derrière... Ses cheveux sont gluants de sang.

— Elle est consciente ? Je peux la voir ?

— Oui, monsieur Pat. Je crois que oui, mais je ne la laisserais pas parler beaucoup.

Au chevet du lit de sa jeune sœur, la voyant dans cet état, Pat porta une main à sa bouche et se mordit la chair de l'index comme l'aurait fait un enfant.

Marie Anne avait les yeux fermés. La peau éraflée de son front saignait encore un peu, son œil et sa joue étaient enflés et son visage était livide. La serviette sous son bras était trempée de sang, comme l'oreiller, derrière sa tête.

Au bout d'un moment, il se pencha sur elle, la voix chargée d'émotion.

— Oh ! Marie Anne, Marie Anne !

Elle ouvrit lentement les yeux et bafouilla :

— P... at ?

— Oui, ma chérie, c'est Pat.

— Pat.

— Oui, chérie.

— Il avait décidé de me tuer un jour ou l'autre. Mais pas le bébé. Sauve le bébé, Pat.

— Reste tranquille, chérie. Tout va aller bien, tu vas voir, et le bébé ira bien aussi. Le docteur va arriver. Et Sarah et père sont là.

Il se retourna en entendant la porte s'ouvrir, soulagé. Il retint ses larmes en regardant son père, et tout ce qu'il parvint à dire fut :

— Elle est... elle est très fatiguée.

Et sur ces mots, passant outre Sarah, il sortit de la pièce.

Ce fut au tour de James Lawson de se tenir au chevet de sa fille, et les seuls mots qui lui vinrent à l'esprit furent ceux qui montent à la gorge des hommes de toutes classes lorsqu'ils ne savent exprimer des émotions trop intenses :

— Mon Dieu ! Oh, mon Dieu !

Elle ouvrit les yeux et leva lentement sa main intacte. Il la prit et la garda un moment dans la sienne. Comme il ne trouvait pas la force de prononcer son nom, ce fut elle qui parla.

— Ne vous inquiétez pas, père.

James dut fermer les yeux avant de la regarder de nouveau. Elle ajouta :

— Ne le dites pas à grand-père. Pas encore.

Toujours incapable de parler, il porta les doigts fins de sa fille à ses lèvres et les embrassa. En lâchant sa main, il se retourna pour regarder Sarah, elle aussi devenue muette sous le choc.

Le Dr Ridley arriva chez les Harding presque une heure plus tard. Le fermier, qui venait de terminer la traite, lui donna une rapide description de ce qu'il allait trouver au cottage. De nature joviale, il ne put s'empêcher de raconter aussi qu'en entendant les cris il avait abandonné son cheval, pour le trouver à son retour si gavé de l'herbe des bords du champ qu'il labourait que la bête ne voulait plus travailler. Puis il ajouta que sa femme était auprès de la jeune femme dans la maison de M. McAlister et qu'elle l'attendait.

Si le Dr Ridley fut surpris de la situation qu'il trouva au cottage, rien dans ses paroles ou dans son attitude ne l'indiqua. On l'introduisit dans la chambre où la jeune fille était couchée, comme il le remarqua immédiatement, sur un lit de planches.

Il regarda la couverture qui montait et descendait au rythme de la respiration sur le ventre arrondi, et retira son manteau. Puis, le tendant à Mme Harding, qui se trouvait au chevet du lit, il la salua.

— Bonjour, madame Harding...

— Bon après-midi, docteur.

Puis, s'adressant à la personne qui semblait le gêner parce qu'elle tenait la main exsangue de la malade, il dit :

— Ça ne vous ennuierait pas ?

Sarah, pourtant toujours très susceptible au sarcasme, ne le releva pas, et chuchota de façon à peine audible :

— Ce n'est pas moi qui lui tiens la main, c'est elle qui s'accroche à la mienne.

— Oh! je vois! Bon (parlant à voix aussi basse que Sarah), essayez de vous dégager. Ça me permettrait de commencer à l'examiner.

Cette fois-ci, le docteur eut un sourire pour Sarah, qui ne le lui rendit pas. De son autre main, elle commençait à retirer un par un les doigts de Marie Anne, qui s'étaient enfoncés dans sa chair.

Comme Sarah, dégagée, s'éloignait du lit, le docteur lui prit la main et l'examina. À l'endroit où les ongles étaient entrés dans la chair, il y avait une rangée de petites gouttes de sang.

— Je vois, dit-il. Excusez-moi.

— Il n'y a pas de mal.

Devant son insolence irlandaise et la façon dont elle venait de prononcer ces mots, il se retourna pour la regarder alors qu'elle se dirigeait vers la fenêtre. Mais Mme Harding s'approcha et lui chuchota :

— Elles sont grandes amies, docteur.

— Oh!

Il fut surpris de ce renseignement, car l'Irlandaise ne faisait pas partie de l'aristocratie, comme la jeune fille couchée sur le lit, dont il se souvenait avoir soigné une cheville cassée... il y avait quelques années.

Avec douceur, il commença à l'examiner.

Vingt minutes plus tard, il sortit de la chambre, et sans aucun préambule annonça aux trois hommes qui l'attendaient :

— Il me faudra beaucoup de linge, des draps, des taies d'oreillers, des couvertures propres, des couvre-lits, des serviettes, etc. (Puis, se tournant vers Don, il ajouta avec une légère expression de mépris :) Et du savon. Vous n'êtes pas quelqu'un de très raffiné, monsieur McAlister, n'est-ce pas?

— Je n'en ai jamais éprouvé le besoin, docteur.

— Non, évidemment. Mais maintenant, c'est le moment de commencer.

— Que voulez-vous dire, monsieur (c'était James qui parlait), par c'est le moment de commencer ?

— Ce que je dis, monsieur Lawson. Il nous faudra beaucoup de choses, beaucoup plus encore si votre fille doit rester ici un bout de temps.

— Mais elle ne peut rester ici ! s'écria James, indigné. Comment pourrait-elle rester ici ? Il faut trouver un moyen de la transporter chez M. Harding, et j'enverrai la voiture. Une chose est certaine, elle ne peut rester ici.

Le jeune médecin dévisagea l'imposant personnage en face de lui. Il n'avait jamais entendu dire du bien de cet homme, jamais de mal non plus. Il semblait indifférent, indigne d'être mêlé aux ragots qui tournaient autour de cette famille.

Sentant l'antagonisme monter entre ce très bon docteur et son père, Pat essaya d'apaiser les choses.

— Mon père est très inquiet pour sa fille, docteur, et elle va... accoucher très bientôt.

— Oui, j'ai vu ça, s'impatienta le docteur. Je vous conseillerai donc de dire à votre père d'en faire à sa tête, mais pour aller chercher un cercueil et un croque-mort. Dans son état actuel, elle ne survivrait pas au voyage.

Puis, se retournant vers James :

— Non seulement elle a été frappée très violemment sur les bras et sur le ventre, oui, le ventre, répéta-t-il, mais elle va aussi accoucher très bientôt, et sans doute plus tôt que vous ne le pensez. D'après Mme Harding, elle a déjà eu deux fois des contractions, et je viens moi-même d'assister à quelques autres. Elle est dans un tel état de choc et si faible que l'accouchement va être une vraie lutte pour elle, et pour nous, jusqu'à ce qu'elle ait la force de mettre son bébé au monde, vivant ou mort.

Ayant assené cette nouvelle aux trois hommes, le docteur resta silencieux un moment pour leur laisser le temps d'enregistrer ses paroles. Puis il s'adressa à Don.

— Votre literie est très fruste, monsieur McAlister, mais votre lit de planches pourra s'avérer utile si je dois l'utiliser. Mais attendons de voir : dans vingt-quatre heures, nous devrions en savoir plus. Pour l'instant, je suis sûr que l'un de vous (son regard passa du père au fils) voudra passer la nuit ici, et il vous faudra un endroit pour dormir. Ce sofa n'a pas l'air très confortable.

— Il suffit à mes besoins, dit Don avec raideur.

Le docteur rétorqua :

— Sans aucun doute, sans aucun doute. (Puis sa voix s'adoucit, et prit même un ton enjoué :) Nous ne sommes pas tous aussi forts et résistants que vous. De toute façon, moi, je ne le suis pas, et si j'ai besoin de me reposer parfois, je voudrais pouvoir m'allonger sur un matelas. Aussi, serait-il possible (il s'adressait maintenant à James) de faire venir ici trois matelas d'une personne ? Deux ici et un dans la chambre, car votre gouvernante semble déterminée à y demeurer aussi longtemps que votre fille y sera. Elle dit qu'elle peut veiller vingt-quatre heures d'affilée, plus même. Peut-être, mais si jamais sa volonté lâche, j'aimerais savoir qu'elle a un endroit où s'allonger.

— Vous aurez tout ce qu'il vous faut, docteur, dit James. Et je vais vous poser une seule question : quel est véritablement l'état de ma fille ?

Le Dr Ridley regarda l'homme. Puis, d'une voix étrangement calme, il dit :

— Pour l'instant, monsieur, je dois vous avouer qu'il m'est impossible de vous répondre clairement. Je peux simplement dire qu'elle est en état de choc, que sa température monte, qu'elle doit beaucoup souffrir, ce à quoi je pourrais remédier un peu. Mais cela lui enlèverait l'énergie dont elle risque d'avoir besoin si elle veut mettre son enfant au monde de façon naturelle. C'est tout ce que je peux affirmer pour l'instant.

— Que voulez-vous dire, de façon naturelle ?

C'était Pat qui avait posé la question.

— Pour vous dire les choses crûment, si elle ne donne pas naissance à l'enfant de façon naturelle, il faudra le lui prendre.

— Même s'il est vivant ?

— Bien sûr, bien sûr s'il est vivant. Mais espérons que tout va bien se passer. Elle est jeune et, si je me souviens bien, elle a de la volonté, deux atouts dans une situation pareille. Et maintenant, passons aux choses pratiques et matérielles : la nourriture. Pour l'instant, il ne lui faudra qu'à boire. Mais cela dit, il faut penser aux soldats. Ça m'étonnerait, dit-il en s'adressant à Don, que vous ayez des provisions de thé, sucre, beurre, pain, lait et autres choses pour répondre à la demande.

— Non, monsieur, j'en suis désolé. Mais je peux en faire venir.

— Oh ! c'est gentil de votre part. Eh bien, maintenant (s'adressant à nouveau à James), je vous demanderai de veiller au nécessaire pour ce soir et demain. Nous reparlerons dans quelques heures de ce qu'il faudra dans les semaines qui suivront.

— Les semaines qui suivront ?

Le visage de James se fronça d'étonnement et le docteur répondit :

— Eh oui ! évidemment ! Les semaines à venir. Après l'accouchement, il lui faudra au moins quinze jours de repos, dans l'état où elle est.

— Mais, monsieur...

— Oui, monsieur Lawson ?

James ne trouva rien à dire de plus. Il n'avait pas l'habitude de traiter avec les médecins, du moins pas avec ceux de ce genre-là. Chez lui, quand il était malade, on appelait le Dr Angus Sutton-Moore... Mais naturellement, il se rappela que ce jeune homme — et celui-ci lui paraissait très jeune — était celui qui s'était occupé de Marie Anne quand elle s'était cassé le pied et qu'il avait donné certaines règles quant à la façon de la traiter. Enfin !

Il se retourna brusquement et, prenant son chapeau sans dire un mot, il se dirigea vers la porte.

Le regard passant du docteur à Don, Pat dit :

— Personne ne vous a demandé votre avis quant à l'utilisation de votre maison. On a tout pris comme allant de soi.

— Continuez comme ça, je vous en prie.

Après un long silence et un échange de regards, Pat dit :

— Merci, Don.

Puis il suivit son père.

Pendant leur retour en hâte au Petit Manoir, Pat songea que jamais encore il n'avait entendu parler son père comme il le faisait maintenant. Il était vrai que, ces dernières semaines, il s'était déjà étonné de l'attitude de son père, de ses fréquentes visites surtout, non seulement pour voir son propre père mais pour passer un peu de temps à la maison, et Pat savait que cela ne pouvait manquer d'accroître encore davantage la fureur de sa mère. Et maintenant, son père disait qu'il allait prendre au Manoir tout ce qui était nécessaire au docteur et à l'entourage de Marie Anne. Il alla même jusqu'à dire que ce serait une nuit que certains n'oublieraient pas de sitôt.

Avant de le quitter au Petit Manoir, il dit à Pat :

— Père aura sans doute eu vent de quelque chose car, à ce que je sais, Foggerty a l'habitude de lui apporter du thé dans le milieu de l'après-midi. Il faut lui faire comprendre qu'il ne peut venir ce soir, parce qu'il n'y aura ni siège ni lit pour lui, mais que nous l'emmènerons demain matin sans faute.

Sur ce, le pas décidé, son père marcha vers la maison.

Une fois arrivé, il se dirigea droit vers la cour et fit sursauter les hommes en criant : « Young ! Young ! »

Le cocher étant précipitamment sorti de la salle des harnais, James demanda :

— Où sont les autres ?

— Monsieur, Bill Winter est... dans la grange à s'occuper du foin. De la nourriture, je veux dire.

— Et Crouch ?

— Crouch s'occupe du cheval de M. Vincent. Il transpire de nouveau beaucoup.

— Fais-les venir ici !

Young se hâta comme il ne l'avait pas fait depuis longtemps, appelant ses subordonnés dans la cour, même si les deux hommes avaient déjà remarqué la présence du maître et l'urgence qu'il semblait y avoir.

En les voyant apparaître, les désignant du doigt, James leur dit :

— Vous deux, venez avec moi. Toi, Young, va chercher les autres au jardin pour qu'ils t'aident avec la charrette.

— La charrette ?

L'homme avait à peine fini de bafouiller que James l'interrompit en jetant :

— Oui, tu m'as bien compris, la charrette. Mais d'abord, envoie quelqu'un à la blanchisserie et rapporte-moi autant de baquets que tu peux en trouver.

Les trois hommes restèrent un moment figés sur place, tous traversés par la même idée : il a vraiment perdu la boule. Mais il voulait des baquets et la charrette, ils se hâtèrent donc d'obéir à ses ordres, rappelés aussitôt par les cris de James.

— Toi, Young, avance la charrette devant la porte d'entrée, et veille à ce que ces deux-là m'apportent les baquets dans le hall.

Sur ces mots, il contourna la maison et entra dans le hall, où il fit sursauter Green en criant :

— Va me chercher Mme Piggott!

Comme par magie, Mme Piggott apparut par une porte de côté et demanda :

— Oui, monsieur? Me voilà.

— Bien, madame Piggott, deux des garçons d'écurie vont arriver d'une minute à l'autre avec plusieurs baquets, mais je veux d'abord que vous les fassiez monter et leur montriez où prendre trois matelas d'une personne.

— Trois... matelas?

— Vous m'avez compris, madame Piggott, et il distingua toutes les syllabes : J'ai dit trois ma-te-las d'une personne. Il faut les descendre dans le hall et les charger sur la charrette qu'on va apporter incessamment devant la porte.

Mme Piggott se hasarda à lancer un coup d'œil interrogateur à Green, qui ne lui répondit pas, car il regardait par la haute fenêtre les garçons d'écurie apporter des baquets et se diriger vers la porte d'entrée.

— Et une fois cela fait, je veux que vous m'accompagniez à la lingerie. Vous m'entendez, madame Piggott?

— Oui, oui, monsieur.

— Alors, arrêtez de rester plantés comme des piquets à me dévisager. Et pour votre gouverne, sachez et faites savoir que je ne suis pas devenu fou. Du moins, pas encore.

Robert Green ouvrit la porte d'entrée aux deux hommes d'écurie, embarrassés et étonnés. Leur confusion s'accrut encore quand ils reçurent l'ordre de suivre la gouvernante, qui devait leur montrer où prendre trois matelas, à descendre et à installer sur la charrette. Les bonnes devaient, elles, descendre draps et couvertures.

En haut des escaliers, la gouvernante un peu affolée se trouva nez à nez avec sa maîtresse, qui regarda ébaubie les deux hommes avec leurs baquets.

— Mais, pour l'amour du ciel, que faites-vous, madame Piggott ?

Avalant sa salive, celle-ci fit face à sa maîtresse et annonça :

— J'obéis aux ordres de monsieur, madame.

Se penchant alors par-dessus la rampe, Veronica Lawson vit son mari lever les yeux vers elle et lui cria :

— Qu'est-ce que ça veut dire ?

— Si vous descendiez, ma chère, je vous dirais exactement ce qui se passe.

Il allait se diriger vers le salon mais s'arrêta pour donner d'autres ordres à Green :

— Quand la charrette sera là, regarde si le fond est d'une propreté parfaite. Sinon, couvre-le de toiles de protection. Tu me comprends ?

— Oui, monsieur. Oui.

Veronica trouva Lawson au milieu du salon. Il fallut qu'elle parle la première :

— Tu es devenu fou ?

— Pas tout à fait encore, ma chère. Mais je risque de le devenir avant la tombée de la nuit. Et toi aussi tu vas devenir folle, s'il te reste un minimum de conscience. De toute façon, il faut que je te prévienne, je vais transporter de la literie, du linge et d'autres choses encore dont il sera besoin au cottage de M. McAlister. Tu as entendu parler de lui, n'est-ce pas ? C'est le gentleman, je répète, le gentleman qui a pris l'initiative de faire revenir ta fille à la maison. Pour l'instant, Marie Anne est au cottage, à deux doigts de la mort, et je n'exagère pas, je ne fais que répéter les mots du Dr Ridley.

— Ho ! s'exclama Veronica dans ce qui était presque un rire. Elle fait un accouchement prématuré, alors elle est à deux doigts de la mort ! Pauvre petite !

— Non, madame. Ce n'est pas parce qu'elle accouche prématurément qu'elle risque de mourir, mais parce que ton fils l'a presque battue à mort.

Il avait sifflé les mots et elle vacilla.

— Quoi ? Qu'est-ce que tu dis ?

— Tu as très bien entendu. Il l'a presque battue à mort. Sur la tête, le visage, le ventre, partout.

— Ce n'est pas vrai ! C'est faux ! Pourquoi est-ce que Vincent voudrait... comme tu dis, la battre à mort ?

— À cause de toi. On dirait que c'est de ta belle âme qu'il a hérité, et il hait Marie Anne depuis qu'elle est toute petite. On te l'a déjà fait remarquer, femme, et tu savais son sentiment pour elle, parce que tu le partageais, et tu aurais pu l'arrêter. Mais non, tu l'as laissé tranquille et maintenant — écoute-moi bien —, si elle meurt, je te le répète, ma chère Veronica, si elle meurt, je ferai en sorte que ton fils meure aussi.

Elle s'agrippa au fauteuil, et il vit que pour une fois il l'avait atteinte. Il ajouta alors :

— On l'a trouvée il y a quelques heures, et je peux retracer toutes les étapes de la (il chercha ses mots en secouant la tête) diabolique entreprise de ton fils. Et même si je ne le pouvais pas, elle l'a nommé, et il y a des témoins. Mais je m'occuperai de lui dès que j'aurai veillé à ce que tout ce dont il est besoin au cottage y soit transporté, car la maison d'un homme seul n'est pas idéale dans une situation comme celle-ci. Aussi, madame, informez votre fils que je veux qu'il m'attende dans cette pièce, même si je tarde à venir.

Elle resta coite, les yeux exorbités, tremblant de tout son corps et se répétant : « Cette fille ! Encore cette fille ! »

Un quart d'heure plus tard, la lingerie fut allégée de six paires des meilleurs draps et des taies d'oreillers assorties, ainsi que d'une douzaine de serviettes de diverses tailles.

Les baquets, pleins à craquer de linge, suivirent les matelas dans l'entrée. Mais apparemment ce n'était pas tout. Le maître ordonna que l'on aille chercher deux énormes paniers dans la réserve et, au grand chagrin de la gouvernante, après avoir vidé deux étagères de nourriture, il se dirigea vers le placard renfermant les mets délicats, où il choisit des boîtes de pâté, du saumon et des fruits.

— Ça ne suffira pas à nourrir longtemps quatre personnes. Aussi, madame Piggott, ayez la gentillesse d'aller me chercher un jambon et un petit bacon, ainsi qu'un carré d'agneau où découper des côtelettes.

Dépassée par l'outrance de la situation, la gouvernante ne répliqua rien. Son visage était pâle, ses lèvres sèches : il lui semblait que son monde s'écroulait.

Une bonne demi-heure plus tard, la charrette, chargée à craquer, sortit de la cour, conduite par le cocher, indigné, accompagné des deux garçons d'écurie. Harold avait reçu l'ordre de conduire la charrette dans la cour de M. Harding, d'où les trois hommes déchargeraient les affaires et les porteraient au cottage de M. McAlister à travers les deux champs.

Le sol du hall, maintenant vide de tous les objets emportés, fut nettoyé par deux bonnes nerveuses et affairées, qui, maintenant que le maître était devenu fou, se voyaient près de perdre leur emploi, car elles voyaient les choses aller de mal en pis dans cette maison. Dans le salon, la maîtresse faisait de violents reproches à Vincent, qui lui répondait par des cris.

May Dalton, la première femme de chambre, toussota, et à ce signal Susan Fowler, son assistante, redoubla d'ardeur avec le chiffon à cirer. Le maître revenait de la cuisine, suivi de Green portant un panier de quatre bouteilles de vin qui demandait :

— Que dois-je faire avec ces bouteilles, monsieur ?

— Ah oui ! je ne peux les emporter comme ça. Emballe-les et envoie quelqu'un les porter au Petit Manoir. Elles sont pour le cottage, mais je les prendrai demain.

— Oui, monsieur.

Robert Green attendit que la porte du salon se soit refermée sur son maître puis se tourna vers les bonnes.

— Sortez de là !

— Mais il faut que nous...

— Faites ce que je vous dis. Et prenez ça. Emballez chaque bouteille, placez-les dans le sac de jute et rapportez-les ici, leur ordonna-t-il en leur tendant le panier de bouteilles de vin.

May Dalton lui jeta un regard furieux, sans oser lui répliquer : « Pour que tu puisses écouter aux portes ? » Mais les filles obéirent, laissant Green seul dans le hall.

Il se plaça au milieu, entre la porte du salon et la porte d'entrée, position qui lui permettait de voir venir les visiteurs et qui était un bon poste d'écoute.

James avait lentement refermé la porte derrière lui. Il resta un moment immobile, scrutant son fils, debout près du sofa, et sa femme, assise à une petite table qu'elle tapotait des doigts. Comme il ne faisait pas un pas vers eux, elle se leva brusquement.

— Tu te trompes de cible, comme d'habitude. Comment oses-tu dire de telles choses sur ton fils ?

Sans faire attention à sa femme, James s'avança vers le milieu de la pièce en dévisageant Vincent.

— Comment es-tu, encore une fois, arrivé à la convaincre que tu as raison ?

— Je ne sais vraiment pas de quoi vous parlez, père. Et vous m'accusez de quelque chose de très grave.

— C'est effectivement très grave.

Sans tenir compte de la voix stridente de sa femme, qui essayait de l'interrompre, James continua à fixer son fils et lui dit :

— Tu étais dans la cour quand j'ai demandé à Pat s'il y avait du nouveau. Il savait que je faisais allusion à Marie Anne et il m'a répondu que non, mais qu'elle allait se rendre jusqu'au bois. Moi, je savais que Sarah Foggerty l'accompagnerait. Mais ça, tu l'ignorais, aussi, tu t'es toi aussi rendu au bois, par la route du haut. Tu as dû être déçu, quand tu as vu qu'elle n'était pas seule. Mais qu'a fait Sarah ? Elle l'a laissée se reposer sur la souche d'arbre et est allée cueillir des jacinthes. Tu as saisi ta chance. Les branches cassées ne devaient pas manquer, et tu en as trouvé une lourde. Tu as commencé par le côté de la tête et as continué à la frapper systématiquement. Ce sont les cris et l'approche de Sarah qui ont dû t'arrêter, car Marie Anne avait déjà dû perdre conscience.

Vincent regardait sa mère en déniant vigoureusement de la tête.

— Il est fou, il est fou ! Je te l'avais dit ! Peu après avoir quitté la cour, je suis rentré et j'ai parlé à mère ici. N'est-ce pas, mère ?

— Mais oui (Veronica hurlait de nouveau) et il n'a jamais quitté la maison.

James les dévisagea tour à tour. Elle le protégeait par ses mensonges, et avec une telle conviction qu'il était difficile de ne pas la croire.

— Tu le jurerais ?

Il la regarda lancer un coup d'œil à Vincent, avaler sa salive et déclarer :

— Oui, je le jurerais.

— Et je suppose que tu as des témoins pour confirmer ta déclaration ?

— Oui, évidemment. Et... je peux aller t'en chercher un. Attends une seconde, juste une seconde.

Elle sortit prestement du salon et ne tarda pas à trouver le valet.

— Green !

— Oui, madame ?

— Aujourd'hui, à environ trois heures, tu as fait entrer M. Vincent par la porte d'entrée ?

— Je ne me rappelle plus, madame.

— Écoute-moi, Green. Aujourd'hui, à environ trois heures, même si tu n'es pas sûr de l'heure, tu es au moins sûr d'avoir fait entrer M. Vincent par cette porte.

Elle montra la porte et il se retourna pour la regarder. Puis, baissant la voix, elle lui chuchota :

— Tu viens d'être promu, Green, tu as une bonne position ici, tu pourrais monter encore, tu me comprends ? Tu pourrais aussi te retrouver sans poste (elle se redressa), tu me comprends toujours ?

— Oui, je vous comprends, madame.

— Alors viens répondre à mes questions devant mon mari.

Elle entra dans le salon, suivie de Green qui resta le dos à la porte, presque comme l'avait fait son maître quelques minutes auparavant. Du moins, jusqu'à ce qu'elle lui ordonne :

— Avance, Green.

Une fois que le valet eut obéi, elle lui fit face et demanda :

— Dis à ton maître à qui tu as ouvert la porte d'entrée cet après-midi entre deux heures et demie et trois heures et demie.

L'homme, la regardant en face lui aussi, dit :

— Je suis de repos entre deux heures et demie et trois heures et demie, madame. Depuis que vous avez changé les horaires, j'ai une heure de libre à cause de mon travail supplémentaire et de mon congé raccourci.

Il y eut un silence dans la pièce. Veronica Lawson se tourna vers son fils avant de regarder de nouveau le valet.

— Mais tu as dit que tu avais ouvert la porte d'entrée à Vincent vers cette heure-là.

Il y eut de nouveau un silence et l'homme répondit :

— Non, madame, je n'ai pas dit ça.

— Green ! (L'aigu de sa voix se fit strident.) Comment oses-tu me mentir de front comme ça ? Tu as dit...

Elle ne continua pas, interrompue par James, qui hurla lui aussi :

— Tais-toi, femme. Tu n'arriveras pas à faire mentir cet homme pour toi. (Puis se tournant vers le valet :) C'est tout, Green. Juste une minute. Voilà ce que tu peux faire pour moi et pour Vincent (il cracha le nom de son fils). Monte dans sa chambre et commence à faire ses valises et à emballer toutes ses affaires.

— Mon Dieu, vous ne... il ne le...! Toi, ne t'avises pas d'aller dans ma chambre!

Vincent, s'éloignant du sofa, se dirigea vers le valet, mais son père l'arrêta de la voix et mit son bras en travers de son chemin, avec une telle force qu'il en perdit presque l'équilibre. Mais il continua de crier à son père :

— Vous ne me ferez pas ça! Vous êtes devenu fou! Complètement fou!

— Pas tout à fait. Mais quand j'en aurai fini avec toi, je le deviendrai peut-être.

Se tournant de nouveau vers Green, il dit :

— Fais comme je te dis. Tout ce que tu trouves qui appartient à mon fils, emballe-le et descends-le dans le hall.

Une fois Green de l'autre côté de la porte, Vincent s'avança vers son père en grognant.

— Vous ne me ferez pas ça! Vous ne pouvez me faire ça! Cette maison est la mienne et j'ai bien l'intention d'y rester.

— À partir d'aujourd'hui, cette maison n'est plus la tienne, et si tu ne pars pas sans faire d'histoires, j'appellerai la police et tu seras inculpé pour coups et blessures. Peut-être même pour meurtre. Tu m'entends? Petit salaud, petit couard! Tu n'es pas un homme. Non, tu n'en es pas un, tu es un mauvais, une bête. Depuis que tu es tout petit, tu as toujours essayé de mettre des entraves à ta sœur. Je le sais. Ce n'était, selon l'expression de ta mère (il montra sa femme du doigt), qu'un jeu innocent. Marie Anne n'a réussi à te tenir à distance que par sa force de caractère. Elle a été contente de s'échapper à Londres, loin de tes griffes et de la haine de sa mère. Et à la simple pensée qu'un homme avait été là où tu aurais aimé être, tu es devenu fou! Alors qu'est-ce que tu fais? Tu essaies d'en finir une bonne fois pour toutes avec elle. Et avec son enfant. Écoute, il y a une chance que tu aies réussi et que tous deux meurent dans les prochaines vingt-quatre heures. S'il en est ainsi, je veillerai à ce que justice soit faite.

Vincent recula d'un pas, battant des bras, secouant la tête, essayant de faire appel à sa mère.

— Il est fou, je te dis qu'il est fou, mère. Il a le front de parler justice ! Je n'ai rien fait, et il ne peut rien prouver.

Cette fois-ci, Veronica n'émit aucun mot pour le soutenir, mais elle s'agrippa en aveugle à la chaise près de laquelle elle se tenait. Elle manqua de tomber quand elle entendit son mari, cet homme étrange, cet homme qu'elle n'avait jamais connu, dire :

— Tu iras chez ton ami, au 23 Bingham Close. Oh oui ! je sais tout, tout sur lui aussi.

Vincent lui répondit par un cri qui était presque un hurlement.

— Ce n'est pas mon ami, pas de cette façon. Vous vous fourvoyez complètement. Il a...

Il jeta un coup d'œil à sa mère, qui le dévisagea à son tour, les yeux interrogateurs. Son mari poursuivit :

— Oui, il a une sœur, une dame de la haute société. Mariée. Si je ne me trompe, son mari est explorateur. Mais qu'importe que votre ami soit un homme ou une femme, vous lui rendez visite et restez chez lui pendant de longs week-ends. Eh bien, cette fois-ci, vous y resterez jusqu'à ce que vous receviez l'ordre d'en partir, ce qui dépendra de l'état de Marie Anne. Si je ne peux te joindre à cette adresse, je confierai immédiatement l'affaire à la police. J'ai bien l'intention de te faire payer, payer jusqu'au bout — jusqu'au bout, je le répète — pour avoir détruit la vie de ma fille. Une chose encore avant que tu ne partes. Tu ne travailles plus dans mon affaire. Je vais laisser des ordres, t'interdisant de retourner au bureau. Je te paierai les actions qui sont à toi le double de leur prix. Si tu discutes, je retire mon offre.

— Vous n'allez pas vous en tirer comme ça. Je vous verrai pendu d'abord. Vous n'allez pas me déshonorer, je refuse de quitter cette maison.

— Bon, je t'ai prévenu de ce que je ferai si tu ne pars pas de toi-même. C'est à toi de choisir.

Sur ce, James fit trois pas vers le cordon de la cloche, à côté de la cheminée, mais Vincent bondit pour empêcher la main de son père de la tirer.

Devant la scène qui suivit, Veronica bondit de son siège. En effet, son mari assena un coup de poing dans le visage de son fils, le faisant trébucher de côté. À ce moment, la porte s'ouvrit, sans doute en réponse au léger coup de sonnette, et Green apparut, ébahi de voir son maître, au corps lourdaud et replet, prendre une posture de combattant, prêt à la riposte de son fils. Sa maîtresse se pencha sur son fils, tombé au bord du sofa, et le supplia :

— Viens, chéri, viens. Je vais monter avec toi et tu reviendras. Tu reviendras, tu verras. Mais pour l'instant, viens. Ton... ton père (et elle lança un regard furieux à son mari) regrettera tout ça. Oui, il le regrettera jusqu'à la fin de ses jours.

Quand Vincent voulut la repousser, elle s'accrocha à lui.

— Accepte, accepte. Viens.

Et elle le guida aussi loin de James qu'elle le put. Voyant Green debout à côté de la porte, elle lui jeta :

— Dégage de mon chemin, toi !

Mais Green, qui ne lui bouchait pas le chemin, ne bougea pas. Il se dirigea ensuite vers son maître, qui avait relâché sa posture de combat et s'appuyait sur une chaise à haut dossier.

— J'ai descendu trois des valises de M. Vincent, monsieur. Et j'ai fait descendre la malle de voyage du grenier. Il en aura besoin pour emporter ses costumes.

James leva la tête et se tut un court moment, avant de répondre :

— Les autres ne vont pas rentrer avant un bon bout de temps. Va dire à Pinner de préparer le boghei et d'emmener M. Vincent et ses bagages à la gare.

— Bien, monsieur.

Après le départ de Green, James resta un moment seul dans la pièce. Avait-il réellement fait et dit tout ce qu'il avait fait et dit ces dix dernières minutes ? Avait-il frappé Vincent ? Mais oui, il l'avait fait. Il regarda son ventre arrondi. Il avait eu le coup de poing heureux. Pourquoi heureux ? Il y avait mis toute sa force, la force de la colère. Comme c'était étrange que le premier coup qu'il ait jamais porté à quelqu'un fût contre son fils.

Il parcourut la pièce du regard et se rendit compte qu'il ne l'avait jamais aimée. Elle ressemblait trop à sa chambre d'autrefois, un champ de bataille.

En traversant le hall pour gagner son bureau, il jeta un coup d'œil aux valises, près de la porte, puis aux escaliers, où Green et deux garçons descendaient à grand-peine une grosse malle de voyage.

Une fois dans son bureau, il se laissa tomber dans son fauteuil en cuir et ferma les yeux. Il lui semblait avoir l'esprit complètement vide. Il ne pouvait penser à rien. Il ne se rappelait rien. Il n'avait qu'une envie, dormir.

Comme il reprenait peu à peu ses esprits, il s'entendit interpeller, comme de loin : « Monsieur ! » Et de nouveau : « Monsieur ! »

Il ouvrit les yeux et vit Green qui lui apportait un plateau avec un verre de porto. Il se redressa.

— Merci, Green. C'est très gentil de votre part. C'est exactement ce dont j'ai besoin en ce moment.

— C'est ce que j'ai pensé.

Comme Green regardait le visage un peu rougeaud de cet homme qu'il avait servi pendant des années, il se rappela une phrase qu'il avait entendue, et qu'il croyait vraie, disant qu'aucun homme ne serait jamais un héros pour son domestique. Pourtant, en ce moment, cet homme qu'il avait considéré comme mollasson, efféminé, dépourvu de courage, lui paraissait un héros, car il avait remis sa femme en place. En plus, il avait donné à ce gros couard arrogant un coup de poing qui, à moins qu'il ne se trompe lourdement, ferait un bel œil au beurre noir. Et il s'était apprêté à lui en donner un second.

— Voulez-vous que je vous prépare un bain avant le dîner ?

— Non, merci, Green. Je dois retourner chez M. McAlister.

— Est-ce que Mlle Marie Anne est gravement blessée, monsieur ?

— J'en ai peur, Green, très gravement. De plus, elle va sans doute perdre son enfant.

— Je suis navré, monsieur. Et je peux vous dire que tous les domestiques le sont comme moi.

— Merci, Green, merci.

La porte s'ouvrit lentement et ils virent Evelyn, qui s'exclama :

— Oh père ! vous êtes ici !

— Oui, Evelyn.

— Bonsoir, Green.

— Bonsoir, mademoiselle Evelyn.

Comme Green sortait, il pensa en lui-même : « En voilà un autre de changé en mieux. Ça égalise un peu les choses. »

Tirant une chaise près du fauteuil de son père, Evelyn s'assit.

— Je ne peux croire ce que j'ai entendu. C'est vrai qu'il l'a battue à mort ? Est-elle vraiment gravement blessée ?

— Non seulement elle est gravement blessée, mais on ne sait pas si elle va survivre. Et le bébé non plus.

— Je n'arrive pas à y croire. J'ai rencontré Pat sur la route en voiture avec grand-père. Il m'a parlé très brièvement.

— Oh, mon Dieu ! Cela va achever grand-père. Il faudra qu'il traverse le champ et ce n'est pas facile. Pourquoi est-ce que Pat... Mais qu'est-ce que je raconte ? Personne ne peut empêcher grand-père de faire quoi que ce soit. Mais je dois y aller et veiller à ce qu'il rentre à la maison, ou il faudra qu'il couche sur un matelas par terre.

Il avala rapidement le reste de son porto et se remit debout. Evelyn se leva aussi et demanda :

— Vous avez vraiment chassé Vincent de la maison, père ?

— Oui. Je l'ai chassé de la maison. Et il a de la chance que je ne sois pas plus costaud, car il ne serait peut-être pas parti vivant.

— Je l'ai vu sortir de la cour. On l'aurait dit devenu fou.

— Je vais te dire une chose, Evelyn : si jamais quelque chose arrive à Marie Anne, il souhaitera être devenu fou.

— Et tout ça s'est passé cet après-midi, pendant que j'étais sortie.

— Mais non, ma fille. Tout ça a commencé il y a des années, avant même que tu sois née. De toute façon, tu dis que tu l'as vu sortir de la cour ?

— Oui, et mère se tenait au bout de l'allée. Elle pleurait presque et c'est la première fois qu'elle m'a parlé depuis des jours. Pour me menacer, évidemment, pour me dire que si je persiste dans mon idée, elle commettra un geste désespéré, car elle ne peut en supporter plus.

— C'est une rengaine bien connue, non ?

— Y a-t-il quelque chose que je puisse faire, père ? Sérieusement. Je ne suis plus la personne méchante et gâtée que j'étais, et Mme Harding ne me facilite pas les choses. Elle commence toujours par le plus difficile, et elle est toujours beaucoup plus agréable une fois la tâche accomplie. As-tu déjà nettoyé une porcherie, papa ?

James secoua la tête en la baissant, puis se passa la main sur les yeux.

— Ne me fais pas rire, Evelyn, parce que ce n'est vraiment pas le moment aujourd'hui. Mais (il retira la main de ses yeux et la regarda), tu me dis qu'elle t'a fait nettoyer la porcherie ?

— Ce n'est rien, père. Rien du tout. Tu savais qu'il y avait une bonne façon de ratisser une étable pour ne pas éclabousser les pis des vaches ?

Il lui passa le bras autour des épaules et l'accompagna à la porte en lui disant :

— Ne m'en dis pas plus ce soir, ma chérie, garde tes histoires pour un autre jour, quand, grâce à Dieu, nous pourrons en rire. Pour l'instant, tu m'as demandé si tu pouvais faire quelque chose. Tu pourrais passer chez ton grand-père pendant cette mauvaise période, et aussi dans la semaine, quand Pat ou moi-même travaillons, car il faut quelqu'un là-bas. Tu pourrais aussi aller voir ce dont ils auront besoin quotidiennement.

— Je le ferai, père, bien sûr. Où allez-vous maintenant ?

— Je retourne au cottage. Tu m'as dit que père y était, et je dois le ramener chez lui ce soir. Sans vouloir médire de Don, son logis manque vraiment de tout confort.

— C'est sale ?

— Oh non ! pas le moins du monde. Mais tout est vieux et usé, triste et pauvre. De toute façon, j'y vais maintenant. Mais je vais te demander une chose de plus. N'agace pas ta mère davantage ce soir. Mords-toi la langue s'il le faut, car elle a supporté plusieurs chocs ces dernières heures, et il y a une limite à ce qui est supportable, même pour ta mère.

— 7 —

Au cottage, James trouva son père assis sur le sofa, une tasse de thé à la main. Il le salua :

— Bonsoir, James.

James ne répondit pas immédiatement mais regarda Pat, debout derrière le sofa, qui sans mot dire étendit simplement les mains, dans un geste très significatif.

Se laissant tomber à l'autre bout du sofa, James s'en prit un peu vertement à son père.

— Vous n'auriez pas dû, père. Nous avons déjà assez de souci comme ça.

— De quoi parles-tu ? rétorqua vivement le vieillard. Je ne vais causer aucun souci, sauf peut-être à moi-même. Si j'étais rentré tout seul, je serais devenu fou d'inquiétude de ne pas savoir comment va la petite. Et écoute, ajouta-t-il en baissant la voix, je ne suis pas encore dans mon cercueil, et pour l'instant je parais plus vivant que n'importe lequel d'entre vous. Qu'est-ce qui s'est passé là-bas ?

— Je vous le dirai plus tard.

— Moi, je vais te dire maintenant, siffla le vieillard. Il paiera pour ça au moins, sinon pour le reste, tu me comprends ?

— Oui, père, et il paie déjà. Il n'est plus à la maison.

— Que veux-tu dire ? Il s'est dérobé ?

— Non. J'ai veillé à ce qu'il parte, avec sacs et bagages.

Le vieillard pencha la tête de côté comme s'il le regardait d'une nouvelle façon.

— Vraiment ? Tu l'as chassé de la maison.

— Oui. Je l'ai fait. Et n'ayez pas cet air surpris. Comme vous le disiez à propos de vous-même, je suis encore loin d'être mort.

On entendit un faible gémissement dans la pièce d'à côté et le vieillard murmura :

— La pauvre petite, la pauvre petite !

James, se penchant vers son père, lui mit la main sur le genou et dit doucement :

— Père, il va y avoir beaucoup d'allées et venues et il n'y a pas de place pour vous coucher. Vous seriez bien mieux à la maison.

— Mais alors pourquoi tous ces matelas ?

— Ils ne sont pas pour vous, père.

James regarda Don, qui sortait de la cuisine, et demanda en désignant les matelas posés par terre au bout de la pièce :

— À part ça, où avez-vous rangé tout le reste ?

— Oh ! c'est très simple, répondit Don avec une pointe d'impatience qui masquait ses sentiments réels. J'ai une petite pièce où je range tout mon matériel pour l'atelier. Il y a des étagères et un placard. Nous avons fourré tout le linge là-haut. Quant à la nourriture (il montra du pouce la cuisine derrière lui), la réserve, dirais-je, n'a jamais contenu autant de nourriture depuis sa construction.

Levant les yeux vers Don, Emanuel demanda :

— Bien, mais est-ce que je dérangerais si je restais cette nuit ?

— Pas moi, monsieur, pas le moins du monde. Mais je n'ai pas d'autre lit.

— Je n'ai pas besoin de lit. Vous avez des matelas là-bas : ça ne sera pas la première fois que je dormirai sur une couche de fortune. Aussi, voulez-vous bien dire à mon fils, monsieur McAlister, que je ne dérangerai personne.

— Bien sûr, monsieur, répondit Don.

Il pensa : « Ces gens! Ils semblent plus inquiets de nourriture et de matelas que d'elle. » Et comme dans un soupir il ajouta : « Oh Dieu! je vous en prie, empêchez-moi d'exprimer mes véritables sentiments. Et laissez-la-nous. Débarrassez-la de l'idée de mourir. »

D'un geste, il appela Pat à la cuisine pour l'avertir un peu sèchement :

— C'est à propos du pain.

— Du pain?

— Oui, votre père a pensé à tout, beurre, fromage, jambon, à tout, mais pas au pain.

Il eut un petit sourire et se demanda comment il pouvait encore supporter de se préoccuper du pain quand tout son être, corps et âme, était avec elle dans la chambre, à l'apaiser et à la supplier de donner le jour à l'enfant avant qu'il ne soit trop tard. Et il était là, à veiller au gîte et au couvert des gens. Comme il aurait aimé les jeter tous dehors, ne garder que le docteur et Sarah à côté de sa bien-aimée. Pourquoi avait-elle été attaquée à quelques centaines de mètres de son cottage alors qu'elle allait accoucher? Depuis que Sarah avait laissé entendre que cette conception ne résultait pas d'un viol mais d'une certaine affection de Marie Anne pour cet homme plus âgé, cette idée insupportable ne le quittait plus.

— Je vais m'en occuper, dit Pat.

La porte de la chambre s'ouvrit et ils entendirent la voix du docteur. Sortant de la cuisine, ils écoutèrent sa demande :

— Monsieur Lawson, je suppose que tout le linge pour le bébé est prêt à la maison?

— Oui, oui, bien sûr, docteur, dit Pat.

— Alors, vous devriez aller en chercher une partie le plus vite possible.

Agité, Pat répondit :

— Oui, j'allais chercher du pain. Je ferai porter le linge.

Ignorant le vieillard, resté silencieux sur le sofa, John Ridley retourna dans la chambre, indigné. Quelle famille, se dit-il. Cet homme qui parle de pain alors que sa sœur est en train de mourir, car c'était ce qui se passait, elle était en train de mourir. Il avait déjà rencontré des situations étranges, mais jamais à ce point. Une jolie fille, enceinte, dangereusement blessée, qui allait accoucher dans cette pauvre maison, où un homme défiguré par une cicatrice vivait comme un ermite et où les trois hommes de la famille s'apprêtaient à dormir par terre. Quant à cette Irlandaise, elle était restée stupidement clouée à sa place, sans jamais ouvrir la bouche, sauf pour murmurer quelques paroles à la malade.

La maison était tranquille. Les matelas étaient occupés. Même Sarah avait dû s'allonger. Mais dans la chambre, le docteur disait :

— On ne peut attendre plus longtemps, madame Harding. Je vais lui prendre. Il faut y aller. Je vais lui donner une bouffée de chloroforme. Si elle a la chance de survivre, nous devrons avoir recours au forceps ou à une césarienne. Et ce n'est vraiment pas un endroit où pratiquer une césarienne.

Après s'être lavé les mains, il prit dans sa sacoche une petite bouteille et des tampons de coton, un forceps et un outil ressemblant à des ciseaux. Il les disposa sur une serviette sur la table de toilette. Puis, regardant Mme Harding, il dit :

— Allons-y, et que Dieu soit avec nous.

Il imbiba le tampon de coton de chloroforme et le plaça doucement sur le nez et la bouche de Marie Anne. Quand elle en eut aspiré deux bouffées, il le posa sur le côté et prit son instrument. Insérant doucement sa main, il chercha à sentir la position du bébé.

Quelques minutes plus tard, il se mit à parler à l'enfant.

— Voilà... voilà...

Puis, attrapant son forceps, il se mit à tirer doucement :

— Allez viens, tout-petit, viens, il faut que tu viennes.

Son avant-bras eut un sursaut et il grogna. Puis lentement, très lentement, il amena le bébé à la lumière. Il le garda dans ses mains un moment avant de couper le cordon, puis jeta presque le petit paquet vivant dans les bras de Mme Harding, pour immédiatement se concentrer de nouveau sur Marie Anne.

Quand l'enfant ouvrit la bouche et poussa un vagissement, Mme Harding s'exclama, presque joyeuse :

— Une fille ! Mignonne comme tout !

Elle se saisit d'une serviette, dont elle entoura l'enfant. Quand elle réussit à ouvrir la porte, il n'y avait que Don, qui se tenait tout près derrière, comme s'il s'apprêtait à entrer. Elle dit :

— Ça va, le bébé est bien. C'est une fille. Apportez la cuvette et l'eau chaude, et placez-les sur la table, là.

Comme il ne bougeait pas, elle poursuivit :

— Qu'est-ce qu'il y a ? Oh, écoutez ! Tenez-la, je vais aller moi-même chercher ce qu'il me faut.

C'est ainsi qu'il tint l'enfant de Marie Anne dans ses bras. Il regarda son petit visage, un peu rougi des deux côtés, et la pensée lui vint que s'il avait été son père il lui aurait peut-être transmis sa défiguration.

— 8 —

Quarante-huit heures plus tard, vers dix heures du soir, le cottage était tranquille. Sur un matelas de la pièce principale, Sarah était allongée, à côté d'un berceau très décoré où dormait le bébé.

À droite de la cheminée, James reposait sur un autre matelas, plongé dans un profond sommeil. Quelques heures plus tôt seulement, Pat avait ramené son grand-père chez lui. Il avait dû user de beaucoup de force de persuasion pour le convaincre qu'il ne servait à rien, ni pour lui-même ni pour quiconque, de rester assis sur le sofa jour et nuit.

Mme Harding était retournée à la ferme pour un repos bien mérité, et, à sept heures du soir, le docteur était reparti après sa seconde visite de la journée et ces quelques mots à Don :

— On ne peut rien faire de plus. Elle est très faible et il y a une immense lassitude en elle. Ce n'est pas étonnant, elle a perdu beaucoup de sang et cet accouchement était peut-être plus qu'elle ne pouvait supporter. Seul le temps le dira.

Il s'était penché sur Marie Anne en repoussant doucement une mèche de cheveux de son front bandé. Puis il s'était retourné vers Don, qui se tenait à côté de lui.

— Vous avez la force de la veiller ? Vous n'êtes pas épuisé ? Vous n'avez pas fermé l'œil depuis quarante-huit heures.

— Ça va, je suis habitué à veiller.

Comme s'il avait eu affaire à un moine, John Ridley avait acquiescé de la tête — le mot « veiller » avait évoqué en lui les longues heures de prières pratiquées dans les couvents. Puis il avait dit :

— Dans ce cas, je vais vous laisser avec elle. Si vous pensez que son état empire un tant soit peu, faites comme prévu et appelez son père.

— Très bien.

— Ma première visite demain matin sera pour elle.

— Merci, docteur.

Resté seul, Don baissa la mèche de la lampe posée sur la commode. Il regarda en coin le petit cabinet qu'on avait repoussé contre le mur et, bien que sachant qu'il ne serait pas dérangé, il n'éprouva pas la moindre envie de l'ouvrir et d'interroger la Croix. Les choses étaient allées trop loin, il ne pouvait plus Lui parler ni Le prier. Il retourna s'asseoir à la tête du lit, et regarda sur l'oreiller le visage livide et méconnaissable.

La petite horloge posée sur la tablette du manteau de la cheminée indiquait dix heures vingt. Il commençait une longue veille, et ce serait peut-être pour elle sa dernière nuit.

Il prit doucement la main valide posée sur le couvre-lit et en caressa les doigts pendant un moment avant de murmurer : « Marie Anne. Marie Anne. »

La requête intense de sa voix resta sans réponse.

Il contempla le visage tuméfié. Comme saint Aloysius, elle avait souhaité mourir et, comme lui, elle mourait. Mais pourquoi ? Simplement par peur de son monstre de frère.

Il lui tapota doucement le dos de la main en disant :

— Marie Anne, Marie Anne. M'entends-tu ? Si tu m'entends, écoute. Écoute ce que je te dis : tu n'as plus lieu d'avoir peur, car il est parti. Ton père l'a chassé. Il ne t'ennuiera plus jamais.

Il savait que ces derniers mots n'exprimaient que son désir : même banni de la maison, l'homme restait dans sa vie et y resterait toujours, jusqu'à la disparition de l'un ou de l'autre. Elle le savait bien. Si lui-même se trouvait confronté à cet homme, il savait qu'il ne se limiterait pas à désirer l'éliminer, mais qu'il s'y emploierait. Il dit encore une fois :

— Marie Anne, Marie Anne, écoute-moi. Tu ne vas pas mourir. Tu ne le dois pas. Tu ne vas pas mourir, il ne le faut pas. Tu te montres égoïste, tu comprends ça ? Pense à ton grand-père, comment va-t-il résister ? Et ton père, dans sa détresse ? Et puis il y a Pat et Evelyn. Evelyn a déjà reporté son mariage. Mais surtout il y a ta Sarah, ta chère Sarah, qui ne parle plus, elle est devenue muette de chagrin et d'inquiétude. Si tu nous quittes, elle va repartir à Londres. Même ton enfant ne la fera pas rester ici. Tu entends, Marie Anne ? Fais un mouvement pour me dire que tu entends.

Il regarda sa main, son visage, immobiles comme la mort. Sa voix n'était plus qu'un murmure.

— Il y a quelqu'un d'autre à qui tu manqueras, Marie Anne. Il a le cœur brisé, et depuis longtemps. C'est pourquoi il a cessé de venir dans votre maison, il ne supportait pas de te voir. Il n'y avait aucun avenir entre lui et toi. Tu étais trop jeune, il était défiguré. Mais si tu pars, son cœur ne sera pas seulement brisé, il mourra de douleur. On meurt de douleur, Marie Anne. Ce n'est pas simplement une expression. Ce cœur sait qu'il ne peut aimer que toi, et t'aimer, t'aimer, sans espoir d'affection en retour. La douleur sera si insupportable qu'il prendra le chemin que tu envisages de choisir. Et il le choisira avec d'autant plus de raison que la seule belle chose qu'il aura connue dans sa vie ne sera plus de ce monde.

Il y a un peu plus de trois jours, tu allais me dire quelque chose, Marie Anne, mais tu as été interrompue et tu n'as pu le faire. Je savais ce que tu allais me dire, que tu étais mon amie et que mon visage ne te dérangeait pas. C'était ça que tu allais me dire, Marie Anne, n'est-ce pas ? Mais, chérie, tu n'as jamais vu mon visage et j'espère que tu ne le verras jamais.

Il se tut, resta à lui caresser la main. Puis il reprit son chuchotement.

— Marie Anne, reste avec nous. (Puis, désespéré, il ajouta :) Oh ! Marie Anne, reste avec moi ! Je t'en prie, reste avec moi.

Son visage et sa main restaient de cire. Regardant l'horloge de nouveau, il eut du mal à croire qu'il était déjà minuit. Se pouvait-il qu'il lui ait parlé pendant aussi longtemps ? Non, il devait y avoir eu des intervalles de silence.

Il lâcha sa main et se mit lentement debout, étendit les bras au-dessus de sa tête puis exerça ses épaules pour en détendre les muscles. Il se dirigea vers la fenêtre, dont il écarta les rideaux pour regarder le ciel.

Il était parfaitement dégagé, d'un bleu de nuit profond, et la lune brillait. Il ne voyait pas bien mais elle éclairait le petit ruisseau au bout du jardin. L'eau gouttant des pierres et coulant dans le sillon qu'elle creusait dans le sol jusqu'à la rivière était tout argentée.

Il leva de nouveau les yeux vers le ciel. Il était immense. La nuit était belle et le monde beau. C'était la vie qui était laide. Il referma les rideaux et retourna doucement auprès du lit, où il s'assit. Il lui reprit la main, et lui parla encore, comme si elle l'écoutait.

— La nuit est belle. Je me promène souvent du côté de la rivière par des nuits comme celle-ci et je laisse le vent caresser mon visage. Mon... visage démasqué, Marie Anne. C'est merveilleux de sentir le vent sur le visage, sur tout le visage. Il y eut une époque où je lui parlais, à mon visage. Du moins à sa partie défigurée. Je lui disais « Ça va mieux, non ? Je suis désolé que tu ne puisses en profiter tout le temps ». Mais ces conversations étaient dangereuses, j'ai dû les arrêter, car je savais où elles mèneraient. Tu sais, Marie Anne, je ne pense pas à mon visage comme à une entité, je suis deux personnes à la fois, l'une d'elles parle à Dieu, l'autre nie son existence. Il y a, dans la chapelle des frères, un grand crucifix, et même enfant je discutais avec le Christ crucifié. Les frères ont essayé de m'arrêter. Ils y sont parvenus pendant un temps, mais j'ai recommencé en arrivant ici. J'ai en fait une miniature — je l'ai mise dans le cabinet, là-bas. Puis, un jour, je me suis rendu compte, enfin je le savais depuis longtemps mais ne voulais pas le reconnaître, que je ne faisais rien d'autre que me parler et me répondre à moi-même. Depuis, je pense que si Dieu existe quelque part, il me guide de loin, par l'intermédiaire de la petite voix de la conscience. Je suppose que tu connais cette expression, n'est-ce pas, Marie Anne ? La petite voix intérieure ? Il y eut un temps où je savais que j'étais proche de la folie. Je devais avoir entre seize et dix-sept ans. Je devenais grand et fort, et une partie de mon visage me disait que j'aurais pu être très beau à regarder, l'autre que j'étais si hideux que j'avais envie de tout briser autour de moi. Une fois, je l'ai fait. J'ai détruit toute une étagère du travail de frère Percival et, comme un enfant éperdu, je me suis jeté à terre et j'ai hurlé en donnant des coups de pied dans tous les sens. Je me suis débattu contre deux solides frères. Les frères ont été très bons, ils ont appelé ça une dépression nerveuse. C'est une des raisons pour lesquelles je sens que je dois continuer de travailler pour eux. J'aurais pu leur rendre le bien qu'ils m'ont fait en devenant frère moi-même ou, mieux encore, en devenant prêtre. C'est pourquoi ils m'ont envoyé à Rome. Mais au fond de moi, je savais que j'étais trop attaché à ce monde, que je voulais quelque chose, et je ne savais pas ce que c'était jusqu'à ce que je te rencontre.

Il se sentit soudain fatigué. Le sommeil prenait possession de son corps, il n'eut pas la force de lui résister et s'y abandonna.

Il y eut un craquement dans son cou. Tout son corps était courbatu. Il se rendit compte que son front reposait sur son avant-bras, appuyé sur le bord du lit. Il essaya d'ouvrir les yeux, mais ses paupières semblaient scellées.

— Vous avez bien dormi ? demanda une voix.

Le simple fait de lever la tête lui causa une douleur intense, mais il fut tout étonné de ce qu'il vit. Sarah, debout de l'autre côté du lit, soutenant Marie Anne d'un bras, tenant une tasse de thé à ses lèvres de l'autre.

Il réussit à se redresser, et Sarah lui dit :

— Une tasse de thé vous ferait du bien.

— J'ai dû m'endormir. Je suis désolé, répondit-il, la gorge serrée.

— Oui, et même un long moment. Vous savez l'heure ? (Elle regarda l'horloge :) Sept heures moins le quart.

— Je suis désolé, répéta-t-il.

Sarah rétorqua joyeusement :

— Oh, à quoi bon, ne voyez-vous pas qu'elle a passé le cap ?

Il regarda Marie Anne, qui le fixait d'un regard embué. Il eut le sentiment de ne pas l'avoir vue depuis très longtemps, comme s'il était parti en un lieu bienfaisant. Il avait dû bien dormir. Mais elle était là, elle était revenue à la vie.

Il se sentit soudain pris de joie et s'exclama :

— Je vais d'abord faire un plongeon dans la rivière.

Et le rire de Sarah l'accompagna comme il sortait et traversait rapidement la cuisine.

— 9 —

Pendant trois semaines, Marie Anne resta sur le lit de planches, refusant de changer pour un matelas. Quand enfin elle put se lever, elle s'assit près de la fenêtre, le bébé dans son berceau à côté d'elle. La maison était pleine d'allées et venues.

Elle avait reçu deux visites inattendues. L'une d'Evelyn, qu'elle avait été très contente de voir. Elle était venue l'autre jour et s'était assise en face d'elle à la fenêtre, et si Marie Anne savait qu'Evelyn la trouverait très changée, elle remarqua aussi un grand changement chez sa sœur. Elle n'avait plus rien de fier ni d'arrogant. Marie Anne eut du mal à s'imaginer que cette jeune femme à côté d'elle était celle qui la détestait tant autrefois.

Elle lui avait raconté en riant comment elle apprenait à être femme de fermier et fille d'étable. Elle lui avait aussi révélé des choses dont personne ne lui avait parlé : sa mère était partie prendre des vacances au Canada, et Vincent l'avait accompagnée. Marie Anne se souvenait-elle de David et John ? lui demanda-t-elle.

Oh oui ! elle se les rappelait tous les deux. L'un était très grand, l'autre, en comparaison, semblait petit.

Evelyn expliqua que le petit, le plus tranquille, était David et que John, si ses souvenirs étaient exacts, était plus turbulent et toujours en train de se battre avec Vincent. Elle supposait donc que la visite surprise de Vincent ne serait pas très bien accueillie. Mais elle avait entendu dire que David avait une maison à lui là-bas, où sa mère et Vincent habiteraient. John avait épousé la fille d'un propriétaire de ranch, qui, comme lui-même, élevait des chevaux, et il s'était installé chez lui. Evelyn lui dit qu'elle avait repoussé son mariage : il aurait lieu dans une quinzaine, mais si discrètement que « ce sera tout juste, acheva-t-elle dans un rire, si l'officier d'état civil le remarquera ! »

L'autre visite avait été celle de la future femme de Pat. Marie Anne avait imaginé que Pat choisirait une belle femme, grande et mince, mais Mlle Anita Brown était tout le contraire, petite, brune, apparemment très vive. Elle enseignait le français et, sans être belle, n'était pas laide pour autant. Peut-être était-ce sa profession qui lui donnait cet air juvénile. Son rire était irrésistible. Elle n'avait pas parlé de la date de son mariage avec Pat et Marie Anne n'avait rien demandé. En outre, Sarah l'avait adoptée immédiatement, ce qui ne pouvait qu'ajouter à son crédit.

Son grand-père, quand le temps le permettait, venait la voir presque tous les jours, du moins après avoir fait installer des caillebotis dans les deux champs qui séparaient le cottage de la ferme de M. Harding, qui s'était aimablement occupé de ce travail.

Les cinq semaines où elle avait gardé la chambre lui avaient paru une éternité. Mais ce matin, debout en face de Don dans la chambre dépouillée, elle réalisa que c'était la première fois depuis sa convalescence qu'ils se retrouvaient seuls.

— Mon Dieu ! Comment avez-vous fait pour nous supporter tous pendant tout ce temps ? Il y a dû avoir des jours où vous rêviez de retrouver la paix et le calme des frères à Londres.

Il rit en rejetant la tête en arrière.

— La paix et le calme chez les frères ! Ma chère, si vous voulez savoir ce qu'est un chahut, il faut venir au moment de ce qu'on appelle l'heure de la récréation. Surtout s'ils se retrouvent dans la cuisine et que frère John en profite pour jouer de l'harmonica ou si frère Jacko décide de me faire entrer de l'allemand dans la tête pendant une heure.

Son sourire s'effaça, il la regarda dans les yeux et continua :

— Je peux vous dire, Marie Anne, que ces cinq semaines ont été les plus heureuses de ma vie, du moins après la naissance du bébé et votre décision de rester parmi nous.

Marie Anne se détourna pour éviter l'intensité de son regard et se dirigea vers la cheminée.

— Sans vous, Don, je serais morte.

Il resta immobile à fixer son dos, s'interdisant d'aller vers elle, et elle se retourna pour le regarder de nouveau.

— Vous n'allez pas nous bouder comme avant ? Vous viendrez aussi souvent que possible, n'est-ce pas ? Et si je peux, je viendrai aussi vous rendre visite.

Il ne bougea pas davantage : que répondre à cela ? « Non, Marie Anne, ne venez pas ici. Ça fera jaser » ou encore « Ce serait courir un risque dont vous n'êtes pas consciente ? » Bien sûr, il aurait envie d'aller souvent au Petit Manoir. Le danger était moindre là-bas, car il y avait du monde autour d'eux. Mais ici, ils seraient seuls et ce serait dangereux.

— Vous serez toujours la bienvenue, vous le savez. Mais n'oubliez pas que je travaille.

Comme elle ne répondait rien et continuait à le regarder, il reprit :

— Vous allez avoir dix-sept ans le 2 août, n'est-ce pas ?

— Oui, le 2 août. Et vous, quand êtes-vous né ?

— Oh !... Presque le même jour, le 31 juillet. Mais je vais avoir trente-trois ans, c'est-à-dire presque deux fois votre âge, je pourrais être votre...

— Ne dites pas ça ! Sa voix soudainement dure se fêla et son visage devint grave.

— Cette remarque est déplacée, vous le savez. Dix-sept ans, c'est peut-être l'âge d'une jeune fille, mais je n'en suis plus une et je me demande si cela a jamais été le cas.

— Bon, bon, dit-il d'une voix douce en lui tendant la main. Vous n'êtes plus une jeune fille, soit. Pardonnez-moi cette remarque vulgaire. Ne vous fâchez pas, je voulais simplement souligner...

— Je sais ce que vous vouliez me faire remarquer, Don. Ce que vous essayez toujours de me faire remarquer.

Elle changea de ton en voyant la porte s'ouvrir.

— Voici papa. Excusez-moi si je vous ai agacé d'une façon ou d'une autre.

— Tu es prête, ma chérie ?

— Oui, père, mais je disais justement à Don qu'il lui faudra du temps pour tout remettre en ordre ici, après tous ces événements.

— Oui, l'interrompit James en regardant le sol, tout a été bien piétiné ces dernières semaines.

— Oh ! vous savez, tout était déjà abîmé et vous avez été bien gentils de ne pas remarquer les trous. De toute façon, je pensais remplacer le tapis. Tout a besoin d'être changé ici, je n'ai fait aucune amélioration depuis que j'ai emménagé. Ne vous inquiétez donc pas. Mais je peux vous assurer d'une chose : vous allez me manquer. Cet endroit va me sembler comme une tombe, avant que je me réhabitue au silence.

— Jamais nous ne pourrons vous rendre ce que vous avez fait pour nous, Don.

— Oh ! ne vous inquiétez pas, je viendrai vous voir pour les repas, le vin et la musique. (Et, désignant Marie Anne d'un petit signe de tête, il ajouta :) Vous devez jouer pour rattraper le temps perdu. Cela dit, mon compliment est maladroit, car je ne pense pas que vous ayez besoin de faire des progrès.

— Moi non plus, dit M. Lawson. Allons-y à présent. Il faut traverser les champs, passer à la ferme dire au revoir à M. et Mme Harding, qui nous ont grandement aidés dans ces épreuves.

C'est ainsi que Marie Anne quitta le cottage, où elle avait mis son enfant au monde et vécu une révélation importante dans sa vie de femme, car elle savait désormais ce qu'était l'amour.

Don rentra au cottage au début de l'après-midi. Il avait emprunté le chemin boisé et, en approchant de chez lui, il eut la surprise de voir le Dr Ridley devant sa porte.

— Pas étonnant que personne ne réponde.

— Tout le monde est parti, je suis seul à présent.

— Oui, oui. Je sais, c'est pourquoi je suis ici. Je veux vous dire un mot en privé.

Une fois dans le salon, John Ridley s'exclama :

— Mon Dieu ! c'est vrai que ça a l'air vide ! Vous êtes content d'avoir récupéré les lieux ?

— Non, pas du tout.

— C'est ce que je pensais. Je peux m'asseoir ?

— Mais oui, naturellement. Puis-je vous offrir quelque chose à boire ?

— Pas pour l'instant. J'ai quelque chose à vous dire, mais je ne sais pas trop par où commencer et je préférerais que vous vous asseyiez. Debout, vous en imposez trop.

Don s'assit en riant.

— C'est la première fois qu'on me dit que j'en impose.

John Ridley s'appuya sur le dossier du fauteuil et croisa les bras.

— Je ne suis guère plus vieux que vous, je me trompe ?

— Je ne sais pas, dit Don. Je vous donnerais... quarante ans, disons.

— Presque dans le mille. J'en ai trente-neuf. Et vous ?

— Bientôt trente-trois.

— Oui, c'est ce que je pensais. Je crois que je peux vous appeler Don, comme tout le monde, car nous avons appris à nous connaître pendant ces dernières semaines.

— Je suis d'accord là-dessus.

— Du moins, superficiellement.

Don se tut un petit moment avant de répondre :

— Que voulez-vous dire, docteur ?

— C'est ce dont je veux vous parler. De ce qui se passe sous la surface. Mais croyez-moi, je ne pose pas ces questions par simple curiosité. Vous me croyez, n'est-ce pas, Don ?

— Ça reste à voir. C'est de ça dont vous voulez me parler, n'est-ce pas ? dit-il en montrant son masque.

John Ridley rougit légèrement.

— Oui. Mais je vous l'ai dit, ce n'est pas la curiosité qui m'amène. J'ai fait mes études à Londres et, les deux dernières années, je me suis trouvé dans un hôpital spécialisé dans toutes les maladies de peau. Beaucoup d'enfants et d'adultes venaient consulter pour des taches de vin, comme on dit, ou pour des angiomes. Il existe une autre tache assez courante, et presque aussi répandue. J'ai vu une jeune fille dont la moitié du corps était couverte d'une tache brune ou noire. Et non pas d'un aspect lisse, comme les taches de vin, mais toute en nodules et plis, d'épaisseurs différentes. C'était horrible. Ça s'appelle...

— Nævus congénital... je sais.

La partie visible du visage de Don était devenue livide. John Ridley avait lui aussi changé de couleur, mais il était pourpre.

— Excusez-moi... Bien sûr, vous êtes au fait de tout cela, mais je n'ai pas l'intention de traiter votre peau. C'est votre masque qui est en cause. Je craignais qu'il s'agisse de quelque chose de plus grave qu'une tache à cause de cet horrible accoutrement dont vous vous affublez. Je ne vois pas pourquoi vous ne porteriez pas quelque chose qui se remarque moins. Je vous ai surpris l'autre jour sans votre casquette. Est-ce l'hôpital qui vous a donné cet attirail ?

— Je n'ai jamais mis les pieds à l'hôpital, répondit Don d'une voix neutre. C'est un frère qui me l'a gentiment fabriquée pour que je puisse sortir dans le monde.

— Oui, je vois. Encore une fois, excusez-moi, mais... (il mit sa main sur le genou de Don) je voudrais vous aider. Ça vous ennuie que je vous pose quelques questions ?

— Pas du tout. Pas du tout.

John Ridley se passa la langue sur les lèvres.

— Est-ce que vous avez des taches sur d'autres parties du corps ?

— Non.

— Ah ?

— C'est vraiment l'ironie de la chose. Ça ne me gâche qu'une petite partie du corps, de la racine des cheveux jusqu'au sternum.

Don se leva presque d'un bond et arracha son masque. John Ridley ne trahit pas la moindre émotion en regardant l'aspect monstrueux de la peau du jeune homme. C'était vraiment très laid, non seulement à cause de la couleur, mais aussi de la texture. On aurait dit des verrues sur le dos d'un cochon.

Il y eut un long silence avant que le docteur puisse articuler un mot.

— Asseyez-vous, Don... Il n'existe pas, en l'état actuel de la médecine, de traitement efficace pour faire disparaître cette maudite tache. Mais je sais qu'il y a eu des expériences en Allemagne pour éclaircir la couleur. La seule chose qu'on puisse faire dans l'immédiat, c'est de trouver un masque convenable. Ça changerait beaucoup les choses. (Quittant sa chaise, John Ridley alla s'asseoir sur le canapé à côté de Don.) Il faut que je vous parle d'un jeune garçon, un de mes malades, dit-il avec conviction. Il est cul-de-jatte mais ses mains font des miracles. Du moins, quand on arrive à éveiller son intérêt car il n'aime pas tout le monde, il a un caractère assez particulier. Il fabrique de jolis plateaux en papier mâché et autres objets de ce genre, mais aussi des personnages et des masques, qui font vraiment illusion. Un groupe de théâtre lui a fait une proposition, qu'il a rejetée. Il est d'une famille très unie : le père est peintre sur un chantier naval, deux de ses frères y sont apprentis, l'un est riveur, l'autre charpentier. Ils vivent donc assez confortablement et ce sont des gens heureux, malgré la présence d'un autre infirme dans la maison : leur fille de vingt et un ans, atteinte de tuberculose depuis l'enfance et qui malheureusement ne sera plus longtemps des leurs. Ils vivent dans une de ces maisons traditionnelles où la pièce du devant, consacrée à Joe, fait à la fois usage d'atelier, de chambre et de salon. C'est une famille très intéressante. Je suis sûr que vous accepterez de rencontrer Joe. Je lui ai parlé de vous et, pour une fois, j'ai réussi à l'intéresser à quelqu'un. Alors ?

— Pourquoi vous donner toute cette peine pour moi ?

— Je me le demande souvent. Peut-être parce que j'aime jouer la mouche du coche. Mais je crois que la véritable raison, dont je me suis fait une règle de conduite, c'est que je déteste le gâchis.

— Eh ! s'exclama Don.

— Eh oui ! répéta John en écho.

— Je ne trouve pas que je gâche ma vie.

— Ça dépend de ce que vous entendez par là. Vous pourriez atteindre votre véritable envergure et vivre une autre vie, loin de cette cabane (il désigna la pièce qui l'entourait), dont le mérite essentiel est de vous dérober aux regards. Bon, bon. (Il haussa le ton en voyant Don se lever du canapé.) Ne me regardez pas comme si vous vouliez me rouer de coups, parce que ce que je dis est vrai. De toute façon, si je vous demande de faire cette démarche, c'est qu'à mon sens vous m'êtes redevable.

— Et de quoi ?

— Eh bien, vous êtes plus qu'épris de Marie Anne, n'est-ce pas ? Vous êtes amoureux d'elle, et vous avez sans doute remercié Dieu de vous avoir donné la chance de la sauver. Permettez-moi de vous dire que sans moi Il n'aurait pas pu faire grand-chose.

Don prit une longue respiration, puis alla s'appuyer au manteau de la cheminée en chêne.

Une part de lui avait envie de rire, mais seulement une part, car il trouvait aussi que cet homme un peu trop inquisiteur en savait plus qu'il n'aurait souhaité.

— Je m'en vais, dit John Ridley. Inutile de me raccompagner, je connais le chemin. Mais pensez à ce que je vous ai dit. Un seul mot de vous et je passe vous prendre. Et au lieu de rester là comme un taureau furieux, vous devriez me remercier.

Après que la porte eut claqué derrière le docteur, il fallut un certain temps à Don pour se redresser et reprendre sa respiration.

Pour une révélation, c'en était une, et elle ne lui plaisait pas. Pas du tout.

— 10 —

La famille était réunie dans le salon du Petit Manoir. Il y avait Emanuel, James, Patrick, Evelyn et Marie Anne, ainsi que la future femme de Patrick et le mari d'Evelyn. Évidemment Sarah était là aussi, elle servait le thé.

Elle faisait des recommandations à Pat, qui prenait deux tasses sur le plateau.

— Celle-ci, avec deux morceaux de sucre, est pour le maître, et celle-là, sans sucre, est pour M. James. Ne les renversez pas, surtout !

— Oui madame, bien madame, je vais faire très très attention ! répondit-il d'un ton espiègle.

— Oh ! monsieur Pat, quand cesserez-vous de vous moquer de moi !

Pat tendit sa tasse à son grand-père, assis sur le canapé.

— Pourquoi est-il encore allé chez le Dr Ridley aujourd'hui ? C'est la seconde fois en une semaine. Le fermier Harding dit qu'il y a été aussi la semaine dernière. Est-il malade ?

— Je ne crois pas, grand-père, il semble en pleine forme.

— Mais personne n'a pensé à lui poser la question. Marie Anne sait peut-être quelque chose. Marie Anne ! appela-t-il au-dessus du brouhaha des voix.

— Oui, grand-père ? répondit la jeune femme, assise avec Anita et Evelyn.

— Sais-tu pourquoi notre ami Don va consulter le Dr Ridley ?

— Non, grand-père. Et je n'ai pas l'intention de le lui demander.

— Bien. Je le ferai moi-même la prochaine fois que je le verrai.

— Hum hum ! fit une voix.

L'avertissement venait de la table à thé et tous les regards se tournèrent vers Sarah.

— C'est vous qui avez fait cette remarque, mademoiselle Foggerty ? demanda le vieil homme.

Sarah, qui passait la dernière tasse de thé à Nathaniel Napier, répliqua :

— C'était plutôt un petit grognement.

— Un petit grognement ?

Le vieux monsieur échangea un rapide coup d'œil avec James, qui baissa la tête et se mordit la lèvre dans l'attente de la conversation qui n'allait pas manquer de suivre, et le reste de la famille fit soudain silence.

— Et alors, que signifiait ce petit grognement, si je puis me permettre ?

Comme Sarah, occupée à éponger avec une serviette un peu de thé renversé, ne répondait pas, Emanuel réitéra sa demande.

— Mademoiselle Foggerty, puis-je avoir votre attention, s'il vous plaît ?

Sarah se dirigea alors vers le canapé, où elle se tint un peu en retrait, affectant une parfaite docilité envers son maître.

— Alors, mademoiselle Foggerty ?

— Si je vous l'explicite, monsieur, vous risquez de le considérer comme déplacé.

— Vous pouvez m'en laisser juge, mademoiselle Foggerty, aussi, je vous serais reconnaissant de me traduire la signification de ce « grognement ».

Il y eut un grand silence, que Sarah rompit enfin au bout d'un moment.

— Un peu d'espoir.

Le grand-père fit taire d'un regard les petits rires étouffés qui fusèrent de tous côtés.

— Que me dites-vous là ?

— Je n'ai fait que ce que vous me demandiez, j'ai traduit le sens de mon grognement. Cela signifiait : un peu d'espoir.

Il y eut encore quelques rires contenus, James baissa davantage la tête et les autres eurent du mal à cacher leur amusement. Seul Emanuel Lawson gardait un visage imperturbable.

— Vous pensez donc que je n'obtiendrai pas de réponse si je demande à M. McAlister la raison de ses visites chez le docteur ?

— Sachant ce qu'il m'a répondu...

— Vous lui avez posé la question ?

— Oui, monsieur.

— Vous lui avez demandé pourquoi il allait chez le Dr Ridley ?

— Exactement, monsieur.

Tous étaient attentifs. James avait relevé la tête et dévisageait l'Irlandaise, dont le comportement, selon lui, était caractéristique d'une personne qui cherche à tout prix à être aimée.

— Et quelle a été sa réponse ? demanda-t-il.

— Eh bien, monsieur, en résumé, il a refusé de me le dire, mais si vous y tenez je peux vous rapporter sa réponse en entier.

— Oh ! Je vous en prie, allez-y, mademoiselle Foggerty.

Sarah jeta un coup d'œil à Marie Anne et eut un imperceptible haussement d'épaules, comme pour dire « vous l'avez voulu, ne me le reprochez pas ». Puis elle se tourna vers Emanuel.

— Il m'a dit à peu près ceci : « Vous savez ce que vous êtes, Sarah Foggerty ? Une vraie petite fouineuse, et si je vous répondais, vous vous promèneriez dans la maison, narguant tout le monde avec vos allusions, laissant entendre que vous connaissez un secret, et bien consciente de piquer au vif la curiosité de tous. Et vous feriez payer très cher ce que vous savez, par péché d'orgueil. L'ignorance vous évitera donc la tentation. »

— Eh bien !

— Il a vraiment dit ça ?

Sarah les regarda en face.

— Oui. J'ai une bonne mémoire pour les insultes, quelle que soit leur forme.

Emanuel s'adossa au canapé, les mains sur la bouche et les yeux brillants.

— Bon. Il est temps de passer à l'action. Êtes-vous sûrs qu'il part dans la matinée ? dit-il, coupant court à tout commentaire.

— Oui, absolument, répondit Pat. Il a laissé son sac, plein à craquer, devant la porte. Et il avait une autre valise remplie d'objets à peindre et à vernir. Mon Dieu, son atelier est un véritable bric-à-brac ! Il travaille en ce moment un bloc de pierre mais il ne veut pas me dire ce que c'est. De toute façon, les poseurs de tapis savent ce dont ils ont besoin. Et nous sommes tous tombés d'accord qu'il vaudrait mieux du cuir ou de la peau pour le canapé et les chaises ; Anita a donc commandé un cuir kaki. Le vieux buffet devra être évacué avec le mobilier de la chambre, mais la table de la salle à manger et les chaises sont très belles, nous avons décidé de les garder. Pour la peinture et la décoration, ce sera plus long. Marie Anne, dit-il en se tournant vers sa sœur, t'a-t-il donné une idée de la date de son retour ?

— Il a dit dans une semaine environ. Que cela dépendait.

— De quoi ? demanda son père.

— Je l'ignore.

Une idée mesquine traversa son esprit à ce moment-là. « Pourquoi ne pas demander à Sarah ? Après tout, il se confie plus à elle qu'à moi. » Et c'était vrai. Elle les voyait souvent en train de bavarder ensemble. Leurs conversations à eux se faisaient plus rares et, connaissant les sentiments qu'il nourrissait à son égard, elle se demandait si elle n'avait pas rêvé tout ça.

— Il a dit qu'il serait absent une semaine, poursuivit-elle, mais rien que le voyage lui prendra deux jours.

— Il faudra donc compter huit jours à partir du moment où Mike le déposera à la gare, demain.

Emanuel arrêta son fils, qui s'était levé, prêt à partir avec les autres.

— Reste un moment, je voudrais te dire deux mots. Tu as reçu une lettre par le dernier courrier. C'était d'elle ?

— Oui.

— Alors, quelles nouvelles ?

— Elle accepte ma proposition, mais elle réclame beaucoup d'argent. Elle me prendrait jusqu'à mon dernier sou... mais que ne donnerais-je pas pour être débarrassé d'elle...

— Tu ne songes tout de même pas satisfaire ses exigences ?

— Non, naturellement. N'oublie pas que Vincent est là-bas avec elle, et s'il a l'idée de s'installer comme éleveur de chevaux il voudra plus que sa part. David dit que si Vincent tient à rester, il préfère qu'il aille à quelques centaines de kilomètres de là. Quant à John et Kate, ils le détestent cordialement.

Le père et le fils restèrent silencieux un moment, puis Emanuel dit :

— Quand Evelyn sera partie, tu risques de te sentir seul, à moins que Patrick, une fois marié, ne veuille habiter avec toi.

— Il n'en est pas question. Je le lui ai proposé mais il a répondu catégoriquement qu'il ne voulait pas commencer sa vie d'homme marié ici. Ne vous inquiétez pas, père. Je serai content d'avoir un peu de paix — et de savoir qu'elle va durer. Vous ne pouvez imaginer mon soulagement.

Après un autre moment de silence, Emanuel surprit son fils par sa question :

— Pourquoi ne voyais-tu plus ton amante ces dernières années ?

— Que voulez-vous dire, père ?

— Simplement ce que je dis. Pourquoi as-tu cessé d'aller chez cette femme ? Oh ! ne fais pas cette tête, James, je savais que tu avais une liaison, j'ai été au courant dès le début. Sans doute de la même façon que tu as su pour Vincent. Simplement par recoupements entre ce que j'entendais dire et ce que je savais.

James se leva mais Emanuel l'arrêta.

— Oh ! ne prends pas tes grands airs, je t'assure que j'étais heureux que tu puisses trouver un peu de consolation en dehors de ton foyer. Car c'était une erreur d'épouser Veronica, je l'ai toujours dit.

James s'approcha de la cheminée et fixa les braises.

— Écoutez, père, ce n'était pas une diversion, et elle n'était pas ce que vous appelez mon amante. Ce n'est pas le genre de femme dont on fait une maîtresse. Lorsque nous nous sommes rencontrés, elle n'avait pas eu de relation avec un homme depuis la mort de son mari. Et quand j'ai découvert que je l'aimais vraiment, et qu'elle aussi m'aimait, je me suis senti flatté parce que c'est une femme très intelligente, qui avait beaucoup voyagé du temps de son mari. En plus, elle est riche. C'est elle qui a acheté la propriété de Thornton.

— Oui, oui, je sais, c'est une belle propriété. Mais qu'est-ce qui a cassé ?

— Eh bien, comme elle disait, elle n'était pas faite pour être une maîtresse. Elle voulait se remarier, et s'installer avec ses chiens et ses animaux malades. C'était surtout ça qui l'intéressait, les animaux malades. Elle voulait que je divorce de Veronica. Or je n'avais aucune chance d'y parvenir, parce que, même si Veronica avait accepté, elle aurait cherché à en découvrir la raison, et je ne crois pas qu'Elizabeth aurait supporté d'être ainsi exposée. Nous avons donc mis un terme à notre relation et je me suis rabattu sur le vin et la nourriture.

— Tu ne l'as jamais revue ?

— Oh si ! de temps en temps, mais toujours à l'extérieur. À un dîner ou à un thé. Je ne vais plus jamais chez elle.

— Ça fait combien de temps que tu n'y es pas allé ?
— Dix ans environ.
— Elle s'est remariée ?
— Non. Elle ne s'est jamais remariée.
— Quel âge a-t-elle ?
— Soixante ans. Elle a quelques années de plus que moi.
— Quel imbécile !

James jeta un regard aigu à son père, qui répéta :

— Quel imbécile ! Pourquoi bon Dieu n'as-tu pas amené l'affaire au grand jour et affronté cette mégère ? Elle aurait eu bien trop peur du scandale pour faire des histoires. Elle se serait battue pour te garder, ça, c'est sûr, mais tu avais le dessus, tu aurais pu profiter de la situation. Mais c'est bien là la question, qu'as-tu jamais obtenu d'elle sans t'abaisser à te bagarrer pour l'obtenir ? Mais rien ne t'empêche de renouer ta relation avec ton Elizabeth...

— Oh père ! Ce n'est pas le genre de femme qu'on laisse tomber pour la reprendre ensuite. Au contraire de tout le monde à cette époque, elle ne me considérait pas comme un faible, et pourtant je l'étais. Mais ne t'inquiète pas pour moi, tout ira bien. Du moins, dès que j'aurai réglé cette histoire du Canada. Et Marie Anne va être tellement soulagée de ne jamais revoir Vincent...

La porte s'ouvrit brusquement et Sarah, qui allait entrer, s'excusa :

— Oh, pardon ! Je croyais que vous étiez tous partis. Les filles venaient nettoyer.

Comme Emanuel se levait, elle ajouta :

— Ne vous dérangez pas, monsieur, et elle referma la porte sur elle.

Emanuel regarda son fils en riant.

— Quelle femme ! Imagine-la au Manoir. Combien de temps serait-elle restée, à ton avis ?

— Pas une seconde, père, pas un quart de seconde.

— En effet, mais tu sais, je crois que pour une fois Dieu savait ce qu'il faisait en plaçant Sarah Foggerty chez cette horrible Martha, à Londres. On dirait qu'il a dirigé sa vie de façon à ce qu'un jour elle prenne une jeune fille sous sa protection. Car sans elle, je ne sais ce que serait devenue ma petite Marie Anne. Je préfère ne pas y penser...

Il n'y eut que trois convives à dîner ce soir-là, Emanuel, James et Marie Anne. Comme d'habitude, ce furent Sarah et la bonne qui les servirent, avec la même classe qu'un maître d'hôtel et son laquais.

Une nouvelle habitude s'était instaurée au Petit Manoir : après le repas, Sarah dînait avec la nouvelle nourrice, qui ne pouvait pas manger à la cuisine avec les autres domestiques. Ce n'était pas dans les usages. Après le repas du soir, Marie Anne pouvait donc avoir sa fille pour elle toute seule pendant une heure. Le bébé était son portrait craché, à part ses yeux brun foncé qui, parfois, la faisaient un peu frémir. Elle se disait alors qu'au fond le professeur avait été gentil, et elle se demandait où il était à présent, s'il pensait à elle et s'il avait réalisé qu'il était père.

Seule avec sa petite, elle pouvait la serrer dans ses bras, lui parler et lui dire qu'elle ne regrettait pas sa naissance, qu'elle l'aimait et l'aimerait toujours.

Elle n'avait pas entendu la sonnette de l'entrée lorsque Carrie frappa à la porte du salon, et entra en annonçant :

— M. McAlister demande à vous voir, madame.

Depuis la naissance de sa fille, elle était devenue « madame » pour les domestiques.

Elle se redressa en le voyant.

— Il est arrivé quelque chose ?

— Non. Ai-je besoin d'un prétexte pour vous rendre visite ?

Marie Anne ne répondit pas et il s'approcha lentement d'elle pour contempler le bébé.

— C'est la première fois que je vous vois vous occuper du bébé depuis votre retour ici.

— Je n'en ai pas souvent l'occasion. On a instauré une nouvelle routine ici, je ne sais pas si ça va durer, en fait je ne crois pas.

Elle l'invita à s'asseoir et il approcha une chaise du canapé.

— J'ai promis à Sarah de prendre un paquet pour Annie lors de mon prochain voyage en ville. Ce n'est que de l'argent et elle aurait pu l'envoyer comme d'habitude par mandat postal, mais je crois qu'elle veut avoir des nouvelles de la famille, surtout, comme elle dit, des jeunes.

— Telle que je connais Annie, elle aura dépensé pour les enfants tout l'argent qui lui reste après avoir acheté la nourriture.

— Sarah doit envoyer la majeure partie de son salaire là-bas.

— Non, pas tout. Seulement la moitié. Elle met le reste à la banque.

— Puis-je la prendre un peu ?

— Oui, évidemment.

Il prit le bébé et le posa doucement sur ses genoux.

— Avez-vous choisi un prénom, finalement ?

— C'est fait. Nous avons tout passé en revue et puis je me suis enfin décidée : ce sera mon prénom inversé, Anne Marie. Elle lui sourit. Ça sonne mieux que Marie Anne, de toute façon, vous ne trouvez pas ?

— Comment répondre à cette question ? Elle pourrait se vexer !

Ils rirent ensemble et il dit :

— C'est votre anniversaire la semaine prochaine et je ne serai pas là.

— Oui. Nous avons déjà parlé anniversaires, si je me souviens bien.

— Oui.

— Et rien n'a changé. Je vais avoir dix-sept ans, pas moins, et vous trente-trois ans, pas un de plus. Mais la différence reste la même.

— Comme vous dites, madame. Mais si j'en reviens à votre anniversaire, c'est que j'ai un cadeau pour vous : je suis en train d'y travailler, et il faudra attendre encore un peu...

— C'est une œuvre de vous ? demanda-t-elle doucement.

— Oui.

— C'est vraiment gentil.

— Oui, fit-il avec un grand mouvement de tête, très « gentil ». Gentil ! répéta-t-il d'un ton acerbe. C'est le genre de remerciement qu'on fait quand on reçoit une boîte de chocolats.

Marie Anne se rembrunit à son tour.

— Vous prenez mal tous mes propos, ces derniers temps, Don. Vous interprétez tout de travers.

— Vraiment ?

— Oui, monsieur McAlister, et je n'aime pas ça.

— Alors il faut que je me surveille. Dites-moi sur quel ton je dois m'adresser à vous désormais.

— Allez ! Vous recommencez ! Qu'est-ce qui ne va pas, Don ? Je sais que vous voyez le Dr Ridley, vous êtes malade ?

Il leva la tête en riant.

— Non, je suis en bonne santé, mais comment êtes-vous au courant ?

— Les on-dit... Mais il n'y a pas de fumée sans feu, et si la voiture du médecin passe vous prendre, il doit y avoir une raison.

— C'est exact, madame, dit-il avec un petit sourire railleur. Il y a une raison et tout sera révélé en temps voulu, mais pour l'instant parlons d'autre chose.

Il regarda le bébé.

— Regardez-la, elle a l'air heureuse de savoir que je suis son parrain.

Quand il leva les yeux, ils se dévisagèrent sans sourire. Marie Anne se demandait pourquoi, sachant ce qu'elle ressentait pour lui, elle n'avait que des paroles cinglantes à son égard. Et lui se disait : « Je ne pourrai pas supporter ça longtemps. Quand je serai à Londres, il faudra que j'analyse la situation. Être près d'elle devient un supplice de Tantale. Un jour, je ferai une bêtise, et je l'effraierai. De toute façon, comment tout cela va-t-il finir ? Le nouveau visage ne sera qu'un masque, sous lequel la chose hideuse sera toujours là. Et si quiconque dans sa famille devinait mes intentions, on me jetterait dehors. Je le sais très bien. »

Il lui rendit brusquement le bébé.

— Je dois y aller.

Quand Marie Anne se leva, il ne lui tendit pas la main pour l'aider et elle dut s'appuyer sur le canapé, tenant l'enfant sur un bras.

— J'espère que vous ferez un bon séjour.

Il se retourna vers elle.

— Oui, d'une certaine façon, car j'ai toujours plaisir à revoir les frères.

À la porte, il lui fit face complètement et dit plus doucement :

— Mais je ne resterai pas longtemps.

Marie Anne resta plantée derrière la porte fermée, penchée sur l'enfant, lui murmurant : « Il n'avouera jamais. Jamais ! Et moi, si je dis quelque chose, j'ai peur qu'il retourne chez les frères. De toute façon, si je révèle quoi que ce soit, quelles vont être les réactions de grand-père, de père, et Pat, et même Sarah ? Oh oui ! Sarah. »

— 11 —

L'absence de Don avait duré neuf jours. Son train devait arriver à Durham vers trois heures de l'après-midi, mais, à sept heures du soir, il n'était toujours pas là. Emanuel, qui ne masquait plus son agacement, tapotait sa cuillère contre son assiette vide.

— Bon sang, mais que fait-il ?... Je crois que nous avons fait pour le mieux et il n'y avait pas d'autre façon de le remercier.

Après avoir ramassé les assiettes à potage, Sarah marmonna, de façon à être entendue :

— Il est peut-être trop ému.

— Qu'est-ce que vous racontez, Foggerty ?

— Je me parlais à moi-même, monsieur.

Elle ôta le couvercle d'un grand plat contenant une épaule d'agneau, qu'elle disposa devant le vieux monsieur.

— Eh bien, que vous disiez-vous ?

— Je me disais, monsieur, qu'il est peut-être trop ému.

— Ému ?

Emanuel fronça les sourcils d'étonnement.

— Oui, monsieur, tout le monde n'est pas capable de dire merci facilement. On sait qu'on veut le dire, mais on a du mal à le sortir.

Emanuel dévisagea l'Irlandaise : Quelle drôle de bonne femme, pensa-t-il. Il n'avait jamais beaucoup apprécié les

Irlandais, bons travailleurs, c'est vrai, quand ils sont bien dirigés. Mais dès qu'ils avaient un peu d'argent en poche, il ne fallait pas trop compter les revoir.

Il suivit du regard jusqu'à la desserte Sarah, qui passait derrière lui. Son fils le rappela à l'ordre :

— Père, j'aime manger ma viande chaude.

— Oh! vraiment? Alors pourquoi ne commences-tu pas à découper?

— Vous n'auriez pas manqué de me rappeler que c'est à vous que revient ce rôle.

La remarque fit rire Marie Anne, Evelyn et Pat, et le vieil homme s'apprêtait à riposter lorsqu'il demanda le silence d'un geste de la main.

— Chut, taisez-vous tous une minute.

On avait sonné à la porte.

Sarah partit ouvrir et ils entendirent au loin une voix qui disait :

— Je vais attendre au salon, merci.

— Absolument pas! Entrez immédiatement, cria de sa place le vieil homme en faisant trembler les verres sur la table.

Quand Don apparut sur le seuil, s'excusant, « je suis navré... mais... », Emanuel, désignant une place au bout de la table, près de Nathaniel, ordonna :

— Taisez-vous! Entrez et asseyez-vous.

Puis il s'adressa à Sarah :

— Mettez un autre couvert, et vite.

Une fois assis, Don regarda tous les convives puis, prenant une grande respiration, se lança.

— Je... j'ai été retenu. Oh, misère!

Il mit ses coudes sur la table et se prit la tête dans les mains, les pressant si fort qu'il enfonçait son masque.

— Le peu que j'ai fait pour vous... ne méritait pas tout ça... toute cette générosité. Le mal que vous avez dû vous donner pour transformer ce cottage en une belle maison... La vie me réserve peut-être d'autres surprises mais celle-ci restera la plus extraordinaire.

Il dégagea ses mains et, les yeux baissés sur son assiette, il poursuivit :

— Quand je suis arrivé dans ce lieu familier, j'ai tout de suite vu que quelque chose avait changé, de l'extérieur, déjà. Mais... quand j'ai ouvert la porte... j'en suis resté pétrifié, j'ai dû m'adosser au chambranle, comme pris d'ivresse. Je n'osais poser les pieds sur le tapis, ça me semblait un péché. Le salon et la cuisine sont méconnaissables. Tout est fait avec tellement de goût, et en si peu de temps... Quant à la chambre !

Il regarda directement Marie Anne et élargit son sourire.

— Les frères me donneraient une semaine de pénitence rien que pour avoir osé rêver à un tel luxe !

Puis il se tourna de nouveau vers Emanuel.

— Et quel lit ! Je crois que je ne vais pas pouvoir dormir cette nuit car, aussi loin que je me souvienne, j'ai toujours dormi sur des planches. Marie Anne en a eu l'expérience, d'ailleurs.

Maîtrisant mal le tremblement de sa voix, il enfouit de nouveau son front dans ses mains.

— Que puis-je vous dire, à vous tous, parce que *jamais, jamais* de ma vie, je n'ai reçu un tel cadeau, ni connu tant de bonté. Les frères étaient bons à leur manière, mais il y a bonté... et bonté, et la vôtre me bouleverse.

Emanuel reprit la parole.

— C'est ridicule ! N'exagérez pas ! Et maintenant que vous nous avez remerciés, voulez-vous manger un peu ? Sarah, ajouta-t-il, remuez-vous et apportez les légumes sur la table.

Au lieu de répondre immédiatement, Sarah fit un signe aux servantes. Puis elle prit la saucière, qu'elle passa tout autour de la table. En arrivant à côté de Don, elle le salua poliment :

— Bonsoir, monsieur McAlister.

— Bonsoir, mademoiselle Foggerty, répondit-il, avec un petit clin d'œil.

Puis, très doucement, elle lui chuchota :

— Je suis si contente que vous aimiez votre maison. Mais sans moi, vous n'en auriez pas profité longtemps : si je ne leur avais pas montré toutes les tuiles cassées autour de la cheminée, et ils jureront...

Il y eut une toux intempestive au bout de la table et Marie Anne éleva la voix sous forme d'une requête polie, qui était presque un ordre.

— Sarah, veux-tu aller chercher le dessert, nous nous servirons pendant ce temps.

Sarah poussa les filles devant elle et quitta la pièce.

— Il faut faire quelque chose, cette femme en prend trop à son aise. Occupe-toi de ça, Marie Anne, grommela Emanuel en s'essuyant avec sa serviette.

— Je n'en ferai rien, grand-père. Si elle a besoin de remontrances, vous les ferez vous-même, parce que dès le début vous l'avez encouragée et vous êtes ravi de toutes ses sorties.

— Cette remarque à propos du toit était déplacée.

— Non, intervint Pat. Ce qu'il y a de drôle, c'est qu'elle a presque toujours raison. (Puis il se tourna vers Don :) Elle avait tout à fait raison. Personne n'avait pensé aux tuiles, qui, comme vous le savez, étaient en mauvais état.

— Oui, je sais.

— Très vite, il aurait plu dans la maison.

— C'est incroyable, vous savez, dit James.

— Quoi donc, James ? demanda Emanuel en se tournant vers son fils.

— La différence d'atmosphère avec le Manoir.

À ce moment-là, Evelyn se tourna vers Don.

— Je suppose que les Harding vous ont dit que j'avais confisqué presque tous vos meubles ?

Mais avant que Don ne réponde, Nick intervint :

— Pas tout à fait confisqué ! Nous les avons mis dans l'étable en attendant de savoir ceux que vous voudrez garder.

— Prenez ce que vous voulez, dit Don. Il ne faut rien ajouter à cette magnifique décoration. Vous savez, les Harding aussi attendaient ma réaction. Sally avait préparé un thé. C'est pourquoi je suis en retard. Eux aussi ont été très bons avec moi. Elle avait fait un grand gâteau avec « Bienvenue à la maison » inscrit dessus.

— Il était bon ? demanda Evelyn.

— Oui, il était bon.

— Bon seulement ? J'ai participé à la fabrication du gâteau, s'écria Evelyn, indignée.

— Oh alors ! dit Don avec une conviction feinte, je dois dire qu'il était absolument délicieux. Jamais encore de ma vie je ne m'étais autant régalé.

Au milieu des rires qui fusèrent, Marie Anne demanda, véritablement surprise :

— Tu as vraiment aidé à faire le gâteau, Evelyn ?

— Oui. Il faut que je vous dise, j'ai réussi les examens de nettoyage de l'étable, de la porcherie et des sols, j'en suis maintenant à la section arts culinaires.

— Je n'arrive pas à croire que tu te sois suffisamment approchée d'un cochon pour l'entendre grogner.

— Eh bien, viens me voir demain et tu auras le privilège de m'assister dans mes œuvres...

Emanuel prit la main d'Evelyn entre les siennes, lui témoignant par ce geste une admiration qui se passait de mots, et le silence se fit autour de la table.

Ce fut Don qui rompit le léger malaise.

— Le fermier Harding m'a raconté qu'on n'arrive à rien avec un cochon tant qu'on ne réussit pas à le faire se tenir tranquille en lui parlant, ce qui prend tellement de temps que c'est finalement lui qui vous hypnotise !

Il y eut des rires et Marie Anne admira le geste magnifique de son grand-père. Evelyn avait été si touchée qu'elle avait failli pleurer. Elle-même, ces derniers temps, avait plusieurs fois eu envie de faire un geste semblable.

— Vous avez eu une belle fête d'anniversaire ? demanda Don, la tirant de ses réflexions.

— Pas vraiment une fête, un thé familial, où nous avons surtout parlé du baptême.

— Oh ! vous avez fixé une date ?

— Oui, dans quinze jours.

— Quinze jours ! Déjà !

— Vous repartez ? demanda Pat, surpris par l'exclamation de Don.

— Non, non. Je serai là pour le baptême. Évidemment.

Il rit et tout le monde se tourna vers lui, mais il ajouta, laissant tout le monde perplexe par l'emphase qu'il mit dans ses paroles :

— Pour rien au monde, je ne manquerai ce baptême.

— 12 —

Une semaine avant le baptême, James se rendit au Petit Manoir. Il descendit de sa voiture pour saluer son père.

— Belle journée, n'est-ce pas, père ?

— Oui, une des rares journées, légères et chaudes, où je peux vraiment respirer. Et c'est si agréable de marcher dehors sans être agressé par le vent et le mauvais temps.

— Parfois, vous ne vous couvrez pas assez. Avec votre poitrine...

— Oublie ma poitrine. Rien de nouveau ?

— Pas en ce qui concerne les affaires. Mais une des deux lettres arrivées aujourd'hui m'intrigue.

Il sortit de sa poche une enveloppe carrée qu'il tendit à son père.

— Regardez à qui elle est adressée : Mlle Marie Anne Lawson, aux bons soins de M. le Directeur, Compagnie maritime Lawson, Newcastle, Angleterre.

Emanuel lui jeta un coup d'œil.

— C'est un timbre espagnol.

— Oui, c'est ce qui m'intrigue. Où est Marie Anne ?

— Elle est partie se promener avec Sarah. Le bébé dormait.

— J'ai reçu d'autres nouvelles, du Canada. Ils ont acheté un ranch là-bas, et David dit que, maintenant, il y a environ cinq cents kilomètres entre eux. Mais ça ne semble pas encore assez : apparemment, Vincent est impossible. Il dit aussi que Veronica n'est plus du tout la même, par rapport au souvenir qu'il avait d'elle, en tout cas. Il se demande comment elle supporte Vincent, il paraît qu'elle est beaucoup plus patiente qu'autrefois à la maison. De toute façon, nos lettres ont dû se croiser. Je lui ai écrit que, selon mon avocat, je peux obtenir le divorce au bout de trois ans, sans autre formalité, simplement parce que c'est elle qui m'a quitté.

— Ça, c'est vraiment une bonne chose, dit son père, tu peux maintenant faire des projets à un ou deux ans près. Tiens, les voilà, ajouta-t-il en se tournant vers les deux silhouettes qui s'approchaient.

— Bonjour, père. Quel beau temps !

— C'est ce que nous nous disions, tous les deux. À propos, dit-il en lui tendant la lettre qu'il avait encore à la main, ceci est arrivé au bureau pour toi.

Marie Anne sembla hésiter avant de prendre l'enveloppe. Elle la regarda un moment avant de lever les yeux sur les deux hommes, puis se tourna vers Sarah.

— Je boirais bien quelque chose de frais. Je vais retirer mon chapeau et mon manteau. Je ne comprendrai jamais pourquoi il faut toujours porter un chapeau dehors...

Sur ce, elle laissa son père et son grand-père et entra dans la maison, suivie de Sarah.

Cinq minutes plus tard, elles étaient assises dans l'atelier de Marie Anne, qui avait choisi un endroit tranquille.

— Elle ne va pas s'ouvrir toute seule, il faudra bien que vous finissiez par la décacheter.

— Je sais, répliqua Marie Anne d'un ton aigrelet.

Sarah baissa la tête en détournant les yeux et Marie Anne s'excusa.

— Oh ! je te demande pardon ! Mais qu'est-ce que je vais faire s'il revient et veut nous voir, moi et la petite ?

— Je ne sais pas comment vous pourriez l'empêcher de voir son enfant, je pense que la justice lui donnerait ce droit, constata platement Sarah. Elle est toujours du côté de l'homme, qu'il soit bon, mauvais ou indifférent. Mais à quoi bon parler dans le vide ? Ouvrez donc la lettre.

Prenant un coupe-papier sur le bureau de Marie Anne, elle le lui tendit.

Marie Anne sortit de l'enveloppe une feuille pliée en quatre couverte d'une petite écriture illisible :

Marie Anne, ma chérie,
Quand tu recevras cette lettre, je ne serai plus de ce monde...

En lisant ces mots, elle regarda Sarah dans les yeux, bouche bée. Et sans mot dire, continua sa lecture :

Et j'ai peur de mourir sans te dire combien profondément je regrette d'avoir attiré sur toi la honte et le chagrin.

Ton enfant... mon enfant doit être né maintenant et je pense à lui tous les jours... et à vous deux... J'avais l'intention de venir vous voir, une fois que j'aurais obtenu les certificats me permettant d'enseigner. Et j'étais sur le point de les avoir, car mon cher et vieil ami, dans la famille duquel j'ai vécu depuis que je suis revenu à Madrid, m'avait obtenu un poste à mi-temps à l'académie, ce qui me laissait ainsi le temps de travailler pour obtenir ces précieux certificats.

Mais le destin devait en décider autrement car, après deux attaques cardiaques, je fus frappé d'apoplexie, et je suis en partie paralysé, comme tu peux t'en apercevoir à mon écriture. Je sais qu'il ne me reste plus beaucoup de temps à vivre. Je t'écris donc cette lettre avec la promesse de mon ami qu'il te la postera quand je ne serai plus de ce monde.

Ne t'inquiète pas, il ne sait rien de toi, sinon que tu es une amie.

Enfin, ma chère infante, sache que ce qui s'est passé entre nous était de l'amour pur, car je n'ai jamais rencontré dans ma vie quelqu'un d'aussi bon que toi.

Je m'en vais vers Dieu, ou je ne sais qui, la pensée de toi profondément inscrite en mon cœur.

Aie de bonnes pensées pour moi, mon infante.

Carlos.

Marie Anne se recula dans le fauteuil en pressant la lettre contre son cœur. Puis elle ajouta :

— Il est mort.

— Mort ?

— Oui. Tu as bien entendu.

— Dieu ait son âme, murmura Sarah à mi-voix.

Puis elle ajouta plus fort :

— Vous ne semblez pas le moins du monde triste, mais plutôt contente.

Cette remarque fit bondir Marie Anne sur son siège. Elle répliqua vertement :

— Ne dis pas une chose pareille. Je ne suis pas contente, seulement un peu soulagée, car j'ai d'abord cru qu'il avait l'intention de venir. Et cela aurait été horrible.

— Pourquoi horrible ? Il aurait pu faire ce qui lui paraissait honorable et vous demander en mariage.

— Sarah ! s'exclama Marie Anne, choquée.

— Oui, Marie Anne... mademoiselle. Il y a eu un temps où vous l'aimiez bien, et même plus que bien. Et ce n'était pas un mauvais homme. C'était plutôt un gentleman, à sa façon.

Elles se regardèrent en silence. Puis, la voix adoucie, Sarah demanda :

— De quoi est-il mort ? Et qui vous annonce sa mort ?

Marie Anne tendit lentement la lettre à Sarah et vit son expression changer au fur et à mesure de sa lecture.

Une fois qu'elle eut fini, Sarah garda la lettre sur ses genoux, les yeux fixés dessus et murmura :

— Pauvre diable ! Il a au moins eu cette chance de vivre avec de bons amis, parmi lesquels il est mort. (Puis elle leva les yeux vers Marie Anne :) Il faudrait écrire à cet homme pour le remercier.

— Jamais de la vie ! Je n'en ferai rien. Tu te rends compte ! Nouer des relations là-bas ? Ils viendraient tous ici. Et, apparemment, ils ne connaissent pas l'existence de l'enfant. Tout est bien ainsi et il n'y a aucune raison que ça change. Ma fille est à moi, rien qu'à moi ! De toute façon, il n'y a ni nom ni adresse d'inscrits.

— Vous pourriez écrire à l'académie dont il parle.

Très lentement, Sarah se leva et, regardant Marie Anne, lui demanda d'un ton posé :

— Combien de temps pensez-vous qu'elle sera à vous toute seule ? Viendra le jour où elle posera des questions.

— Elle ne posera jamais de questions, elle n'aura jamais besoin de savoir.

— Ne soyez pas ridicule ! Et si vous vous mariez, qu'est-ce qui se passera ?

Marie Anne, qui s'était levée elle aussi, répliqua avec véhémence :

— Je ne me marierai pas ! Je ne me marierai jamais.

De nouveau, elles se dévisagèrent en silence. Puis, prenant une longue inspiration, Sarah eut une expression pleine de tristesse et d'amertume.

— Ne soyez pas hypocrite ! Vous l'épouseriez dès demain si c'était possible ! Vous le savez très bien et moi aussi.

Sur ce, elle tourna les talons et quitta la pièce en claquant la porte derrière elle.

Marie Anne resta sur place, la main crispée sur la lettre froissée, qu'elle avait machinalement portée devant sa bouche.

Sarah ! Qu'avait-elle voulu dire ? Elle ne s'était pas trahie. Pourtant ses paroles étaient des plus claires.

Pendant un moment, elle regretta de l'avoir amenée avec elle ici. Mais elle savait aussi qu'elle ne pouvait vivre sans elle, dont elle avait tant besoin. Mais Sarah était trop perspicace.

Et maintenant ?... Qu'allait-elle faire ?

— 13 —

Le jour du baptême, Emanuel, James et Marie Anne attendaient habillés dans le salon que les autres les rejoignent. Assis dans le grand fauteuil, Emanuel se pencha pour prendre la main de Marie Anne.

— Tu es toujours sûre de vouloir l'appeler Anne Marie?

— Oui, grand-père, tout à fait, ajouta-t-elle, comme des voix se faisaient entendre dans l'entrée.

Pat et Anita entrèrent, suivis d'Evelyn et de Nick, puis du Dr Ridley. La présence de ce dernier, qu'elle n'attendait qu'à l'église, la surprit.

Elle le vit se frayer un chemin vers son grand-père, qui bavardait au milieu des invités.

— Comment allez-vous, monsieur?

— Plutôt bien, docteur, je vous remercie. Je suis content de pouvoir vous dire deux mots d'une question qui nous préoccupe tous : est-ce que M. McAlister a un problème de santé?

— Pas du tout, monsieur. Au contraire.

— Pourtant, à ce que je sache, les gens ne vont chez le médecin que lorsqu'ils sont malades. En fait, la sagesse voudrait que je me tienne éloigné de vous. Mais autant vous parler franchement.

— Et cette franchise vous honore, monsieur. Je suis arrivé un peu en avance précisément pour vous parler de Don. En réalité, ses visites n'étaient pas pour moi, je n'étais qu'un simple intermédiaire.

Tout le monde se pressait autour de lui, mais il s'adressa de nouveau à Emanuel.

— Voilà ce qui s'est passé. En tant que médecin, je devinais bien que son accoutrement devait cacher quelque chose de réellement hideux. J'ai réfléchi à la question, croyant de mon devoir de lui proposer une solution. C'est là qu'intervient un de mes patients, un jeune homme du nom de Joe qui a perdu ses jambes mais qui, j'en suis sûr, a le don d'accomplir de petits miracles.

John Ridley leur parla ensuite du talent artistique de Joe et conclut :

— Il a fabriqué un moule en papier mâché extrafin, auquel il a donné la complexion de la peau. De la peau de Don. Sa mère avait une paire de gants de soirée de couleur fauve pâle, qui donne l'impression d'un teint hâlé. Il a recouvert le moule de ce tissu et l'a maintenu par une sorte de casquette en peau de daim. Je vous assure — et j'en suis assez fier — que ça a transformé notre McAlister et l'a rendu tout à fait acceptable à ses propres yeux. Je peux aussi vous dire que ça n'a pas été facile de le persuader d'aller voir Joe. Pas plus que de convaincre Joe de s'atteler à cette tâche, qui lui semblait une gageure. Mais ils sont devenus grands amis. Je peux même dire que Don a trouvé une nouvelle famille.

Je craignais un peu votre réaction : en le voyant, vous l'auriez sans doute assailli de questions qui l'auraient embarrassé et je tenais à vous prévenir. Je vous laisse juges de l'accueil que vous souhaitez lui faire.

— Ah, le voilà !

Pat allait partir à sa rencontre, quand son père le retint.

— Doucement, Pat.

— Oui, évidemment.

En ouvrant la porte à Don, Fanny Carter s'exclama :

— Hé ! Monsieur McAlister !

Don se pencha vers elle par-dessus l'encombrant paquet qu'il tenait dans les bras et lança un « Hé, mademoiselle Fanny Carter ! », sur un ton faussement enjoué qui la fit glousser. Puis, juste au moment où il retirait son chapeau mou, la porte de la salle à manger s'ouvrit sur Pat.

— Oh là là ! Quelle transformation ! Don, c'est merveilleux !

— Merci, Pat.

Pat s'effaça pour faire entrer son ami. Sans regarder tous les visages tournés vers lui, Don alla droit à une chaise, sur laquelle il posa doucement le volumineux paquet enveloppé de toile. Quand il se redressa, tout le monde était autour de lui, l'assaillant de compliments.

— Oh, Don !

— Vous êtes beau, comme ça.

— Don, vous avez des cheveux magnifiques.

Même Emanuel s'était levé.

Don, assiégé, faisait de son mieux pour contenir ses larmes.

Marie Anne s'était avancée avec les autres, mais en restant un peu à l'écart, et se taisait. Il la regarda droit dans les yeux et elle se décida enfin, secouant la tête d'un air incrédule.

— On dirait que c'est vivant. Je veux dire, c'est presque la couleur de votre peau. Et la façon dont c'est moulé sur votre visage… c'est étonnant.

Sans lui répondre, Don annonça :

— Voici votre cadeau d'anniversaire.

Et il dévoila une sculpture en marbre qui provoqua des exclamations émerveillées dans l'assistance.

Marie Anne et Emanuel s'avancèrent en même temps.

— Mon Dieu ! s'exclama Emanuel, tandis que Don tendait à Marie Anne une sculpture représentant deux mains sur lesquelles reposait, en partie enveloppé d'une étoffe grossière, un enfant nouveau-né, dont le visage était le portrait d'Anne Marie. La ressemblance était frappante : la bouche de l'enfant était entrouverte, comme si elle cherchait à prendre sa première respiration. Même les cheveux étaient d'une vérité étonnante. Quant aux mains qui tenaient l'enfant, c'étaient ses mains à lui, si vivantes, avec leurs longs doigts, leurs articulations noueuses, leurs fines phalanges.

— C'est en quelque sorte un cadeau à double destination, un cadeau d'anniversaire en retard et un message adressé à ma future filleule, pour lui rappeler qu'après le docteur et Sally j'ai été le premier à la tenir dans mes bras. Oh! je vous en prie, ne pleurez pas, Marie Anne, dit-il d'une voix tendre.

Quand les compliments tarirent quelque peu, et que Marie Anne eut rendu la sculpture à Don, son grand-père caressa les plis du lange, s'extasiant sur la perfection du travail. Puis Don déposa la statue sur une table.

— Je crois que nous devrions y aller maintenant. Le bébé doit être prêt, dit James.

Il y eut du mouvement dans l'entrée, la nourrice descendait l'escalier avec l'enfant, revêtue de sa robe de baptême. Elle était suivie à distance par Sarah, dont l'exclamation soudaine : « Don! Don! » surprit tout le monde. À ce moment-là, elle sauta deux marches à la fois pour arriver presque dans les bras du jeune homme.

— C'est merveilleux, merveilleux, s'écria-t-elle. Vous êtes magnifique!

Puis, comme oublieuse de l'assemblée ou même de sa position dans la maison, elle leva les bras, attira le visage de Don à elle et l'embrassa sur la bouche. Tout s'était passé en un clin d'œil.

Les rires qui suivirent furent un peu forcés, mais Don, lui entourant le visage de ses mains, se pencha vers elle, et lui dit doucement, mais de façon à ce que tout le monde entende :

— Sarah, c'est la première fois de ma vie qu'une femme m'embrasse, et il n'aurait pu y en avoir de plus belle.

Et, sur ce, il lui rendit le baiser, doucement mais fermement.

Un autre jour que celui-ci, jour du baptême de l'enfant et où le jeune homme était apparu transformé, apportant une magnifique sculpture, le verdict aurait peut-être été différent : « Elle en fait vraiment un peu trop ! » ou bien : « On lui a fait trop de compliments », ou encore : « Elle ne sait pas rester à sa place. » Mais ce jour-là, Anita, entre toutes, trouva une plaisanterie qui fit rire de cette situation embarrassante. Elle s'approcha de Don et lui dit :

— Pourquoi ne l'avez-vous pas dit plus tôt, j'aurais été heureuse de vous rendre ce service !

Mais Pat la tira un peu rudement à lui.

— Ça suffit, tiens-toi correctement, dit-il.

— Allons-nous à un baptême ou non ? demanda Emanuel, en se dirigeant vers la porte, devant laquelle attendaient les voitures.

Cependant, Marie Anne sembla s'attarder à dessein, ainsi que Sarah. Les regards qu'elles échangèrent étaient lourds de sentiments, peut-être même de haine pour l'une des deux.

Tout le monde trouva que la journée avait été merveilleuse. Il s'était passé tant de choses étranges, au milieu des rires et de la joie générale. Mais maintenant la maison était tranquille, et la plupart de ses occupants se reposaient.

Dans la chambre de Marie Anne, la lampe brûlait faiblement. La jeune femme était assise dans son lit, appuyée contre ses oreillers, les mains posées sur sa courtepointe, ses ongles droits agaçant les gauches, signe évident de son irritation intérieure.

Elle se disait que jamais de sa vie elle ne s'était sentie aussi malheureuse. Jusqu'à aujourd'hui, elle avait cru que jamais plus elle ne connaîtrait de colère aveugle, car elle en avait réalisé toute l'inutilité. Mais devant le baiser de Sarah, elle n'avait réussi à contenir sa rage qu'au prix d'un terrible effort, se maîtrisant de toutes ses forces pour ne pas gifler son amie, comme elle l'avait fait à Evelyn quelques années auparavant. Se donner ainsi en spectacle et exposer ses sentiments, et lui qui... Une chose qu'elle ne comprenait pas non plus, c'était sa colère envers lui. Avouer ainsi ouvertement que c'était la première fois qu'une femme l'embrassait, comment avait-il osé ? Et en public ? Et devant d'autres hommes, sans parler des domestiques assemblés dans l'entrée. Elle y avait bien pensé déjà, qu'il n'avait sans doute jamais été embrassé par une femme, à cause de son aspect, mais une voix en elle persiflait : « Tu es folle de rage parce qu'il a plusieurs fois eu l'occasion de t'embrasser et ne l'a pas fait, et que s'il t'aimait il aurait osé, évidemment. »

La réplique vint : « Non, lui, c'est différent. » Mais elle s'était aussitôt rétorqué à elle-même : « Ne lui cherche pas d'excuses. Si ses sentiments pour toi étaient bien ceux qu'il t'a laissé entendre à plusieurs reprises, ils auraient été assez forts pour qu'il saisisse l'occasion de t'arracher un baiser. Au lieu de quoi il s'exhibe en public. Et avec qui ? Avec *celle-là.* »

Jamais encore, depuis qu'elle connaissait Sarah, elle ne l'avait désignée comme *celle-là.*

Son grand-père avait eu raison l'autre soir, quand sur le ton de la plaisanterie il lui avait dit qu'elle devait s'imposer et *la* remettre à sa place. Eh bien, elle le ferait. Mais comment ? Elle attendrait demain, les choses seraient plus claires. Elle saurait que faire et que dire. Mais non, elle ne le saurait pas. Elle se retourna nerveusement dans son lit. Demain, les choses seraient pires car, en dépit de ses efforts, elle n'arriverait pas à masquer ses émotions ni ses sentiments. Elle ne pouvait pas dire qu'elle ne voulait pas qu'elle parte. Alors, que voulait-elle au juste ?

Sarah était dans son salon personnel, tout habillée. Elle aurait aimé monter vers elle pour lui faire part de sa décision.

Mais elle décida d'attendre jusqu'au lendemain, pour que son absence soit plausible, au moins pour un temps.

En se levant, elle se répéta deux vérités premières : les bonnes choses ont une fin, et : les cœurs se brisent.

Dans sa chambre, voisine de celle de son grand-père, Pat était allongé, les mains derrière la tête. La journée avait été bizarre. Il ne se rappelait pas en avoir vécu d'aussi étrange. Tant de choses s'étaient passées… et cet incident dans le hall. Anita y avait fait allusion lorsqu'il l'avait ramenée chez elle.

— Ça t'a ennuyé, n'est-ce pas, que je fasse cette remarque à Don ? C'était ridicule ? Comprends-moi : je voulais dédramatiser la situation. Un homme venait de révéler son âme, le lieu était inapproprié et sa confession risquait de blesser ta sœur. Il y a d'ailleurs eu un moment de malaise. J'espérais qu'une remarque frivole réduirait la tension du moment et donnerait à Marie Anne le temps de se reprendre. C'est pour ça que j'ai fait cette plaisanterie.

— De quelle tension parles-tu ? lui avait alors demandé Pat.

— Tu es aveugle ? Marie Anne est amoureuse de cet homme, ça crève les yeux. Et pendant cette scène, elle a levé le masque. Je l'observais à ce moment-là : elle était furieuse non seulement à cause de lui, mais aussi à cause de son amie bien-aimée, son inséparable Sarah. Tu m'as dit une fois que Marie Anne n'était pas la personne sereine que j'imaginais, qu'elle avait un sacré tempérament et qu'autrefois elle avait giflé Evelyn. Aujourd'hui, elle aurait très bien pu recommencer. Peut-être les aurait-elle giflés tous les deux. Ou seulement en paroles. C'est ce que j'ai voulu éviter, en faisant diversion. Aussi, monsieur Lawson, avait conclu Anita, rappelez-vous qu'il n'y a pas qu'une seule façon de noyer le poisson : ma remarque frivole avait un but louable, je ne suis pas devenue subitement une femme légère.

Il retira ses mains de derrière sa nuque, installa ses oreillers de façon confortable, et se tourna sur le côté afin de trouver le sommeil, appréciant le bonheur d'avoir rencontré Anita, si sensible, bonne et aimante. Et vraiment compréhensive. Néanmoins, ce baiser ne lui avait pas plu et, selon Anita, Marie Anne était amoureuse de ce type. Il l'aimait bien, c'est vrai, mais de là à ce qu'il épouse sa sœur... car, nouveau masque ou pas, son visage n'avait pas changé, et ne changerait pas.

Tôt le matin, Sarah apporta à Marie Anne une tasse de thé. Elle tira les lourds rideaux et entrouvrit la fenêtre.

— C'est un vrai matin de septembre, il y a un peu de gelée sur l'herbe.

Elle revint vers le lit sans regarder Marie Anne directement, mais redressa le volant de la couverture du dessus.

— Après le petit déjeuner, je pourrai avoir un mot avec vous ?

Marie Anne répondit gentiment :

— Sarah ! As-tu jamais besoin de me demander d'avoir un mot avec moi ?

— Non, mais c'est quelque chose de spécial.

— De spécial ?

— Oui. Maintenant, buvez votre thé pendant qu'il est chaud, je vais m'occuper de mon travail.

Les mains de Marie Anne tremblaient quand elle prit sa tasse sur la table de nuit. « Quelque chose de spécial... », avait dit Sarah. Elle savait ce que cela signifiait : Sarah voulait élucider l'affaire et cela l'embarrassait fort.

Sa réflexion de la veille au soir avait évolué et elle avait décidé de considérer les choses autrement. Sa raison avait fini par lui dicter d'ignorer l'incident et de se comporter aussi normalement que possible. Sarah ne ferait rien non plus. Quant à lui, comment l'amener à se déclarer ouvertement ?

Sa résolution prise, elle avait attendu que Sarah montât dans sa chambre comme d'habitude et avait été soulagée de la voir agir comme si de rien n'était. Du moins jusqu'à ce qu'elle demande à lui parler, ce qui signifiait qu'elle avait pris une décision. Oh ! elle la connaissait bien, sa Sarah. Mais elle s'interrogeait : Sarah était-elle amoureuse de Don ? Et lui ? « Vous êtes la première femme qui m'ait embrassé. » Sa voix exprimait une profonde émotion, mais avait-il un sentiment pour elle ? Non, c'était impossible, après tout ce qu'il lui avait laissé entendre. C'était un amour inavoué mais réel. En tout cas, pour elle, une chose était certaine : elle pourrait oublier l'attitude de Sarah mais jamais la sienne — jamais, et elle le lui ferait clairement comprendre à l'avenir.

Marie Anne se trouvait dans son salon, près du berceau de son bébé, qui battait des jambes et gazouillait, mais, pour une fois, elle ne s'amusait pas avec lui : elle regardait Sarah, qui se tenait debout à quelque distance.

— Si je lis entre les lignes, je comprends qu'Annie ne va pas bien du tout. Elle ne dit pas grand-chose là-dessus, mais si cela ne vous ennuie pas et si j'ai droit à un congé, j'aimerais le prendre maintenant.

— Ne me parle pas comme ça, Sarah. Que veux-tu dire, « si j'ai droit à un congé » ? Tu sais très bien que tu peux prendre des vacances quand tu veux. Et quand as-tu reçu cette lettre ?

Sarah sembla réfléchir un moment avant de répondre :

— Avant-hier.

— Pourquoi ne me l'as-tu pas dit alors ?

— Pour la bonne raison (Sarah avait levé la voix) que je ne me suis pas tout de suite rendu compte de ce qu'il y avait entre les lignes, jusqu'à...

— Jusqu'à hier ?

— Non, non, pas hier. J'avais autre chose à penser. J'y ai surtout réfléchi de bonne heure ce matin, et je me suis dit que ça me ferait du bien de prendre un congé. Du moins, si ça ne dérange pas.

— Oh ! Sarah, tais-toi !

— Bien, je me tais. La seule chose que je demande, c'est est-ce que je peux partir demain ?

— Demain ? s'exclama Marie Anne d'une voix aiguë.

Elle hocha la tête un moment.

— Bon, je suppose que tu es anxieuse au sujet d'Annie. Le plus tôt tu seras près d'elle, le mieux ce sera. Combien de temps comptes-tu rester ?

— Oh ! combien de temps durent les congés, d'habitude ?

Marie Anne détourna les yeux et se mordilla les lèvres avant de répondre.

— Est-ce que quinze jours, ça te semble bien ?

— Oui, ça me va tout à fait. Tout sera réglé à ce moment-là.

— Tout sera réglé ?

— Exactement.

Puis, changeant de voix et désignant le berceau, elle ajouta :

— Ne vous inquiétez pas pour elle. Je n'ai guère parlé avec la nourrice Clark, mais elle fait ce qu'il faut, elle connaît son travail. Et il y a les filles, qui la soutiennent. Et Maggie Makepeace. Elle connaît mieux la routine de la maison que moi.

L'allusion aurait dû faire sourire Marie Anne, au lieu de quoi elle s'écria d'un ton presque pitoyable :

— Oh, Sarah !

Celle-ci n'y répondit que par des recommandations.

— Ne vous inquiétez pas, tout ira bien. Maintenant, si vous le permettez, je dois partir.

Une fois la porte refermée, Marie Anne se rallongea sur son lit et se couvrit la tête des mains. Les larmes l'étouffaient. La rupture entre elles, car c'était bien une rupture, était si profonde qu'elle la pensait irrémédiable. Même si elle lui disait : « Sarah, je n'ai jamais voulu te considérer comme ça, je suis stupide », ça ne changerait rien. De toute façon, son expression avait dû être si violente que personne n'avait été dupe. Elle n'avait jamais imaginé Sarah faisant quelque action qui aurait pu l'amener à être dure à son égard.

Elle en éprouvait un remords si intense qu'elle avait envie de mourir.

Dans l'après-midi, le personnel était au courant que Mlle Foggerty partait pour une quinzaine de jours. La décision semblait avoir été très rapide, mais apparemment sa sœur n'était pas bien et Sarah n'avait pas voulu aborder ce sujet avant le baptême. Quelle belle journée cela avait été, n'est-ce pas ? Oh oui ! vraiment. Et il y avait eu cette scène charmante entre elle et M. McAlister, on se serait cru au cinématographe ! Fanny et Carrie avouèrent qu'elles avaient eu envie de pleurer. Quel homme charmant ! Et ce nouveau masque avait opéré un tel changement en lui, c'était incroyable. C'était vraiment un très bel homme. Et ses cheveux, avec ses mèches sur le front, étaient d'une très belle couleur.

Finalement, tous reconnurent que la maison semblerait bien vide jusqu'au retour de Mlle Foggerty. On ne savait exactement pourquoi. Ce n'était pas seulement sa gouaille irlandaise, ses remarques et la façon qu'elle avait de les faire. C'était quelque chose en elle de difficile à définir simplement et qui manquerait quand elle ne serait plus là.

Comme Fanny l'accompagnait à la porte d'entrée, Sarah lui dit :

— Je vais juste faire un petit tour pour prendre l'air, Fanny. Si quelqu'un me demande, dis-lui que je ne serai pas longue.

— Oui, mademoiselle. C'est un temps agréable pour sortir, il y a du soleil et l'air est frais. Bonne promenade !

— Merci, Fanny.

Elles échangèrent un sourire et se séparèrent.

Une fois éloignée de la maison, Sarah se hâta sur le chemin bien connu vers le bois. Elle y entra sans ralentir son allure mais jeta un coup d'œil à la souche où elle avait laissé Marie Anne pour aller cueillir des jacinthes.

À la sortie du bois, elle aperçut le cottage, qui semblait vide. De fait, elle frappa à la porte, et personne ne vint ouvrir. Elle tourna lentement la poignée, entra dans la pièce si magnifiquement refaite et l'apprécia du regard. Puis elle appela doucement :

— Don ! Don !

Alors qu'elle se demandait s'il n'était pas à la ferme, elle entendit des coups de marteau étouffés. Elle se dirigea droit vers l'atelier et frappa à la porte.

— Don ! C'est moi, Sarah.

— Oh, mon Dieu !

Don apparut devant elle, vêtu d'une blouse grise lui tombant jusqu'aux genoux.

— D'où venez-vous ? Ça fait longtemps que vous êtes ici ?

— Non, je viens d'arriver.

— Je veux dire, êtes-vous allée à la ferme ?

— Non, je suis venue par le haut. Je sortais faire une promenade. J'ai pensé que je passerais chez vous. Où est le chien ?

— Oh ! dehors, à chasser les lapins. Une minute, je vais retirer cette blouse. Et reculez, n'entrez pas ici, c'est plein de poussière.

Dans le salon, il dit :

— Oh ! c'est bien moi, j'ai laissé le feu s'éteindre. Je vais le rallumer. Voulez-vous une tasse de thé ?

— Oui, avec plaisir. Je vais m'occuper du feu.

Elle ralluma le feu et il prépara du thé. Une fois assis près d'elle sur le canapé, les tasses disposées sur une petite table à côté d'eux, il dit :

— C'est une agréable surprise. Je ne pensais pas avoir de visite pendant des jours et je me mettais au travail, au vrai travail.

Comme elle ne lui renvoyait pas une de ses répliques à l'irlandaise, il la regarda attentivement et demanda :

— Qu'est-ce qu'il y a, Sarah ?

— Pas grand-chose, Don, pas grand-chose. Seulement que je pars en vacances, dans la matinée.

— En vacances ! Où ? Pourquoi ? C'est si soudain...

— Où est-ce que je pourrais bien aller ? Je vais chez Annie, qui n'est pas très bien.

— Elle a des ennuis ?

— Non, pas des ennuis, pas ce genre d'ennuis. Seulement, elle ne m'a pas vue depuis un certain temps. De toute façon, j'ai droit à un congé, je crois... j'en ai parlé à Marie Anne, qui a été d'accord pour une quinzaine.

— C'était gentil de sa part.

Sarah eut un petit rire.

— Oui, c'était gentil.

— Sarah Foggerty, vous m'avez donné votre version officielle, mais quelle est la raison véritable ? Hier, il n'était pas question de votre départ en vacances, du moins pas quand je suis parti le soir.

— Non, ça été une décision soudaine.

— On ne prend pas de décision si rapide sans qu'il y ait une raison valable. Allez, dites-moi. Qu'est-ce qu'il y a ?

— Rien, Don. Rien, sauf que j'ai besoin d'un peu de... j'ai besoin de m'éloigner pour revenir sur terre. Ça fait un bout de temps que je vis sur un petit nuage, et, de là-haut, on ne voit pas la vie telle qu'elle est. Ma vie était trop facile ces derniers temps.

— Quelle façon de parler ridicule ! Vous n'avez jamais eu la vie trop facile. Vous n'avez jamais eu votre compte, et quelle que soit leur gentillesse là-bas, ils ne pourront jamais vous rendre ce que vous avez fait pour eux, et ce que vous continuez de faire tous les jours, depuis le grand-père jusqu'à la petite-fille. Et lui apprécie vraiment votre présence dans la maison. C'est terrible, les personnes de votre genre, les personnes généreuses, n'obtiennent jamais ce qui leur est dû parce que, quels que soient leurs sentiments, elles jouent la comédie. Elles font face à la situation, comme disaient les frères, comme eux-mêmes doivent le faire souvent. Vous voyez, je vous connais, Sarah, comme je me connais moi-même.

Il lui prit la main, posée près de sa tasse, mais elle s'exclama :

— Oh attention ! regardez la nappe. Vous l'avez salie.

— Qu'importe la nappe !

Il déplaça toute la table puis, s'installant à côté d'elle, lui prit de nouveau la main.

— Allons, nous sommes amis, vous et moi, Sarah, deux amis très particuliers. Vous le savez et je le sais, et nous sommes réunis par l'affection que nous portons à une même personne, n'est-ce pas ?

Elle le regarda sans répondre, et lui resta silencieux pendant une bonne minute. Il demanda alors très gentiment :

— Il s'est peut-être passé quelque chose entre vous et elle ?

— Non, rien !

— Je ne vous crois pas, qu'est-ce que c'est ?

Il lui lâcha les mains, s'écarta d'elle, détournant la tête comme pour réfléchir, et dit :

— Non, pas ça ! Elle n'aurait pas pris ombrage à cause de ça.

— Don, écoutez-moi. Je ne veux pas parler d'hier ou de quoi que ce soit, je veux juste partir un moment, être tranquille, me retrouver au milieu de la tribu du troisième étage de Ramsay Court, où je sais que je pourrai me reprendre. Vous comprenez, j'ai l'impression d'être en mer dans un bateau percé.

— Cette façon de parler est ridicule et vous le savez bien. Regardez-moi.

— Je vous regarde, et c'est très agréable de vous regarder. Vraiment, très agréable.

— Pas de pommade. Je vais vous poser une question. Est-ce que ce revirement soudain est dû à votre petite scène de comédie d'opérette, hier ?

Elle ne put s'empêcher de rire en répétant :

— Comédie d'opérette ? Est-ce que ça en avait l'air ? Maintenant que j'y pense, oui, ça devait y ressembler, au moins pour presque tout le monde, surtout quand Mlle Brown a lancé sa repartie. J'ai apprécié son geste.

— J'ai donc raison. Je m'en suis même aperçu hier car, ensuite, Marie Anne ne m'a plus adressé la parole. À vous non plus, d'ailleurs. Je devrais en être heureux, car cela me prouve quelque chose. Mais j'aurais aimé le vérifier d'une autre façon car, pour rien au monde, je ne voudrais vous faire de mal, Sarah. (Il lui reprit la main.) Vous êtes magnifique. En outre, je ne regrette pas d'avoir pu vous exprimer ma gratitude comme je l'ai fait hier. J'ai senti que les rires masquaient un sentiment général d'embarras : comment ose-t-il avouer une chose pareille ? Mais cela m'importait peu... Sarah Foggerty, si vous pleurez, je vais pleurer aussi, et perdre ce qui me reste de virilité.

Sarah renifla une bonne fois, se moucha et dit :

— Vous ? Vous êtes plus viril que tous ceux que je connais.

— Ne recommencez pas ! s'exclama Don en riant. Reprenons un peu de thé.

— Non, je ne veux plus de thé, Don (Sarah s'était levée). Je dois rentrer. J'ai dit que j'allais juste faire un petit tour, mais j'ai pensé que je devais vous prévenir moi-même de ce qui allait se passer.

Il s'était redressé.

— Que voulez-vous dire ? Vous ne partez que pour une quinzaine, n'est-ce pas ?

— Je verrai, je verrai.

— Sarah ! Écoutez ! Je vous en prie, ne l'abandonnez pas. Elle ne s'en remettrait pas. Elle vous aime plus que quiconque et éprouve tant de gratitude pour vous qu'elle n'a pas de mots pour vous l'exprimer. Je le sais d'après la façon dont elle me parle de vous.

— Nous verrons ça, Don.

— Vous n'allez pas partir dans cet état d'esprit ! Promettez-moi que vous reviendrez dans quinze jours.

— C'est impossible, Don, je ne peux rien promettre. Pas avec les sentiments que j'éprouve aujourd'hui.

Elle eut un petit rire amer.

— J'éprouve ce qu'a dû ressentir tante Harriet quand, après quarante-sept ans, mon oncle Patrick l'a plaquée. Tout le monde dans la famille, et à des kilomètres à la ronde, savait combien il l'adorait. Ils s'étaient mariés quand elle avait seize ans et lui dix-sept. Il n'arrêtait pas de chanter ses louanges. Rien d'autre que la mort ne pourrait les séparer, disait-il. Puis, un jour, alors qu'il avait soixante-cinq ans, il se lève et lui annonce qu'il la quitte. D'après ce qu'on m'a dit, ses dernières paroles auraient été : « Toutes les bonnes choses ont une fin. » Les deux incidents se ressemblent en quelque sorte, sauf que pour moi les bonnes choses n'ont duré que deux ans.

Il ne répondit rien mais, quand il se pencha vers elle, elle lui présenta sa joue, qu'il embrassa.

— Au revoir Don, dit-elle d'une voix tremblante d'émotion.

Elle avait ouvert la porte et passé le seuil avant qu'il ait eu le temps de répondre : « Au revoir Sarah. »

Elle avait déjà parcouru quelques mètres quand il alla lui-même à la porte. Il ne la suivit pas mais la regarda partir jusqu'à ce qu'elle disparaisse de sa vue. Ensuite, il rentra et referma la porte derrière lui. Il y resta le dos appuyé, les dents serrées, puis finit par prononcer ces mots :

— Maudite soit-elle.

Il n'arrivait pas à croire qu'il les avait effectivement proférés.

QUATRIÈME PARTIE

— 1 —

— La maison n'est plus la même depuis son départ.
— C'est vrai, grand-père.
— Elle te manque ?
— Oui, grand-père, évidemment qu'elle me manque.
— Tu as été bien silencieuse ces derniers temps. C'est à peine si tu parles jamais d'elle. Tu sais, Marie Anne, je n'aurais jamais cru pouvoir dire ça d'une domestique, mais c'était une sacrée présence ici, pour chacun de nous. Elle me faisait rire et me réjouissait, et jamais encore je n'avais expérimenté quelque chose comme ça, ni avec mes pairs, ni avec mes supérieurs, et encore moins avec le personnel. Mais elle n'était pas une domestique ordinaire. C'était ton amie. Elle aurait dû rentrer hier. Son congé est terminé, n'est-ce pas ? Je voudrais qu'elle revienne pour pouvoir renvoyer cette horrible infirmière que vous m'avez imposée. Qui a besoin d'une infirmière pour soigner un rhume ?
— Ce n'est pas un rhume que vous avez, grand-père, mais une bonne bronchite, et un peu d'arthrite en plus. Si vous étiez plus raisonnable, cela soulagerait tout le monde.
— Cette femme est idiote. Le plut tôt Foggerty sera revenue, le mieux ça sera. Qu'est-ce qui la retient, de toute façon ?

— C'est Annie, grand-père, sa sœur, qui n'est pas bien.

— Oui, je sais, dit le vieil homme au milieu d'une quinte de toux, oui, je sais qu'Annie est sa sœur. Je sais tout sur sa famille, depuis Shane, le plus intelligent, jusqu'au petit dernier, qui est encore au berceau. Elle m'en parlait quand nous étions tranquilles tous les deux.

— Ah bon ?

— Oui, et d'autres choses aussi. C'est une femme très sensée. Pas du tout l'Irlandaise un peu bornée qu'elle fait semblant d'être pour nous amuser. C'est pour ça qu'elle joue ce rôle, pour rendre les autres heureux. Quand lui as-tu écrit pour la dernière fois ?

— Avant-hier.

— Lui as-tu dit que nous attendions son retour ?

— Évidemment.

— Je suis perplexe. Il y a quelque chose de pas clair dans cette histoire. McAlister n'est venu que trois fois ces dernières semaines. Il me dit qu'il travaille sur un gros projet. C'est peut-être vrai, mais lui aussi a changé. Serait-ce que Sarah lui manque ?

— Je ne sais pas, grand-père, répondit-elle d'une voix crispée.

Le grand-père ajouta :

— Y aurait-il quelque chose entre eux ? Tu comprends ce que je veux dire ?

Elle cria d'exaspération :

— Mais oui, je comprends ce que vous voulez dire, mais je vous le répète, je n'en sais rien.

Sa voix se brisa et il la regarda, intrigué, mais ne dit rien. Elle se hâta vers la porte en marmonnant :

— Je vais voir le bébé.

Le vieillard se retourna dans son lit, ce qui provoqua une quinte de toux. Quand elle fut passée, il contempla le feu. C'était donc ça ? Il se rappela la petite scène dramatique du jour du baptême, où ce bon McAlister avait avoué n'avoir encore jamais embrassé une femme. Il avait été très touché de cet aveu, et du courage qu'il avait fallu pour révéler un tel manque. Si c'en était un... Et il avait embrassé Mlle Foggerty comme il l'avait annoncé. « Et si ma mémoire ne me trahit pas, se dit le vieil homme, à en juger par son expression, elle a apprécié ce baiser. »

Mais quelle était la position de Marie Anne dans tout ça ? Elle se tenait à l'écart, apparemment. Elle allait recevoir un nouveau choc : rejetée par sa mère et abandonnée aux soins douteux de cette femme à Londres, puis violée, car il devait s'agir d'un viol — il ne pouvait imaginer la petite commettre un tel acte de plein gré —, elle avait vécu dans le dénuement puis avait été attaquée sauvagement par son frère. Sans Sarah Foggerty, elle n'aurait jamais surmonté toutes ces épreuves. Et maintenant, où se trouvait cette femme ? Elle s'occupait de sa sœur, paraît-il. Il devait y avoir une raison derrière tout ça... Il se retourna avec difficulté dans son lit, en pensant : « Voilà cette idiote d'infirmière. Je reconnais toujours ses pas : elle a les pieds plats. »

Il poussa un grand soupir.

Deux jours plus tard, la lettre attendue arriva.

Chère Marie Anne,

Vous savez ce que je vais vous dire, n'est-ce pas ? Je ne reviendrai pas chez vous. Je le savais quand je vous ai quittée, parce que j'avais déjà pleinement réfléchi à la situation, et je sais que j'ai choisi la voie la plus sage.

Mais il y a une chose dont vous pouvez être sûre, Marie Anne, c'est que je vous aimerai toujours. Pendant un temps, vous avez été mon enfant, ma fille et mon amie. Mais cette période est finie. À partir de maintenant, vous pouvez commencer une nouvelle vie et, si vous êtes sensée, vous ne cacherez pas vos sentiments. Je suis sûre que vous comprenez ce que je veux dire.

Ne vous inquiétez pas à mon sujet. Je vais bien et je me retrouve dans ma famille. J'ai aussi un emploi à temps partiel. Tout cela ne veut pas dire que vous ne me manquerez pas énormément, ainsi que tous les membres de votre famille si aimable. Surtout votre grand-père. Transmettez-lui mon affection, car je trouve que c'est un homme excessivement bon.

Au revoir, ma chérie, et Dieu vous bénisse à jamais.

Votre Sarah.

Marie Anne froissa la lettre contre sa poitrine en poussant un cri silencieux : « Non ! Non ! Oh, Sarah ! Qu'est-ce que je vais devenir ? Sarah, dis-moi ! »

Elle se mit à tourner furieusement dans la pièce. Il lui était impossible de dire à son grand-père que Sarah ne revenait pas, comme à son père d'ailleurs, qui chercherait à connaître les raisons de son départ. Elle pourrait en parler à Pat, mais il travaillait à Newcastle avec son père. Quant à Evelyn, même si elle avait changé, elle réagirait sans doute comme sa mère, elle dirait qu'elle attirait le malheur et que sa présence causait toujours la discorde. N'en avait-il pas été toujours ainsi, depuis qu'elle était enfant ?

Une pensée soudaine la frappa et elle s'arrêta net de faire les cent pas : et Don ?

Elle devrait lui dire la vérité, s'il ne l'avait pas déjà devinée, car les quelques fois où il était venu ces trois dernières semaines, il n'avait pas été très chaleureux. Il s'était montré poli, sans plus. Mais il était le seul à connaître Sarah et à avoir une influence sur elle.

Don terminait son repas froid quand il entendit frapper. Il ouvrit la porte en s'essuyant la bouche.

— Marie Anne ! Entrez, entrez, dit-il, très surpris de sa visite. Je suis désolé (il montra la table), je finissais de manger.

— J'ai interrompu votre repas ?

— Pas le moins du monde. Ce n'était que quelques sandwiches. Je m'apprêtais à faire du thé. En voulez-vous ?

— Non merci, pas maintenant.

Il la dévisagea un moment avant de l'inviter à s'asseoir, lui désignant le canapé près du feu, où des bûches brûlaient joyeusement. Il repoussa la petite table avec le plateau de son repas, prit une chaise et s'assit en face d'elle.

— Quelque chose ne va pas ? demanda-t-il.

Elle baissa la tête en murmurant :

— Oui, Don, j'ai un gros problème. J'ai... j'ai reçu une lettre de Sarah, qui m'annonce qu'elle ne revient pas. (Elle avala sa salive avant de le regarder et de continuer.) Apparemment, elle avait déjà pris la décision le jour de son départ et (elle avala péniblement sa salive) c'est de ma faute.

Il ne dit pas « Oh ! ne croyez pas ça », ou bien « Pourquoi vous reprocher cette histoire », mais attendit. Elle déglutit plusieurs fois, puis continua :

— Je me suis raconté des histoires en pensant que j'étais quelqu'un de raisonnable qui ne se vexe pas pour des brouilles. Eh bien, je sais que ce n'est pas vrai et que je me vexe pour des riens. Il m'arrive d'être très mesquine envers les gens — surtout envers ceux que j'aime, et j'aime Sarah. Je l'aime encore et l'aimerai toujours et, malgré ça, je me suis comportée de façon stupide. Je sais pourquoi elle est partie.

Ses grands yeux brillaient, ses lèvres tremblaient et elle s'attendait à ce qu'il lui demande : « Vraiment ? » Mais il dit seulement :

— Je le sais aussi.

Elle se sentit devenir cramoisie, mais ne put le quitter des yeux comme il continuait.

— Elle m'a embrassé de façon impétueuse et je lui ai rendu son baiser avec conviction, parce que c'était vraiment la seule femme qui m'ait jamais embrassé. Cet incident a dû paraître théâtral à ceux qui nous entouraient, mais, à ce moment-là, je n'ai pas pensé à ça — et même si j'y avais pensé, cela n'aurait pas eu d'importance — parce que je savais que cet aveu rendait un peu de joie à une femme généreuse, qui a passé sa vie à donner du bonheur aux autres. Sarah est très bonne et, à ce moment-là, je l'aimais, et je l'aime encore. Il y a toutes sortes d'amours, et je répète, je l'aime encore. Dès la première fois où je l'ai vue, j'ai compris que sa vie était fondée en partie, ou essentiellement, sur une comédie : elle existe pour plaire, pour rendre les autres heureux, pour faire rire. Je le savais et je croyais qu'une autre personne le savait aussi, et cette autre personne, c'était vous.

Marie Anne ne cherchait plus à retenir ses larmes. Les paroles de Don lui faisaient mal, néanmoins elle ne fit pas un geste pour s'enfuir. Elle se rendit compte que s'il y avait jamais eu une chance qu'il l'embrasse, ou même qu'il cède à son amour pour elle, elle l'avait tuée. Et les paroles qui suivirent lui interdirent tout espoir.

— Je croyais que, la connaissant si bien et me connaissant... assez bien, vous comprendriez, mais ce qu'elle a lu dans votre regard l'a suffisamment ébranlée pour qu'elle prenne une telle décision. Selon moi, elle supposait que vous saviez que jamais elle ne ferait la moindre chose susceptible de vous blesser, qu'elle vous ferait toujours passer avant elle, quels que soient ses propres sentiments. Mais dans votre regard ou vos manières, et dans votre attitude — mais je ne fais qu'interpréter —, je crois qu'elle a dû sentir qu'elle n'était plus pour vous l'amie intime et merveilleuse, mais seulement la domestique qui ne sait pas rester à sa place et se ridiculise devant les invités. En outre, elle a dû s'imaginer qu'elle avait abusé de mon amitié. Sachez que rien n'est plus faux, car si je devais me réclamer d'une amitié profonde avec quiconque dans votre entourage, ce serait de la sienne, car jamais, depuis notre rencontre chez Ernie Everton, elle n'a montré de répulsion ni même de gêne devant mon visage. Elle m'a toujours regardé comme si le masque et le chapeau n'existaient pas. Pour elle, j'étais un homme. C'est rare qu'une femme cherchant à voir ce qu'il y avait sous mon chapeau ait réagi comme elle, sans se sentir mal à l'aise.

Marie Anne avait la tête baissée, le visage baigné de larmes.

— Arrêtez, s'il vous plaît ! s'écria-t-elle en se levant d'un bond. C'est de la cruauté. J'étais venue vous demander... de l'aide. Je sais que j'ai eu tort et j'ai eu vraiment honte, mais vous m'ôtez tout... (elle reprit son souffle avant de pouvoir prononcer le mot) respect de moi-même. Et permettez-moi de vous dire (elle avait relevé la tête et léchait les larmes qui coulaient sur ses lèvres) que je peux me passer de vos conseils, car, comme Sarah, je savais avant de venir ici ce que j'aurais dû faire. Et je vais le faire.

Elle suffoquait, tout en cherchant son mouchoir dans les poches de son manteau. Puis elle s'en essuya le visage avant de continuer :

— En vous écoutant pontifier, je me suis dit que c'était dommage que vous ne soyez pas devenu prêtre, ou moine ou frère. Vous auriez trouvé un exutoire à votre besoin de domination. Et enfin, et ce seront mes derniers mots, pourquoi, je vous le demande, m'avez-vous sauvé la vie en me disant que vous aviez besoin de moi, votre seule véritable amie ?

Bouche ouverte, les yeux écarquillés, elle le dévisagea un moment sans sourciller. Puis elle fit demi-tour et se précipita vers la porte.

Mais il la précéda, lui entoura les épaules et dit doucement :

— Marie Anne... Marie Anne.

Elle gémissait, sans pouvoir retenir ses pleurs. Il la conduisit doucement vers le canapé, la fit rasseoir. Elle se laissa tomber sur l'accoudoir, la tête dans ses avant-bras, et il la laissa ainsi se calmer un moment. Puis il l'attira vers lui, mit sa tête contre son épaule, la tenant d'un bras, retirant de l'autre l'épingle de son chapeau qui avait glissé de travers, et le jeta de côté. Puis, l'entourant de ses bras, il la serra plus fort.

— Là, là... c'est fini. Ça va mieux maintenant. C'est ce que je devrais faire moi aussi de temps en temps. Ça nettoie, de pleurer, mais on pense que si un homme pleure il est faible. Là, c'est fini.

Il leva doucement son visage et l'essuya avec un mouchoir propre, tout en parlant.

— Je suis content que vous soyez venue. Vous me manquiez mais j'étais furieux que vous ayez perdu Sarah. En même temps, je comprenais très bien votre colère, car ce n'était qu'une colère, n'est-ce pas ? D'après ce qu'on m'a dit, vous avez un sacré caractère...

Il lui souriait, mais comme elle ne disait rien il poursuivit :

— Pourquoi Sarah est-elle partie comme ça ? C'est vrai que je me suis montré cruel, mais il n'y a que moi qui sache pourquoi j'ai réagi comme ça, et ce n'est pas le moment de vous le dire, du moins pas encore. Vous êtes mère mais vous n'avez que dix-sept ans, Marie Anne. Vous pensez que la maternité vous a rendue adulte, mais vous devez savoir que votre grand-père, votre père et même Pat vous considèrent encore comme une jeune fille, presque une enfant, encore épargnée par la vie. Que penseraient-ils si je déclarais mes sentiments ? Un homme de mon âge, de mon aspect — car Dieu sait ce qu'ils imaginent sous ce masque —, briguer la main de leur petite ! On me mettrait dehors.

Pour toute réponse, elle le regarda droit dans les yeux.

Il se pencha vers elle, effleurant ses lèvres du bout des doigts et disant :

— Passez-vous le visage à l'eau froide avant de rentrer, sinon les questions ne manqueront pas de fuser, surtout de la part de votre grand-père. Autre chose, ma chérie, je pourrais vous embrasser ici, maintenant, vous seriez la seconde femme que j'aurais embrassée, et je le ferais comme jamais personne ne l'a fait. Mais je sais que vous ne le voulez pas car, à peine le seuil franchi, vous vous diriez que je l'ai fait uniquement par pitié. Ou pour m'excuser d'avoir été si dur. Quand je vous embrasserai, Marie Anne, tout sera très clair dans votre tête.

Il lui sourit en continuant :

— Je ne sais pas si c'est le prêtre, le moine ou le frère qui parle, mais sachez que je dois faire appel à toute ma volonté pour parler et agir comme je le fais en ce moment, alors que je désire tout à fait autre chose. Mais le moment n'est pas venu.

Il prit ses mains dans les siennes et les tint contre sa poitrine.

— Qu'avez-vous l'intention de faire ?

Elle prit une grande respiration et dit avec une détermination tranquille :

— Aller à Londres pour essayer de la ramener.

— Oui. Je pensais que vous feriez ça... et je crois que c'est la seule façon de la faire revenir. Vous savez au fond de vous-même que les choses ne seront plus jamais comme avant si elle ne revient pas.

Lui tenant toujours les mains, il la fit lever du canapé.

— Allez vous laver le visage et, pendant ce temps-là, je vais écrire un mot à Sarah.

Elle ne répondit rien mais se dirigea vers la cuisine pendant qu'il montait dans sa chambre. Il s'assit à son bureau, prit une feuille de papier et écrivit ces quelques lignes :

Ma bien chère Sarah,

Votre sacrifice a eu des répercussions et je sais qu'elle ne voudra rien entendre de moi à moins que vous ne rentriez. Il faut aussi que je vous dise à quel point vous manquez dans la maison. Le grand-père est perdu sans vous : il a de la bronchite et fait damner tout le monde. Quant à moi, je me sens très seul, car il y a en moi un vide que vous seule pouvez combler. Revenez, ma chère Sarah. Revenez.

Bien à vous,

Don.

Une fois la lettre scellée, il descendit au salon et trouva Marie Anne debout près du canapé, en train de remettre son chapeau. Il lui tendit la lettre.

— Ce n'est qu'un petit mot. Lui remettrez-vous ?
— Évidemment.
— Quand partez-vous ?
— Demain matin.
— Elle sait que vous venez ?
— Non.
— C'est mieux ainsi.

Il eut un geste spontané envers elle, lui mit les mains sur les épaules en lui disant :

— Marie Anne, je ne voulais pas vous blesser pour tout l'or du monde, croyez-moi. À votre retour, les choses seront... différentes, vous verrez. Vous serez de nouveau heureuse, je vous le promets. J'attendrai avec impatience le jour de vos dix-huit ans, en essayant de rassembler mon courage pour faire ma demande en mariage. (Il se détacha d'elle et ajouta :) Attendez une minute, je vais prendre mon manteau et je vous accompagne jusqu'à la grille du Petit Manoir. Je n'entrerai pas.

— Non ! protesta-t-elle, en l'éloignant d'un geste de la main. Je veux... réfléchir. Et j'ai beaucoup de choses à faire avant demain.

Il lui ouvrit la porte et, comme il avait regardé Sarah partir, il la regarda s'éloigner. Mais il eut une réaction différente : au lieu de se tenir le dos à la porte en la maudissant, il se dirigea vers le feu, qu'il se mit à contempler en caressant son masque. Il faudra d'abord qu'elle voie avec quoi elle aura à vivre, se dit-il.

— 2 —

Marie Anne arriva à Londres à trois heures de l'après-midi. Une demi-heure plus tard à peine, un taxi la déposait à l'entrée de Ramsay Court. Frappée par l'odeur prégnante de la cour, ce relent de cendres chaudes jetées sur les ordures humides, elle eut l'impression inattendue de rentrer chez elle. Soudain, il lui semblait n'avoir jamais vécu qu'ici, tant sa mémoire se trouva brusquement envahie par une foule d'épisodes très vivants de cette époque.

La cour était déserte, il n'y avait même pas d'enfants. Les portes des toilettes étaient entrouvertes. Elle ne vit aucune bassine à l'extérieur des lavoirs et n'entendit pas le bruit des essoreuses.

Elle s'arrêta un moment dans l'entrée, leva les yeux vers les escaliers, où flottait une odeur différente, celle de la soupe aux choux et de la promiscuité des corps.

Sur le troisième palier, elle resta un moment devant la porte d'Annie. La montée l'avait un peu essoufflée, car elle en avait perdu l'habitude, et elle tremblait d'appréhension. Elle frappa un coup timide à la porte, qui s'ouvrit presque immédiatement. Annie apparut, l'air ébahi, et s'exclama :

— Mon Dieu ! Ça alors ! Mademoiselle Marie Anne ! Si je m'attendais... mais entrez, entrez donc.

Il n'y avait dans la pièce que le plus jeune des enfants.

— Asseyez-vous. Vraiment, je n'en reviens pas. Quel choc ! Nous avons parlé de vous hier soir jusqu'à je ne sais quelle heure du matin, mon mari est en déplacement et les enfants étaient couchés. Laissez-moi me remettre. Voulez-vous une tasse de thé ?

— Oui, avec plaisir, Annie. Merci.

Pendant qu'Annie mettait de l'eau à chauffer, Marie Anne regarda autour d'elle. Tout lui était si familier... Rien n'avait changé en un an, à part la benjamine, qui n'était plus dans son panier à linge, mais debout dans un coin, agrippée à une chaise qu'elle cherchait à pousser vers Marie Anne.

— Arrête, Rose ! Assieds-toi ! Sois gentille !

L'enfant s'assit, mais sans lâcher la chaise, et Annie expliqua :

— Elle a appris à marcher toute seule en s'aidant de cette chaise. Mon mari dit qu'il va lui acheter un de ces « youpalas », vous savez, car elle ne tient pas en place... Voilà, dit-elle en posant la main sur la théière et en s'asseyant en face de Marie Anne. Je n'en reviens toujours pas, mademoiselle.

— Où est Sarah ?

— Là-haut. Où pourrait-elle être ? Elle est montée il y a à peine dix minutes. Elle travaille de onze heures à trois heures.

— Où ça ?

— Chez Ernie. Vous savez, elle sert la bière.

Marie Anne baissa la tête. Sarah servant la bière ! Oh, non ! Et elle préférait ça à rester avec elle.

— Elle va bien, mademoiselle, dit Annie en posant sa main sur celle de Marie Anne. Rassurez-vous. Évidemment, je lui ai dit : « Mais bon Dieu, ma petite, tu as perdu la tête ? Revenir ici, où il n'y a aucun avenir pour personne ! » Je vais vous dire, c'était plus facile pour nous depuis qu'elle était avec vous. Mais revenir dans cette baraque ! Je n'ai pas réussi à comprendre ce qui s'était passé. Tout ce qu'on peut tirer d'elle, c'est que tout a une fin et qu'il faut savoir le reconnaître plutôt que d'essayer de faire durer. Vous avez déjà entendu chose pareille ? Qu'est-ce qui est arrivé ? Vous vous êtes... engueulées... je veux dire, vous avez eu une grosse dispute ?

Marie Anne leva la tête.

— Non, même pas. Tout est de ma faute. Vraiment, Annie, c'est moi qui suis responsable. J'ai beaucoup de défauts, mais le pire est que je m'emporte facilement et que j'éclate avant d'avoir pu me raisonner.

— Oh ! vous n'êtes pas la seule. Elle, je vous assure, j'aimerais qu'elle éclate de temps en temps. On saurait comment la prendre. Mais non. Elle est étrange, notre Sarah. Comme disait ma mère, on ne sait jamais sur quel pied danser avec elle. Elle agissait souvent sans crier gare et une fois qu'elle avait fait ce qu'elle voulait, elle s'expliquait parfois, mais pas toujours. Un jour, elle a quitté l'église en pleine messe, pendant une mission — vous savez, quand plusieurs prêtres se réunissent pour vous semoncer un bon coup si vous vous laissez aller. Elle avait juste quatorze ans à l'époque, et tout le monde se tenait à carreau, parce que le prêtre terrorisait les gens en les menaçant des flammes de l'enfer. On en avait les cheveux qui se dressaient sur la tête. C'en a été trop pour notre Sarah. Elle se trouvait encore sur les bancs réservés aux enfants. Aussi, quand ma mère l'a vue se lever, pensant qu'elle était malade, elle s'est précipitée pour la rejoindre dehors. Sous le porche, il y avait trois frères, vous savez, comme ceux du couvent ici, avec des corbeilles tendues, à l'attention de telle ou telle mission. Ils faisaient ça tous les dimanches. Et qu'est-ce qu'elle était en train de leur dire ? Qu'elle ne croyait pas un mot de ce que racontait le prêtre, qui cherchait simplement à terroriser les enfants avec ces histoires épouvantables. Et elle ne parlait pas à voix basse, croyez-moi. Ce dimanche-là est resté gravé dans nos mémoires parce que, quand mon père l'a appris, il a sorti sa ceinture pour la fouetter : « Ça t'apprendra à déshonorer l'Église et la famille et à oser t'élever contre la sainte Église, espèce de petite traînée ! » Ce jour-là, ça été l'enfer pour de vrai à la maison. Et vous savez ce qu'elle a fait ? Elle est partie, elle est allée chez mon grand-père, le père de ma mère, parce qu'elle savait qu'il pensait comme elle. Ma grand-mère était très pratiquante, mais lui ne mettait jamais les pieds à l'église, bien qu'il fût catholique. Donc, si j'étais vous, je ne m'inquiéterais pas de mes colères, parce que de ce point de vue vous vous valez. L'ennui avec elle, c'est qu'elle ne prévient jamais avant de faire ses péripéties, et si vous voulez essayer de lui faire voir les choses autrement, autant vous taper la tête contre les murs, si vous voyez ce que je veux dire. Oh, je ne sais pas très bien expliquer les choses, mais tout ce que je peux dire, c'est que quand mon mari l'a injuriée parce qu'elle avait quitté votre magnifique maison, avec la position qu'elle avait, je lui ai dit qu'il y avait sûrement une raison, et que ce devait être vous, parce qu'elle n'aurait jamais fait quoi que ce soit pour vous peiner, mademoiselle, ça, jamais. Mais elle a dû vous bouleverser en partant comme ça, et moi elle m'a perturbée en me donnant comme prétexte, parce que, je vous le dis, je ne suis pas du tout malade. Je ne me suis jamais sentie si bien depuis des années.

On entendit deux petits coups au plafond, et Annie dit :

— C'est elle. Elle veut que je monte pour je ne sais quoi. Voulez-vous y aller d'abord ? Mais votre thé... Oh ! allez-y plutôt d'abord, et réglez l'affaire. Je vais vous monter une tasse à toutes les deux.

— Merci, Annie.

Marie Anne se leva et posa la main sur le bras d'Annie.

— Ça m'a fait plaisir de vous revoir, Annie. Vraiment. Et Sarah a de la chance de vous avoir, ainsi que votre famille.

— Oh ! dit Annie en secouant la tête d'un air incrédule, Dieu sait pourquoi. Mais merci beaucoup. Allez-y, maintenant.

Marie Anne monta au dernier étage. Au lieu de frapper à la porte, elle l'ouvrit doucement et entendit la voix de Sarah, appelant :

— Viens voir une minute, regarde l'état de ces ressorts. Tu ne voulais pas me croire mais ces deux-là ont dû sauter dessus toute la nuit !

Au lieu de s'avancer vers la chambre, Marie Anne regarda autour d'elle. La pièce n'avait absolument pas changé. Peut-être les meubles n'étaient-ils pas aussi bien cirés, mais tout était propre et en ordre, et le feu brûlait allègrement dans la cheminée. De nouveau, elle eut la sensation de se retrouver chez elle. Elle avait été heureuse dans cet endroit. Elle avait vécu au jour le jour, sans se préoccuper de l'avenir. Grâce à Sarah.

Sarah cria de nouveau :

— Viens voir un peu ! Ça fait des semaines que je m'en accommode mais ça n'est plus possible. Il est bon à jeter.

N'entendant pas de réponse, Sarah vint à la porte. La main devant la bouche, les yeux fermés, elle murmura :

— Mon Dieu, non !

Elle s'avança lentement vers Marie Anne, agrippée au dossier de la chaise haute.

— Au nom de Dieu ! qu'est-ce qui vous amène ici ?

Marie Anne sourit.

— Si c'était à toi qu'on posait la question, tu répondrais : « Oh ! un train et un taxi. »

— Oh ! soupira désespérément Sarah, qui se dirigea vers la cheminée.

Elle se frappa la tête deux fois sur le manteau en bois. Mais elle se taisait. Marie Anne s'avança alors vers elle.

— Il fallait que je vienne, Sarah, ne serait-ce que pour te dire à quel point je suis désolée, comme j'ai manqué de reconnaissance... combien j'ai honte.

— Oh ! n'en rajoutez pas, je vous en prie.

Sarah lui fit face de nouveau en hochant la tête de lassitude.

— L'affaire est réglée. Vous auriez dû l'accepter et continuez votre vie.

— Mais comment l'aurais-je pu sans toi ?

— Il serait temps que vous appreniez à voler de vos propres ailes. D'ailleurs, vous êtes parfaitement capable de donner votre avis quand l'occasion se présente, n'est-ce pas ? Vous n'avez pas besoin de mon soutien.

Le bruit d'un léger coup de pied résonna dans le bas de la porte, et Sarah s'empressa d'aller ouvrir, pour laisser Annie entrer avec un plateau de thé.

— Buvez-le tout de suite, car avec le temps qu'il m'a fallu pour le monter il va bientôt être bon à jeter dans l'évier.

Elle le posa sur la table et Sarah lui demanda :

— Qu'est-ce que tu en penses ?

— De quoi ?

— Ne joue pas l'innocente, Annie. Ce n'est pas une apparition.

— Ho ! dit Annie. Je l'ai pourtant cru au début. En tout cas, voici ton thé, bois-le. J'ai autre chose à faire que de rester là à t'écouter raisonner. J'ai fait ça toute ma vie. Et je dois redescendre avant que Rose n'ait dégringolé les deux étages avec sa chaise ! À tout à l'heure, Marie Anne.

— Oui, Annie, et merci pour le thé.

— Au moins, ça fait plaisir qu'on me dise merci pour le thé, non, chère sœur ? On peut servir du thé à tout un régiment ici, sans jamais recevoir un seul merci.

— Allez, disparais !

Annie se retira en riant et Sarah tendit une tasse à Marie Anne, qui la prit sans mot dire. Elles s'assirent l'une en face de l'autre.

— J'ai une lettre pour toi. De Don, dit Marie Anne en lui tendant une enveloppe.

Sarah hésita un temps avant de la prendre, puis finit par l'ouvrir avec le manche de sa cuillère. Elle lut la courte missive, regarda Marie Anne, et la relut encore une fois. Puis, la pliant doucement, elle la lui rendit en disant :

— Eh bien !

— Grand-père a quelque chose de particulier à te dire.

— Quoi ?

— Que si tu ne veux pas revenir tu le fasses au moins pour lui, parce que tu lui manques beaucoup. Quant à la maison...

Elle déglutit un bon coup pour retenir ses larmes et continua :

— Il dit que la maison n'est plus la même depuis ton départ. Et que si ta sœur a besoin de se reposer, tu peux l'amener avec toi, et trouver quelqu'un pour s'occuper de sa famille pendant ce temps-là.

Sarah fit demi-tour sur sa chaise, tournant le dos à la cheminée. Elle se mit les mains sur le visage puis se redressa vivement en criant :

— Ce n'est pas juste. J'ai fait ce que vous vouliez que je fasse. Vous vouliez que je parte, à ce moment-là, et aussi loin que possible de lui. C'est bien ce que vous vouliez !

— Oh non ! Sarah ! Non.

Toutes deux s'étaient levées à présent.

— Non, ce n'était pas du tout ce que je voulais. J'ai été jalouse pendant un moment, oui, je le reconnais. Mais c'était seulement parce que tu avais fait ce que je voulais faire depuis longtemps, sans avoir osé. Mais toi, tu as osé être toi-même et tu l'as embrassé. Mais quand il t'a rendu ton baiser avec fougue en disant devant tout le monde que tu étais la première femme à l'avoir embrassé, c'est à ce moment que j'ai été blessée, je te l'avoue, parce qu'il m'avait fait comprendre qu'il m'aimait. Quand j'étais à deux doigts de la mort, c'est lui qui m'a donné la force de lutter, il était à mon chevet et il m'a avoué ses sentiments. Il croyait que j'étais inconsciente, mais j'ai tout entendu et j'ai été touchée au plus profond de moi-même. Tu peux comprendre ça ? Si seulement j'avais eu le courage de l'embrasser, même quand il portait cet horrible masque... je sais que tu aurais été capable de le faire... Tu comprends maintenant ce que j'ai ressenti quand tu t'es jetée à son cou, parce que je ne m'étais pas rendu compte de tes sentiments à son égard, ni des siens pour toi ? Il t'aime, et pas seulement d'une certaine façon. Il me l'a dit clairement hier.

Sarah écarquilla les yeux.

— Comment cela, il vous l'a dit clairement ? Ce n'est pas ce que je lis dans sa lettre. Qu'est-ce qui s'est passé hier ?

— On s'est battus.

— Battus ?

— Enfin, verbalement. Il a été cruel avec moi, il m'a accusée de t'avoir blessée. Il m'a fait une liste de mes défauts...

— Cet homme-là ne vous ferait du mal pour rien au monde, Marie Anne, il en est complètement incapable.

— C'est pourtant ce qu'il a fait. Il savait exactement quelles avaient été mes réactions devant cette scène, et il me les a jetées à la figure. Alors, je lui ai dit ce que je pensais de lui et il a changé de ton. Mais ça, je ne l'ai pas supporté.

— Oh, mon Dieu ! Vous faites vraiment la paire ! Écoutez-moi, Marie Anne, laissez-moi vous expliquer les choses franchement et simplement. Cet homme vous aime. Il vous a aimée dès l'instant où il a posé les yeux sur vous. Je l'ai vu à son expression. Et depuis, son amour n'a fait que croître. Mais il est marqué. Vous réussiriez à l'amadouer à force d'amour et de compassion, mais il y a votre famille. Ils ne l'ont accueilli que parce qu'ils ont une dette envers lui et il le sait très bien. Il est aussi conscient de la différence de vos situations, il n'a aucun statut dans la vie, à part celui de sculpteur. Ce que vous appelez son amour pour moi n'est qu'une réaction de sympathie à notre affection commune pour vous. Il sait aussi que son visage ne me dérange pas. Je l'ai aimé dès que je l'ai vu. Est-ce que je l'aime ? Je crois que oui. Mais c'est un amour différent de celui qu'il a pour vous ou de celui que j'ai pour vous. Pour moi, vous passez avant tout, et c'est encore vrai aujourd'hui. Il le sait. Nous en avons parlé pendant votre maladie et nous nous sommes beaucoup rapprochés l'un de l'autre à ce moment.

— Alors, Sarah, tu reviens ?

— Oh, ma chérie ! Ça fait trois semaines que je suis partie maintenant, je ne me vois pas reprendre la routine là-bas. Et comment vont-ils m'accueillir ? Tout le monde va me demander pourquoi j'ai été absente si longtemps.

— Rien de plus facile à expliquer. Ta sœur a été très malade et je suis venue voir si je pouvais t'aider.

Marie Anne souriait à travers ses larmes.

— Grand-papa a donné le ton hier et papa croit vraiment que ta sœur est malade. Quant à Pat, il se doute de quelque chose, mais il a obéi aux ordres de grand-père, qui a fait préparer par Mme Makepeace une chambre pour la sœur de Mlle Foggerty, au cas où elle viendrait passer quelque temps.

— Il a dit ça ?

C'était la première fois que Sarah trahissait quelque amusement, dans ses yeux comme dans sa voix. Elle ajouta d'un ton pensif :

— Quel adorable vieux monsieur ! Pourquoi est-ce que je dis vieux ? Il pense comme un jeune homme et rit comme un enfant.

Marie Anne prit les mains de Sarah et la supplia doucement :

— Tu vas revenir alors ? Tu rentres avec moi, pour de bon ?

Sarah inclina la tête. Marie Anne l'entoura de ses bras, elles s'étreignirent, mêlant leurs larmes et leurs rires.

— Sarah, ne me quitte jamais plus. Je t'en prie, quoi que je fasse ou dise, promets-moi de ne jamais me quitter.

Se dégageant de l'étreinte de Marie Anne, Sarah répondit :

— Je ne promets rien. Je peux mourir la semaine prochaine. Et maintenant, arrêtez de pleurer.

— Alors, toi aussi. Si ce ne sont pas des larmes que tu verses, ce doit être de la bière. Imagine un peu, serveuse de bière !

Elles s'étreignirent de nouveau, riant et séchant leurs larmes. Au bout d'un moment, Marie Anne s'assit et dit :

— C'est merveilleux, vraiment merveilleux. Je ne pensais pas être de nouveau heureuse. Nous prendrons le train de midi demain. Et tant que je suis ici, je vais te dire ce que j'aimerais faire, Sarah : passer au *Daily Reporter* pour voir M. Stokes et son assistant, M. Mulberry. J'ai reçu une très gentille lettre de M. Mulberry, il y a quelque temps. Tu te rappelles, ils avaient le projet de reprendre une série de dessins amusants, ceux sur les enfants ? Avec tout ce qui s'est passé, je n'ai jamais répondu, mais j'aimerais en parler avec eux.

— Oh oui ! pourquoi pas ? Et en passant, il faudra s'arrêter chez Ernie pour lui annoncer mon départ. Ça ne va pas leur plaire, mais ils seront contents de vous voir. Peut-être que vous pourriez jouer un petit morceau au piano ? Ça leur ferait plaisir. Oui, faisons ça.

Sarah semblait redevenue elle-même.

— Allons voir Annie, la pauvre, elle s'est fait du souci presque autant que vous et moi, je vous assure. J'en suis même venue à apprécier son homme ces dernières semaines. Il est monté ici un soir, et nous avons parlé comme jamais je n'aurais cru que c'était possible avec lui. Son langage ne s'est pas amélioré, c'est sûr, mais il dit des choses justes et pleines de bon sens. Et il m'a même remerciée d'aider la famille ! C'est drôle comme on peut changer d'avis sur les gens. Je sais qu'Annie est contente de notre nouvelle relation, car elle m'a toujours dit qu'il n'était pas aussi mauvais qu'on voulait bien le dire. Je comprends maintenant pourquoi elle lui trouvait toujours des excuses et pourquoi elle lui a donné tous ces enfants. Ce sont de braves gosses, vous savez. Bon, allons-y, descendons chez elle. Je crois qu'elle prépare un ragoût de mouton, ajouta Sarah en riant. Comme pour votre premier repas ici, il me semble.

— Non, c'était le premier repas où j'ai vu les enfants à table. Et s'il y a encore du ragoût aujourd'hui, ça me donnera des idées pour d'autres dessins.

Marie Anne se leva de sa chaise et elles restèrent un moment à se regarder sans rien dire. Puis Sarah tendit la main à la jeune femme.

— Rentrons à la maison.

Et elles descendirent, la main dans la main.

— 3 —

Sarah fut accueillie dès la gare, où Marie Anne et sa compagne trouvèrent Mike, qui les attendait avec la voiture. Et à peine eurent-elles mis pied à terre devant la porte du Petit Manoir que Fanny et Carrie apparurent.

— Bienvenue à la maison, mademoiselle! Quelle joie de vous revoir! Comment va votre sœur?

— Oh! beaucoup mieux, merci.

Dans l'entrée se tenaient Maggie Makepeace et Katie, qui, avec sa maladresse habituelle, dit :

— Je suis contente de vous revoir, mademoiselle. La maison a été bien tenue et tranquille pendant votre absence.

Ce qui lui valut un coup de coude de Maggie, qui pourtant l'excusa :

— Elle dit toujours ce qu'il faut mais de travers, mademoiselle. Quant à moi, je suis contente que vous soyez revenue. Vous réussirez peut-être à faire prendre ses repas au maître.

Katie provoqua de nouveau les rires en ajoutant :

— Et à le faire cesser de crier après cette pauvre infirmière!

L'une ou l'autre des domestiques emporta les bagages de Marie Anne et de Sarah.

— Est-ce que mon père est là, Maggie? demanda la jeune femme.

— Non, madame, et M. Pat non plus, mais nous les attendons d'une minute à l'autre.

Un cri traversa la maison et tous les regards se tournèrent vers le haut de l'escalier. Fanny dit en riant :

— Il a dû avoir vent de votre arrivée, madame.

— Monte, Sarah, dit Marie Anne. Je vais d'abord voir ma petite fille.

Sarah frappa un coup à la porte de la chambre d'Emanuel. Celle-ci s'ouvrit sur une femme à l'air exténué, qui dévisagea un moment la jeune femme sans rien dire. Elle allait interroger son malade, quand ce dernier cria :

— Venez ! Laissez-la entrer, madame.

L'infirmière s'empressa de lui laisser la place. Sarah lui adressa un sourire de connivence.

— Bonsoir, madame Gallacher.

— Bonsoir, mademoiselle, je suis contente de vous revoir.

— Vous n'êtes pas la seule, dit Emanuel. Laissez-nous, je vous prie.

L'infirmière ne se le fit pas dire deux fois. Une fois près du lit, Sarah prit la main tendue vers elle et demanda :

— Comment allez-vous, monsieur ?

— Ne me demandez pas comment je vais, petite, dit-il d'une voix forte, après m'avoir planté comme ça ! Vous ne deviez partir que quinze jours, mais il a fallu qu'on aille vous rechercher. Il y a quelque chose de louche dans cette histoire, et je finirai par tirer les choses au clair. D'ailleurs, j'ai déjà ma petite idée. (Il poussa un grand soupir :) De toute façon, je suis ravi que vous soyez rentrée. Les choses vont reprendre leur cours normal. Et la première chose que vous pouvez faire pour moi, c'est de congédier cette infirmière.

— Excusez-moi, monsieur, mais je n'en ferai rien, car j'ai appris par Marie Anne qu'elle vous a sorti d'une mauvaise passe.

— Il n'y a que le temps pour vous sortir d'une mauvaise passe, les infirmières n'ont rien à voir là-dedans ! Et je parle d'expérience, croyez-moi. Pour couronner le tout, elle a les pieds plats.

Sarah rit.

— La pauvre ! Vous ne pouvez pas lui en tenir rigueur !

— Peu importe. Ce qu'elle fait pour moi, vous pouvez le faire.

— Je ne le peux pas et je ne le veux pas, monsieur. Je ne suis pas infirmière, en tout cas, pas de cette façon. Maintenant, si vous me le permettez, je vais aller me rafraîchir et me changer. Le voyage a été très salissant.

— Mais oui, bien sûr ! Je suis désolé. Mais je suis sérieux quant à cette infirmière, si vous ne voulez pas la renvoyer, c'est moi qui le ferai.

En se dirigeant vers la porte, Sarah dit d'un ton rieur :

— Faites-le donc, monsieur, prenez vous-même la chose en main. Mais n'attendez pas que je vienne m'occuper de vous après son départ. J'ai mes propres occupations.

— Au diable vos occupations !

— Oui, au diable ! dit Sarah, toujours en riant.

Elle traversait le palier quand James et Pat apparurent. Tous deux l'accueillirent d'un « Oh, bonjour ! Vous êtes rentrée ? »

— Vous n'avez pas amené votre sœur ? ajouta James.

— Non, monsieur. Elle va beaucoup mieux et elle doit s'occuper des enfants.

Indiquant la chambre du grand-père du menton, Pat demanda :

— Comment l'avez-vous trouvé ?

— Comme d'habitude, de fort méchante humeur. Le premier ordre qu'il m'a donné, c'est de virer l'infirmière.

— Et qu'avez-vous répondu ? demanda Pat en souriant.

— Qu'il n'en était pas question, répondit Sarah en s'éloignant.

— Bravo ! lui cria Pat. Je vous parie que dans quelques jours il sera sur pied.

Empruntant un couloir secondaire, Sarah se rendit dans son salon sans rencontrer personne d'autre, s'assit dans son fauteuil et promena son regard autour d'elle.

Elle n'espérait pas revoir cette pièce. Était-elle contente d'être revenue ? Oui, d'une certaine façon. De l'autre, elle aurait préféré être à des milliers de kilomètres de là.

Réfléchissant à sa situation, elle se leva du fauteuil et entra dans sa chambre, où elle s'enferma. Elle se dirigea vers la table de nuit, y prit un crucifix de dix centimètres sculpté dans un morceau de chêne des marais et s'agenouilla au pied du lit. Le tenant dans ses mains jointes, elle étendit les bras sur le duvet et posa sa tête dessus.

Elle ne pria pas d'une façon ordinaire. Elle dit seulement :

— Seigneur, si vous n'atténuez pas cette douleur dans mon cœur, aidez-moi à supporter sa vue et à ne penser à lui que comme à un ami.

— 4 —

La période précédant Noël se déroula sans histoires. L'harmonie régnait dans la maison. Mais en novembre, l'idée d'un bal pour les domestiques des deux maisons excita tout le monde. Et James Lawson donna son approbation.

Don et Sarah avaient eu une conversation qui les avait troublés l'un et l'autre.

Elle avait eu lieu après le retour de la jeune femme. Don lui avait demandé :

— Pat m'a appris que cet homme... le père de l'enfant était mort. Le saviez-vous ?

— Oui, je le savais avant mon départ.

— D'après ce que j'ai compris, c'est lui-même qui a écrit la lettre quand il a su qu'il allait mourir.

— Oui, c'est vrai, et c'est une belle lettre.

— Elle vous l'a fait lire ?

— Oui.

— Elle se confie davantage à vous qu'à Pat et à son père. Son frère dit qu'elle refuse d'en parler. Mais cet homme doit avoir eu de bons amis puisque c'est l'un d'eux qui a envoyé cette lettre. Pourtant, à ce que dit Pat, elle refuse de le remercier de son geste. Comment interprétez-vous son attitude ?

— Mon interprétation, Don, a failli provoquer une grosse dispute entre nous. Il me semblait à moi aussi qu'elle devait remercier l'expéditeur. Mais elle ne voyait pas la chose sous cet angle et, évidemment, elle avait une bonne raison : ses remerciements créeraient un lien entre ses amis espagnols et son enfant. Elle considère sa fille comme uniquement à elle et n'imagine pas qu'un jour elle lui posera des questions. Ça ne manquera pourtant pas d'arriver et j'espère ne pas être là quand ça se produira. Cela dit, je suppose que c'est une bonne chose pour tout le monde qu'il soit mort...

Don acquiesça silencieusement, car il avait eu l'étrange impression — en tout bien tout honneur — que l'enfant aurait pu être le sien, la première fois qu'il l'avait pris dans ses bras.

— Quel genre d'homme était-ce ? Vous l'avez connu...

La question de Don la déconcerta un peu, et elle hésita un moment avant de répondre.

— J'en étais venue à l'aimer et je l'ai encore plus apprécié après avoir lu sa lettre.

— Alors vous ne croyez pas qu'il l'ait violée ?

— Violée ? Non, absolument pas. Qu'on le veuille ou non, elle a été amoureuse de lui pendant un temps.

Don secoua la tête.

— Jamais le grand-père ou le père ne croiront qu'il ne s'agissait pas d'un viol. J'aimerais parfois qu'ils la voient telle qu'elle est.

Sarah lui posa la main sur le bras en lui disant doucement :

— Puisque vous, vous le faites, qu'importent les autres ?

— 5 —

Le 2 janvier, James reçut de David une lettre qui l'inquiéta. Il décrivait en détail les événements survenus au nouveau ranch acheté par Vincent et sa mère. On avait cru que Vincent avait été victime d'une attaque. Mais, d'après le diagnostic du médecin, il ne s'agissait pas d'une maladie de cœur. C'était plutôt une sorte d'angine de poitrine, provoquée par la tension et les nerfs. Toujours selon le médecin, un long repos et un changement d'occupation lui feraient le plus grand bien.

Ce conseil avait mis Vincent hors de lui. Sa mère lui avait pourtant fait valoir que Serge Nordquist, le contremaître suédois, un cinquantenaire au caractère agréable, bon cavalier de surcroît, qui gérait le ranch depuis quinze ans pour la veuve de l'ancien propriétaire, s'en occuperait parfaitement en son absence.

Veronica essayait donc de persuader son fils de faire un séjour aux États-Unis.

Le ton de la lettre semblait suggérer que sa mère était prête à vouloir transiger. La tirade habituelle contre Marie Anne n'en était pas moins là, de même que les plaintes contre l'injustice faite à Vincent.

En repliant la lettre, James se dit que, décidément, il fallait toujours se faire du souci pour quelque chose. La vie s'était écoulée si paisiblement ces derniers mois ! Son père était de nouveau sur pied et se montrait plus agréable, en tout cas depuis le retour de Sarah Foggerty.

L'atmosphère avait vraiment changé depuis l'arrivée de cette femme dans la maison ! Sans que l'on pût dire exactement à quoi cela était dû : Sarah n'avait pas un physique extraordinaire et ce n'étaient pas seulement ses manières irlandaises qui séduisaient. Elle avait quelque chose de particulier.

Et Noël avait été si gai… Jamais, il n'aurait imaginé donner un bal pour les domestiques au Manoir ! Même son père, emmitouflé jusqu'aux yeux, était descendu se joindre à tout le monde et avait applaudi le jeu des deux violons et de la flûte. Il avait regardé le personnel valser et danser la polka, accompagné par Marie Anne au piano. Mais le clou de la soirée avait été le moment où Sarah, retroussant ses jupes, avait dansé une gigue irlandaise des plus compliquées, qu'elle n'avait plus interprétée depuis qu'elle était jeune fille.

Autre souvenir marquant de cette soirée, personne n'avait réussi à faire danser M. McAlister, même pas Marie Anne.

James se dit qu'il fallait aussi réfléchir à leur relation, à ces deux-là. Pat avait laissé entendre qu'il y avait quelque chose entre eux, ce qu'Evelyn avait confirmé. Il ne voyait pas où ça pouvait mener. Outre son visage disgracié, l'homme était deux fois plus âgé qu'elle. Et si sa maladie de peau était transmissible ? Il devait intervenir.

Pour en revenir à la lettre du Canada, il la ferait lire à Pat, sans en parler à son père. En attendant, il allait écrire le soir même à David pour lui demander de le tenir au courant des faits et gestes de Vincent, parce que, connaissant son fils, il le jugeait bien capable de rentrer et d'imposer de nouveau sa présence.

— 6 —

Don n'arrivait pas à se dire qu'il était heureux depuis le retour de Sarah, bien que ses sentiments et ceux de Marie Anne fussent maintenant évidents, même s'ils restaient inexprimés.

Une chose était sûre, c'était qu'il ne parvenait jamais à lui dire un mot en privé, et il se demandait si son père avait réellement tout fait pour l'accaparer les trois dernières fois où il était venu dîner, ou si c'était un effet de son imagination.

La reine était morte et tout le pays était censé la pleurer. Mais, pour beaucoup, le deuil traduisait seulement le soulagement ressenti à la mort de la vieille dame et à l'avènement tant attendu d'un homme sur le trône. Ces événements provoquaient des discussions politiques après le dîner. D'autre part, son grand-père ayant souffert des mois d'hiver, on avait décidé de l'installer dans l'annexe et de confier la partie principale de la maison à Marie Anne. Cet arrangement évitait beaucoup de montées et de descentes, non seulement pour les domestiques, mais surtout pour Sarah, fort accaparée par le vieux monsieur, qui refusait obstinément les services d'une infirmière. Il y avait en tout vingt-sept pièces au Petit Manoir, sans compter l'office et les réserves. L'annexe était constituée de sept d'entre elles, dont une chambre, un vestiaire et un salon pour Emanuel, et une chambre et un salon pour Sarah, ce qui laissait une chambre pour l'infirmière, en cas de besoin, et une pièce pour la salle de bains.

Après avoir beaucoup réfléchi à la situation et en avoir parlé avec Celui qui se cachait derrière les portes du petit cabinet posé sur sa commode, Don avait décidé que le jour des dix-huit ans de Marie Anne il présenterait sa demande aux trois hommes de la famille. Étrangement, il prévoyait que le grand-père ne serait guère surpris et ne mettrait pas de veto. Il pensait aussi pouvoir compter sur la bénédiction d'Evelyn.

Mais les circonstances firent en sorte qu'il n'eût pas besoin d'attendre les dix-huit ans de Marie Anne pour obtenir leur accord : il n'eut besoin de l'autorisation de personne.

C'était la deuxième semaine de juin. Après cinq merveilleuses journées de grand soleil, tout le monde commençait à se plaindre de la chaleur.

Don avait empli et fermé son dernier sac de sculptures pour l'emporter chez les frères mais, ce soir, il devait dîner au Petit Manoir.

La porte était ouverte, ainsi que toutes les fenêtres de la maison. À peine entré dans le hall, il aperçut James, qui lui faisait signe de venir le rejoindre au bout du petit couloir.

Il s'exécuta et James lui dit en refermant derrière lui la porte du petit bureau :

— Entrez une minute.

Don fut surpris de trouver Sarah et Evelyn, qu'il salua poliment.

— Bonsoir, quelle chaleur, n'est-ce pas ?

Elles n'eurent pas le temps de répondre car James l'interrompit.

— Asseyons-nous une minute. Nous n'avons pas beaucoup de temps. Marie Anne va descendre d'une minute à l'autre et elle ne doit rien savoir de ceci.

Il porta sa main à la poche de son gilet en disant :

— Vous savez que ma femme et mon fils ont acheté un ranch au Canada, et vous avez entendu parler de la prétendue attaque cardiaque de Vincent, qui n'était en fait qu'une sorte de crise nerveuse. Eh bien, j'ai appris ces derniers mois qu'il est allé se reposer aux États-Unis, mais qu'il ne s'y est pas plu. Il a eu une autre crise il y a quelques semaines, et le médecin a de nouveau recommandé un changement complet. Dans sa dernière lettre, mon fils David m'apprenait que Vincent était parti chez des amis en France. Mais un envoi que lui a adressé sa mère là-bas lui a été réexpédié avec la mention « Parti sans laisser d'adresse ». Ce qui m'ennuie n'est pas tant d'ignorer où il est mais de le savoir de l'autre côté de la Manche, à deux cents kilomètres de la côte et à quelques heures de train de Newcastle. Dans l'état d'esprit où il est, il pourrait très bien venir ici voir Marie Anne.

Sarah prit la parole :

— Quoi qu'il arrive, elle ne doit pas avoir vent de cela. Ça la paniquerait dangereusement. Et il y a l'enfant.

— On ne peut pas l'enfermer, alors comment faire ? demanda Evelyn en se tournant vers Don. Comme nous le disions à père, elle pourrait venir chez nous, mais nous habitons au bord de la route et il pourrait entrer chez nous comme un rien.

— Il pourrait entrer et sortir d'*ici* comme un rien également, intervint son père. Et si je demandais aux hommes de travailler près de la maison, elle se douterait de quelque chose.

S'adressant directement à Don, Sarah dit :

— Le seul endroit réellement sûr, c'est votre maison. Elle se trouve au bord de la rivière et jouxte les champs des Harding. Et vous êtes protégé par le bois.

Don réfléchit avant de répondre. Son regard navigua de l'un à l'autre, puis il s'adressa à James.

— Je ne vous suis pas là-dessus, il ne faut pas lui cacher le danger. Je crois au contraire qu'il faudrait la mettre immédiatement en garde. Oui, ma maison est relativement sûre, mais on peut y entrer par l'arrière. Mais je suis d'accord, il ne faut pas la laisser seule.

Ils le regardaient comme s'ils s'attendaient à ce qu'il continue. Il dit alors, d'une voix hésitante :

— J'ai déjà décidé de remettre mon voyage à Londres. Je déteste prendre le train par cette chaleur. Je pourrais donc être avec elle demain, pendant que vous, monsieur, chercherez un moyen de la mettre au courant sans l'effrayer. Nous pourrions organiser un pique-nique demain, qu'en dites-vous, Sarah ? Et faire un tour en barque. La plage située près de chez moi est vraiment agréable. En me levant ce matin, j'ai fait un plongeon dans la rivière au lever du soleil. C'était merveilleux. Je pourrais en faire la suggestion au dîner, n'est-ce pas, monsieur ?

— Bonne idée, acquiesça James, ça nous laisserait le temps de voir venir. Mais je vous assure, Don, je redoute de lui dire qu'il est dans les parages. Elle va encore s'effondrer.

— Non, père. Elle est plus forte que vous ne le pensez.

— Pas du tout, Evelyn, répliqua vivement James. Ce n'est qu'une enfant.

À cette déclaration, Don se mordit la lèvre inférieure et regarda le jardin par la fenêtre ouverte. Décidément, pour eux elle n'était qu'une enfant, ces hommes ne la verraient jamais que comme telle.

Devinant les sentiments de Don, Sarah intervint.

— Je crois que la suggestion du pique-nique et du tour en barque est une bonne idée. De toute façon, ça nous laissera un jour de plus... Oh, c'est la cloche du maître. Le devoir t'appelle, Sarah Foggerty, dit-elle en se levant pour quitter la pièce.

James dit à Evelyn :

— Excuse-moi, je dois aller me changer pour le dîner. À bientôt, ajouta-t-il à l'intention de Don.

Restée seule avec Don, Evelyn dit :

— Je suis inquiète, Don, plus que je ne peux le dire. Il est fou, vous savez, complètement fou, surtout quand il s'agit de Marie Anne. Et, cette fois-ci, s'il la touche, il la tuera. Vous avez raison, il faudrait le lui dire. Elle serait sur ses gardes, ce serait plus prudent. Ils la considèrent tous les trois encore comme une petite fille, mais pas vous, Don, si ?

— Non, Evelyn. Mais elle est désarmée face à ce fou. Et, à dire vrai, j'ai peur moi aussi. Nous sommes un peu impuissants. Nous ignorons où il est, mais lui viendra la trouver et il saura choisir son moment. Enfin, on verra demain.

— Oui, Don. C'est drôle, vous savez, ce soir j'avais l'intention d'annoncer quelque chose au dîner, mais je crois que ce n'est pas le moment, du moins tant que père est dans cet état. Mais je peux vous le dire à vous. J'attends un bébé. Nick est fou de joie, il ne descend plus de son petit nuage. Il s'occupait des cochons quand je lui ai appris. Vous n'imaginez pas dans quoi nous pataugions.

Elle riait. Don lui prit les mains et dit :

— C'est merveilleux pour vous ! J'espère que ce sera le premier d'une famille nombreuse !

Evelyn rit encore plus franchement.

— Il faut que ce soit un garçon. Nick dit qu'il a besoin d'aide pour le bétail. Le deuxième s'occupera des cochons. Le troisième sera comptable et gérera l'argent que nous ne gagnerons jamais !

Ils mêlèrent leurs rires. Evelyn fut la première surprise de sa familiarité avec cet homme si étrange, et que tout le monde dans la maison semblait avoir adopté.

— 7 —

Le lendemain matin, Marie Anne et Don se retrouvèrent dans l'entrée avec Sarah, qui disait :

— Je ne peux pas le laisser, même pour une matinée. Cette chaleur l'abrutit complètement. En plus, Anne Marie est enrhumée et la nourrice ne veut pas la laisser sortir. Vous allez vous retrouver seuls tous les deux. Ne gâchez pas une aussi belle journée. Il fait très lourd, on dirait qu'il va y avoir un orage. Faites un tour en bateau et prenez un pique-nique. Comme Don le disait hier soir, vous n'avez pas besoin d'emporter des provisions, il y a tout ce qu'il faut dans votre garde-manger pour un repas sur la plage.

Marie Anne échangea un regard avec Don.

— Alors ? Je ne vais pas passer mon jour de congé tout seul ?

Elle se tourna vers Sarah.

— Tu es sûre que ça va aller ?

Sarah, levant les yeux au plafond, plaisanta :

— Mon Dieu, écoutez-la ! Comment est-ce que je me débrouille les six autres jours de la semaine ? Allez vous préparer, petite. Ne perdez pas de temps. Je ne veux pas vous revoir avant cet après-midi. Tout va bien ici, vous le savez très bien. Pas la peine de vous changer. Votre robe est légère et ira très bien, il vous suffit de prendre un chapeau de paille. Allez-y !

Marie Anne partit en courant chercher son chapeau.

— Merci, Sarah, dit Don, vous vous êtes très bien débrouillée.

Sarah, qui ne souriait plus, répondit :

— Que ne ferait-on pour un ami ?

*

* *

Marie Anne était allongée à l'ombre d'un vieux saule étêté, dont les racines se prolongeaient jusque dans l'eau. Ses rameaux, penchés jusqu'au sol, témoignaient de son grand âge.

À côté d'elle, un verre d'eau de source avec quelques tranches de citron était posé sur un petit plateau. Don était un peu plus loin.

— Ce matin, jamais je n'aurais imaginé venir pique-niquer ici. C'est si beau, si paisible. Vous avez de la chance d'habiter si près de la rivière.

— Regardez là-bas ! Deux autres nageurs ! s'écria Don.

Il se redressa vivement en entendant la voix de Fred Harding, sur l'autre rive.

— Bonjour ! Vous ne vous en faites pas !

Don se leva et, du bord de l'eau, répondit :

— Qu'est-ce que tu fais là-bas ?

— Tu n'as pas entendu crier, tout à l'heure ? C'était peut-être de plaisir, mais je n'en suis pas sûr. Six gosses du village ont atterri sur l'une des petites îles, là-bas, et aucun d'eux ne sait nager. Ils devaient pique-niquer, m'a dit le plus vieux, un gamin de douze ans. Ils avaient des bouteilles d'eau et des tartines à moitié fondues. Je les ai ramenés à la ferme et Sally leur a donné à manger. Je viens de les renvoyer chez eux car il va y avoir un sacré orage. Regarde comme c'est noir au-dessus de Durham. Je ne suis pas le seul à attendre la pluie avec impatience. Les bêtes sont nerveuses par ce temps... Content de vous voir, mademoiselle. Comment allez-vous ?

Marie Anne se dressa sur ses genoux et répondit :

— Bien, monsieur Harding, et vous-même ?

— Et le bébé ?

— Oh ! elle est en pleine forme, mais il fait trop chaud pour la sortir.

— Ho ! Vous entendez ? L'orage approche. (Puis, baissant la voix, il ajouta :) Vous avez vu, ce nageur qui vient vers nous ? Ça fait quatre jours qu'il vient se baigner par ici. C'est un bon nageur, je me demande pourquoi il est affublé de lunettes d'automobiliste dans une rivière aussi calme.

Sans répondre, Marie Anne à ses côtés, Don attendit que l'inconnu s'approche.

Il arriva, d'une brasse régulière, la tête bien au-dessus de l'eau. Il avait des cheveux longs et noirs, plaqués sur la nuque par l'attache des lunettes. Il semblait avoir une petite barbe. Quand il arriva de l'autre côté de la plage, il tourna la tête vers eux et les regarda, puis continua son chemin.

Sans attendre que l'individu ait disparu derrière la courbe que dessinait la rivière au-delà du bois, M. Harding reprit :

— Je me demande où il a garé sa voiture... en tout cas, je sais qu'il a laissé ses vêtements sur une petite île, de l'autre côté du barrage. Une chance que les gosses ne les aient pas vus. Oh ! écoutez le tonnerre ! Et le soleil se voile. Il faut que je me sauve. Au revoir, mademoiselle... passez nous voir un de ces jours !

— Au revoir, monsieur Harding. Oui, je passerai, c'est promis.

— Vous avez peur de l'orage ? demanda Don.

— Non, c'est bizarre, j'aime ça. Quand j'étais enfant, je restais toujours dehors quand il y avait un orage, à courir comme un animal sauvage dans la pluie et le vent.

— Dans ce cas, je vais aller rapidement nous préparer quelque chose que nous mangerons ici avant que l'orage n'éclate. Ça vous plairait ?

— Oh oui ! Je vais rester allongée ici, c'est si paisible.

Combien de temps resta-t-elle ainsi les yeux fermés, à rêver de ce qui se passerait avant qu'il ne la ramène à la maison, elle ne s'en souvint jamais, mais cela lui parut très long : le tonnerre s'était mis à gronder, le soleil s'était caché. En revanche, elle se rappela très bien l'instant où il lui mit la main sur la bouche. Elle l'aurait reconnue entre mille, cette main, et le cri qui montait de tout son être fut étouffé tandis qu'on la traînait par les cheveux vers la rivière.

Elle eut le temps d'apercevoir les lunettes avant que son assaillant ne lui enfonçât la tête sous l'eau. Elle se débattit avec une telle rage, lui labourant les reins si désespérément, qu'il ôta sa main de sa bouche et qu'elle releva la tête, poussant un cri strident qui déchira le silence.

L'homme lui enfonça de nouveau la tête sous la surface de l'eau, mais elle put se dégager et agrippa son visage. Puis elle fit glisser ses lunettes sur sa gorge et les serra si fort que son pouce passa au travers de l'un des verres.

Elle s'aperçut ensuite que d'autres bras la tiraient et l'arrachaient à ceux de l'homme, puis la jetaient sur le côté. Don se battait corps à corps avec l'individu, et ils s'éloignaient de la rive. Elle vit du sang sur la gorge de l'inconnu.

Tous deux disparurent sous l'eau. Elle attrapa une des branches du vieux saule, qu'elle suivit jusqu'à son extrémité dans la rivière. L'eau lui arrivait jusqu'aux aisselles et elle n'osa pas aller plus loin.

Elle essaya de crier le nom de Don, mais n'y réussit pas. Puis, comme dans un mirage, elle vit leurs deux corps réapparaître, enlacés.

Elle hurla alors :

— Don ! Don ! avec un sursaut de soulagement de tout son être, car elle s'aperçut qu'il nageait d'un bras vers elle, et tirait l'homme de l'autre.

Don se trouvait maintenant à côté d'elle, essayant de reprendre son souffle par de longues inspirations, tandis qu'à la surface de la rivière, à moins d'un mètre de là, flottait son frère, Vincent Lawson.

— Il est mort! Il est mort! Vous l'avez tué, Don! Vous l'avez tué!

Don la regarda, muet d'étonnement, ne trouvant rien d'autre à dire que :

— Mon Dieu! Mon Dieu!

Il regarda la gorge de l'homme et la coupure faite par le verre de lunettes.

Il y eut un éclair dans le ciel noir et un terrible grondement de tonnerre. Puis la pluie se mit à tomber, drue comme de la grêle. Il hurla :

— Rentrez à la maison!

Il la repoussa et entraîna le corps vers le milieu de la rivière. Aveuglé par la pluie, il ne put voir jusqu'où le courant allait emporter le cadavre. Il faisait si noir qu'on ne distinguait rien au-delà de la rive. Il y trouva Marie Anne allongée, le visage caché dans ses mains. Il hurla au-dessus du bruit de la pluie :

— Allez! Venez! Debout! Partons d'ici!

Et il la tira vigoureusement pour qu'elle se mette sur ses pieds et remonte la rive. Puis il la poussa, la portant à moitié, jusqu'au cottage.

La porte était restée ouverte, il la referma du pied et tira la jeune femme jusqu'au tapis, devant le feu éteint. Puis il s'affala à côté d'elle, inerte.

Tout son corps lui faisait mal et il se sentit submergé par une irrésistible envie de dormir. Il s'imagina un moment encore dans l'eau, en train de s'enfoncer dangereusement, luttant de toutes ses forces contre cet horrible individu. Il s'était rendu compte que s'il n'était pas arrivé à reprendre de l'air c'en eût été fini. À ce moment-là, heureusement, ses pieds avaient touché un rocher et il avait pu rebondir. En émergeant à la surface, il avait eu un terrible hoquet, qui lui avait permis de recracher toute l'eau qu'il avait avalée. Puis il avait pu respirer, tout en prenant vaguement conscience que les bras de son ennemi, toujours enroulés autour de lui, s'étaient amollis, comme s'il avait perdu connaissance.

Quand il eut compris que celui-ci était mort, il s'était souvenu du sang qui avait giclé de sa gorge, alors qu'enlacés dans leur combat mortel ils avaient coulé vers le fond. Le cou avait semblé propre ensuite, malgré un morceau de verre resté planté dans la chair.

C'était à ce moment qu'il avait entendu Marie Anne crier son nom, puis constater, soulagée :

— Vous l'avez tué, Don.

En lui-même, il avait pensé :

— Mon Dieu ! elle croit que c'est moi qui l'ai tué.

— Don, Don, ça va ?

La voix de Marie Anne tremblait. Elle tourna la tête vers lui. Émergeant de son demi-sommeil, il murmura : « Oui, mais oui. » Puis, se ravisant, il porta vivement la main à son visage pour redresser son masque. Il s'aperçut alors qu'il pendait sur son épaule. Il cacha immédiatement sa joue de la main.

Ils étaient face à face, se dévisageant dans la demi-obscurité. Il eut le réflexe de vouloir rattraper son masque et de le remettre en place.

— Non, tu ne retrouveras jamais une telle occasion, lui dit fermement sa voix intérieure. Si elle est dégoûtée, c'est que cela devait arriver ! C'est ici et maintenant que va se décider votre avenir.

Il retira donc lentement la main de sa joue, de l'horrible et longue tache, rendue plus repoussante encore par les gouttelettes d'eau qui brillaient à sa surface et par les petits débris de verre incrustés dans les plis monstrueux de la peau.

Il observa son regard descendre du front au menton et jusqu'à la poitrine, où la teinte noire virait au gris avant de retrouver la couleur naturelle de la peau.

Son cœur battait à tout rompre, encore plus follement que lors de sa lutte avec l'assassin dans la rivière. La jeune femme ferma un instant la bouche puis l'entrouvrit, comme prête à parler. Elle ne dit rien et, lorsqu'elle prit son visage dans ses mains pour poser les lèvres sur la joue monstrueuse, il laissa échapper un cri sourd.

Marie Anne lui avoua alors, d'une voix un peu spasmodique :

— Je t'aime, Don, je t'aime. Quand ai-je commencé à t'aimer ? Je ne sais pas. Toute ma vie. Tu m'es indispensable depuis si longtemps, comme le vent, la pluie et le soleil. Le sentiment que j'éprouve pour toi est plus fort que tout, plus fort même que mon amour pour Anne Marie.

Le visage illuminé de joie, Don écoutait. Il lui demanda ensuite :

— Veux-tu m'épouser ?

Marie Anne lui donna une petite chiquenaude.

— Qu'est-ce que je viens de dire ?

— Oui, mais j'aurais dû ajouter : « en dépit de... ». Non pas de mon visage — que tu as accepté, Dieu soit loué —, mais en dépit des trois hommes qui règnent sur ta vie. Comment vont-ils réagir quand, moi, qui ai deux fois ton âge, l'aspect que tu connais et aucun avenir, je vais leur annoncer que je veux épouser cette belle jeune femme ? Ton grand-père va sans doute hurler dans toute la maison : « Allez au diable ! » Et ton père me regardera avec cette expression glacée qu'il prend parfois. Quant à Pat, il me dira : « Je vous aime bien, Don, mais ce n'est pas possible. »

— Eh bien, si c'est le cas, tu sais ce que je répondrai : « Vous, père, vous pouvez m'interdire de me marier jusqu'à mes vingt et un ans. Dans ce cas, je vais chez lui et j'emmène Anne Marie... et je vis dans le péché, au cottage, jusqu'à ce que nous ayons le droit de nous épouser. Le scandale, père ? Je ne le crains pas, j'en ai déjà une certaine expérience. »

— Oh mon amour ! tu ferais ça !

Leurs deux corps s'étaient enlacés.

— Oui, Don, et je ferai plus encore, s'il le faut.

Il lui serra la main et elle poussa un petit cri de douleur.

— Qu'est-ce que c'est ? demanda-t-il.

— Je ne sais pas, j'ai mal à un doigt.

Il lui examina la main.

— Je ne vois rien dans cette obscurité. Il faut que j'allume la lampe.

Il revint et lui prit la main, l'attirant sous la lampe. Comme il inspectait son majeur, elle fit une grimace.

— Oh là là ! C'est un petit morceau de verre enfoncé dans ta peau, je le vois. Ne le touche pas, je vais aller chercher une pince.

Elle ne le toucha pas mais se mit à trembler, éprouvant de nouveau la sensation de son pouce sur le verre des lunettes. Puis du sang. Tout ce sang, qui avait coulé dans la rivière pendant la lutte de l'homme avec Don.

— Arrête de trembler, ce n'est rien. J'aurai sorti le verre en une seconde.

Il le sortit effectivement en un rien de temps, mais le doigt saigna un peu et, à cette vue, elle eut envie de vomir.

— Arrête de trembler comme ça. Tu as froid ?

— Oui, reprit-elle. Du moins d'une certaine façon. Je crois qu'il faut rentrer, que je puisse retirer ces vêtements mouillés. Toi aussi, d'ailleurs.

Il regarda par la fenêtre.

— Il pleut à verse. Mais difficile d'être plus trempés que nous ne le sommes déjà. Tu sais encore courir ?

— Oui, moins vite qu'avant, mais je cours encore très bien.

— Alors, chérie, allons-y.

— Oh, Don ! s'exclama-t-elle en lui passant les bras autour du cou. C'est la première fois que tu m'appelles chérie.

— C'était une erreur, madame. Je vous prie de m'excuser.

Mais déjà, ils s'étaient de nouveau enlacés.

Comme elle lui touchait encore la joue de la main, il dit :

— Oh là là ! je ferais mieux de ne pas sortir sans mon camouflage, non ?

Et il remit immédiatement le masque. Puis, comme il l'attirait vers la porte, elle bafouilla :

— Mais Don, quand on le trouvera, qu'est-ce qui va se passer ?

— Je ne sais pas, chérie, on verra. Une chose est sûre, il voulait te tuer.

— Oh, Don !

— Je t'en prie, mon amour, ne pleure pas. Viens. Allons-y, fonçons tête baissée, dit-il, une fois à la porte.

La main dans la main, ils s'élancèrent, traversant le bois à l'aveuglette, sans pouvoir échanger une parole dans le tumulte de la pluie torrentielle.

Ils entrèrent en trombe dans l'entrée allumée, où Sarah, qui descendait l'escalier, s'exclama :

— Mon Dieu ! Pourquoi êtes-vous sortis comme ça ? Vous auriez dû rester au cottage.

— Sarah, Sarah, dit Don, tout essoufflé. Nous allons parler quelques minutes, pendant que Marie Anne se change. Elle est trempée. Ensuite, elle devrait se coucher. Elle vient de subir un sacré choc !

— Un choc ! Quel choc ? Vous tremblez. Oh, mon Dieu ! Il n'est pas... vous n'avez pas ?

— Si, Sarah. Et écoutez, la meilleure chose à faire pour l'instant, c'est que Fanny l'aide à se déshabiller et à se coucher. Vas-y, chérie.

Il poussa Marie Anne vers les escaliers.

— Je vais tout expliquer à Sarah mais, toi, ne dis pas un mot, à personne, compris ? Et, ajouta-t-il dans un murmure, je m'en occupe, laisse-moi faire.

Marie Anne lui jeta un long regard amoureux puis monta doucement les escaliers, exténuée.

Sarah attira Don dans la salle du petit déjeuner et demanda :

— Alors, qu'est-ce qui s'est passé ?

— Eh bien, il est venu, mais pas comme nous l'attendions. Il s'était déguisé, teint les cheveux, il portait une barbe postiche et de grosses lunettes. Enfin, le grand truc. Le fermier Harding l'avait vu se baigner dans la rivière les jours précédents. C'est lui qui nous l'a montré, qui descendait le courant à la nage. En tout cas, j'ai laissé Marie Anne sur la plage pendant que j'allais à la maison chercher de quoi déjeuner. Je l'ai entendue hurler. Il l'a surprise en s'approchant derrière le vieux saule, il l'a tirée dans l'eau et a essayé de la noyer.

Il s'arrêta un instant et continua en baissant les yeux.

— Nous nous sommes battus et le courant nous a entraînés au milieu de la rivière, là où nous n'avions plus pied. Nous avons tous les deux été engloutis, et, quand j'ai réussi à émerger de nouveau, je me suis aperçu qu'il était mort.

— Oh mon Dieu ! mais Don, ne vous inquiétez pas ! C'était vous ou lui, ou encore elle ou lui. Il est toujours dans l'eau ?

— Sans doute. Il a été emporté par l'orage. Sarah, occupez-vous d'elle. Elle va certainement avoir une réaction.

— Oui, évidemment. Le contraire serait étonnant.

— Une dernière chose, Sarah. Nous allons nous marier. Elle a vu mon visage et ça ne lui fait pas peur.

— Oh, Don !

Malgré son intonation joyeuse, sa voix avait trahi une douleur aiguë. Mais quand elle lui prit les mains, qu'elle serra entre les siennes sur sa poitrine, entre ses seins, elle souriait. Et quand il l'embrassa, elle ferma les yeux pour savourer son geste.

— Comme vous le devinez, Sarah, les hommes de la maison vont s'opposer à ce mariage si je leur en demande l'autorisation. Mais je ne vais rien demander. Je vais simplement leur dire quelle est notre intention.

Cette déclaration fit rire Sarah.

— Bravo, Don, je voudrais être là pour entendre ça. Vraiment. Mais, pour l'instant, rentrez chez vous vous changer.

Plus tard dans la soirée, il décida d'aller faire un tour le long de la rivière. Il était d'abord retourné au Petit Manoir pour prendre des nouvelles de Marie Anne. Elle dormait à poings fermés, avait dit Sarah. Le Dr Sutton-Moore étant venu rendre sa visite hebdomadaire à Emanuel, il en avait profité pour jeter un coup d'œil à Marie Anne. Il pensait qu'elle risquait simplement d'avoir un rhume, après être restée si longtemps sous l'orage. D'après lui, elle avait attrapé un léger coup de soleil et il lui avait prescrit une lotion.

Don avait demandé à Sarah d'avertir Marie Anne qu'il partait pour Londres dès le lendemain matin, mais qu'il espérait être de retour mardi.

Il s'inquiétait de ce qui adviendrait si le gérant de l'hôtel ou la personne chez qui Vincent était descendu avertissait la police de son absence et si celle-ci découvrait son nom... son véritable nom. S'il s'était déguisé, Vincent n'avait pas dû s'inscrire sous celui de Lawson.

En coupant à travers le bois, il vit qu'à certains endroits la rivière avait débordé.

En s'approchant davantage, il aperçut au loin M. Harding qui examinait un de ses champs en partie inondé. Il était accompagné de trois chiens. Parmi eux, Gyp, dont Fred s'occupait toujours lorsque lui-même s'absentait du cottage.

N'ayant pour le moment aucune envie de parler à quiconque, il ne l'appela pas et fit demi-tour. En passant par un bosquet, le long d'une petite crique, il tomba en arrêt.

Il découvrit, pris dans une branche d'un vieux saule, au-dessus de l'eau, une meule de foin et quelques sacs attachés à une planche de bois. Couché, la tête reposant à moitié sur les sacs, Vincent semblait dormir.

Son maillot déchiré laissait voir sur la hanche la blancheur de sa peau. Les lunettes cassées étaient restées accrochées à son cou. Son visage était marqué de rayures noires, sans doute dues à la teinture de ses cheveux.

Don eut un haut-le-cœur. Il regarda autour de lui : de l'autre rive, personne ne pouvait apercevoir le corps. La rivière, dont le cours avait déjà augmenté, continuerait à monter et emporterait probablement ce tas avant le lendemain matin. Que faire ? Retourner à la maison chercher Pat et son père et les amener ici ? Ou laisser agir la rivière, qui se chargerait de tout faire disparaître ?

Mais ça ne réglerait rien : il serait rongé d'inquiétude, et tout le monde s'attendrait à voir Vincent réapparaître. À cette pensée, il se hâta de rebrousser chemin jusqu'au Petit Manoir.

En approchant, il vit sur le pas de la porte M. Lawson, apparemment en train de prendre congé de Pat. Il appela doucement.

— Attendez-moi !

James recula immédiatement vers l'intérieur pour attendre Don à l'abri de la pluie. Il fut surpris que ce dernier l'ignorât pour s'adresser directement à Pat :

— Mettez un imperméable et venez avec moi. Je voudrais vous montrer quelque chose à tous les deux.

— De quoi s'agit-il, Don ? Qu'est-ce qu'il y a ? demanda James.

— Vous le verrez bien assez tôt, monsieur.

Pat, les rattrapant, posa la même question que son père.

— Attendez une minute, Pat. Une petite minute.

Il en fallut au moins dix pour arriver à la petite crique, où Don leur montra le corps, qui affleurait à la surface de l'eau.

— Oh, Dieu tout-puissant ! s'exclama James. (On aurait dit qu'il lançait une invocation.)

Pat ne dit rien, regardant bouche bée et les yeux écarquillés son frère, bien reconnaissable malgré son déguisement.

— Comment est-il arrivé là ? demanda James, la voix éteinte.

— J'ai laissé Marie Anne sur la plage pour aller chercher le pique-nique. Je l'ai entendue crier, une seule fois. Il essayait de la noyer. Je me suis jeté sur lui, il s'est débattu, et nous avons été entraînés vers le milieu de la rivière. Quand il a réémergé, il était mort. Je l'étais presque moi aussi. Ce n'est pas un coup de soleil qu'elle a eu, mais un choc, et elle mettra peut-être quelques jours à s'en remettre.

Avec une petite voix, Pat demanda :

— Qu'allons-nous faire de lui ?

Don eut une repartie brusque.

— Rien ! Prier Dieu que la rivière l'emporte avec tous ces débris jusqu'à la mer du Nord. S'il émerge aux docks ou n'importe où près d'ici, il y aura une enquête. Et si on découvre son vrai nom, je vous laisse deviner les conséquences. Dieu merci, cette affaire n'a pas eu de témoin.

James vacilla légèrement sur ses jambes et Pat lui passa un bras autour des épaules en l'entraînant.

— Éloignons-nous d'ici, père. Don a suggéré la meilleure solution.

Le lendemain, dès cinq heures et demie du matin, Don traversa un terrain inondé, pataugeant dans trente centimètres d'eau, et se dirigea vers la crique : elle était dégagée de tous les débris — et du cadavre.

— 8 —

Comme les deux nuits précédentes, le cri sembla percer le tympan de Pat, qui se réveilla en sursaut, les mains sur les oreilles.

En se levant de son lit, il chercha à tâtons sa robe de chambre en marmonnant :

— Qu'est-ce qu'elle a ?

Il entra brusquement dans la chambre de sa sœur sans même frapper et y trouva Sarah en train de maintenir Marie Anne, qui battait des bras en tous sens.

— Il s'est noyé, Don, n'est-ce pas ? Il s'est noyé ? Il n'y avait plus de sang, il n'y en avait plus. Ce n'est pas moi qui lui ai enfoncé ce bout de verre, n'est-ce pas, Don ? Mes cheveux sont tout mouillés. Et ses yeux...

— Là, calmez-vous. Tout est fini. Vous n'avez rien fait de mal. Absolument rien. C'est fini. Recouchez-vous et rendormez-vous.

Sarah s'était penchée sur le lit. Se redressant, elle referma le col de sa chemise de nuit. Comme elle tremblait, Pat lui dit :

— Mettez une robe de chambre, Sarah.

Après un dernier coup d'œil à la silhouette couchée sur le lit, Sarah alla au vestiaire. Pat la suivit en murmurant :

— Nom de Dieu ! Qu'est-ce que cette histoire ? J'ai bien ma petite idée mais je n'arrive pas à y croire.

Sarah prit sa robe de chambre sur la chaise.

— Si vous avez votre idée, gardez-la.

— Sarah ! Vous savez de quoi il retourne. Dites-le moi.

— Je n'en sais pas plus que ce que vous avez entendu, monsieur Pat.

— Alors, Sarah, ce que j'ai entendu ces trois dernières nuits m'a conduit à penser ce que, j'en suis sûr, vous savez déjà : ce n'est pas Don qui a noyé Vincent, mais c'est elle qui l'a tué, d'une façon ou d'une autre.

— Comme je viens de vous le dire, monsieur Pat, si vous en êtes venu à cette conclusion, je ne peux pas vous détromper.

Pat se redressa et ils se dévisagèrent dans la lumière de la lampe.

— C'est lui qui porte le blâme pour elle, dit doucement Pat.

Comme elle ne répondait pas, il continua :

— Tout ce que ce garçon fait pour nous, et sans la moindre récompense...

Sarah répliqua du tac au tac :

— Oh ! cette fois-ci, il aura sa récompense. Il va l'épouser.

— Quoi ! Certainement pas !

— Et pourtant si. Quoi qu'il arrive, ils vont se marier. Elle ne faisait qu'attendre qu'il se déclare. (Puis elle ajouta :) Je ne dévoile aucun secret : dès son retour, il va affronter la sainte Trinité (elle eut un petit rire), les trois hommes de la maison.

Pat étouffa aussi un petit rire et dit :

— À dire vrai, je ne suis pas vraiment surpris. Mais je ne peux pas parler au nom des deux autres.

— Je peux en tout cas vous dire que, quels que soient leurs sentiments, ils auront beau essayer de mettre des bâtons dans les roues, ça ne les empêchera pas de se marier. Ils sont parfaitement déterminés. J'espère simplement être là quand Don va l'annoncer.

Il sourit en lui mettant la main sur l'épaule.

— Vous connaissant, mademoiselle Sarah Foggerty, je me doute que vous ne serez pas loin.

En bas de la page 2 de l'édition du mardi du journal local, une note brève annonçait la disparition d'un homme.

Le directeur de l'hôtel Waverly de Durham a fait part à la police de ses craintes à propos de l'un de ses clients. Le jour du grand orage, M. Henry Culmill, qui serait sorti nager, n'a plus été revu depuis. La police enquête.

Comme il l'avait promis, Don rentra le mardi. Il était déjà cinq heures, et, le temps de se laver et de se changer, il arriva à la maison à six heures.

Il vit la voiture dans la cour : Pat était là et il espérait que son père y était aussi.

Fanny Carter le lui confirma en lui ouvrant la porte.

— Bonjour, monsieur McAlister. Les messieurs sont dans le bureau du maître. Mais Mlle Marie-Anne, je veux dire madame... est dans le salon.

— Merci, Fanny.

En le voyant entrer, Marie Anne bondit du canapé et courut à lui. Ils s'étreignirent pendant un long moment puis il l'embrassa.

— Oh ma chérie! ta pensée ne m'a pas quitté un seul instant depuis que je suis parti. Tu as l'air lasse. Quelque chose est arrivé?

Ils se dirigèrent vers le canapé, mais ils n'étaient pas encore assis que déjà elle éclatait :

— Oh Don! j'ai eu si peur. J'ai fait les pires cauchemars. Je n'ai pas arrêté de revivre chaque moment depuis que c'est arrivé... Ce n'est pas moi, Don, ce n'est pas moi qui l'ai tué... Je veux dire...

Il l'interrompit :

— Mais non, bien sûr que ce n'est pas toi, bien sûr que non. Il a dû se noyer quand nous nous battions. Comme je te l'ai dit, moi aussi j'ai failli me noyer. Cesse de t'inquiéter, tout ça est passé maintenant.

Au même instant, à l'autre bout de la maison, James disait :

— Il s'est noyé, c'est ce que Don a dit.

— Il mentait, dit Pat. Elle a dit que c'était elle et elle est horrifiée par son acte. C'est pour ça qu'elle fait ces cauchemars. Vous savez, père, il n'y a pas beaucoup d'hommes qui prendraient ça sur eux pour le restant de leurs jours. Or, vous montez sur vos grands chevaux parce que je vous ai dit qu'ils ont l'intention de se marier, vous voulez y mettre votre veto, et vous en avez le droit jusqu'à ses vingt et un ans. Mais si vous vous opposez à ce mariage, ils partiront s'installer au cottage pour y vivre dans le péché, comme on dit, jusqu'à ce qu'ils puissent se marier.

— C'est ce qu'il a dit ?

— Pas à moi, mais je le tiens directement de Mlle Foggerty.

On entendit grincer le fauteuil en osier où se tenait Emanuel. Tout son corps tremblait et il décréta :

— Je les vois très bien faire ça.

— Alors, vous y êtes favorable, père ? Avez-vous songé que ce... je veux dire... la marque sur son visage, ça pourrait être héréditaire ?

— Non, je n'ai pas été aussi loin. Mais si ça l'était, peu importe, si les enfants héritent à la fois du caractère et de la marque !

— Est-ce qu'elle l'a vue, à ton avis ?

C'était James qui posait la question à Pat.

— Je ne sais pas. Probablement que oui. Mais je ne crois pas que ça change grand-chose. C'est lui qu'elle veut.

— Tu es donc toi aussi favorable à ce mariage ?

— Oui, parce que j'aime ce garçon. Et je crois qu'il serait temps que Marie Anne connaisse un peu de bonheur.

Le bonheur et Marie Anne, se dit James, étaient fâchés depuis sa naissance, il est vrai. Personne n'avait voulu d'elle. Le bonheur... elle rentre de Londres enceinte d'un homme dont on ne sait rien, sauf qu'il était espagnol et qu'il était mort désormais... Le bonheur... tous ces bouleversements dans leurs vies depuis qu'elle était de retour. Sa femme avait été chassée ; non que ce ne fût pas son désir, mais cela n'avait fait qu'exacerber la méchanceté de son fils. Qu'elle venait de tuer. Il voulait la tuer, mais finalement c'était elle qui l'avait fait. Où était-il à présent ? Probablement au fond des docks ou au milieu de la mer du Nord... À cette pensée, il ne put réprimer un sentiment de pitié. Vincent était aussi son fils, conçu pendant une période plus heureuse de sa vie.

Un coup frappé à la porte le tira de ses réflexions.

Pat alla ouvrir à Don.

— Dès qu'on parle du diable !...

— Vous ne pourriez mieux dire, surtout aujourd'hui.

— Bonsoir, Don, dit Emanuel. De retour ?

— Oui, monsieur, répondit brièvement Don.

— Asseyez-vous donc.

— J'ai quelque chose de particulier à vous annoncer. Et je préfère le faire debout. Voici... (et il se tourna vers James). Comme vous êtes le père de Marie Anne, la chose à faire en pareille occasion serait de vous demander la main de votre fille. Mais, monsieur, je ne vais pas vous la demander, pas plus que l'approbation de son grand-père bien-aimé (Emanuel était assis droit comme un if sur son fauteuil) ni la vôtre, Pat, son frère chéri, parce que je sais que vous aurez tous de bonnes raisons de penser que ce mariage n'est pas convenable : je suis défiguré, j'ai l'âge d'être son père, et qu'ai-je à lui offrir ? De vivre dans un cottage avec un petit salaire provenant d'une activité aléatoire.

Les trois hommes le regardaient, chacun avec une expression différente. Don se passa la langue sur les lèvres.

— Quoi qu'il arrive, nous allons nous marier. J'ai déjà parlé au père supérieur, et il dit qu'il sera très heureux de faire cette cérémonie dans la chapelle du couvent.

James bondit de son siège en disant :

— Mais vous êtes catholique et elle est protestante !

— Nous le savons.

— Il n'a pas posé de conditions ni exigé qu'elle se convertisse ?

— Non, c'est un homme d'une grande sagesse.

— J'aimerais bien avoir affaire à lui, dit Pat en se tournant vers son grand-père, qui riait sous cape. Je n'avais pas l'intention de vous l'annoncer aujourd'hui, grand-père, ni à vous, père. Après ce qui s'est passé la semaine dernière, je pensais que ça pouvait attendre. Mais, après la bombe que vient de jeter Don, je peux vous dire qu'Anita et moi avons fixé la date de notre mariage début octobre. Et, merveille des merveilles, nous aussi le célébrerons dans une église catholique.

— Oh non ! s'exclama Emanuel, qui ne souriait plus du tout. Tu avais dit que tu ne te convertirais jamais !

— Je ne l'ai pas fait, grand-père. J'ai tenu tête au prêtre, à l'évêque et à tout le monde.

— L'évêque ?

Le vieux monsieur écarquilla les yeux de surprise.

— Oui, ce prêtre grand teint m'a traîné chez l'évêque. Jamais encore je n'avais rencontré un tel diplomate. On dit « onctueux comme un jésuite », et rien n'est plus vrai. Il était prêt à me donner le paradis. Mais je n'ai pas flanché et nous nous sommes quittés sur une poignée de main. Il avait eu le tact de ne pas aborder le sujet de l'éducation des enfants, qui devaient être élevés dans la foi catholique, comme vous m'en aviez averti, Don. Mais, plus tard, quand j'ai répondu un non catégorique à ce vieux bigot de prêtre de paroisse en signifiant que pour rien au monde je ne signerais au nom de mes futurs enfants, j'ai cru qu'il allait tomber à la renverse. S'il avait pu empêcher le frère d'Anita d'officier pour le service, il l'aurait fait, mais l'évêque l'avait déjà sermonné à ce sujet.

Pat regarda son père, qui se tenait le dos voûté sur son siège.

— Eh bien, père, que dites-vous de tout ça ?

James répondit avec un peu de tristesse dans la voix.

— Que puis-je dire ? Vous avez déjà tout arrangé. Je ne vois pas ce que nous pourrions faire.

Puis, se tournant vers son père, il ajouta :

— Ton petit-fils va se marier dans un village minier et dans une église catholique, et ta petite-fille à Londres, dans un monastère.

— C'est la maison des frères, interrompit vivement Don. Et la chapelle est très belle.

— Quoi qu'il en soit, on n'a guère sollicité notre avis dans cette affaire...

Le fauteuil d'osier craqua bruyamment, et Emanuel prit la parole.

— Et pourquoi n'aurions-nous pas notre mot à dire ? Monsieur McAlister, êtes-vous convenus d'une date pour épouser ma petite-fille ?

— Non, nous n'y avons pas encore réfléchi.

— Serait-ce trop vous demander d'attendre octobre, de façon à célébrer les deux mariages en même temps, le vôtre et celui de Pat et d'Anita, ici au lieu du couvent des frères à Londres ? Je suis sûr que votre prêtre ou votre évêque ne mettrait pas de bâtons dans les roues dans un cas où le marié est lui-même presque un prêtre, un moine ou je ne sais...

Les rires fusèrent.

— Je n'ai jamais aspiré à ces titres, monsieur, protesta Don.

— En tout cas, vous êtes encore imprégné de l'atmosphère.

Don se tourna vers Pat.

— Qu'est-ce que vous en pensez ?

— Magnifique ! Je trouve l'idée magnifique.

Soudain, Emanuel cria d'une voix forte :

— Sortez de là, mademoiselle Foggerty! Et puisque vous avez tout entendu, allez chercher Marie Anne.

La porte du salon s'ouvrit et Sarah entra. Sans regarder son maître ni répondre à l'ordre qu'il avait hurlé, elle se dirigea vers Pat, lui tendit la main et dit :

— Félicitations, monsieur! Et puissiez-vous n'avoir jamais besoin d'une bouillotte à vos pieds!

— Oh, Foggerty!

D'un geste qui lui était familier, Pat lui donna une petite bourrade sur l'épaule, et, au milieu des rires, elle se tourna vers Don. Sans lui tendre la main, elle soutint son regard et dit simplement :

— Je vous souhaite d'être heureux jusqu'à la fin de vos jours.

Il répondit gravement, au bout de quelques secondes :

— Merci, Sarah.

Et elle sortit prestement de la pièce.

— Ah, c'est toi, Sarah, fit Marie Anne, l'air déçu, s'attendant à voir Don.

— Allez-y! dit Sarah en tendant la main. Il ne manque plus que vous.

— Hé! Attends une minute. Qu'est-ce qui s'est passé? Est-ce qu'il a fait sa demande à père?

— Non, il n'a rien demandé, ni à votre père ni à votre grand-père, il leur a juste fait part de ses intentions. Mais je n'en dis pas plus, sauf qu'une autre surprise vous attend.

— Sarah! Ne me pousse pas! C'est bizarre, j'ai peur.

— De quoi?

— Je ne sais pas. Oh, Sarah, maintenant que tout se sait, la vie va changer... et je me demande... si je serai capable de me débrouiller. En tout cas, Sarah, je veux que tu saches (elle se jeta presque à son cou) que je t'aime. Tu es ma mère, ma sœur, mon amie, tu es tout pour moi. Promets-moi que tu ne me quitteras jamais.

— Oh là là !... Écoutez...

Puis, après avoir avalé sa salive, Sarah ajouta :

— Je resterai tant que vous vous voudrez. Mais vous vous apercevrez vite que vous n'avez pas tant besoin de moi. Vous aurez un mari. Un mari artiste, un original — qui ne sera peut-être pas toujours facile à comprendre.

— Oh Sarah ! je l'aime tant. Je le comprendrai toujours.

— L'amour, Marie Anne, n'a rien à voir avec la compréhension. C'est un homme élevé dans une sorte de monastère, et, comme l'a dit votre grand-père (elle indiqua le mur d'un mouvement de tête), il y a un peu du prêtre, du moine et du frère en lui. Votre grand-père a raison. Je sais qu'il s'est battu pour devenir un homme ordinaire, mais c'est ancré en lui, tout comme la religion. Même s'il ne va pas souvent à la messe, il est profondément catholique.

— Pourquoi me dis-tu tout ça, Sarah ?

Après un soupir, la jeune femme répondit :

— Parce que l'amour n'est pas tout.

— Tu ne crois pas ?

— Je sais que ce n'est pas tout. Allez, ça suffit. Je viens de parler comme une mère, mais en tant que gouvernante, je suis sous les ordres du major général au fauteuil en osier, qui m'a demandé d'aller chercher sa petite-fille, et je vous parie que d'ici une minute on l'entendra sonner sa sacrée cloche... Mon Dieu ! est-ce que je n'avais pas raison ? Vous l'entendez ? Je déteste le bruit de cette cloche. La seule façon de ne plus l'entendre, ce serait de vivre dans la même pièce que lui.

Marie Anne ouvrit les bras pour enlacer Sarah et l'embrasser. Puis, sans lui laisser le temps de parler, elle prit son amie par la main, et elles sortirent toutes les deux du salon en courant.

— 9 —

Fin juin, aucune annonce publique n'ayant encore mentionné la découverte d'un corps dans la rivière ou dans les docks, on supposa que le cadavre avait été emporté par l'orage vers la pleine mer.

Malgré le soulagement ressenti par tout le monde, James fut angoissé par deux lettres de David. Dans la première, il disait que Veronica avait l'intention de demander l'aide du gouverneur général afin de retrouver son fils, parti en France se remettre d'une dépression nerveuse et qui ne donnait plus signe de vie. La seconde lettre annonçait que, ayant reçu une réponse négative du gouverneur général, elle avait l'intuition qu'il lui fallait rentrer, car elle était sûre qu'il était en Angleterre et retournerait au Manoir. Tout était de la faute de cette fille, déclarait-elle. Quant à Vincent, il pouvait faire ce qu'il voulait, c'était bien le cadet de ses soucis. Malgré tout, elle était inquiète, étant donné l'état de son fils.

James retournait la chose dans son esprit. Il n'avait montré la lettre à personne et n'en avait parlé ni à Pat ni à son père, bien que ce dernier l'eût interrogé sur les intentions de Veronica lorsqu'elle comprendrait que son fils ne rentrerait jamais au ranch. Pensait-il que cela lui donnerait envie de rentrer ? James avait feint l'ignorance.

Seul dans le calme de son bureau, il se demandait quoi faire. Les deux maisons étaient sens dessus dessous à cause des préparatifs des deux mariages, et il n'osait envisager la réaction de Pat et de Marie Anne si jamais il faisait allusion au retour éventuel de leur mère. Sans parler de celles de son père ou de Don. Si au moins elle attendait pour rentrer que les mariages aient eu lieu... Il devait écrire immédiatement à David pour lui demander d'arranger son voyage au plus tôt fin octobre.

Mais son courrier dut croiser une autre lettre de David, lui annonçant que Veronica souffrait depuis quelque temps de maux d'estomac et de diarrhée. Elle avait pris un rendez-vous avec un gynécologue à Winnipeg, et en profiterait pour acheter son billet de bateau pour l'Angleterre.

Cinq semaines plus tard, il reçut de nouveau une lettre de David. Le courrier était passé tard, aussi ne l'avait-il ouverte qu'une fois dans son bureau. Après avoir lu les premières lignes, il laissa tomber la lettre sur la table et la couvrit de la paume de ses mains. Il recula dans son fauteuil et ferma les yeux, les lignes dansant sous ses paupières.

Père, quel qu'ait été le désaccord entre vous, je suis sûr que vous serez choqué d'apprendre que nous avons enterré mère hier.

Il se redressa et, reprenant la lettre, lut la suite :

Vous vous rappelez que, dans ma dernière lettre, je vous disais qu'elle avait pris rendez-vous avec un médecin pour ses maux d'estomac. Je l'ai emmenée à Winnipeg et, quand elle est sortie du cabinet du spécialiste, elle était si ébranlée qu'elle a dû s'asseoir et prendre un verre d'eau. Je l'ai laissée avec l'infirmière et suis allé demander au médecin ce qu'il y avait. D'après lui, elle avait un cancer de l'estomac et elle devait entrer à l'hôpital pour se faire opérer.

Elle n'avait pas encore acheté son billet pour l'Angleterre et elle n'en a pas parlé avant que je lui suggère de rester ici pendant quelque temps, avec moi. Mais elle n'a rien voulu entendre, elle a tenu à rentrer au ranch.

Trois jours après, j'ai été réveillé à cinq heures du matin par Nordquist, complètement bouleversé. La femme de ménage l'avait trouvée gisant sur le plancher, elle avait avalé tous les analgésiques donnés par le médecin et bu une demi-bouteille de whisky.

Je me sens coupable, père. J'ai le sentiment que j'aurais dû faire plus pour elle. Mais quoi ? Ce n'était pas moi qu'elle voulait, mais Vincent.

Je n'ai jamais raconté à John toute la méchanceté de Vincent envers Marie Anne : vous le savez, John ne l'aimait pas, mais il n'aurait pas cru à cette histoire, d'autant plus que mère aurait pris le parti de Vincent. Je suis surpris qu'il ne soit pas arrivé chez vous.

Avec toute mon affection.

David.

James replia la lettre et la rangea dans sa poche. Elle était morte. Et avec elle les derniers tourments de sa vie. Et personne ne la regretterait, comme personne n'avait regretté Vincent. Mais s'il annonçait le décès, cela assombrirait les deux mariages.

Deux vieux proverbes lui revinrent à l'esprit : Il faut laisser les morts ensevelir les morts. Il ne faut pas réveiller le chat qui dort.

Qu'il en soit ainsi.

— 10 —

Il était deux heures et demie du matin. Les dernières voitures, breaks, charrettes et cabriolets venaient de quitter l'allée. Toutes les lumières étaient encore allumées dans les deux maisons mais, à l'extérieur, les lanternes s'éteignaient une à une.

Dans la chambre d'Emanuel, le feu brûlait joyeusement. Il était sur sa chaise de repos en osier, vêtu de sa longue chemise de nuit et de sa robe de chambre. Sarah était assise à son côté, encore parée des atours qu'elle avait revêtus pour les mariages : une robe en lainage rose pâle avec un col et des poignets d'une couleur plus soutenue et une large ceinture en daim rose, qui soulignait sa taille fine et sa jolie silhouette, d'ordinaire cachée par l'uniforme.

— Ouf! Quel calme!

— Comme vous dites, le calme parfait, acquiesça-t-elle en hochant la tête. Je leur ai dit en bas de ne rien toucher jusqu'à demain matin, et M. James donne les mêmes ordres au Manoir. Car croyez-moi, monsieur, des esclaves égyptiens n'auraient pas travaillé plus dur que ne l'ont fait les domestiques ces dernières semaines. Mais le résultat était magnifique, vous ne trouvez pas, monsieur?

— Si, Sarah, tout à fait. Je n'aurais jamais cru possible une telle fête dans ma maison. Jamais. Cent soixante-quinze invités. D'où venaient-ils tous ?

— C'est ce qu'a aussi demandé M. Pat, mais finalement il a dit qu'il n'y avait pas de quoi s'étonner, parce qu'Anita avait invité la moitié du village minier. Sa famille et ses amis sont gentils, vous ne trouvez pas ?

— Très agréables. Vraiment. Son père est un homme intelligent. Il a promis de me rendre visite et de m'expliquer comment fonctionne une mine. C'est très intéressant et je lui expliquerai comment on met un bateau en acier à l'eau.

Sarah rit en disant :

— Sa mère était drôle. Elle disait qu'elle était si heureuse qu'elle avait pleuré toute la nuit.

Emanuel s'appuya sur son dossier et regarda le feu un moment sans rien dire.

— Jamais encore je n'avais éprouvé un tel sentiment que lorsque j'ai vu mon petit oiseau sauvage descendre les marches de l'autel au bras de Don. Depuis le jour de sa naissance, elle a toujours été différente des autres. Belle, certes, mais d'une manière qui n'appartient qu'à elle. Son destin a été inhabituel, dans la haine comme dans l'amour. Et maintenant, elle vient d'épouser le plus étrange des hommes, car Don n'est pas un homme ordinaire. J'ai découvert que c'était quelqu'un de profondément spirituel et, dans sa blessure, il semble aussi étrange qu'elle. Il est beau et elle est belle, mais tous les deux ont quelque chose de spécial, lui à cause de sa marque de naissance, et elle en raison de son tempérament, je crois. Il était très beau, n'est-ce pas ?

— Oui, monsieur. (Sarah avait répondu d'une voix un peu basse et lointaine.) Oui, monsieur, il était très beau. C'est un homme merveilleux.

— Oui, Sarah. Vous savez, j'ai trouvé très délicat de la part d'Anita d'avoir refusé dentelles et traîne — pourtant les autres filles ne s'en étaient pas privées ! —, parce qu'elle savait que

Marie Anne, déjà mère, ne pourrait être en blanc. Et mon cher petit Pat, qui avait l'air de marcher sur un nuage ! Quant à Don... je n'avais jamais vu un homme marcher avec une telle superbe. La moitié des gens dehors n'étaient pas simplement là pour assister à un double mariage, mais, d'après les domestiques, pour lorgner « l'homme au masque ». Et qu'ont-ils vu ? Un bel individu aux cheveux un peu longs et au masque à peine visible, qui se fondait avec la couleur de sa peau. Est-ce que vous avez vu que Don, en descendant l'allée, a tendu la main au jeune garçon en chaise d'infirme, ainsi que son témoin ?

— Oui, j'ai tout vu, monsieur. Et Marie Anne ! Quand elle m'a dit que sa robe serait gris pâle, j'ai pensé : « Oh mon Dieu ! de quoi aura-t-elle l'air ? » Mais elle était splendide. Je n'aurais jamais cru que le gris pouvait être si beau. Il était presque moiré parfois à la lumière.

— Oui, je sais. Elle l'avait passée pour moi hier soir, ou avant-hier, je ne sais plus. (Il se mit à rire.) Elle était gansée d'un bleu très délicat. Et ce petit bouquet de myosotis sur la nuque, c'était si joli ! Et Evelyn, n'était-elle pas magnifique ! Pas la moindre animosité devant toute la pompe qu'elle n'a pas eue pour son propre mariage. Elle est si heureuse avec son mari, et en plus elle attend un enfant... Mais je parlais du sentiment que j'avais éprouvé en voyant Marie Anne descendre de l'autel car, en passant, elle m'a regardé, et c'était un regard d'amour pur. Non que je n'aie adoré ma femme, mais il y a tant de variations dans l'amour... Pour moi, la bonté est une forme d'amour, et j'ai reconnu depuis longtemps chez la petite Marie Anne le même trait qu'en moi... et je n'ai jamais oublié une bonté qu'on m'a faite — ni d'ailleurs un mauvais coup. Et n'est-ce pas ce qu'elle est en train de démontrer en voulant passer la première semaine de sa lune de miel dans cet affreux quartier de Londres ? Ils vont chez les frères aujourd'hui, n'est-ce pas, Sarah ?

Sarah souriait en approuvant :

— Oui, il va la faire admirer aux frères, surtout à son vieux tuteur, le frère Percival, et ils dîneront tous ensemble. Puis le lendemain, samedi, ils emmèneront Annie et sa famille faire une promenade en bateau. Évidemment, ils ne seront pas si nombreux, les deux filles étant ici et Shane à l'école du monastère. Je n'oublierai jamais l'expression de Margaret et de Maureen quand elles sont entrées dans cette maison. Maureen était trop sidérée pour parler mais Margaret a dit : « Oh ! tante Sarah ! c'est comme entrer au paradis ! » Elles ont été tellement heureuses d'avoir été choisies comme demoiselles d'honneur par Marie Anne. Un vrai cadeau tombé du ciel ! Elles n'auront sans doute pas envie de retourner dans leur taudis, où Marie Anne veut absolument passer la première semaine de sa lune de miel. Mais quand ils iront chez Ernie Everton, j'aimerais être là ! La tête que va faire Mme Everton ! Je sais qu'elle demandera à Marie Anne de jouer du piano. Elle va les gaver de saucisses, ou de pâté et de bière... C'est là que je servais la bière, je vous l'ai dit, monsieur.

— Oui, vous me l'avez dit. J'ai du mal à vous imaginer derrière un bar.

— Oh ! il y a des lieux de travail bien pires. Mais attendons qu'elle emmène Don au Paddy's Emporium. Elle est sûre qu'il n'y est jamais entré, bien qu'il connaisse le quartier. Puis ils finiront par le *Daily Reporter.* J'aimerais y être aussi. En voyant Don, ces types ne seront pas longs à en tirer une histoire, et ils essaieront de lui tirer les vers du nez. Mais Don est un homme avisé. De toute façon, c'est elle qui a décidé de leurs allées et venues quotidiennes, mais c'est lui qui est responsable des soirées. Il a acheté des billets pour tous les soirs, soit pour un concert, soit pour une pièce de théâtre ou un spectacle de variétés.

— Je suis content qu'ils sortent le soir, c'est plus en accord avec le Grand Hôtel, où je leur ai réservé une suite. Je me demande ce que le directeur pensera de leurs activités de la journée. Il les fera sans doute épouiller avant de les laisser rentrer ! Et que pensez-vous de leur deuxième semaine à Paris ? S'ils y rencontraient Pat et Anita ?

— Oui, ce serait possible, le monde est petit. De toute façon, où qu'ils aillent, ils seront ensemble, et c'est tout ce qu'ils veulent, être ensemble.

Sa voix se brisa et il posa tendrement sa main sur la sienne.

— Je sais que ça vous fait mal, Sarah...

— Non ! répondit-elle aussitôt. Pas du tout. Il est mon ami et le restera toujours, c'est une chose très précieuse. Quant à elle, elle est comme ma fille. C'est étrange, mais je n'ai jamais pensé que je me marierais. Je ne l'ai jamais désiré. Je connais trop les mauvais côtés du mariage et les ribambelles d'enfants. Quand Marie Anne est entrée dans ma vie, elle demandait mon attention et mon amour, parce qu'elle avait abandonné le vôtre et celui de Pat. Avec du recul, je sais que je le lui ai donné dès le début. Vous l'avez dit, monsieur, il y a beaucoup de sortes d'amour. Dans mon cas, elle passe avant tout. Avant même cet autre amour, fait d'amitié comme je viens de vous le dire. Ce sentiment m'est cher, parce que l'amour romantique, quelle que soit la passion du début, doit s'apaiser et s'adapter à la vie, surtout lorsque les enfants arrivent. J'ai une théorie qui peut surprendre, monsieur, mais je l'ai souvent observée dans ma famille et dans celles qui l'entourent : à la naissance d'un enfant, l'homme perd un peu sa femme, qui donne inconsciemment ou non cet amour-là à son enfant. Ça peut paraître bête mais je l'ai souvent vérifié.

Comme il la regardait sans rien dire, elle dit :

— Vous avez sommeil, monsieur. Je vais vous laisser vous coucher.

— Je suis très bien sur cette chaise longue, Sarah. Aussi bien que dans n'importe quel lit et, si vous mettez le pare-feu devant la cheminée, je vais rester là. Mais avant, je voudrais vous dire quelque chose dont je ne parlerai sans doute jamais plus, car ce soir est une nuit magique. Je suis sûr qu'il n'y a jamais eu de double mariage aussi beau que celui-là. Anita et Pat ont été unis, ainsi que Don et Marie Anne, par ce prêtre jeune et bon, le frère d'Anita. Et j'ai vu plus de bonheur aujourd'hui sur les visages que jamais de toute ma vie. Et ce qui m'a rendu particulièrement heureux, c'est la présence de la femme que mon fils envisage d'épouser dès qu'il sera libre. Elle me plaît à moi aussi : elle est bonne, intelligente, et ce que vous considéreriez comme une bonne maîtresse de maison. Je suis sûre qu'elle fera du Manoir le foyer qu'il n'était plus depuis longtemps, depuis que j'y ai amené ma jeune épouse, autrefois. Mais voici ce que je veux vous dire, Sarah : que vous en soyez consciente ou non, il y a en vous quelque chose qui touche la vie de ceux que vous approchez. Intentionnellement ou non, vous changez les gens. J'ai essayé de mettre un nom sur cette qualité particulière et je crois que le plus juste est celui de bonté innée. Vous semblez savoir ce dont les gens ont besoin. Vous avez deviné dès le tout début que j'avais besoin d'un peu de gaieté, d'un peu de joie, dans mes dernières années, parce qu'il n'y en avait pas chez ceux qui m'entouraient. Vous voyez, la lumière qui irradiait de Marie Anne quand elle est partie pour Londres, je doute qu'elle eût jamais brillé si elle était revenue ici toute seule. Mais elle vous a amenée avec elle. Du moins, elle m'a fait du chantage pour que je vous accepte. Et Dieu merci ! Parce que... j'en viens à ce que je voulais vous dire, ma très chère Sarah, si vous étiez entrée dans ma vie il y a dix ans, quand il me restait encore un peu de vitalité, je... et vous devez me croire (il prit ses mains dans les siennes), je vous aurais demandé de m'épouser. Oui, c'est ce que j'aurais fait, en dépit des conventions et du qu'en-dira-t-on, car je vous considère comme une femme exceptionnelle, Sarah. Vous ne m'auriez peut-être jamais aimé comme vous aimez Don, mais nous aurions été des compagnons très unis et très aimants. Oui, ma chère, ne pleurez pas... je vous en prie.

— Je ne pleure pas, c'est le rhume des foins, je l'attrape toujours en hiver.

Il étouffa un petit rire.

— Voilà, c'est une des raisons pour lesquelles je vous voudrais toujours à côté de moi : vous me faites rire. Tout le monde n'a pas ce pouvoir... vous me croyez, n'est-ce pas, Sarah ?

Elle mit un certain temps avant de pouvoir répondre.

— Oui, monsieur, je vous crois. Et si vous m'aviez demandée en mariage, j'aurais accepté (elle sourit entre ses larmes) enfin, après être revenue de ma surprise. J'aurais dit, simplement et sincèrement : « Oui, Emanuel, je veux vous épouser. Et je vous aimerai. » Voilà ce que je vous aurais dit. Mais maintenant, monsieur, je peux vous le dire, et sans proposition de mariage à la clé, que j'éprouve de l'amour pour vous. Il compte pour beaucoup dans toutes les variations dont nous avons parlé et, à cause de ça, ou grâce à ça, je suis prête à vous servir jusqu'à la fin de vos jours ou des miens.

— Oh, Sarah !

Il attira son visage à lui et l'embrassa doucement sur les lèvres.

— Ce baiser est celui d'un vieil homme, dit-il en éloignant son visage, mais il vient d'un cœur jeune et reconnaissant. Bonne nuit, ma chère Foggerty, et merci. Et quand, demain, je vous taquinerai pour que vous me lanciez vos boutades, répondez-moi comme d'habitude, même si tous deux nous savons que nous avons un secret. Bonne nuit, ma chère, chère Sarah, mon dernier amour !

Sarah retira ses mains des siennes et se leva sans le voir, pas plus que le pare-feu, qu'elle plaça devant les charbons encore ardents. En refermant la porte, elle ne vit pas non plus le petit signe qu'il lui fit de la main, tant elle était aveuglée par cet amour qui aurait désormais raison de tous les autres.

I

Du monde entier les *fans* de Catherine Cookson viennent visiter le sud du Tyneside pour retrouver l'atmosphère très particulière de ses livres. Mais qui connaît, de ce côté-ci du Channel, l'incroyable odyssée que fut la vie de Katie, depuis la rivière de la Tyne, les docks, les usines fumantes et les baraquements de cités misérables jusqu'à cette vaste demeure de pierre, toute fourrée de rose et mauve, où elle m'accueille devant une cheminée rougeoyante — mais de bûches électriques cette fois ? Qui devinerait qu'une armée de secrétaires, de traducteurs, de financiers, d'agents et de scénaristes s'affaire pour tenter d'absorber l'intarissable courant de mots et d'émotions jaillis du cœur de cette héroïne, aujourd'hui comblée, du quart monde ?

Personne, ou presque.

Posons donc, d'entrée, quelques chiffres : les éditeurs de la Grande Catherine affichent avec une satisfaction bien compréhensible cent millions d'exemplaires vendus. Le plafond du million de volumes est d'ailleurs crevé pour la plupart des titres, traduits en une trentaine de langues. Les Tchèques en redemandent, les Japonais se bousculent, les Hollandais groupent leurs achats pour faire nombre. Des clubs reprennent les anciens titres en éditions reliées, mais

Mme Cookson, évoquant leur tirage, se perd dans les milliers et les millions comme une ménagère parisienne qui ne parviendrait pas à faire ses comptes en nouveaux francs.

Le courrier reçu à « Stratford-sur-Cookson » — c'est ainsi que des habitants de Corbridge, dépassés par l'ampleur du phénomène, en sont venus à rebaptiser leur village, voisin de la banlieue natale de la célébrité — déborde des sacs fournis par un service postal spécial. Comme Katie, dotée, entre autres choses, d'un solide sens de l'organisation, a depuis toujours établi pour chaque lecteur qui se manifeste une fiche à son nom, ses meubles de correspondance à classement rotatif évoquent pour l'heure le service de C.C.P. d'une poste centrale.

Reprenons. En 1906, la petite Katie naît au bord du fleuve sale, dans un milieu si déshérité que les héros de Dickens, au regard des membres de la famille Mac Mullen, feraient presque figure de bourgeois replets. Le cœur me manque pour vous narrer la pauvreté et la faim, le charbon ramassé par l'enfant sur les voies du chemin de fer pour chauffer le grand-père et la grand-mère qui l'élèvent, l'oncle violent qui jette la petite fille, tête la première, contre le mur de la chambre, la mère alcoolique qui l'oblige à courir les rues glauques pour rapporter à boire, les Noëls de misère, les pieds gonflés pour avoir galopé au service de bourgeoises trop occupées à prendre le thé pour compatir, les nuits passées, par manque de place dans la maison, aux côtés de l'aïeule qui agonise, les cris de maîtresses d'école, la hanche brisée, l'odeur de suie, d'urine et de vomi...

D'autant qu'après tout cela je ne vous aurai encore rien dit. Ce fardeau n'eût pas pesé plus lourd qu'une plume sur les épaules de Catherine la courageuse si, à toutes ces épreuves, n'était venue s'ajouter la pire marque d'infâmie : Catherine Cookson n'a pas de papa.

Entendons-nous : l'auteur de ses jours, après une brève visite dans la famille, n'avait pas été séduit — les plus cyniques d'entre nous le comprendront sans doute — par le cadre pourtant chaleureux où il était invité à venir s'installer, et il avait préféré laisser une fausse adresse à la maman avant de disparaître dans la nuit.

La vie de Catherine fut tout entière consacrée à surmonter ce drame intime, et par bonheur les efforts prodigués lui permirent *ipso facto* de sortir du dénuement qui en constituait la toile de fond. On trouve le récit de cette lutte opiniâtre contre le déshonneur dans son autobiographie, *Our Kate,* qu'elle mit — dit-elle — douze ans à écrire et dont elle ne se résigna à livrer la huitième version à son éditeur qu'à la demande pressante de celui-ci. Jusqu'à la sortie de cet ouvrage, Katie n'avait cessé de souffrir d'un sentiment d'échec : elle n'avait pas de père, pas de diplôme, pas d'enfant, pas encore de vraie carrière. Ce n'est que depuis lors — l'après-68, puisque ce fut l'année de parution du livre ! — que Katie s'accepta enfin telle qu'elle est : en enfant illégitime.

Toutefois, Katie n'avait pas attendu le salut et la rédemption les bras croisés ; elle s'« en » était sortie à la force du poignet, d'abord comme aide-blanchisseuse, puis blanchisseuse, puis blanchisseuse-chef, comme brodeuse de coussins, logeuse (économisant sou par sou, elle a pu acheter une grande maison, et prendre des locataires, dont l'un Thomas Cookson allait par la suite devenir son époux), responsable d'un foyer d'adultes handicapés pendant la guerre, et surtout... comme écrivain.

Elle ne s'y est mise qu'en 1948, à l'âge de quarante-deux ans, lorsque, après avoir perdu quatre enfants (la maladie dont elle souffre ne lui a pas permis de mener une grossesse à terme), touché le fond du désespoir et connu de longues années de dépression nerveuse, son médecin lui suggéra d'avoir recours à cet exutoire qu'est parfois l'écriture.

De son propre aveu, Catherine ne s'est jamais vraiment intéressée à la littérature, si l'on excepte les *Contes* de Grimm, son premier livre, et les œuvres de lord Chesterfield, pieusement conservées jusqu'à ce jour sur une étagère de la maison. Mais elle connaît la vie, elle a eu sa dose d'aventures, et elle adore raconter des histoires ; il ne lui en fallut pas davantage pour se lancer à corps perdu dans la production d'une centaine de romans, malgré les refus d'abord essuyés chez des éditeurs qui depuis ont eu le temps de regretter leur erreur ! Tom, ancien instituteur et mari aimant, a d'abord corrigé les « fautes », mais très vite Catherine s'est rendue compte qu'elle devait « dire » sans artifice le décor de son enfance, les personnages de sa jeunesse : les pauvres et les vagabonds, les orphelins, les handicapés, les femmes battues, les filles trompées, qu'on retrouve généralement dans les paysages familiers du nord de l'Angleterre, le plus souvent au siècle dernier.

« Ce que j'aime dans mes personnages, nous confie Catherine, *c'est qu'ils sont des perdants, des* losers ; *je les mets dans des situations dramatiques, je les lessive complètement, et puis... je les fais renaître à l'espoir, car c'est toujours ainsi que s'est déroulée ma propre vie ! ».*

Elle mène de front plusieurs histoires, corrigeant l'une tandis qu'elle en commence une autre. Pour entretenir cette extraordinaire fécondité, Catherine dispose, outre d'une énergie peu commune, d'une arme secrète : l'obscurité. Quand elle était petite fille, elle courait souvent se réfugier dans l'unique pièce de la maison où elle se trouvait à l'abri des drames et des cris et où elle pouvait rêver en paix : dans les W.-C. Aujourd'hui, elle se poste face au mur de son bureau, et Tom sait alors qu'il ne faut plus la déranger, car elle « va au cinéma » : devant elle, les images de son roman défilent, et elle n'a plus qu'à observer les décors de l'histoire, à piéger les dialogues sur les lèvres de ses personnages, à suivre les péripéties du récit, qu'elle enregistre aussitôt sur un magnétophone.

« Quand je dicte, je ne récite pas simplement mon texte : je le joue. Je pleure, je ris, je pousse des hurlements, parfois même, et

c'est d'ailleurs pour moi le plus difficile, je... fais l'amour ! Si je ne m'imprègne pas, d'abord, des émotions que je veux partager avec mes lecteurs, je sais que le livre n'avancera pas. » Mme Cookson souffre d'une arthrose de l'épaule, et ne peut taper elle-même ses textes. Mais quand elle affirme qu'elle ne se borne pas à fournir une matière première à des transcripteurs patentés, mais qu'elle dicte, relit et corrige chaque mot, de chacun de ses livres, je la crois volontiers. Quand elle dit qu'elle est douée d'une certaine forme de perception qui lui permet de décrire en détail des lieux qu'elle n'a jamais vus, je la crois aussi. Et quand elle évoque la correspondance d'historiens qui saluent l'exactitude de ses références et la pressent de révéler ses sources, alors qu'elle s'est contentée, pour jouer à saute-mouton avec les siècles, d'une documentation sommaire, je la crois encore. Car il suffit de passer quelques minutes en compagnie de Mme Cookson pour être persuadé qu'elle est capable de tout, et davantage encore.

De peindre, par exemple. Sur les murs pastel du petit bureau, du grand bureau, sur ceux du salon violine ou de la pièce de réception, entre les fenêtres de la chambre-qui-donne-sur-la-rivière, ou celles qui-ouvrent-sur-le-plus-beau-paysage-du-monde-n'est-ce-pas, les toiles de l'infatigable Katie le disputent aux marines chéries par Tom. Toutes les techniques, de l'aquarelle au couteau, sont employées pour faire flamber les ciels du Northumberland, et, là encore l'impression qui domine est celle d'une grande liberté nourrie par une force inépuisable.

Quelle énergie chez cette femme de quatre-vingt-douze ans, se dit-on ! Et l'on apprend alors que Mme Cookson ne souffre pas simplement d'une épaule et de son dos qu'elle soigne chaque matin dans l'eau d'une piscine olympique couverte par une charpente de bois blanc, juste derrière l'âtre étincelant. Katie subit, en outre, les effets dramatiques d'une maladie congénitale, heureusement fort rare : ses veines « cassent », provoquant des hémorragies fréquentes et spectaculaires qui la font saigner du nez, mais aussi des yeux, de sous les ongles et des oreilles. Plusieurs fois dans l'année, elle doit être transportée dans un service de l'hôpital de Newcastle. Il y a déjà plus de cinquante ans que les médecins enjoignirent à Mme Cookson de se considérer comme une invalide bénéficiant d'un sursis précaire. Elle a répondu à sa manière, en acceptant les souffrances provoquées par des centaines de cautérisations, mais aussi par cette rage d'écrire, de peindre et de vivre.

Mais l'argent, poursuit l'enquêteur incrédule, tout cet argent brusquement déversé sur la pauvresse a dû, lui aussi, agir comme un stimulant très puissant. Détrompons-le très vite : la Cookson jure ne rien posséder d'autre que sa maison, plantureuse il est vrai, et l'amour de Tom.

« Pourquoi amasser ce que je n'emporterai pas avec moi dans l'au-delà ? Je n'ai pas d'enfant, je ne dépense rien ; je ne prends pas de vacances, je ne fume pas, et boire me donne la migraine. J'ai horreur d'aller à Londres pour me retrouver avec des gens que je ne connais pas et jouer avec eux la comédie de la vie sociale. Quelle triste façade ! Alors, ce que je gagne, je le donne. Mon véritable plaisir est depuis toujours d'aider ceux qui sont dans le besoin. Je donne aux hôpitaux, aux fondations, aux organisations charitables, même au club de football dont Tom est président ! Personne n'a le droit de me reprocher de "faire mon beurre" grâce aux pauvres que je décris dans mes livres. J'ignore jusqu'au montant exact de mes revenus, ce qui stupéfie mon agent. Jamais je n'ai écrit pour faire de l'argent. Voyez d'ailleurs certaines de mes héroïnes : l'une d'elle, par exemple est une jeune fille qui évolue dans les chantiers navals, lors des grandes grèves de 1978, et qui lutte désespérément pour préserver sa virginité ! On ne peut pas dire que ce soit un personnage très populaire ! Combien sont-elles, les jeunes filles d'aujourd'hui qui sont dans ce cas ? Deux ou trois, dans notre région ? Qu'on ne m'accuse pas de choisir mes personnages pour

que le plus grand nombre de lecteurs puisse s'identifier à eux! Je ne l'ai pas créée par calcul, mais parce que je la sentais. »

Et Mme Cookson éclate de rire. C'est ainsi qu'elle réagit quand on lui brandit son fantastique succès. D'autres s'enivreraient à moins, mais Katie vient de trop loin pour pouvoir être dupe : *« Non, ce n'est pas à moi que cela arrive. Je suis trop ordinaire. »*

Ce qui étonne le plus Katie, c'est quand elle reçoit la visite d'admirateurs étrangers qui possèdent toute son œuvre et... qui ne savent pas un mot d'anglais! *« Il n'y a rien de pire que le succès,* affirme-t-elle sans coquetterie. *On perd toute possibilité de vie privée. Tout le monde veut vous connaître, exige de vous des choses que vous ne pouvez pas fournir, ou vous jalouse pour des raisons qui n'ont généralement rien à voir avec ce que vous écrivez. Or, moi, la seule chose qui m'intéresse, c'est précisément l'écriture de mes livres. Le reste, je le laisse aux mondains, aux envieux, aux politiciens... »*

Aujourd'hui, Catherine Cookson nécessite des soins médicaux constants et des transfusions quotidiennes. Pratiquement aveugle depuis une quinzaine d'années, elle mène une vie de recluse. Néanmoins, elle conserve toute son énergie pour travailler. Elle signe en moyenne deux nouveaux romans par an, dictant ses textes à Tom chaque jour, pendant parfois dix heures d'affilée. *« Toute ma vie, j'ai utilisé mes capacités, dit-elle, et je continuerai à le faire jusqu'à mon dernier souffle. J'aimerai mourir à la tâche. Ainsi je pourrai faire inscrire sur ma tombe l'épitaphe suivante : "Elle a eu le dernier mot"! »*

Jacques Bertoin
© *Le Monde,* 8 mars 1981
(article mis à jour par France Loisirs)

Aubin Imprimeur
LIGUGÉ, POITIERS

Cet ouvrage a été imprimé
sur du papier bouffant sans acide et sans bois
des papeteries de Vizille
par Aubin Imprimeur (Ligugé)
et relié par la Nouvelle Reliure Industrielle (Auxerre)

Achevé d'imprimer en mai 1998
pour le compte de France Loisirs
123, bd de Grenelle, 75015 Paris
N° d'édition 27464 / N° d'impression L 56117
Dépôt légal, mai 1998
Imprimé en France

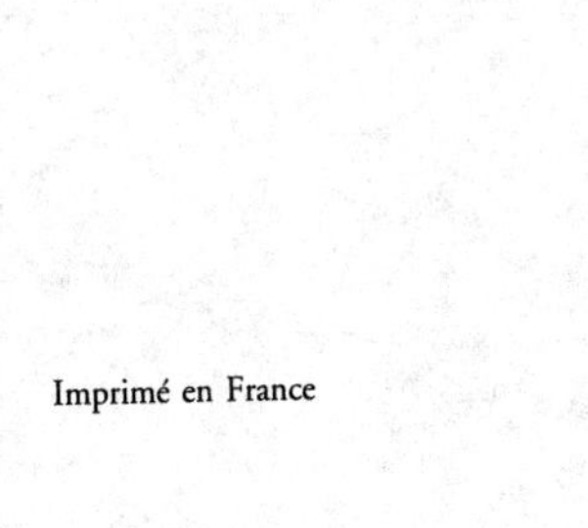

Imprimé en France